UNE MÈRE ET SES DEUX FILLES

Collection « Les Romans Étrangers »

dirigée par Tony Cartano

Déjà paru :
La mort d'un apiculteur, de Lars Gustafsson.

A paraître :
Ararat, de D.M. Thomas.

GAIL GODWIN

UNE MÈRE
ET SES DEUX FILLES

Roman

**Traduit de l'américain
par Françoise Cartano**

Presses de la Renaissance

198, boulevard Saint-Germain
75007 Paris

Si vous souhaitez recevoir notre catalogue et être tenu régulièrement au courant de nos publications, envoyez vos nom et
adresse en citant ce livre aux

Presses de la Renaissance
198, boulevard Saint-Germain 75007 Paris

Titre original : A mother and two daughters (publié par The Viking Press, New
York).
© 1982, Gail Godwin.
© 1983, Presses de la Renaissance, pour la traduction française.

Remerciements :

Almo Publications : extraits de « Don't Let It Show », paroles et musique de Eric
Woolfson et Alan Parsons. Copyright © 1977 by Woolfsongs, Inc. D/B/A AME-
RICAN WOOLFSONGS (BMI). Tous droits réservés.
Princeton University Press et Routledge & Kegan Paul : extrait de *The I Ching
or Book of Changes.* Version Richard Wilhelm traduite en anglais par Cary F.
Baynes. Bollingen Series XIX. Copyright 1950, © 1967 by Princeton University
Press. Copyright © renouvelé 1977 by Princeton University Press.
*Viking Penguin Inc., Laurence Pollinger Ltd., and the Estate of the late Mrs.
Frieda Lawrence Ravagli :* extraits de « Dies Irae » et « Be Still » tirés de *The
Complete Poems of D.H. Lawrence.* Copyright © Angelo Ravagli and C.M.
Weekeley, Executors of the Estate of Frieda Lawrence Ravagli, 1964, 1971.

ISBN 2-85 616-258-4   H 60-3295-7

Pour Pat.

Première Partie

« Notre époque est révolue,
un cycle d'évolution est arrivé à son terme,
notre activité a perdu sa signification,
nous sommes des fantômes, des graines
semées... »

D.H. LAWRENCE, *Dies Irae.*

I
La vieille garde

« Et voilà tout le monde réuni au grand complet, comme d'habitude », songea Nell Strickland en entrant au bras de son mari. Ce bon vieux salon n'avait pas changé, sous la lueur vacillante des bougies de la fête et le parfum pimenté des brindilles de sapin. Le passage des ans avait ridé certains des hôtes de céans, alourdi la silhouette des autres, pour ne rien dire de ceux qu'il avait carrément éteints ; mais les lieux demeuraient identiques à eux-mêmes, dans une harmonie de rouges et de bruns, sans qu'un meuble ait été déplacé ou relégué depuis ce jour de 1938 où, jeune mariée dont la grossesse ne se remarquait pas encore, Nell avait pour la première fois franchi le seuil de cette porte au bras de Leonard.

Maîtresse de la maison et reine incontestée du cercle de leurs relations, Theodora Blount vint à leur rencontre. Agrafée relativement bas sur la robe qu'elle portait, la broche de diamants de sa défunte mère paraissait nettement plus petite que lorsque la minuscule petite dame l'arborait fièrement pour présider, depuis son confortable fauteuil à oreillettes, aux réceptions que donnait alors Theodora. « Voilà mon expert en sabayon », s'exclama Theodora avec l'assurance de sa belle voix d'alto. Et pour le reste de l'assemblée, elle ajouta : « Jamais je ne m'aviserais de préparer un sabayon autrement que sous les directives de Leonard ». Theodora consentit à tendre une pommette rouge et saillante pour recevoir le baiser de Nell. « Hou ! que tu es froide ! », dit-elle avec un regard aigu en direction de Nell dont elle tenait à sonder l'humeur. Car sous l'œil attentif et volontiers ironique de Nell, Theodora régnait avec moins de morgue, encore qu'elle sût parfaitement que l'épouse de son ami d'enfance n'aurait jamais le mauvais goût de la braver ouvertement. « Puis-je t'emprunter ton mari un instant ? demanda Theodora à Nell. Azalea a déjà préparé les œufs et la crème. »

Leonard Strickland offrit un bras galant à son hôtesse et, avec un clin d'œil de tendre complicité à l'attention de Nell, dont il ne doutait pas qu'elle saurait se débrouiller sans lui, il partit vers la cuisine en compagnie de Theodora.

Les reines mères sans mari ont l'art de piquer parmi les maris des autres pour recruter leurs vassaux, songea Nell qui venait de s'arrêter devant un antique trumeau, le temps de lisser quelques mèches folles. C'est leur façon de compenser.

Un jour, un jeune homme de bonne famille nommé Latrobe Bell avait mis une jeune fille parfaitement inconnue et originaire de Spooks Branch Road dans une « situation intéressante », pendant que sa promise, l'héritière Theodora Blount, était partie accomplir son tour d'Europe. A son retour du vieux continent, la fiancée bafouée avait riposté en se sacrant reine à vie de Mountain City, après une brève étape à New York où elle avait travaillé dans une usine de confiserie, ce qui lui permit de se vanter, pour le reste de ses jours, de connaître « la solitude d'une jeune fille perdue dans une grande ville ».

Quelques années auparavant, elle s'était déjà couronnée reine de Mai du distingué Cours Spenser, aujourd'hui disparu. La classe comptait cinq filles et Theodora, ayant été la seule à voter pour elle-même, fut également la seule à recueillir deux voix. Nell tenait l'anecdote de Rachel Stigley, l'une des anciennes condisciples de Theodora. C'est elle aussi qui lui avait raconté comment Theodora s'était maintenue pendant plus de dix ans à la tête d'un mouvement de jeunes parce que personne ne trouvait le courage de faire allusion à sa quarantaine bien sonnée. Rachel Stigley était morte à présent.

Bell, ex-député du Congrès, et sa femme Lucy n'étaient pas encore arrivés, mais ils ne manqueraient pas d'être fidèles au rendez-vous. Du temps que Latrobe Bell officiait au Congrès, Lucy (l'inconnue de Spooks Branch Road dont personne n'avait jamais entendu parler avant qu'elle ne volât le consort promis à Theodora) avait quitté Washington une semaine avant la fin du mandat de son mari, manquant ainsi toutes les mondanités prévues là-bas, afin de représenter Latrobe Bell à la traditionnelle réception que Theodora donnait chaque année pour Noël. Rapidement métamorphosée par son mariage en miracle de savoir-vivre, Lucy Bell « révérait » littéralement Theodora, comme elle le disait elle-même.

Theodora était la marraine du fils cadet des Bell, qui construisait maintenant des missiles à Huntsville, en Alabama. Elle avait également pour filleule la fille aînée de Nell et Leonard, Cate. Sauf que Cate et Theodora étaient brouillées depuis huit ans à la suite d'une violente altercation. A la fin du printemps 1970 en effet, Cate avait effectué un retour au bercail, le temps de panser un peu les blessures causées par son licenciement du cours privé pour jeunes filles où elle enseignait à New York. Pour protester contre l'invasion du Cambodge, elle était allée bloquer la circulation devant le Lincoln Tunnel, en pleine heure de pointe, entraînant avec elle les fillettes de douze ans de sa classe. Theodora avait convoqué Cate à un déjeuner chez elle. Le lendemain même, elle téléphonait à Leonard pour l'informer pompeusement de sa décision de « rompre toute forme d'engagement envers cette jeune personne ». Et de lui raconter que sa fille avait tenu des propos inadmissibles, de nature à remettre en cause les liens qui unissaient une filleule à sa marraine. Sans autre précision. Si bien que Nell avait dû interroger Cate de la façon la plus directe, afin d'élucider la teneur de ces propos inadmissibles. Cate avait pointé le menton en avant, arborant la morgue qui lui était familière pour répondre, avec une ironie à peine voilée : « Eh bien, elle m'a accusée de confondre les imperfections de ce monde avec celles, infiniment plus graves, de ma vie privée, ajoutant au passage que je finirais en prison ou dans un asile de fous, et je me suis contentée de lui faire observer que plus de soixante ans d'infaillibilité devaient avoir atrophié sensiblement son aptitude à évaluer la juste mesure des choses. »

Il était plus que probable que le « plus de soixante ans » avait mis le feu aux poudres, songea Nell. Theodora était carrément paranoïaque sur son âge. Elle supportait déjà mal que Leonard raconte autour de lui qu'il avait atteint l'âge de la retraite parce qu'elle-même s'était déjà largement répandue en souvenirs de l'époque où Leonard n'était qu'un petit garçon. « Je lui prenais les jambes de derrière, et lui marchait sur le tapis avec ses petites mains ; je lui disais : "Leonard, tu es ma brouette". »

Le tapis sur lequel Nell se tenait aujourd'hui. Un superbe persan ancien, un peu chargé en rouge. Nell imaginait la ronde infernale des motifs rouges devant les yeux exorbités du gosse terrorisé. (« Je redoutais beaucoup ces visites où elle me faisait marcher sur la tête. Déjà à cette époque, Thea était un personnage

13

imposant. Pas plus qu'aujourd'hui, il n'était question de lui refuser quoi que ce soit », disait de son côté Leonard.)

D'où les gens tirent-ils leur pouvoir ? Peut-être de leur seule volonté d'en acquérir, songea Nell dont les yeux pétillants d'intelligence se rétrécirent légèrement dans son joli visage, tandis qu'elle passait en revue les premiers arrivés pour sélectionner celui qui risquait d'être le moins ennuyeux. Pas Dexter Everby : il n'aura de cesse de lui faire dire le nombre d'hectares que possédait Osgood, le cousin de Leonard, là-haut, dans ses montagnes de Big Sandy. Et certainement pas Grace Hill, hypocondriaque et redresseuse de torts. Pourquoi diable lui avoir raconté un jour qu'elle avait été infirmière ? Quant aux « frères » Harley, ils semblaient bien peu bavards et sirotaient tranquillement leur Schweppes dans leur coin. (A qui devait-on le doux euphémisme qui consistait à les faire passer pour « frères » ? se demanda Nell. A Theodora, sans doute. M. Harley enseignait le grec et le latin dans un collège privé des environs où l'on ne recevait que les garçons. Quant au second M. Harley, plus jeune et plus efféminé, celui dont tout le monde avait oublié le véritable nom, il avait jadis commencé une prometteuse carrière de ténor, disait-on.) Dommage que Sicca, la meilleure amie de Theodora, ne sorte jamais le soir. Sicca était toujours drôle, même ivre. Restaient les jeunes Lewis qui avaient en tout et pour tout deux sujets de conversation : leur dernière performance en jogging et l'efficacité de leur cuisinière à bois. Au moins avaient-ils l'avantage d'être relativement nouveaux venus en ville, si bien qu'elle ne connaissait pas encore jusqu'au moindre détail leur saga familiale.

Nell avait quatorze ans lorsqu'elle débarqua à Mountain City comme pensionnaire au collège de jeunes filles, pendant que sa mère était soignée dans un sanatorium réputé des environs. Elle n'était jamais repartie, d'abord parce qu'elle avait voulu finir ses études d'infirmière après la mort de sa mère, ensuite parce qu'elle épousa un citoyen de Mountain City. Pourtant, Nell se sentait encore relativement étrangère à cette ville. Même lorsqu'elle se disait : « Voilà tout le monde réuni au grand complet », elle excluait de ce « monde » la part la plus intime d'elle-même, celle de l'observatrice extérieure habituée depuis l'adolescence à tenir son rôle de « Dame du Sud ». Elle ne s'identifiait pas totalement à cette appartenance sudiste, encore qu'elle n'ait jamais vécu plus au nord que le Delaware. Néanmoins, à la différence de Cate, sa fille aînée, Nell s'était toujours sentie obligée de gommer ce que son propre père, avec l'élégance qui le caractérisait, nommait ses

« petites gaucheries ». Nell pardonnait difficilement à Cate de ne pas faire plus d'efforts pour se fondre harmonieusement dans le paysage, quitte à faire taire un peu son naturel de rebelle.

Theodora intercepta Nell au moment précis où elle s'apprêtait à saluer les jeunes Lewis. La Reine Mère remorquait dans son sillage une jeune créature, petite, frêle, pâle et délicate, vêtue d'un pantalon de velours noir et d'une blouse blanche à collerette tuyautée qui lui effleurait le menton. Si elle n'avait pas été enceinte, elle aurait facilement pu passer pour le jeune page de Theodora.

« Je ne t'ai pas encore présenté ma petite invitée », dit Theodora, éclipsant d'un sourire radieux la minuscule créature. « Wickie Lee, je te présente Mme Strickland qui est la femme de ce monsieur charmant que nous avons vu à la cuisine.

— Celui que vous traîniez partout quand il était gosse ? » La remarque, qui se voulait sans doute « aimable », sembla bizarrement déplacée, pour ne pas dire effrontée, du seul fait de l'accent nasillard de cette fille originaire des montagnes. Mais Theodora se contenta de rire avec une tendre indulgence.

« Enchantée, Wickie Lee. » Nell, qui avait entendu parler de la nouvelle protégée de Theodora, tendit la main à la jeune femme. Depuis la mystérieuse apparition de Wickie Lee, un mois auparavant, Theodora avait usé et abusé des conseils de Leonard, à défaut d'en tenir compte d'ailleurs. La petite main trop blanche répondit à celle de Nell qui fut alors surprise par la poigne vigoureuse de Wickie Lee.

Au début du mois de novembre, la jeune femme avait débarqué au Nouvel Espoir, foyer paroissial dirigé par Theodora et qui accueillait des mères célibataires. Pour tout renseignement la concernant, elle se borna à indiquer qu'elle était enceinte, souhaitait garder son bébé et avait entendu parler du foyer par quelqu'un qui y avait trouvé aide et refuge avant elle. Mais elle refusa de donner le nom de la personne en question et ne voulut même pas dévoiler son propre patronyme. « Je m'excuse, mais il faut que je sois très prudente », expliqua-t-elle tranquillement. A en juger par son accent, elle devait venir de la basse vallée du comté de Ruffin ou des paysages encore plus rudes du comté de Sharpe, juste à côté. L'autarcie était encore de mise là-bas, avec tous les problèmes de consanguinité que cela impliquait, pour ne rien dire des étrangers que l'on accueillait volontiers à coups de fusil. Néanmoins, ce refus de répondre au questionnaire mit les dames de la paroisse dans un bel embarras. Elles s'efforçaient en effet d'éviter toute friction inutile avec les services fédéraux, connus pour leur curiosité. Dieu sait pourtant que l'esprit de clocher de ces dames renâclait devant de telles ingérences extérieures. Après tout, elles s'étaient fort bien débrouillées toutes seules jusqu'à présent ! Oui, mais... si cette fille était en fugue ? (Elle ne voulait même pas dire son âge.) Ou recherchée pour crime ? Les dames patronnesses en étaient à user de persuasion pour convaincre la petite de s'adresser au bureau d'aide sociale, ce à quoi elle résistait avec une farouche angoisse, lorsqu'arriva Dame Theodora sur son grand cheval blanc. Un seul regard à Wickie Lee suffit à la convaincre que cette fille n'était pas une criminelle. Mieux encore, elle eut le coup de foudre — comme elle l'expliqua à Leonard par téléphone — pour ce petit visage fier (« visage d'autrefois » avait été le terme exact utilisé par Theodora). « Le visage de cette enfant indique une pureté de race d'une évidence criante. Beaucoup de familles vivant dans ces vallées perdues peuvent remonter leurs origines jusqu'aux colons anglais. Sans mélange avec des éléments étrangers, comme l'atteste l'absence de cette *homogénéité*, typiquement américaine, dans leur faciès. La famille de mon père est originaire du comté de Sharpe, tu sais, et nulle part ailleurs tu ne trouveras des individus plus entêtés. Pour eux, l'aide sociale a valeur d'*anathème*. Et ce n'est pas moi qui irais leur reprocher de résister à toute cette bureaucratie. Cette petite est venue nous trouver sur le conseil d'une amie, une jeune femme que nous avons aidée auparavant : nous n'avons de leçon de solidarité à recevoir de personne. D'ailleurs, je vais te dire une chose : les filles mères en détresse accouchaient et bénéficiaient de l'aide de leurs semblables bien avant qu'on entende parler de ces bureaux d'aide sociale mis en place par l'administration fédérale. Cette gamine s'est déclarée parfaitement disposée à faire un peu de travail ménager. Azalea recommence à souffrir des genoux, et chacun sait que frotter les planchers constitue une excellente gymnastique pour une femme enceinte. Mais officiellement, elle est mon invitée. Il n'est pas contraire à la loi d'avoir des invités, j'imagine. »

Leonard avait dit que les choses seraient infiniment plus faciles si la jeune personne acceptait seulement de dire son âge.

« Et pourquoi le ferait-elle ? avait sèchement répliqué Theodora. Je refuse de dire le mien. D'ailleurs, son état suffit à prouver qu'elle n'est plus une petite fille. »

Theodora paierait de sa poche les frais médicaux et d'hospitalisation.

16

« C'est Wickie Lee qui a fait la salade de fruits aux épices, dit Theodora en s'adressant à Nell. Azalea lui a donné toutes les instructions, mais c'est Wickie qui a tout fait. Wickie chérie, emmène donc Mme Strickland dans ta chambre, tu veux. J'aimerais qu'elle voit les drôles de petites poupées que tu fabriques. » Puis à Nell : « Ces poupées de Wickie Lee ont eu un succès fou à la kermesse de Noël des Femmes républicaines. » A Wickie, de nouveau : « Combien en avons-nous vendu, chérie ?

— Dix-neuf, répondit placidement la jeune femme.

— Tu ne trouves pas ça fantastique ? Surtout si l'on pense qu'au départ, elle ne disposait que de coquilles de noix récupérées au championnat des casseurs de noix, plus les chutes de tissu contenues dans la vieille corbeille à ouvrage de maman. Wickie, emmène Nell là-haut et montre-lui. Je parie que tu en as déjà refait autant depuis la kermesse. »

Nell suivit la jeune femme dans le vieil escalier tournant dont la rampe était usée d'avoir été effleurée ou cramponnée par trop de mains au cours des décennies passées. Elle était franchement curieuse de découvrir comment était installée la fameuse invitée.

Theodora avait donné son ancienne chambre de jeune fille à Wickie Lee. La pièce donnait sur le jardin de derrière et, plus précisément, sur le vieux hangar à carrioles, avec vue plongeante sur le laboratoire installé à l'étage ; le grand-père de Theodora y avait conçu la première mixture de sa célèbre « Potion tonique » encore exploitée commercialement, et Theodora disait à qui voulait l'entendre qu'elle en prenait une dose quotidienne depuis le jour de sa naissance. De plus, grâce à la publicité, chacun savait que l'évangéliste local, de renommée mondiale, s'en faisait préparer des quantités industrielles chez son pharmacien habituel pour maintenir son tonus au cours des longues tournées qu'il effectuait par le monde. Plus tard, le garage avait servi d'écurie pour les chevaux successifs de Theodora, dont le dernier avait été un vieil étalon rétif, nommé Général, qu'elle avait contraint à reculer par la force de sa volonté, quitte à provoquer la chute du cheval sur elle. Sa hanche à elle avait été fracturée sous le poids, mais le cheval s'était brisé la jambe et on avait dû l'abattre. Au cours des dernières années, il avait été question de transformer le laboratoire du premier en appartement pour Azalea qui peinait de plus en plus pour prendre l'autobus. Mais Theodora décréta finalement qu'Azalea était plus heureuse « parmi les siens ». Même si

17

« les siens » avaient cambriolé sa maison à deux reprises l'année passée.

Les poupées de Wickie Lee envahissaient presque entièrement la console placée devant la fenêtre et commençaient à investir le grand lit à colonnes.

« Eh bien, quelle famille vous avez là ! » dit Nell en prenant l'une des poupées, une vieille femme en fichu et tablier. Les vêtements avaient été coupés dans les chutes d'une ravissante mousseline ancienne à ramages. Jusqu'au fichu pourtant minuscule, qui était impeccablement ourlé.

« Joli point roulotté ! s'exclama Nell, sincèrement impressionnée par la précision de ce travail de miniature. Où avez-vous appris à coudre aussi bien ? »

Mais la jeune femme, sur ses gardes, lui jeta un regard méfiant. « Bah, toute seule », murmura-t-elle. Vous ne tirerez rien de plus de moi, semblait dire le petit visage renfrogné. Elle est fière et morte de peur, songea Nell. Je serais curieuse de connaître sa véritable histoire. Malheureusement, je viens de la prendre à rebrousse-poil. Drôle de petit visage, à la fois délicat et tragique ! Un « visage d'autrefois », effectivement.

« Eh bien, elles sont très mignonnes », dit Nell qui en examina encore quelques-unes. Il y en avait de tous les âges : vieillards, vieilles femmes, adultes, plus tout un assortiment d'enfants, jusqu'au nourrisson emmailloté. Les vieillards avaient une barbe, les jeunes femmes une silhouette potelée et pas de fichu sur la tête. Nell rit franchement en découvrant que l'une d'elles était enceinte. « Vous êtes douée, dit-elle en matière de compliment. Pas étonnant que vous ayez eu la vedette à la kermesse.

— Oui, m'dame, répondit la jeune femme.

— Vous devez passer votre temps à faire de la couture. »

Wickie Lee écarquilla les yeux. « Je n'ai rien d'autre à faire, si ?

— Euh… » Nell cherchait à faire la conversation mais il était patent que son effort était à sens unique. « Si nous redescendions…

— Je vais rester ici un petit moment, dit Wickie Lee qui se hissait déjà sur le lit. J'ai goûté un peu de cette salade de fruits qui m'a mis l'estomac en feu. Je crois que je vais me reposer. Si vous voulez bien fermer la porte derrière vous. »

Les Bell venaient d'arriver. Latrobe, qui perpétuait une pâle parodie de juvénile vivacité par le truchement de l'alcool, était crânement précédé par une Lucy qui fit une entrée rayonnante dans la pièce ; elle multipliait les clins d'œil entendus, à la façon de ces petites voitures équipées de clignotants qui ouvrent la voie à un véhicule hors gabarit dont les proportions présentent à elles seules un danger. Dans l'immédiat, Latrobe était inoffensif et arborait la jovialité rusée des débuts de soirée. Il faudrait l'intrusion de la « politique » pour le faire démarrer. Plus tard, un des invités qui ne serait pas obligatoirement mû par de nobles intentions interrogerait Latrobe sur ce qu'il pensait de certaine conjoncture liée à des événements mondiaux ; il appuierait ainsi sur le bouton qui rallumerait la rage, l'amertume et la peur qui consumaient ensemble le cœur de l'ancien délégué du Congrès. Et l'on partirait pour une longue diatribe ! Voilà à quoi se résumait la politique pour bien des hommes. Il en existait d'autres, dont Leonard. Lui regardait défiler les crises de ce monde avec l'austère point de vue du philosophe ou de l'historien du passé, hochant doucement la tête en signe de consternation olympienne devant les erreurs qui compromettaient l'avenir. Les gens comme Latrobe étaient généralement élus au Congrès. Habituellement, ceux qui réagissaient comme Leonard ne l'étaient pas. Ce qui, se disait Nell, rendait inutile tout autre commentaire sur le monde où nous vivons.

En bras de chemise, Leonard apportait le saladier de verre ciselé contenant le sabayon. Il fut salué avec l'enthousiasme qui convient par ceux des invités qui étanchaient leur soif au bar fantaisiste et parcimonieux de Theodora. (Les mêmes poussiéreuses bouteilles de crème de menthe et de Grand Marnier semblaient faire partie d'un décor immuable au fil des ans, tandis que chacun tâchait d'accaparer les trois quarts de bourbon ou de scotch d'acquisition plus récente.)

Nell n'aima pas le visage fébrile et épuisé de son mari. Apparemment il n'allait pas bien, pas bien du tout. Mais avant d'avoir pu le rejoindre, elle fut interceptée par Lucy Bell dont elle dut subir le feu de questions béates. Oui, Lydia, sa fille cadette, viendrait pour Noël. Oui, elle amènerait ses adorables fils. Et l'adorable mari aussi. Oui, Max réussissait très bien, n'est-ce pas ? Non, Cate devait rester à son collège universitaire. Non, celui de New Hampshire avait fermé. Cate travaillait dans une autre université. Dans l'Iowa. Merci, elle portait déjà cette robe l'année dernière pour Noël, chez Theodora, mais elle était ravie de voir que Lucy la trouvait encore jolie.

Leonard était reparti vers la cuisine, mais Lucy n'en avait pas encore fini avec Nell. « Avez-vous eu l'occasion de rencontrer la... petite invitée ? » demanda Lucy. La voix était mélodieusement enjouée, comme à l'accoutumée, tandis qu'un sourire bandait l'arc de Cupidon qu'elle peignait soigneusement sur ses lèvres depuis des années. Mais les yeux, sous l'épaisse frange de cils lourdement maquillés, distillaient un regard assassin. Nell se contenta de répondre affirmativement à la question : oui, elle avait rencontré Wickie Lee. « J'espère qu'à nous tous, nous parviendrons à persuader Thea de faire très *attention*, continua Lucy sur un ton nettement plus bas. Dans sa situation et à ce moment de sa vie, on devient une proie plus facile pour... — Lucy chercha une expression qui rivât le clou mortel sans être trop péjorative —... des personnes à la gentillesse trop débordante. »

Avec une brusquerie qui dépassa sensiblement ses intentions, Nell fit remarquer que Theodora avait toujours agi à sa guise — n'est-ce pas ? —, puis elle prit poliment congé pour aller rejoindre Leonard.

« Eh bien, je sais à présent par quelles épreuves vous autres femmes devez passer, dit Leonard en épongeant de son mouchoir la sueur qui lui ruisselait sur le visage. Le rhumatisme articulaire d'Azalea n'allant pas mieux, j'ai proposé de monter les blancs d'œufs en neige et de faire la crème moi-même. Sacré nom, ce batteur est une pièce de musée. Je me demande pourquoi Thea n'achète pas un batteur électrique comme le tien ! »

Furieuse, Nell contempla le désordre qui régnait dans la cuisine de Theodora. A croire qu'une bombe était passée là. Il faut nettoyer et ranger au fur et à mesure : telle était la règle d'or que Nell avait inculquée à ses deux filles. Sa récompense était venue le jour où Lydia lui avait raconté qu'au Cordon Bleu, la première chose qu'on leur avait enseigné était précisément de nettoyer et ranger les ustensiles au fur et à mesure. « Pourquoi tu ne m'as pas appelée ? » s'exclama Nell qui en voulait à Theodora d'exploiter ainsi son mari. Leonard n'était plus un jeune homme. A fortiori avait-il passé l'âge de lui servir de brouette, ou de batteur de blancs d'œufs en neige.

« Allons, chérie ! » Leonard lui toucha le bras. Nell connaissait bien ce geste. Au début de leur mariage, un jour qu'elle montait sur ses grands chevaux pour Dieu sait quelle raison, Leonard lui avait ainsi effleuré le bras. « Il est au-dessus de mes forces de... subir une scène », avait-il dit pour s'excuser. Il n'avait pas beaucoup changé depuis cette époque-là. Les joues s'étaient creusées davantage, sous les pommettes ; les épaules, qu'il avait toujours eu légèrement voûtées, étaient simplement devenues plus frêles. Mais il avait conservé ses cheveux, et ses grands yeux, mis en valeur par les grosses lunettes qu'il portait depuis l'enfance, avaient gardé leur innocence rêveuse. « Allons profiter de la soirée ! » dit-il avant de renfiler sa veste sur une chemise humide.

« Dites donc, Latrobe, vous qui êtes spécialiste des affaires étrangères, à votre avis, comment les choses vont-elles tourner, là-bas, en Iran ? »

Les toasts au jambon préparés par Azalea avaient disparu. Du friable édifice de tranches de cake, il ne subsistait plus qu'un tas de miettes sur un plat de pure porcelaine anglaise. Les invités puisaient allégrement dans le sabayon généreusement préparé par Leonard et, à part quelques confiseries définitivement gâtées par trop d'empreintes digitales, il ne restait qu'une grande quantité de la salade de fruits aux épices préparée par Wickie Lee. (Pas étonnant que la jeune femme ait eu l'estomac en feu ! Elle avait eu la main beaucoup trop lourde en curry.) Dexter Everby, qui faisait des affaires dans l'immobilier, avait jugé que l'heure était venue de mettre Latrobe en piste.

« Mon avis ? Je vais vous le donner, mon avis. » Manifestement, Latrobe qui, pendant toute une session du Congrès, avait servi de bouche-trou au bénéfice d'un quelconque gros bonnet désireux de conserver le siège pour son fils, cherchait maintenant à jouer les hommes d'Etat. « Je pense que nous avons un plan secret dans notre manche. Et il se pourrait bien que nous le mettions à exécution d'un moment à l'autre.

— Quel genre de plan, Latrobe ? » demanda le jeune Lewis, son fidèle partenaire de la jeune génération.

Le regard embrumé d'alcool de Latrobe erra un instant du côté du plafond comme s'il y cherchait une réponse éclairée. « Une petite action de type militaire, par exemple, bredouilla-t-il mystérieusement. Une bombe placée à un endroit stratégique, une *menace* savamment étudiée. En tout cas, je peux vous dire une chose : cette bande de fanatiques toujours prêts à lever le poing va regretter son arrogance.

— Eh bien, si vous voulez mon avis, dit Theodora de sa voix d'alto légèrement voilée, on ferait bien de se dépêcher de les leur donner, les raisons de regretter leur arrogance. Tu ne crois pas, Latrobe ? »

Latrobe fixa longuement son ex-fiancée. Puis il eut un ricanement désagréable. « C'est une tâche qui te conviendrait à merveille, Thea. Pourquoi est-ce qu'on ne t'élit pas à la présidence ? »

Ceux qui osèrent regarder eurent droit à un spectacle extrêmement rare : Theodora désemparée.

« Eh bien moi, je trouve que c'est de l'ingratitude pure et simple », lança Lucy, tous feux de détresse en alerte. Son regard passa de l'un à l'autre des protagonistes, à grand renfort de sourires et de battements de paupière, le temps de recentrer la conversation. « Enfin, c'est le chah qui les a sortis de l'obscurantisme !

— Il y a des gens qui préfèrent les ténèbres, dit quelqu'un.

— Oh ! qu'ils croupissent dans les ténèbres tant qu'ils voudront, intervint le jeune Lewis, mais la lumière commence à faire défaut *chez nous*, alors il est temps de réagir concrètement. Sans notre poêle à bois, je me demande où nous serions. Avec le prix du pétrole...

— Leurs foutus cheikhs sont justement en train de se concerter tranquillement dans un Hilton pour nous coller une nouvelle hausse », dit quelqu'un.

Lucy Bell tira la manche de Leonard Strickland. « Vous ne croyez pas que nous avons une dette envers le chah, notre fidèle allié, et que nous devons lui apporter notre aide ? » dit-elle.

C'était le 16 décembre 1978, et cette date devait rester à jamais gravée dans la mémoire de Nell. Mais pas à cause des problèmes du chah, ni parce que quelques cheikhs célébrèrent leur puissance en brandissant des fusils russes sur les courts de tennis du Hilton d'Abou Dhabi.

« La loyauté envers des alliés est certainement une chose importante, dit Leonard avec cette lenteur monotone et courtoise qui agaçait plus d'un de ses adversaires (ou clients) au tribunal. Mais il en va de même du droit à l'autodétermination d'un peuple qui désire prendre en main sa destinée. A mon avis, nous sommes confrontés à un cas de priorité morale.

— Ce n'est pas les Russes qui s'embarrasseraient de priorité morale, dit Dexter Everby.

— Certes, dit Leonard, parce que leur gouvernement fonctionne sur le principe de la déshumanisation. Le nôtre est fondé sur le respect de la dignité de l'homme. C'est bien là que réside le conflit actuel.

— La dignité humaine n'est pas une arme très performante, dit Dexter, face à un ennemi qui possède des missiles à tête nucléaire.

— Mon fils en fabrique, là-bas, à Huntsville, dit Latrobe Bell qui semblait se réveiller.

— Nous possédons effectivement des armes de ce type, dit doucement Leonard. Mais l'enjeu est précisément de montrer, par notre modération, que le monde a dépassé le stade où il est nécessaire d'y avoir recours. »

Quelqu'un grogna.

L'aîné des frères Harley fit une citation latine. Personne n'ayant demandé la traduction, le jeune « Harley », dont tout le monde avait oublié le véritable patronyme, demanda : « Qu'estce que ça veut dire en anglais, Al ? » C'était sa façon à lui de jouer les bons époux, à l'instar de Lucy Bell.

« C'est du Lucrèce. "Que la raison pure, plutôt que l'expérience, parvienne à nous convaincre que l'univers peut s'écrouler, emporté dans un fracas épouvantable."

— Amen ! » s'exclama la jeune Mme Lewis.

Croisant le regard de Leonard, Nell dressa les sourcils, ce qui, dans leur code habituel, signifiait : départ dans cinq minutes.

Grace Hill se frayait un chemin jusqu'à elle. Quelle maladie, cette semaine ? se demanda Nell. Mais elle pouvait bien lui accorder quelques minutes ; Nell avait pitié de cette échotière hypocondriaque, veuve depuis tellement d'années que la plupart des gens la prenaient pour une vieille fille.

Hier, Grace avait remarqué une sorte de fourmillement derrière sa cuisse. Pourrait-il, selon Nell, s'agir d'une sciatique ?

« Ce n'est pas impossible. » Avec les hypocondriaques, la moindre des gentillesses consistait à les entretenir dans leurs petits maux ; ainsi oubliaient-ils les grands. « Est-ce que vous avez une bonne bouillotte ? »

Grace répondit que oui avant de promettre, ravie, qu'elle allait s'en servir dès qu'elle serait rentrée. Puis, après un regard circulaire à l'assemblée, elle baissa la voix : « Est-ce que vous êtes au courant de ce qui est arrivé à cette pauvre Taggart Mc Cord ?

— Non ! Mais de toute façon, où se trouve-t-elle en ce moment ? » Taggart Mc Cord ! La tête brûlée de la ville ! Issue du meilleur milieu, elle avait commencé à sortir des rails peu de temps après son mariage (excellent). Elle quitta son mari, s'engagea dans les *WAVES** et, après la guerre, fit à peu près tous

---

* *Women appointed for Volunteer Emergency Service* : corps féminin de volontaires servant dans la marine américaine pendant la Deuxième Guerre mondiale *(NdT)*.

les métiers possibles et imaginables : jouer du piano dans un night-club, sauter en parachute, monter un numéro de cirque avec des serpents venimeux, etc. Chaque fois que le moral ou les finances allaient mal, elle rentrait chez sa mère, et les gens qui passaient en voiture l'entendaient alors marteler le piano sur la terrasse de la maison, comme si tant de violence allait exorciser son amertume. Taggart devait avoir passé la cinquantaine aujourd'hui.

« La pauvre ! » La bouche de Grace tremblait curieusement. « Le corps de Taggart a été retrouvé dans une caravane à Opa-Locka, en Floride. On a appris la nouvelle par le journal.

— Non ! Pas *Taggart* ! » Nell était sincèrement bouleversée. Non que Taggart fût le genre de personne à inspirer de l'affection, mais... c'était un peu faire affront à la vie que de l'imaginer morte. « Que fabriquait-elle dans une caravane ?

— C'était sa maison, dit Grace. Elle enseignait dans une vague école d'aviation des alentours. Pour le moment, on s'efforce de cacher à la pauvre mère qu'il s'agit d'un suicide. Elle vit maintenant dans une maison de retraite tenue par des religieuses mais elle a conservé toute sa lucidité. Je vous en prie, ne dites pas que je vous en ai parlé. Je...

— Grace, quelle honte ! » Theodora venait de surgir inopinément. « J'aurais dû me douter qu'on ne pouvait pas te faire confiance. »

Gêne de Grace. « De toute façon, ça sera dans le journal demain, Theodora.

— Sans tous les détails. » S'adressant à Nell : « On ne l'a retrouvée qu'après plusieurs semaines. Elle avait eu des mots avec l'école d'aviation où l'on pensait qu'elle avait purement et simplement plié bagage. Je ne voulais pas que cette malheureuse Taggart serve de vedette macabre à ma réception. Tout le monde aurait eu le moral sapé. On ne parlera pas de suicide dans le journal. Ça ne regarde personne. Après tout, il s'agissait d'une Mc Cord.

— Mais se suicider ressemble si peu à Taggart, dit Nell. Si elle avait sauté d'un avion et que son parachute ne se soit pas ouvert...

— Je vais te dire une chose — Theodora avait pris une mine sinistre —, j'ai toujours eu le sentiment que les choses se termineraient ainsi. Tu me connais, moi, je suis pour les femmes fortes et indépendantes, mais il existe tout de même des limites à ne pas franchir, quels que soient le milieu social ou l'intelligence de la

24

personne considérée. » Coup d'œil entendu à l'adresse de Nell. « Personne ne peut vivre dans la précarité permanente, et surtout pas une femme. Dieu sait que cela est injuste, mais passé la quarantaine, une femme sans situation établie attire plus facilement la pitié ou les critiques que son homologue masculin. »

Sans être cité, le nom de Cate pesa lourdement sur l'atmosphère.

« Eh bien, tu peux compter sur ma totale discrétion, dit Nell. Il faut que nous reprenions le chemin de la maison.

— Nell chérie, est-ce que Leonard et toi pourriez me rendre l'immense service de déposer Azalea au passage ? »

Le « au passage » était un doux euphémisme vu que les deux endroits étaient diamétralement opposés. « Je suppose que oui », dit Nell qui, par ce genre de réponse, trahissait qu'elle n'était pas totalement des leurs. Sinon, elle aurait répondu, les yeux humides de dévotion : « Mais avec plaisir ! »

« Tu es un amour, dit Theodora. Je vais dire à Azalea de préparer ses affaires. »

Il n'aurait su être question de « faire des commentaires sur cette réception » avec Azalea installée sur la banquette arrière, si bien qu'après les banalités d'usage (il avait aussi fallu résoudre le problème de la ceinture de sécurité qu'Azalea n'arrivait pas à boucler alors que Leonard tenait beaucoup à cette mesure de prévention), conducteur et passagers se laissèrent aller à leurs rêveries respectives, tandis que la fidèle Oldsmobile déambulait crânement dans les avenues résidentielles éclairées pour Noël, en direction des quartiers plus sombres et plus centraux où vivait Azalea. Nell songeait à Taggart Mc Cord dont elle avait hâte de parler avec Leonard. Qui aurait pu percer les pensées d'Azalea (dont le patronyme était Clark, au cas où ce détail serait susceptible d'intéresser quiconque), présence énigmatique qui troublait incontestablement leur intimité, encore qu'elle appartînt à cette génération de domestiques qui n'ignoraient pas que la bienséance leur interdisait d'engager la conversation avec les passagers de la banquette avant.

A présent qu'il était trop tard, Leonard essayait de se remémorer la réponse que Montaigne aurait faite à Dexter Everby. L'idée était qu'il fallait apprendre à faire au nom de la conscience ce que nous faisions actuellement pour la gloire. Il s'agissait de ce passage particulièrement perspicace où il expliquait que si l'on pouvait aisément imaginer Socrate à la place d'Alexandre, l'inverse n'était pas vrai. Quels étaient donc les mots exacts ? « Enlever une place forte, conduire une ambassade, gouverner un peuple constituaient de brillantes actions. Prévenir, rire... — le trou ! Il consulterait son édition des œuvres de Montaigne dès qu'ils seraient rentrés — ... et agir avec gentillesse et justesse envers sa propre famille et soi-même... — encore un trou — ... voilà qui est plus rare, plus difficile, et moins remarqué dans le monde. »

La voiture emprunta les rues étroites et mal éclairées qui se trouvaient derrière le palais de justice. Instinctivement, Nell se pencha pour verrouiller la portière, réaction dont elle éprouva aussitôt une certaine gêne, à cause de leur passagère. Tandis que le moteur se mettait en seconde pour grimper le raidillon, ni goudronné ni éclairé, qui conduisait à sa maison perchée sur une espèce de talus à l'extrémité de cette route mal balisée, Azalea se mit à gémir doucement sur son siège.

« Que se passe-t-il, Azalea ? demanda Leonard.

— Seigneur Jésus, monsieur Strickland, j'ai peur entrer toute seule dans cette maison. Un jour, eux m'attendre. » Les cambrioleurs. « Moi arriver dans le noir et eux m'assommer et partir en courant.

— Dans ce cas, Azalea, je vais vous accompagner et nous vérifierons ensemble que tout va bien. D'accord ?

— Pas vous embêter.

— Vous ne m'embêtez pas du tout. Nell, tu veux bien chercher la torche dans la boîte à gants ? »

Nell s'exécuta. Mais lorsque Leonard et Azalea eurent quitté la voiture et qu'elle ne vit plus que leur silhouette qui grimpait laborieusement le bout de chemin non carrossable, au rythme capricieux des cercles de lumière décrits par la torche, elle se lança intérieurement dans une féroce diatribe contre cette exploiteuse de Theodora.

Azalea avait été mariée, jadis. Un après-midi, alors qu'il était tout jeune homme, Leonard avait eu une longue discussion avec son mari pour savoir si le fait de boire trop vite un verre d'eau glacée après avoir travaillé au soleil pouvait tuer son homme. Bien qu'Azalea n'eût jamais eu d'enfant à elle, elle avait élevé les deux que Clark avait conservés d'un précédent mariage. La fille travaillait à Chicago où elle avait fondé une famille et elle ne venait jamais voir Azalea. Le garçon, Jason, s'était plusieurs fois placé dans des situations délicates et Leonard avait souvent été obligé d'aller le tirer d'affaire. Jusqu'à ce cambriolage à main

26

armée, avec mort d'homme. Aujourd'hui libéré sur parole, Jason travaillait dans le bâtiment, dans la capitale de l'Etat. Lui non plus ne rendait jamais visite à sa belle-mère mais, de temps à autre, il lui expédiait de coûteux cadeaux sommairement empaquetés par ses soins et jamais recommandés. Azalea possédait ainsi plusieurs montres suisses, un poste de radio à transistors, un camée monté en broche et serti de diamants et de perles de culture, et un service de petits couteaux anciens de chez Tiffany. Elle promenait fièrement ces présents dans l'autobus et à travers toute la ville pour les faire admirer par Theodora. « Evitons de nous montrer trop curieux sur leur origine », avait dit Theodora à Leonard, avec un rire un peu rauque.

La maison d'Azalea avait un toit neuf, mais Leonard ne pouvait pas voir les belles ardoises vertes à cause de l'obscurité. C'est lui qui avait passé des jours entiers à se renseigner dans toute la ville pour trouver les conditions les plus avantageuses. Parce qu'elle tenait à ce qu'Azalea gardât un domicile personnel dans son quartier à elle, Theodora avait généreusement réglé la facture. De même qu'elle avait payé tous les frais médicaux en attendant qu'Azalea pût bénéficier de la couverture de l'assurance. Theodora donnerait le dernier œuf de son réfrigérateur pour Azalea. Ne lui avait-elle pas fait cadeau de son vieux manteau d'astrakan dont les boucles soyeuses effleuraient à présent le poignet de Leonard tandis qu'il aidait la vieille femme à gravir les derniers mètres de cette terrible côte ?

Parvenus à l'intérieur de la maison, ils inspectèrent minutieusement les trois pièces, puis la terrasse de derrière, fermée en jardin d'hiver, où pourrissait lentement un immense panier de pommes. A la demande d'Azalea, Leonard vérifia les recoins d'un placard. Il reconnut de nombreuses vieilles robes de Theodora et de fugaces effluves de son parfum habituel. Il n'était rien au monde que Theodora ne fût prête à donner à sa chère Azalea. Sauf un salaire décent.

« Voilà, Azalea, pas le moindre croque-mitaine.

— Merci beaucoup, monsieur Strickland. » Elle le raccompagna jusqu'au pas de la porte. « Joyeux Noël pour vous et votre famille, hein ?

— Merci. Comptez sur nous pour faire de notre mieux. »

Il attendit qu'elle ait fini de manipuler serrures et verrous. Son doigt était déjà prêt à allumer la torche, lorsque quelque chose — une sorte d'étourdissement tenant un peu de l'euphorie — interrompit son geste. Malgré un sentiment de culpabilité à

27

l'égard de Nell qui l'attendait dans la voiture, il s'offrit un instant de solitude dans la nuit claire et froide. Lorsque ses yeux se furent habitués à l'obscurité, il regarda le ciel où il distingua une, puis deux des constellations familières. Socrate avait contemplé les mêmes étoiles. Il reconnut la sienne, celle dont il partageait le nom, Leo. Etrange que Ptolémée y ait vu la forme d'un lion ! Pour Leonard, elle avait toujours ressemblé à un point d'interrogation reflété dans un miroir. Intrigué, un chien aboya dans les cabanes qui s'agglutinaient en contrebas. Et s'il était le seul chien à être dehors ? Le silence enveloppa Leonard tandis qu'avec le chien, il guettait une réponse qui ne vint pas. Une bise glaciale se leva subitement à ses pieds, dans l'herbe haute, et joua une sèche mélodie métallique contre un objet, probablement une boîte de conserves rouillée. Il sentit le froid à travers ses chaussettes mais n'alluma pas sa lampe pour descendre lentement. Un faisceau de circonstances — Montaigne, cette pente abrupte et l'odeur de pommes sur la terrasse d'Azalea — avait mis sa mémoire en émoi. Alors émergea le souvenir de cette autre pente qu'il avait gravie pour une passion depuis longtemps éteinte, celle qu'il vouait à la Beauté et la Justice. Il avait vingt-trois ans. La Beauté s'appelait Mercedes et enseignait l'espagnol à l'université. La Justice, c'était leur commun désir de partir en Espagne se joindre aux combattants. On était en septembre 1936 et il venait d'être reçu au barreau. L'odeur des pommes du verger d'Osgood lui donnait le courage de grimper la route escarpée qui menait à la maison où vivait son ermite de cousin. Il comptait demander à Osgood d'approuver sa décision de partir en Espagne. « Si tu traverses cet océan, avait menacé le père de Leonard, je te trouverai un remplaçant au cabinet. Ce n'est pas les injustices qui manquent ici pour qui veut se battre. » Jeune homme, Osgood avait quitté lui-même ses chères montagnes, contre la volonté de son propre père, pour aller s'enrôler dans la première guerre mondiale. Dont il était revenu défiguré.

Leonard resta trois jours auprès d'Osgood. Il avait demandé à voir les décorations de son cousin et ce dernier en avait profité pour lui montrer autre chose. Lorsque Leonard redescendit en ville, il prit le poste que lui réservait son père. Mercedes jura avec humeur de partir l'été suivant, avec ou sans lui. Mais entre-temps, la Brigade qu'ils comptaient rejoindre avait été dissoute et Mercedes déménagea après s'être mariée.

« Enlever une place forte, conduire une ambassade, gouverner un peuple... » Il vérifierait la citation dès son retour. Leonard alluma la torche et se mit à descendre le chemin. J'ai été efficace, songea-t-il, dans le domaine limité qui était le mien. Comme s'il répondait à quelqu'un. Mais à qui ?

« Je crois que je vais prendre la voie express, dit Leonard en fixant sa ceinture de sécurité.

— Tu es sûr que tu vas bien ? » demanda Nell. Il détestait les autoroutes pour la même raison qu'il préférait prendre le train pour se rendre à New York ou en Floride et le bateau pour partir en Europe. Il aimait le contact direct avec les choses, disait-il.

« Oui, mais je voudrais vérifier un détail. »

Dès qu'ils furent sur le périphérique, Nell le mit au courant pour Taggart Mc Cord.

« Oh non ! Pas Taggart !

— J'ai eu la même réaction que toi, mais apparemment, c'est bien ce qui s'est passé. Elle venait de se quereller avec ses employeurs et je suppose qu'elle a dû craquer en pensant que la chance avait tourné, à son désavantage.

— J'aurais pensé que Taggart, plus que n'importe qui, saurait donner un maximum de fil à retordre à la Mort avant de se laisser emporter.

— Theodora prétend qu'elle était sûre que Taggart finirait ainsi.

— Oh, tu connais Theodora. Elle a tendance à faire dans le mélodrame. »

Nell hésita un instant sur l'opportunité de poursuivre plus avant, mais elle finit par se lancer. « En vérité, Theodora semblait faire une sorte de parallèle sinistre. Entre Taggart et Cate. Elle dit que les femmes qui prennent de l'âge ne peuvent plus se permettre de vivre en n'en faisant qu'à leur tête.

— Et alors ? Cate est encore jeune.

— Elle aura quarante ans en juin prochain, Leonard. »

Ce qui parut surprendre Leonard, mais ne l'empêcha pas de rétorquer, après un instant de réflexion : « La quarantaine aujourd'hui n'est plus ce qu'elle était de notre temps, ou du temps de Taggart. La vie évolue tellement vite ! Tous les espoirs restent permis plus longtemps.

— Certains auraient tendance à affirmer le contraire. Je souhaite seulement que Cate se dépêche de trouver... le bonheur. » Elle avait failli dire « se dépêche de se trouver », expression galvaudée entre toutes.

« Peut-être cherche-t-elle autre chose que le bonheur. »

Après un instant, Nell dit : « Je suis contente de voir Lydia et les garçons pour les vacances.

— Et Max. J'aime bien Max.

— Lydia m'a prévenue qu'il ne pourrait peut-être pas se libérer pour le jour de Noël. »

En fait Lydia en avait dit beaucoup plus long, mais elle avait fait jurer à sa mère de garder le secret. Elle ne voulait pas gâcher le Noël de son père.

« Quel dommage ! Enfin, c'est bien compréhensible avec le marasme économique dans lequel nous vivons. »

Lydia ne sortirait pas des rails. Ce genre de dérapage était contraire à sa nature.

« Dis donc, Nell, dit Leonard d'une voix étranglée. Est-ce que tu as mangé de cette salade de fruits ?

— Une bouchée exactement. Et si Theodora ne s'entêtait pas à n'utiliser que des serviettes damassées, j'aurais tout recraché. C'est Wickie Lee qui l'a faite. J'ai l'impression qu'elle n'avait qu'une connaissance très approximative des vertus du curry. Étrange petite créature que cette fille ! Un mélange de défiance et d'autosatisfaction. Je me demande vraiment d'où elle vient. Je me demande...

— Je vais me ranger sur l'accotement, dit Leonard en freinant doucement. J'ai une épouvantable indigestion. Ça me prend de partout... »

Il emprunta le couloir d'urgence. En un clin d'œil, Nell vit qu'il avait perdu connaissance, comprit la situation, et s'apprêtait à dégrafer sa ceinture pour lui faire un massage cardiaque. Mais au lieu de s'arrêter, la voiture continua de rouler à cinquante kilomètres heure. Coincée par sa propre ceinture, elle ne put atteindre la pédale du frein. Les secondes qui suivirent tinrent du cauchemar classique. Elle se mit à hurler tandis que la voiture quittait inéluctablement la chaussée, comme un avion qui s'apprête à décoller, avant de rebondir, non sans grâce, sur l'accotement herbeux et abrupt, pour finir par une série de tonneaux. Le corps de Nell fut violemment ballotté de droite à gauche, sa tête cogna contre quelque chose, sa poitrine se déchira, comme si on la coupait en deux. Puis elle sombra dans la nuit noire.

On l'extirpait des sangles qui l'entravaient pour l'allonger doucement sur une surface plane où elle se sentit à nouveau ligotée. Elle ouvrit les yeux, entendit des voix excitées par leur propre importance, vit une constellation d'étoiles. Son cerveau embrumé gardait le souvenir précis d'avoir libéré Leonard pour l'étendre sur la banquette, avant de souffler de l'air dans sa bouche. Il s'était redressé, l'avait embrassée en la flattant d'une caresse affectueuse, avant de lui dire : « Ta compétence a toujours été admirable, Nell ». Deux détails seulement ne concordaient pas dans ce souvenir : premièrement ils se trouvaient dans leur vieille Packard qui avait une grande banquette à l'avant ; deuxièmement, pendant qu'elle s'appliquait à le sauver, un groupe de guides à qui elle enseignait les techniques de réanimation la regardait attentivement. « Le cerveau commence à mourir après quatre à six minutes de non-oxygénation », psalmodiait docilement l'une des fillettes.

Le son de la voix de Leonard vantant ses compétences résonnait encore à ses oreilles lorsqu'elle revint à elle dans la salle de réanimation où une jeune infirmière joufflue lui prenait le pouls.

« Et mon mari ? » Une douleur lui déchira la poitrine.

Le visage de l'infirmière se ferma aussitôt. « Il vous faut du repos, mon chou. » Est-ce que vraiment elle mastiquait du chewing-gum ?

Nell retira brutalement son bras. « J'étais infirmière dans cet hôpital avant même que vous soyez née. » Chaque mot lui vrillait littéralement le diaphragme. « Je connais le sens de ce "Il vous faut du repos", mais je n'ai jamais appelé mes patients "mon chou". Crachez votre chewing-gum. »

Elle se réveilla dans une autre pièce. Un docteur de leur connaissance était à son chevet. Leonard avait eu l'occasion de rendre service à son fils. (Il avait été arrêté pour excès de vitesse et l'on avait trouvé de la marijuana dans ses poches ; le jeune homme n'aurait jamais pu entrer à la faculté de droit avec un casier judiciaire.)

« Quelle heure est-il ? demanda Nell en essayant de s'asseoir.

— Du calme, Nell. Vous avez tout le temps. » Elle lut la vérité dans son regard.

« Est-ce qu'il a repris connaissance avant de mourir ? demanda-t-elle.

— Jamais. L'équipe de réanimation a fait le maximum. Vous souvenez-vous de ce qui s'est passé ? » Il l'observait attentivement.

« Je me souviens des tonneaux... la voiture sur le toit... c'était affreux. Puis il m'a semblé que j'étais en train de le sauver, mais

31

je suppose que je délirais. » Une larme roula sur sa joue. « Je lui faisais du bouche à bouche et il s'asseyait pour me remercier.

— Est-ce qu'il a fait une crise cardiaque avant l'accident ?

— Oui. Oui, je m'en souviens maintenant. » Elle était contente de se souvenir. Pourtant, se dit-elle ensuite, à quoi cela pourrait-il bien lui servir ? Puis elle se rappela l'époque où, jeune infirmière, elle devait ensevelir les morts dans ce même hôpital. Fermer les paupières. Remettre les éventuels dentiers. Remonter le menton. Garnir le corps. Croiser poignets et chevilles, marquer l'orteil. Envelopper dans le linceul. On devait utiliser des suaires de papier maintenant. Cate portait bien une toge de papier pour sa soutenance de thèse. La morgue n'était pas indiquée explicitement sur l'ascenseur. Un jour, en ouvrant un tiroir pour y déposer un corps, Nell avait trouvé deux jambes, laissées là par des internes. Leur avait-elle dit ce qu'elle pensait de ce genre d'humour ? L'histoire remontait à l'époque où l'établissement était encore un centre hospitalier universitaire.

« Très bien, dit le docteur. Vous n'avez sans doute pas de traumatisme. C'est un miracle. Vous avez une bosse grosse comme un œuf sur la tête.

— Les filles, dit Nell. Il faut que j'appelle mes filles.

— Vous avez le téléphone ici. Je vais vous faire le numéro. Vous le connaissez par cœur ? »

Nell fouilla les recoins de sa mémoire dont elle réussit à extirper le numéro de Lydia. Cate déménageait tellement souvent qu'elle avait renoncé à se souvenir du sien. Pendant que le docteur téléphonait, Nell se rappela que Lydia n'habitait plus à cette adresse. Tant pis. Max se chargerait de tout. Max serait parfait pour ce genre de mission.

Il y eut un bel article dans la rubrique nécrologique du journal dominical. Leonard était mort suffisamment tôt avant l'heure fatidique du bouclage pour qu'un membre de la rédaction ait le temps de consulter les dossiers et de rédiger un papier décent. Figurait même une citation de Leonard, la plus célèbre de sa carrière, celle qui lui valut de remporter le procès intenté par la société d'autocars après l'écroulement de l'immeuble qu'elle venait de faire construire. « Si nous ne pouvons faire confiance à nos fondations, à qui pourrions-nous nous fier ? » Quelqu'un s'était aussi donné la peine de chercher une photo correcte, récente mais flatteuse. Ce quelqu'un, chargé de la chronique « Vie nocturne », n'était autre qu'un ancien prétendant de Lydia.

Celui qu'elle avait tranquillement mené en barque, lui qui ne demandait qu'à mordre à son hameçon... jusqu'au moment où il s'aperçut qu'en fait elle se servait de lui comme d'un appât pour ferrer un poisson beaucoup plus gros. Mais ce chroniqueur était un incorrigible romantique. Bien qu'agréablement marié, il se vantait d'avoir beaucoup souffert de cet amour déçu. Peut-être assisterait-il à l'enterrement de Strickland, rien que pour voir si la belle possédait encore le pouvoir de le faire souffrir. Tant que l'on connaissait les tourments d'un premier amour contrarié, on pouvait conserver l'illusion de la jeunesse, non ?

Au long article consacré à Leonard faisait suite un simple entrefilet annonçant le décès de Taggart Staunton, née Mc Cord et originaire de la ville, en son domicile de Opa-Locka, en Floride. Mme Staunton avait fréquenté l'ex-Cours Spenser, dans Edgerton Road, avant d'obtenir un diplôme de musique, avec mention, au Converse College, puis de s'engager dans les *WAVES* pendant la seconde guerre mondiale. Sa mère, Mme T.G. Mc Cord, lui survivait.

Dans le numéro du mardi après-midi parut le compte rendu annuel et excessivement élogieux de la réception de Noël offerte par Miss Theodora Blount d'Edgerton Road. Motif floral à base de ciguë, houx et bougies de l'Avent. Parmi les invités, figuraient... Le buffet comprenait... Malgré une sciatique aggravée par la chaise de dactylo du bureau, Grace Hill s'acquitta bravement, en urgence, d'une nouvelle version de son article. Ne serait-ce pas faire affront à la mémoire du mort que de vanter son « incomparable sabayon » ? Aussi, après s'être douloureusement interrogée sur la meilleure façon de remplir ce vide — car la vie doit bien continuer —, Grace écrivit : « Miss Wickie Lee, qui séjourne actuellement chez Miss Blount, apporta sa contribution à la réussite de la soirée en préparant une salade de fruits aux épices. »

II

Les sœurs

Lydia Mansfield, née Strickland, était une femme extraordinairement organisée. Cinquante minutes après que Max fut venu à son nouvel appartement lui annoncer la triste nouvelle, elle roulait sur l'autoroute, en direction de l'ouest, et la banquette arrière de la Volvo croulait sous les cadeaux de Noël, achetés et empaquetés depuis plusieurs semaines, sans oublier une énorme glacière de pique-nique pleine à ras bord de tranches de viande et autres plats cuisinés. Encore scellé dans le nylon du teinturier, son tailleur sombre se balançait doucement sur le cintre fixé à la glace arrière. En elle, la petite fille retenait difficilement ses larmes, mais il était de première importance que la femme qui tenait le volant soit capable de conduire. Ses ongles parfaitement limés et laqués plongèrent dans le casier aménagé entre les deux sièges où son fils aîné, Leo, rangeait ses cassettes ; elle introduisit dans l'appareil la première qui lui tomba sous la main. Le bout de sa botte enfonça la pédale de l'accélérateur jusqu'à ce que l'aiguille du compteur de vitesse dépasse un peu le cent. Des sonorités asiatiques, suivies d'un accord électronique, emplirent la voiture. Après un coup d'œil au rétroviseur, elle prit encore un peu de vitesse. Si un motard l'attrapait, elle reconnaîtrait immédiatement ses torts et exposerait sur la lancée le motif de sa hâte, quitte à éclater en sanglots pour faire bonne mesure. Elle concentra délibérément son attention sur les futilités terrestres des vivants, afin de remettre à un instant ultérieur et mieux approprié le chagrin que lui inspiraient les morts.

Elle n'avait pas oublié de mettre la partition de Dickie dans sa valise, juste sur son pyjama. Gregory, le petit chaton de Dickie, restait chez leur jeune voisine de palier ; Fritz, le vieux chien de Leo, avait priorité dans les lieux. Dickie irait habiter avec son père et son frère dans l'ancienne maison, afin de lui laisser le temps de prendre la situation en main. Puis Max embarquerait tout le monde dans son avion personnel pour passer ce triste Noël auprès de sa mère.

Des bruits de vent suivirent l'accord électronique. Pas exactement le genre de musique qu'elle écoutait pendant son adolescence. Pourtant, au fur et à mesure que les sons s'accumulaient jusqu'à constituer une sorte de thème musical, elle se prit à apprécier les vertus apaisantes de cette texture inhumaine. Rien de sentimental, simplement l'accompagnement adéquat pour un étranger dans sa capsule, en route sur les sombres chemins de la vie tandis que, au-dessus de lui, défilent les galaxies. Dieu merci, Maman était saine et sauve. Perdre les deux à la fois aurait été trop cruel. Max et elle avaient pleuré comme des enfants. Ils avaient sangloté dans les bras l'un de l'autre et elle n'avait pas protesté quand il avait enfoui son visage dans ses cheveux. Une part du mariage demeurait indélébile, autant se l'avouer franchement. Un peu de papa continue de vivre en moi, songea-t-elle. Et ce fil ténu survivra en Leo et Dickie, puis dans leurs enfants. Elle offrirait sans doute à Max la chemise en laine qu'elle avait commandée chez Beans pour son père.

A six reprises au moins, pendant qu'elle préparait ses bagages, elle avait tenté de joindre Cate. Le téléphone avait sonné, inlassablement. Etait-ce tellement lui demander que de se trouver chez elle en pareille circonstance ? Max avait promis de l'appeler tous les quarts d'heure, quitte à y passer la nuit. Et si elle était partie pour le week-end ? Ou pour le congé de Noël ? Peut-être même qu'elle avait quitté le pays. Avec Cate, il fallait s'attendre à tout.

Cate assistait à une représentation de *Dracula* montée par les étudiants de Melanchton College, petite université d'obédience luthérienne, installée au bord du Mississippi, côté Iowa. Elle fut ensuite conviée à la petite fête organisée en l'honneur de la troupe, dans la ferme louée par le professeur d'art dramatique, grisé par le succès de la pièce. Malgré son début de grippe, Cate, qui croyait que l'une des meilleures façons de combattre l'atrophie mentale consistait à aller toujours de l'avant, à la rencontre de destins imprévisibles, accepta l'invitation. Gagnée par l'euphorie du groupe et l'excitation suscitée par les vacances, elle dansa avec des collègues, des étudiants, hommes ou femmes, et parfois même seule. Il était presque trois heures du matin quand elle rentra chez elle et le téléphone sonnait.

Elle prit le premier avion pour Chicago mais, à cause des départs de Noël, il lui fut impossible de trouver une correspondance pour la Caroline du Nord. Elle accepta donc un vol pour Atlanta et termina le voyage dans un car Greyhound. Sous l'influence étrange et conjointe du manque de sommeil, de la Coricidine et des petites bouteilles miniatures qu'elle avait eu l'idée, finalement assez malvenue, d'acheter auprès de l'hôtesse de l'air, elle appuya son front contre la vitre froide et se mit à pleurer, sans honte, avec une application méditative, jusqu'au moment où un couple installé à l'autre bout de l'autocar exerça sur elle une totale fascination.

Lydia se rendit à la gare routière pour prendre sa sœur. Elle rangea sa voiture dans la zone réservée aux livraisons, juste à côté de l'endroit où devait arriver le car de Cate. Un jeune coursier vint lui dire qu'elle ne pouvait pas rester là.

« Vous devez être nouveau venu dans la région, dit Lydia. C'est mon père qui a sauvé ces lieux de la disparition en 1952. D'autre part — sourire radieux à l'intention du jeune homme — le car d'Atlanta doit arriver incessamment, je crois. »

Il confirma avant de se retirer prestement, vaincu par l'arrogance charmeuse de Lydia. Mais la référence à 1952 le laissa indifférent : il n'était pas encore né.

Chaque fois que Lydia voyait Cate, elle s'étonnait du peu d'emprise que le passage des années semblait avoir sur son aînée. Telle une aventurière globe-trotter, Cate émergea du car vêtue de son jean moulant, de sa veste bleu sombre, et de ses boots de cow-boy. Des mèches de cheveux blond foncé glissaient de son chignon et elle avait le nez rouge, mais elle avança vers Lydia avec la démarche crânement assurée qui la caractérisait, menton pointé à quarante-cinq degrés, comme d'habitude. Sa valise de cuir havane était la jumelle de celle que possédait Lydia. Elles les avaient achetées ensemble, pour onze guinées chacune, chez Simpson's, à Piccadilly, à l'époque où Max travaillait pour la First National City Bank à Londres tandis que Pringle, le premier mari de Cate, était cantonné près de Ruislip. La valise de Cate portait pas mal d'égratignures diverses, mais elle-même parvenait encore à échapper au juste outrage du temps. Comment ?

Les deux sœurs s'embrassèrent. Cate dit : « Un moment, chauffeur, attendez les petites Strickland. » Allusion à l'époque révolue où, par reconnaissance envers leur père qui les avaient défendues avec succès contre l'incurie d'architectes désinvoltes, les autorités de la gare routière avaient donné consigne au bus qui partait à quinze heures trente pour Lake Hills d'attendre le car de ramassage scolaire des deux filles Strickland.

Ce souvenir les fit fondre en larmes, mais lorsqu'elles aperçurent le jeune coursier qui les observait avec intérêt, elles se redressèrent aussitôt avec la fierté de princesses offensées.

« Tu es superbement mince, comme d'habitude, dit Cate. Comment fais-tu ? Je sais que ta gourmandise n'a d'égale que la mienne.

— J'ai beaucoup forcé sur la natation, dit Lydia. Donne-moi ce sac. Tu te rappelles le jour où nous avons acheté ces bagages, toutes les deux ?

— Bien sûr que oui ! C'était trois jours avant l'assassinat de Kennedy.

— Et deux semaines avant la naissance de Leo, précisa Lydia. Même que tu as tenu à te charger des deux à la descente du taxi, parce que j'étais énorme. Tu t'en souviens ? » Elle posa la valise sur la banquette arrière.

« Comment va maman ? demanda Cate lorsqu'elles furent toutes deux installées dans la voiture.

— Eh bien, elle a une côte cassée et quelques vilaines contusions sur le côté droit. Et bien sûr, beaucoup de chagrin. Mais Dieu merci, elle est entière. La voiture s'est carrément retournée. Au fait, tu ferais bien de mettre ta ceinture. » Elle-même fixa la sienne, avec un clic résolu, sur sa veste de tweed.

« Non merci, j'aime mieux pas. Moi, ce qui me fait peur, c'est l'idée de rester coincée à l'intérieur.

— Comme tu voudras, dit Lydia, bien déterminée à ne pas se lancer déjà dans une querelle. Tout ce que je puis dire, c'est que je suis bien contente que maman n'ait pas eu la même réaction que toi. » Elle braqua à gauche et engagea la Volvo sur la bretelle qui rejoignait la voie express.

« Tiens, on ne prend pas le même chemin qu'autrefois ? demanda Cate.

— C'est beaucoup plus rapide par ici. Je me suis dit que nous ferions d'abord un saut à la maison. Tu pourras boire quelque chose et te rafraîchir un peu, après ce voyage pénible en autocar. Nous irons voir maman ensuite. J'avais également l'intention de passer chez M. Morgan, où se trouve papa. L'enterrement est fixé à mardi. Ah, j'ai également pris contact avec le garage Gulf qui s'est chargé de récupérer l'Oldsmobile. Elle est réparable, mais maman préférera peut-être changer de voiture.

— Eh bien, quelle efficacité ! » s'exclama ironiquement Cate. Elle sortit un mouchoir trempé dans lequel elle se moucha. Par une envie probablement morbide, elle avait espéré faire une sorte de pèlerinage des lieux connus, comme pour se signifier que leur père était bien mort. Les lieux aussi avaient leurs droits. Tandis qu'elles tournaient autour de la vieille ville qui miroitait faiblement, telle l'ombre d'elle-même, en contrebas de ce périphérique sans âme, elle clignait désespérément les yeux pour repérer les endroits connus et accomplir, malgré tout, cette sorte de rituel. Elles iraient au moins à l'hôpital, étape importante entre toutes de ce pèlerinage, bien que le bâtiment d'origine eût pratiquement disparu à cause des rénovations et autres agrandissements. Un jour du printemps 1938, en sortant de l'étude de son père qui se trouvait dans la rue juste en face de l'hôpital, leur propre père avait vu une infirmière blonde et furieuse surgir sur le palier de l'escalier de secours. (« Si vous aviez vu son visage ! Exprimer tant de choses en aussi peu de temps ! Cette fille a du caractère, me suis-je dit. Avant de parier intérieurement : si je réussis à capter son regard, je saurai la faire sourire. Et quand elle a souri, j'ai su que je l'épouserais. ») Les petites filles avaient adoré cette belle histoire. « Tu as un peu forcé le destin, tu sais, intervenait régulièrement leur mère. D'abord tu t'es raclé la gorge. Et moi, j'ai souri parce que je me sentais ridicule. Il faisait tellement beau, et puis tu avais l'air tellement calme et sérieux, en bas. Dire que je n'ai jamais pu me rappeler ce qui m'avait mis dans une telle colère. »

« Tu es très enrhumée, dit Lydia. Cet abominable autocar n'a pas dû arranger les choses, j'imagine.

— Non, mais il y avait un couple bizarre de l'autre côté de l'allée : grâce à eux, le temps est passé plus vite.

— Ah bon ! Comment cela, *bizarre* ? » Cate avait toujours eu le don de repérer les choses intéressantes.

« Eh bien, ils sont montés en même temps que moi, à Atlanta. Ils formaient manifestement un *couple* ; or, elle lui a demandé de s'asseoir derrière elle, alors qu'il y avait beaucoup de places libres côte à côte. Elle était jeune, très bien habillée, jolie et apparemment peu portée sur les choses de l'esprit. Lui avait sensiblement le même âge, mais il était obèse. Il portait des vêtements amples, mal taillés, qui semblaient râpés et ordinaires. Pendant tout le voyage, elle est restée assise sur son siège, nez en l'air et regard

39

fixé droit devant elle, quand elle ne lisait pas une des revues qu'elle avait avec elle. Parcourir serait d'ailleurs plus conforme à la réalité. A part cela — écoute bien — lui sortait périodiquement un grand sac en papier et, par-dessus le dossier, il lui faisait passer la moitié d'un sandwich sans croûte, ou un quartier de mandarine, ou une autre moitié de sandwich. Il avait donc la responsabilité de l'ordre dans lequel elle mangeait les aliments, et elle acceptait chaque bouchée avec superbe. Deux fois au moins, avant que je ne m'assoupisse, je l'ai vue tomber sur un détail qu'elle jugeait intéressant. Elle pliait alors soigneusement le journal à la page concernée, soulevait le tout au-dessus de sa tête et désignait de l'index — ses ongles étaient parfaitement manucurés et vernis — le passage qu'elle entendait lui faire lire. Il prenait la revue et la lisait attentivement, avant de la lui retourner. Alors elle semblait satisfaite et pouvait se remettre à feuilleter le tout.

— Bizarre, en effet ! s'écria Lydia.

— N'est-ce pas ? Mais comme je te l'ai dit, je me suis ensuite endormie et, à mon réveil, ils avaient disparu. Par conséquent, soit ils sont descendus à Greenville, soit j'ai rêvé cette histoire du début à la fin.

— Décris-moi la façon dont ils étaient habillés », dit Lydia. Elle voulait que le couple prenne davantage réalité.

« Elle portait un très joli manteau à chevrons, marron. Un Burberry peut-être. Et puis un pull gris foncé, à col roulé — du mohair ou du cachemire — sur une jupe assortie. Elle avait aussi des colliers en or. Et une montre en or. Les bottes constituaient la seule fausse note. Les coutures trahissaient en effet une qualité plus ordinaire.

— Eh bien, si tu as remarqué tous ces détails, c'est que tu n'as pas rêvé.

— Cela ne prouve rien. Mes hallucinations sont toujours riches en détails.

— A t'entendre, on croirait que tu passes ton temps à être victime d'hallucinations », observa Lydia non sans agacement. Le côté « mystique » de Cate, ou du moins ses prétentions au mysticisme, avait souvent contribué à gâcher leurs relations.

Cate avait perçu le changement de ton de Lydia, or elle était bien résolue à éviter toute querelle, moins de vingt-quatre heures après le décès de leur père. Elle rectifia donc volontiers : « Quand je suis fatiguée, il m'arrive de… toi, après une journée éreintante, il ne t'est jamais arrivé de fermer les yeux et de voir les gens faire des choses ? On ne contrôle pas les images qui viennent, elles surgissent d'elles-mêmes.

— Je me demande s'ils étaient mariés », dit Lydia, songeuse. Elle tenait surtout à aimer et admirer sa sœur.

« Possible. Ou frère et sœur, peut-être. J'ai eu l'impression, sans savoir exactement pourquoi, que c'était lui qui avait préparé le déjeuner et acheté les vêtements qu'elle portait.

— Oui ! s'exclama Lydia. J'ai eu exactement la même réaction pendant que tu me les décrivais. Je voudrais bien savoir pourquoi.

— Peut-être étaient-ils symboliques de quelque chose, dit Cate.

— Dans ce cas, tu es spécialiste de la question. Ma vie est suffisamment compliquée sans que j'y ajoute des symboles. Au fait, tu sais, elle l'a probablement fait asseoir sur la banquette de derrière parce que, vu sa corpulence, c'était la seule façon d'avoir ses aises.

— Voilà ce qu'on appelle une explication réaliste », murmura Cate en regardant par la vitre.

Quelques minutes plus tard, Lydia annonça : « Autant te prévenir, nous passons juste devant l'endroit où a eu lieu l'accident. Là. Tu vois ces traces de pneus qui partent dans l'herbe ? Papa a voulu s'arrêter quand il s'est senti mal. Il croyait à une indigestion. Sa prudence a sauvé maman. Ils roulaient beaucoup plus lentement au moment où la voiture a quitté la route. Les empreintes plus profondes sont celles de la dépanneuse qui est venue retirer l'épave. » Elle-même eut peine à reconnaître le son de sa voix, tandis qu'elle fournissait ces détails à l'intention de sa grande sœur. Elle avait un peu ralenti.

Cate regarda. Puis pencha la tête pour s'abandonner à son chagrin.

Lydia se sentit coupable. Pourtant, Cate lui avait fait verser bien des larmes au cours des années écoulées. Mais elle voulut se racheter.

« Ecoute, dit-elle en reprenant de la vitesse, il faut que je te dise quelque chose. Max et moi sommes séparés. »

Les sanglots de Cate devinrent reniflement. Elle fouilla dans sa poche pour en sortir le mouchoir détrempé, jugea qu'il était inutilisable et le refourra d'un air dégoûté au fond de la même poche, également mouillée. Après un vigoureux reniflement, elle essuya délicatement son nez contre le revers de sa manche. « Je dois avouer que tu me surprends.

41

— Eh oui, marmonna Lydia. Je crois que je me suis surprise moi-même.

— Je croyais que vous vous entendiez bien.

— C'est vrai. Et nous nous entendons toujours très bien. Il n'est personne au monde que je respecte davantage que Max. Sauf papa. Je sais que des tas de gens vont me trouver folle, mais je n'y peux rien. Au fait, papa n'était pas au courant. J'avais fait promettre à maman de ne rien lui dire de mon départ, jusqu'à Noël. » C'était son tour de renifler à présent.

« Pauvre Max, dit Cate. Lorsque je l'ai eu au téléphone hier soir... ou bien, bon sang ! mais c'était ce matin... Je l'ai trouvé... comment dire... poignant. Je me suis dit que c'était à cause de papa. Et c'est toi qui es partie ?

— C'était plus honnête. Après tout, les torts sont de mon côté. » Lydia semblait assez contente d'elle. « Dickie vit avec moi, dans un appartement, et Leo est resté à la maison, parce qu'elle était plus près de son lycée. Tout cela se passe entre personnes civilisées.

— De quels torts parles-tu exactement ? interrogea Cate.

— Aucun... dans l'immédiat », dit Lydia en rougissant jusqu'à la courte frange de boucles brunes qui seyait bien à son visage angélique. Elle pouvait se permettre cette coupe masculine, car il n'y avait absolument aucun risque qu'on la confondît jamais avec un garçon. « Justement, j'avais l'impression de n'être pas assez libre pour avoir seulement des torts. J'imagine que tout cela semble très flou, non ?

— Pas lorsqu'on lit entre les lignes, répliqua Cate sans détour. Tu t'es mariée alors que tu étais encore une gamine. C'est lui qui a fini de t'élever ; il est donc totalement naturel que tu aies envie de voler de tes propres ailes et d'aller voir un peu à quoi ressemble le vaste monde. »

Le raccourci était un peu rapide. Lydia lui en voulut de cette interprétation trop évidente d'une décision douloureuse, qu'elle avait mis des mois à prendre. « Les choses ne sont pas tout à fait aussi simples, dit-elle. Je veux dire par là qu'il ne m'a pas suffi de lire une phrase dans un roman pour faire ma valise, comme toi lorsque tu as quitté Pringle à Reykjavik.

— Le roman que j'ai lu *après* celui auquel tu fais allusion compta également », concéda Cate, faute de mieux. Et comme Lydia ne relevait pas, elle demanda. « Alors que vas-tu faire, maintenant ?

— Eh bien, j'ai l'intention de subvenir moi-même à mes

besoins. Dans l'immédiat, Max assure l'entretien des enfants, bien sûr, et je couvre mes dépenses personnelles grâce aux dividendes des excellents placements qu'il avait faits pour moi, à l'époque où nous étions à Londres. Je trouve cette solution correcte dans la mesure où, après tout, ces titres m'appartiennent, puisqu'ils sont à mon nom. Mais ce n'est qu'un début. Je désire apprendre à *faire* quelque chose qui me permette de gagner ma vie. C'est pourquoi je retourne suivre des cours à l'université en janvier. Je me suis inscrite à l'université de Greensboro, pour passer un diplôme supérieur.

— Ne choisis pas la littérature, il n'y a pas de débouchés.

— Pour ça, tu n'as pas d'inquiétude à avoir ! J'envisageais des études plus utiles. »

Ce fut le tour de Cate de se sentir dénigrée.

« Au demeurant, continua Lydia, j'apprends à faire des économies et cela est une bonne chose. L'autre jour, par exemple, je vois une pochette absolument ravissante. Un cuir d'une finesse fantastique, joliment tressé, comme du rotin. Un gris parfaitement assorti à celui de ma veste de tweed. Mais l'étiquette indiquait cent cinquante dollars, alors j'ai résisté.

— Ça alors, quelle honte ! dit Cate. Même de la part d'un Rockefeller, il aurait été proprement scandaleux d'acheter une pochette à ce prix.

— Je ne vois pas pourquoi. Si je m'étais appelée Rockefeller, l'affaire n'aurait concerné que moi-même et l'homme qui vendait son temps et son habileté par le truchement de cet article de maroquinerie.

— Lydia, tu n'es tout de même pas naïve à ce point ? Sur les cent cinquante dollars en question, le pauvre bougre surexploité qui a fabriqué ta pochette à Taïwan ne voit sans doute guère plus de trente-cinq cents. » Malgré ses bonnes résolutions, Cate était partie pour une de ses diatribes.

Et Lydia eut la satisfaction de lui répondre, avec le plus grand calme : « Ce n'est pas "ma" pochette. Et puis je crois sincèrement que nous devrions essayer de nous entendre, ne serait-ce qu'aujourd'hui, par simple respect envers Papa. »

Lorsque, en même temps que la prospérité — c'est-à-dire après la guerre — vint pour Leonard Strickland le moment d'acquérir une maison plus vaste pour loger sa famille, Nell et lui finirent par restreindre le champ des possibilités à deux options : la maison du commodore Hawkins — style colonial haute époque avec bardeaux gris et ravinés — qui venait d'être mise en vente dans le quartier le plus huppé de la ville, dit St. Dunstan's Forest, ou bien une maison qu'ils feraient construire à leur goût, dans le quartier très résidentiel, mais un peu plus mélangé, de Lake Hills. Leonard, qui avait un faible prononcé pour l'architecture du passé, doublé d'un goût romantique pour ce qui se rattachait de près ou de loin à l'univers de la mer, penchait en faveur de la maison du vieux capitaine au long cours, en dépit de sa situation en contrebas, dans un petit bois de sapins, et malgré l'accord tacite grâce auquel les Juifs étaient systématiquement exclus de St. Dunstan's Forest, ce qui allait à l'encontre de ses principes égalitaires. En contrepartie, « La Forêt », comme il disait, représentait une garantie de sécurité pour leurs filles, la présence d'une police privée faisant de ce secteur un havre de paix pour gosses de riches. Nell appréciait l'air pur et le relief accidenté de Lake Hills ; elle tenait en revanche en piètre estime l'ombre, l'humidité et le snobisme de « La Forêt », ajoutant qu'elle n'avait pas besoin de l'aide de policiers pour s'occuper de ses propres enfants. Elle avait remarqué récemment plusieurs maisons « modernes » en construction sur des terrains situés en périphérie de la ville. Ces habitations avaient tendance à se développer horizontalement plutôt que verticalement, et elles disposaient de vastes baies vitrées laissant pénétrer un maximum de lumière. Elle avait déjà jeté son dévolu sur un lotissement avec vue dominante sur le lac et quelques toits de maisons de plain-pied (elle faisait du snobisme à rebours), sur fond de montagne.

Sans élever la voix, ils trouvèrent un compromis. Leonard eut droit à du style colonial haute époque flambant neuf, et Nell obtint son air pur avec vue panoramique. Les citadins surnommèrent leur maison « La Puritaine Grise », à cause de la raideur avec laquelle elle se dressait au sommet d'une pente douce et harmonieuse. C'est un camarade de l'école qui avait fait cette remarque à Cate. Néanmoins, lorsque la famille s'y installa définitivement à la fin de l'été, tout le monde fut satisfait de la nouvelle maison : Leonard était content de son aspect extérieur et ravi d'avoir réussi à faire plaisir à Nell ; les filles furent enchantées de ne plus devoir se partager une chambre et Nell apprécia sa cuisine éclairée par de larges baies vitrées qui donnaient sur la montagne et laissaient pénétrer la lumière de l'après-midi.

Ce fut seulement à l'arrivée de l'automne, quand les arbres perdirent leurs feuilles et que les vents se déchaînèrent, que se révéla le vice caché de la maison. Les murs se mirent à hurler. On rappela l'entrepreneur et l'architecte. Il n'y avait rien à faire. Lorsque le vent soufflait dans une certaine direction, la maison gémissait comme ces fées de mauvais augure qui annoncent l'approche d'une mort. Il faudrait s'y habituer : le phénomène était la conséquence inéluctable d'une incompatibilité entre l'architecture choisie et la topographie des lieux. Certains après-midi d'hiver, alors que leur père était encore en ville, leur mère répondait à cette plainte lancinante. Mais elle ne le faisait pas quand il était là. Il ne supportait pas que les gens crient. Même la maison semblait respecter ses phobies. La lamentation atteignait son paroxysme entre quatre et six heures, après quoi elle se transformait en un faible gémissement plaintif. La situation devenait presque élégiaque après le retour du père.

Pourtant, la maison et son environnement semblaient bien avoir trouvé une sorte d'harmonie, se dit Cate, heureusement surprise par ce qu'elle découvrit au bout de l'allée où venait de s'engager la voiture de Lydia. Comme chez les vieux couples, les notes discordantes avaient fini par s'estomper, à force de se côtoyer, cédant la place à une sorte de douce unité. Les feuillages persistants, plantés par Leonard Strickland pour faire écran au gémissement du vent, avaient atteint une taille suffisante pour permettre à « La Puritaine Grise » de s'installer plus confortablement sur sa pelouse d'hiver, constituant ainsi une toile de fond à la fois accueillante, sympathique et fanée, pour la somptueuse beauté de deux saules adultes dont les branches nues frémissaient au vent, de chaque côté de l'allée.

La clé déjà à la main, Lydia précéda Cate sur la pelouse tondue ras. En attendant que sa sœur ouvre la maison, Cate aspira de grandes bouffées d'air. Elles entrèrent. Terrifiante immobilité à l'heure où la lumière de l'après-midi semble couvrir toute chose d'une fine poussière. Le cœur de Cate se mit à battre au rythme tant redouté de sa vieille claustrophobie. Remarquant que sa sœur semblait soudain très mal, Lydia proposa gentiment :

« Je vais nous servir un verre pendant que tu montes te rafraîchir.

— Parfait. Encore que je ferais sans doute mieux de m'abstenir. Avec toute la Coricidine que j'ai avalée, je risque de m'écrouler.

— Ne t'en fais pas. Je serai derrière toi pour te ramasser », dit Lydia dont les grands yeux semblèrent s'attendrir. Quel assaut de complaisance à l'égard d'une sœur que chaque année rapprochait

45

apparemment et dangereusement du gouffre ! De quel gouffre exactement, Lydia n'aurait su le dire précisément, mais elle se prenait souvent à rêver de la façon dont elle prendrait Cate *en charge*, voire dont elle l'aiderait à recoller les morceaux si besoin était.

« Lydia, dit Cate, avec un baiser de remerciement pour cette petite sœur à l'attention maternelle, tu sais qu'après tout, on pourrait finir par s'entendre.

— J'espère bien, dit Lydia, subitement gênée par les grands élans d'affection qu'elle venait de déclencher. Attends une seconde. » Elle tendit à Cate une coupure de journal pliée en deux, qu'elle-même avait placée, un peu plus tôt dans la journée, sur la table du vestibule, précisément dans cette intention. « Tu auras peut-être envie de lire ceci pendant que tu seras là-haut. C'est le panégyrique de papa. »

Chère Lydia... pourquoi faire une chose à la fois quand on peut en faire deux ? songea Cate en montant l'escalier, avec sa valise et la coupure de journal.

Mais elle était néanmoins touchée que Lydia lui ait proposé de la « ramasser ». Plusieurs fois, ces derniers temps, l'envie l'avait prise de se laisser aller dans les bras protecteurs d'une tierce personne. Mais il était encore trop tôt pour ce genre d'abandon. Ou déjà trop tard... Question de point de vue.

Les meubles et le décor de son ancienne chambre n'avaient pas changé. Pourtant, le peu de sa personnalité qu'elle était parvenue à communiquer à ces lieux, au cours de son adolescence impétueuse et des premières années de sa vie de jeune fille en fleur, avait de nouveau disparu. « Et voici ta chambre à toi », avaient fièrement annoncé papa et maman sur le pas de la porte, tandis que la fillette de douze ans luttait contre sa déception consternée pour trouver quelques mots de gratitude. La pièce était encombrée d'objets ; il restait à peine la place de circuler et certainement pas de danser. Prenant ce silence pour une réaction d'angoisse, sa mère avait dit : « Avec les deux lits jumeaux, tu pourras inviter tes amies à venir dormir ici. » Et son père de préciser : « Comme tu es l'aînée, nous t'avons donné priorité pour la vue sur la montagne. » Il s'était même dirigé vers la fenêtre, non sans heurter un lit au passage. « Regarde : si on avait voulu t'offrir une photo, on n'aurait pu choisir meilleur point de vue. Le Pisgah et le Rat. » A l'époque, il y avait une reproduction d'une nature morte de Renoir encadrée par leurs soins et accrochée au-dessus des lits. Un vase de roses épanouies occupait tout le tableau. Plus tard — elle était au lycée — elle avait remplacé le Renoir par une affiche de Paul Klee, dont le mystère et la simplicité donnèrent une autre respiration à la chambre. Cornée et jaunie à présent. Pourquoi n'avait-elle jamais songé à la mettre sous verre ?

Elle jeta journal et valise sur le lit avant d'aller à la fenêtre. Le Pisgah, avec ses deux sommets jumeaux et déchiquetés, était encore baigné de lumière. En dessous, le paysage s'enfonçait déjà dans la mélancolie bleutée du soir. Ces montagnes avaient servi de tremplin à bien des désirs. Elle devait les avoir contemplées un millier de fois en essayant d'imaginer à quoi ressemblerait le monde de l'autre côté, celui qu'elle irait conquérir.

Aujourd'hui, elle les avait franchies maintes fois, ces montagnes. Mais qu'avait-elle conquis ?

Elle s'assit sur le lit pour lire l'éloge funèbre de son père. « ... laissé derrière lui son épouse, Nell et leurs deux filles, Mme Max Mansfield, résidant à Winston Salem et Mme Cate Galitsky, de Davenport, dans l'Iowa ». Pourquoi avait-on cité Lydia en premier ?

Elle resta un instant à méditer sur l'étrangeté de sa propre identité, telle qu'elle apparaissait dans le journal. Si elle ne savait pas qui elle était, ou si elle avait oublié son second mari, le séduisant et peu recommandable Jake... si elle n'était qu'une personne anonyme ne connaissant pas les Strickland et qui lisait cette rubrique, elle imaginerait « Mme Galitsky » sous les traits d'une vieille veuve d'immigrant, finissant tranquillement ses jours entre des couvre-théières et des napperons brodés, dans une ville du Middle West.

Puis son regard dériva lentement vers le bas de la page, et elle lut l'article sur Taggart Mc Cord. Elle était assurément trop jeune pour « s'être éteinte en son domicile » d'Opa-Locka en Floride. Etrange, Cate avait ignoré jusqu'à ce jour que son nom de femme mariée fût Staunton. Taggart Mc Cord en « Mme Staunton » ! Voilà qui semblait aussi surprenant que le « Mme Galitsky » pour la désigner, elle. (Pendant leur mariage, les amis qu'ils fréquentaient l'appelaient simplement « Cate » ou parfois « la-femme-à-Jake ».) Elle découvrait également l'appellation exacte du corps féminin de la marine, et la réalité recouverte par le sigle *WAVES* lui parut bien condescendant et péjoratif : « Femmes désignées pour être volontaires dans des missions d'urgence. » La notion d'urgence signifiant implicitement que personne, autrement, ne songerait à faire appel à vos services.

47

Plus la contradiction interne contenue dans les termes « désignées » et « volontaires ». On ne se porte pas volontaire pour une mission pour laquelle on est désigné, pas plus qu'on ne peut désigner de volontaires.

Un jour, à l'époque où la famille vivait encore dans la vieille ville, Taggart avait offert une glace à Cate et Lydia. Elle-même était déjà perchée sur un tabouret, au comptoir du glacier, et sirotait ce qu'elle appelait un « remontant ». Les deux fillettes eurent un peu peur lorsqu'elle les appela de sa voix rauque et moqueuse pour les inviter à prendre place à côté d'elle. Elle avait la réputation d'une « excitée ».

Mais elle était irrésistible avec ses sandales légères, sa jupe paysanne et les mèches auburn qui dépassaient de son fichu ; et puis tout le monde savait qu'elle était la fille de l'irréprochable Mme Mc Cord. Les deux gamines grimpèrent sur les tabourets désignés par Taggart. Elle portait des anneaux d'oreilles en or, à la mode gitane.

« Allez, dit-elle. C'est moi qui paye.

— Maman nous a donné l'argent pour notre cornet de glace, répliqua Lydia, en parfaite petite écolière de bonne famille.

— Oh, insista Taggart. Je pensais à quelque chose de plus spectaculaire. » Elle avait sans doute surpris le regard gourmand de Cate, car elle poussa négligemment une carte devant chacune des fillettes. « Tenez, prenez-moi au mot, j'ai les moyens. »

Derrière le comptoir, le garçon fit entendre une sorte de hennissement.

« Si vous parlez sérieusement, dit Cate au bout d'une minute, j'aimerais ça. » Son doigt désignait une coupe que sa timidité lui interdisait de nommer à voix haute.

« Quoi ? s'écria Lydia qui avait fait semblant d'être capable de lire la carte aussi bien que Cate. Moi aussi.

— Deux Banana Splits », dit Taggart à l'adresse du garçon.

L'œil rouge et la ceinture prête à rompre, les deux fillettes jouaient avec les restes de la coupe somptueuse. Taggart cligna les yeux en direction de la grande église baptiste, sur l'autre trottoir. « Tu sais, mon mignon, je ne connais pas d'exemple d'architecture plus érotique dans toute la ville, et cette bande de pharisiens ne s'en rend même pas compte. »

Le « mignon » hocha la tête après un coup d'œil aux deux gamines.

« Bof, je m'en fiche ! » Sa sandale heurtait régulièrement le bas du comptoir. « J'aimerais écrire un livre sur cet endroit. J'en serais capable, d'ailleurs. Dire ce que je sais. Sauf que mes talents s'exercent en d'autres domaines. »

Remarque qui déclencha son hilarité et celle du « mignon ».

En rentrant à la maison, Lydia vomit son Banana Split. Cate interrogea sa mère sur le sens du mot « érotique ». Nell se contenta de dire : « Cette femme est carrément folle. J'espère que l'expérience te servira de leçon, Lydia. »

« Cette femme » devait être à peine plus vieille que la Cate de Melanchton College. Nell n'expliqua jamais le sens du mot érotique à la fillette qui consulta donc le dictionnaire paternel. « Qui a rapport à l'amour, qui en procède. » A dix ans déjà, Cate avait le sentiment de se heurter à une vaste conspiration, chez elle, à l'école, et même dans les livres, visant à lui dissimuler les informations dont elle avait besoin pour comprendre le vaste monde.

« Alors, comment ça se passe dans ta fac ? » demanda Lydia. Pelotonnées chacune à une extrémité du divan du salon, les deux sœurs sirotaient leur bourbon. Lydia avait également préparé un séduisant plateau de fromages, avec une grappe de raisin à chaque coin. Ce genre d'attention faisait sa fierté.

« Eh bien, ce n'est pas exactement Harvard, dit Cate. Disons que les gamins sont plutôt gentils. Ce n'est pas leur faute. La plupart ont vécu toute leur vie dans une ferme. Et puis il s'agit d'un établissement luthérien. Enfin, certains sont beaux gosses. » Elle pensait plus particulièrement à un garçon avec qui elle avait dansé pendant la soirée du groupe théâtre. Bien qu'il l'ait essentiellement utilisée comme un piquet autour duquel il dansait. Il était le fils du roi des pesticides, pour la région du moins, et avait joué le rôle du comte Dracula dans le gala du collège. « Les habitants de l'Iowa sont vraiment les Américains à l'état pur, tu sais.

— Je ne vois pas en quoi un citoyen de l'Iowa serait plus américain que moi, dit Lydia.

— Chez eux, il y a identification complète avec leur image de l'Amérique, sans aucun écran d'aucune sorte. Alors que dans notre cas... euh, tu sais bien que le fait d'être du Sud implique un mode de vie particulier ; les habitants de Nouvelle-Angleterre ont encore un pied sur le *Mayflower* ; les New-Yorkais font volontiers preuve d'ostracisme. Quant à la Californie, c'est le bout du monde. En revanche, dans le Middle West, respire encore, dans toute sa pureté, l'esprit pionnier qui a fait l'Amérique. Or, au lieu d'en tirer le moindre orgueil, ces gens restent sur la défensive parce qu'ils n'ont pas d'ambition.

— Hum... » fit Lydia. Cate avait incontestablement l'art d'envelopper les choses. « A quoi ressemble ton appartement ? Ton chez toi ?

— Il est également dénué d'ambition, répondit Cate en riant. Une chambre, une cuisine et pas de salon. En se penchant suffisamment par la fenêtre et à condition de tordre le cou, on aperçoit le Mississippi.

— Tu as un homme dans ta vie ? » Lydia utilisait le ton de la dérision, pour masquer sa curiosité.

« J'en avais un. Enfin si l'on veut. J'ai rompu. » Petit ricanement ironique. « Bien qu'il ne soit pas encore au courant.

— Ah bon ? Pourquoi ?

— Il l'a bien cherché. Il est "Poète Résident". Marié à une petite épouse docile qui supporte tout. Il écrit des poèmes pour dire combien la vie serait différente sans Alice, puis sombre dans la turpitude. Pourtant nous nous entendions bien ; il ne manquait pas d'esprit. Jusqu'à ce qu'il m'attaque pendant une réunion du conseil d'administration. Le président indiquait qu'il risquait d'être contraint de fermer boutique à cause de l'augmentation fulgurante du prix du mazout, de la baisse des effectifs, etc. J'ai proposé que nous acceptions tous de voir nos salaires partiellement amputés afin d'assurer le fonctionnement de l'établissement, au moins jusqu'à la fin de l'année. Suggestion qui déclencha la fureur de mon cher petit poète maison. Hors de lui, il a vitupéré "ces personnes qui, n'ayant d'autre préoccupation que celle de se faire plaisir", n'imaginent même pas ce que peut être la responsabilité d'un "chef de famille". La réunion remonte seulement à quelques jours, mais la prochaine fois qu'il viendra roucouler sous mes fenêtres, je lui dirai d'aller se faire voir ailleurs, que je suis en train de me faire plaisir.

— J'espère que tu ne vas pas te retrouver trop seule », finit par dire Lydia. Elle comprenait le point de vue du poète, mais ne voulait pas gâcher la conversation.

Le coucher de soleil de ce début d'hiver emplissait la pièce d'ombres diverses. Une grande part de l'histoire de la famille se trouvait inscrite entre ces murs. Cate y avait âprement revendiqué le droit de quitter l'institution religieuse pour fréquenter un lycée public. Dominant mal son triomphe, Lydia avait précipité ses projets de mariage afin de pouvoir suivre Max à Londres où l'appelaient ses nouvelles fonctions. Tous les six mois, Nell Strickland interdisait l'accès de la pièce la veille du jour où elle recevait le club de bridge ou celui de lecture. Dans l'angle sud-ouest, à côté de l'énorme meuble hi-fi, leur père passait des samedis après-midi entiers, immobile et droit comme un pharaon, à chasser de son esprit les soucis de la famille et du travail en écoutant ses chers opéras, le casque sur la tête.

« Eh bien, si je me sens seule, dit Cate en aspirant la dernière goutte de bourbon à travers les cubes de glace, je prendrai un super-amant. A moins que je n'essaye les femmes. D'ailleurs, je devais justement passer Noël avec une femme. Elle vient de flanquer son mari à la porte. Un beau salaud, apparemment. Elle s'est fabriquée une bien séduisante solitude, entre ses meubles anciens et ses traductions. Elle a même un faux air de Virginia Woolf. »

Un peu inquiète, Lydia jeta un regard en coulisse à sa sœur. Le menton pointait à quarante-cinq degrés et Cate guettait la réaction de Lydia, mine de rien et sourire aux lèvres.

Lydia ravala sa salive. « Tu ne crois pas que la fac risque sérieusement de fermer, si ? demanda-t-elle.

— Peut-être bien que oui. Peut-être bien que non. C'est ce genre de précarité qui tue toute velléité de contestation chez les gens. Exactement comme lorsque les informations annoncent des catastrophes en série. On rentre dans sa coquille en disant : "Oh chéri, pourvu que nous arrivions à sauver notre petit chez-nous". Leur méthode a pour avantage que chacun évite d'aller voir de trop près ce qui se passe et renonce à exprimer des exigences. »

Leur méthode à qui ? se demanda Lydia. Cate serait-elle un tant soit peu dérangée ? Et dans ce cas, où faudrait-il chercher la cause de son état ? Dans le fait d'avoir été l'épouse d'un homme qui pilotait des V-2 et à qui l'on confiait des missions secrètes ? Dans celui d'avoir eu pour second mari un type qui se droguait et vivait à ses crochets ? Fallait-il incriminer l'excès de solitude, ou de savoir... à moins que ce grain de folie ait toujours été présent en elle, comme un point incandescent au cœur de sa personnalité, n'attendant que l'événement opportun pour l'embraser totalement ?

« Et si ça ferme, continua Cate avec un optimisme résolu, je trouverai autre chose. Peut-être cesserai-je momentanément d'enseigner, mais je trouverai bien une occupation. Il y a toujours quelque chose à faire. »

Lydia regarda sa montre. « Je crois qu'il est l'heure de partir à l'hôpital pour voir comment se porte maman », dit-elle.

Lorsqu'elles pénétrèrent dans la chambre occupée par leur mère, les deux sœurs trouvèrent Theodora Blount, déjà en grand deuil. Il était temps qu'elles arrivent, à en croire le regard soulagé de Nell. Theodora se comportait exactement en veuve éplorée.

« Je me demande vraiment, bafouilla-t-elle d'une voix brisée, ce que je vais faire sans lui. Tout sera changé. Il était le dernier monsieur digne de ce nom. Je n'ai aucune envie de vivre dans un monde où il ne sera plus. » Lorsqu'elle vit Cate se profiler derrière Lydia dans l'encadrement de la porte, elle enfouit son visage dans son mouchoir, histoire de gagner un peu de temps.

« Tiens, mais c'est Cate ! dit Nell avec la fierté du valeureux combattant content de recevoir du renfort. Cate chérie, viens m'embrasser, mais fais attention, je peux à peine bouger. »

Cate s'exécuta avec douceur et gentillesse. « Bonjour, tante Thea, dit-elle sans l'ombre d'un accent de remords.

— Bon, renifla la marraine de Cate en se baissant pour ramasser son sac, je sais que tu as besoin d'être seule avec ta famille. Je rentre. » Elle évita soigneusement de dire « tes filles ». Sa façon à elle de nier Cate.

Pour ne pas se désolidariser de sa sœur, Lydia se contenta d'un hochement de tête affligé pour saluer tante Thea. Elle craignait, en prononçant un seul mot, de donner à tante Thea l'occasion de ne dire bonjour qu'à elle et d'ignorer Cate.

« Essaie d'être moins malheureuse, dit Nell, la vraie veuve, sur son lit d'hôpital. Il aurait désiré que nous continuions à vivre comme avant. » Sa voix était encore un peu brouillée par les tranquillisants.

Ma parole, elle est ivre, se dit Cate en voyant Theodora se redresser de toute sa hauteur. Theodora perçut un soudain adoucissement dans le regard de Cate et l'interpréta comme un désir de réconciliation.

Au moment de croiser Cate, la vieille dame sembla s'incliner un peu vers sa filleule dévoyée. Rougis par le chagrin qui aurait pu attendrir le cœur de la pleureuse en faveur de l'enfant de Leonard, les deux yeux au regard usé mais aigu crièrent à Cate de faire le premier pas. Celle-ci savait qu'elle n'avait qu'à tendre un peu les bras ou murmurer « Tante Thea ? » sans y mettre d'intonation ironique, et des relations bénéfiques à elles deux seraient immédiatement rétablies. Mais si son intellect reçut favorablement le message de magnanime compassion, ses réflexes, entamés par la fatigue, le bourbon et les antihistaminiques, ne suivirent pas et se cramponnèrent à leur schéma habituel d'entêtement jusqu'au moment où Cate vit que l'occasion était définitivement manquée.

« Azalea a proposé de venir chez moi aujourd'hui, annonça Theodora dont la voix avait pris une tonalité anormalement aiguë, bien que ce soit son jour de congé. Mais Wickie Lee a dit qu'elle préparerait quelques sandwiches. Chère petite. Comme si je pouvais avaler quoi que ce soit. Bon, Nell, je vais prier pour toi. Nous allons tous ressentir cruellement son absence. » Drapant une mantille de dentelle noire sur ses cheveux, elle tournait le dos à Cate. « Comment vont tes deux fils ? » demanda-t-elle à Lydia, les yeux ivres de rage, au moment de passer le seuil de la porte.

« Pauvre Theodora », bâilla Nell. Malgré l'état second dans lequel la maintenaient les tranquillisants, l'incident entre Cate et Theodora ne lui avait pas échappé et, bien qu'elle eût passé la matinée à ruminer sa rancœur contre Theodora qu'elle tenait pour partiellement responsable de la mort prématurée de Leonard, Nell dut bien reconnaître que l'obstination de Cate l'agaçait un peu.

« Qui est cette Wickie Lee ? demanda Lydia.

— La nouvelle *protégée* de Theodora. Une petite montagnarde débarquée un beau jour au foyer du Nouvel Espoir, sans vouloir dire quoi que ce soit de son identité. Elle attend un bébé et vit chez Theodora.

— Pauvre Azalea, dit Cate. J'imagine qu'il n'est pas venu un seul instant à l'idée de tante Thea qu'Azalea pourrait avoir *envie* de venir préparer le dîner. Elle aussi adorait papa. Lydia, si nous allions demander à Azalea de nous préparer notre dîner à nous ?

— Non, je t'en prie, protesta Nell avec une telle véhémence que sa côte la fit souffrir. Vous ne feriez que compliquer les choses.

— Je ne vois pas en quoi... commença Cate.

— J'ai déjà prévu un plat à réchauffer, intervint rapidement Lydia. Et puis il faudrait la raccompagner ensuite. »

Nell se mit à pleurer doucement. Les dernières paroles de Lydia avaient réveillé en elle l'image de Leonard et Azalea grimpant péniblement le raidillon au rythme incertain et bondissant des ronds de lumière de la torche. Hier soir...

Lydia se tourna vers Cate. « Je vous laisse toutes les deux. Vous n'avez pas encore eu le temps de vous voir. » Et elle s'éclipsa discrètement.

Cate mobilisa toutes les réserves d'énergie qui lui avaient fait défaut pour Theodora (encore qu'elle se sentît absoute par l'absence de considération de sa marraine à l'égard de la vieille Azalea), et elle s'installa au chevet de sa mère, sur la chaise libérée par Theodora.

« Maman, je suis tellement contente que tu sois saine et sauve ! » Elle repoussa doucement une mèche de cheveux blonds grisonnants qui masquaient un vilain bleu sur la tempe maternelle. Mes cheveux clairs vont blanchir comme les siens, songea Cate.

« Je ne sais pas ce que nous allons faire sans lui, murmura Nell. Tout reposait sur lui.

— Maman, raconte-moi comment les choses se sont passées hier soir. J'ai l'impression que si je pouvais me faire une idée précise de ce qu'ont été ses dernières heures, j'accepterais plus facilement.

— Il faudra bien que nous acceptions, tous autant que nous sommes, que cela nous plaise ou non. » Nell éprouva une soudaine fatigue. Voilà qui ressemblait bien à Cate. Elle exigeait déjà un rapport détaillé alors qu'elle-même n'avait pas encore eu le temps de digérer l'événement. Non, elle était injuste : Cate adorait son père. Et Leonard avait beaucoup d'affection pour elle. « Nous reparlerons de tout cela plus tard, dit-elle à Cate. Tu n'as pas l'air très bien, chérie. Tu devrais aller soigner ce rhume au fond de ton lit. Nous aurons largement le temps de discuter plus tard.

— D'accord, maman », dit Cate, l'air chagrin. Elle embrassa Nell avant de se lever pour prendre congé.

Dès qu'elle fut sortie, Nell se sentit coupable. Puis elle en voulut à Cate de la mettre ainsi en situation de remords. Mais pourquoi suffisait-il que Cate entrât dans une pièce pour que la vie devînt immédiatement plus compliquée et mouvementée ?

Pour les deux sœurs, l'étape suivante fut le funérarium Morgan. Eprouvante, pour l'une comme pour l'autre. Elles regagnèrent la maison sans faire la moindre allusion à la photo de leur père qui trônait dans le salon d'accueil de M. Morgan. Pourtant, Cate était troublée. Il manquait quelque chose à ce portrait. Mais quoi ?

« Tu as vu, pour Taggart Mc Cord ? dit Lydia. C'était annoncé juste après papa.

— Oui. Tu te souviens des Banana Splits ? Je me demande de quoi elle est morte.

54

— L'annonce ne le précisait pas. Ce qui signifie généralement qu'il s'agissait d'un cancer. Tu sais qu'après ce jour mémorable, je n'ai plus jamais été capable de manger des bananes avec de la glace. »

Pendant qu'elles mangeaient l'un des délicieux petits plats préparés par Lydia, le téléphone ne cessa pas de sonner. Condoléances de l'ex-député et de Mme Bell. « Cette bonne femme est un véritable moulin à paroles, dit Cate. A ton tour de répondre la prochaine fois. »

Lydia resta partie tellement longtemps pour l'appel suivant que Cate remit son assiette au four qui était resté chaud. « Ouf ! gémit Lydia. Tu te souviens de Hugo Miller qui me collait comme une glu à l'époque où Max me faisait la cour ? Il est rédacteur, ou je ne sais quoi, au journal. Il voulait à tout prix "relire" le papier pour le décès de papa, alors qu'il n'y a rien à reprendre dans le texte que j'ai dicté cet après-midi à M. Hays. Je pense qu'il cherchait seulement un prétexte pour me parler. Dommage que tu n'aies pas décroché. »

Le téléphone sonnait de nouveau. « Oh non ! C'est incroyable !

— C'est mon tour, dit Cate. Si tu veux bien mettre mon assiette au four en même temps que tu sors la tienne ?

— Je t'attends, lui cria Lydia, décidément fort conciliante. Dire que ce pauvre Hugo n'a pas désarmé depuis tant d'années. »

Cate revint en étouffant un rire. « Tiens, merci petite fille de m'avoir attendue.

— Qui téléphonait, cette fois ?

— M. Morgan. Un vieillard "suspect, affligé d'un visage complètement défiguré" venait d'arriver en déclarant qu'il voulait voir Papa.

— Oh, la plaie ! dit Lydia. Tu lui as dit quoi ?

— Qu'il s'agissait de notre cousin Osgood et qu'il veuille bien me le passer. Il avait appris la nouvelle par le journal de ce matin et était descendu en ville dans l'après-midi en faisant du stop. Je l'ai invité à passer la nuit à la maison, j'ai bien fait ?

— Pour l'amour du Ciel, Cate ! suffoqua Lydia avant de lire sur le visage de sa sœur que, pour la millionième fois, elle venait de tomber dans le panneau.

— Ne t'inquiète pas. Je l'ai effectivement invité. Mais tu connais les ermites. Il repart en stop ce soir. Bon sang, il doit bien avoir au moins quatre-vingts ans, pour avoir fait la première guerre mondiale.

55

— Tu imagines, dit Lydia dans un frisson. Il fait noir, tu t'arrêtes sur le bas-côté pour le prendre, et tu vois monter dans ta voiture un homme sans nez.

— Lydia, ne recommence pas avec ça. Tu t'es toujours persuadée qu'il avait un trou ou je ne sais quoi. Mais il a encore plus de nez que bien des gens qui circulent librement en étant parfaitement contents d'eux.

— Je suppose qu'il reviendra pour l'enterrement.

— Et pourquoi pas ? Papa et lui s'entendaient très bien.

— Il va donc être là, en bleu de travail, au milieu de la famille.

— Tu sais, Lydia, fit courtoisement remarquer Cate, certains des pires rustres de ce monde ont des placards pleins de costumes trois-pièces à rayure tennis. » Puis elle enchaîna rapidement car, après tout, elles avaient presque réussi à passer une journée sans se quereller. « Ton sauté est superbe. Je reconnais la viande, les courgettes et les pommes de terre, mais quel est le quatrième ingrédient ? Pas des châtaignes d'eau, si ?

— J'ai horreur des châtaignes d'eau. Leur réputation est surfaite. Tu tiens à savoir ce que c'est ? »

Parfait, elle avait mordu à l'hameçon.

« Ces espèces de petits concombres durs que l'on met au vinaigre. Les autres ne vont pas. Ils deviennent mous et insipides à la cuisson. »

Après avoir mis les assiettes au lave-vaisselle, les deux sœurs s'embrassèrent sur les deux joues pour se souhaiter bonne nuit. Lydia prépara deux grogs et resta au salon avec un livre à succès sur la condition féminine et ses affres, tandis que, abrutie et la tête vide, Cate montait se coucher en emportant avec elle son rhume et son grog.

L'oncle Osgood avait été à l'origine de l'une de leurs pires querelles. Cate avait douze ans et Lydia neuf. C'était l'année où la famille avait emménagé dans cette maison. L'école les avait emmenées à la salle des fêtes visiter la foire annuelle de l'Artisanat montagnard où Osgood avait toujours un stand. Il sculptait des animaux. TOUT CE QUI MARCHE, RAMPE OU VOLE... A L'EXCEPTION DE L'HOMO SAPIENS, indiquait l'enseigne peinte à la main et qui était chaque année un peu plus sale. Leur mère prétendait que les atrocités dont il avait été témoin pendant la première guerre mondiale expliquaient probablement son aversion pour le genre humain. Il vivait en ermite grâce à sa pension d'invalidité. Propriétaire d'un verger, il abandonnait volontiers ses pommes à qui voulait se donner la peine de venir les cueillir ; il élevait des poulets de race peu commune, vendait les œufs, mais gardait les poules dont il faisait des compagnons... ou des modèles. Celles qu'il sculptait étaient d'ailleurs remarquables de précision, comme toute sa production artisanale qui relevait de cette tradition en voie d'extinction, faite de patience et d'exigence jusque dans les moindres détails. Toutefois le vieil original réalisait tous ses animaux à la même échelle, si bien que l'ours et le poulet avaient exactement la même taille, tandis que la carapace de la tortue n'avait rien à envier à celle d'une coccinelle. Certains clients s'en trouvaient un peu désorientés. Ce qui n'empêchait pas le stand d'Osgood de remporter un franc succès pendant la foire. Sa disgrâce physique ne faisait qu'ajouter à l'intérêt qu'il suscitait, en particulier chez les amateurs de folklore dont il faisait les beaux jours. Cependant, malgré son appendice nasal atrophié, il repérait de loin le magnétophone le plus soigneusement caché. Et si quelqu'un lui déplaisait, il refusait de se prêter à la moindre conversation qui permettrait d'entendre (ou d'enregistrer) son « étrange accent du terroir ». « J'on rin à dire », disait-il poliment, ou : « Ch' pouvions rin faire pour vous ». Et le chapitre était clos. Il ne restait plus au folkloriste ainsi éconduit qu'à tenter sa chance auprès d'un autre exemplaire de ces témoins du temps jadis : montagnards authentiques, descendants des premiers colons, anglais ou irlandais, à s'être frayé un chemin laborieux dans les recoins les plus cachés de ces montagnes où ils se terraient depuis des générations, acceptant de vivre chichement pourvu qu'ils puissent n'en faire qu'à leur tête. Certains rejetons de ces foutus sauvages se révoltèrent et descendirent à la ville dès qu'ils furent en âge de s'échapper. Le grand-père de Leonard Strickland avait été de ceux-là ; comme celui de Theodora Blount. D'autres cependant, héritiers de ce beau mépris pour toute forme de vie organisée ou conservateurs par apathie naturelle, se cramponnèrent aux vieilles fermes en voie de disparition, aux vieilles coutumes et au vieux langage, refusant d'admettre cet intrus redouté entre tous qu'était l'avenir. Le père d'Osgood Strickland appartenait à cette seconde catégorie. Osgood lui-même n'avait qu'une seule fois dans sa vie quitté ses chères montagnes. Il avait laissé presque tout son nez dans l'aventure.

Par hasard, Cate était passée devant le stand d'Osgood en compagnie d'une camarade de sa classe, au moment précis où Lydia et quelques-unes de ses compagnes s'en éloignaient précipitamment. « Lydia, que lui est-il arrivé au nez ? demanda une fillette. — Je n'en ai pas la moindre idée, répliqua Lydia en secouant vigoureusement ses deux tresses. — Il fait pourtant partie de ta famille, non ? insistait l'autre. — Quoi, ce vieux péquenot ? Certainement pas ! » avait rétorqué Lydia.

Cate avait été furieuse contre sa jeune sœur. Avec son amie, elle s'était rendue directement au stand d'Osgood et elles avaient attendu qu'il ne soit plus occupé avec des clients. Puis, d'une voix doucereuse, elle présenta sa camarade à l'oncle Osgood, afin d'avoir la conscience tranquille lorsqu'elle irait rapporter auprès de son père sur le compte de Lydia. Quand son amie recula pour ne pas avoir à serrer la main du vieil homme, Cate se sentit humiliée. Mais lui hocha la tête de côté en renâclant bruyamment par les deux narines béantes que séparait un vague lambeau de cartilage. C'était sa façon de rire. « Est-ce que des petites choses réussiraient à te gêner vraiment ? » demanda-t-il à Cate, tandis que ses frêles épaules tressaillaient encore sous cet assaut d'hilarité. « Je crois bien que oui », répondit Cate, pensant qu'il faisait allusion à la grossièreté de sa camarade. Elle venait de tomber dans le piège. « Alors, ne dors jamais dans la même pièce qu'un moustique », lui dit-il en riant de plus belle. A chacune des fillettes il avait offert un de ses animaux sculptés, après l'avoir choisi lui-même, longuement, à grand renfort de clins d'œil entendus. Cate reçut un chat et son amie une souris. Les deux, bien sûr, de taille identique. Au moins la fillette parvint-elle à dire merci. Idiote de Sue Riley !

Ce soir-là, Cate s'était faufilée en cachette dans le vestibule, à côté du bureau de son père, afin de profiter des résultats de son ouvrage.

« Lydia, disait leur père, quand tu renies quelqu'un de ta famille, même s'il est particulièrement déshérité ou excentrique, c'est une part de toi-même que tu renies. Je tiens à ce que tu comprennes bien ça.

— Lui n'est pas une part de moi ! protesta Lydia avec un mélange d'entêtement et de crainte.

— Son père et mon grand-père étaient frères. Si tu fais partie de ma famille, alors tu fais aussi partie de la sienne. Lui et toi êtes faits de la même chair, du même sang, expliqua leur père.

— Il n'est pas de la même chair, pas du même sang que moi, ce vieux péquenot sans nez. »

Suivit un bruit bref et explicite. Puis un silence outragé. Puis les sanglots démesurés de Lydia. Malgré sa satisfaction, Cate se mit à trembler derrière la porte. Leur père les frappait si rarement !

Il y eut également des reniflements entrecoupés de paroles de consolation. Avec une émotion que Cate ne lui connaissait pas, la voix paternelle disait encore : « Je te demande solennellement de me promettre de faire un effort pour ne pas avoir ce genre de réaction. Osgood est un brave homme. Sans lui, peut-être que notre vie à nous ne serait pas ce qu'elle est. »

Avec la rancune qui l'avait toujours caractérisée, Lydia n'adressa pas la parole à Cate de toute une semaine.

Assez logiquement, Lydia s'était enferrée dans la répulsion que lui inspirait l'oncle Osgood tandis que Cate, après l'avoir aussi crânement « revendiqué », se sentit obligée d'en faire un peu son fétiche personnel. Elle en fit une sorte de mythe, celui de l'artisan-ermite à l'humour ravageur et à la fierté inflexible, mutilé à la suite du combat opiniâtre qu'il mena pour la liberté, lui qui à l'âge de soixante-dix... quatre-vingts... quatre-vingt-dix-neuf ans — elle le gratifiait d'une décennie supplémentaire depuis des années — grimpait souvent dans ses pommiers dont les fleurs blanches dissimulaient son visage. Quand elle ramena du Nouveau-Mexique son pittoresque second mari, afin de le présenter à sa famille, la seule personne qui intéressa Jake fut l'oncle Osgood. (A cette occasion, elle le vit d'ailleurs effectivement dans un arbre, mais ce fut la seule et unique fois.) Jake devait rester intarissable sur cette belle journée de printemps, jusqu'à ce qu'il disparaisse de sa vie du moins. « On s'est trimbalés jusqu'en haut de sa foutue montagne et, une fois au sommet, on trouve des kilomètres et des kilomètres de pommiers en fleur et le vieux bonhomme nous avait sans doute entendu arriver parce que, d'un seul coup, voilà des jambes en salopette qui pendent d'une branche, puis la vieille carcasse toute maigre, puis le drôle de visage avec son espèce de museau de bestiau. Il nous emmène chez lui, nous file un coup à boire avant de nous présenter ses poulets apprivoisés — comme il est végétarien, il ne mange que leurs œufs — et de nous montrer son travail. Je lui demande pourquoi il ne sculpte pas des gens. Vous savez ce qu'il répond ? "Contraire à mes sentiments." C'est formidable. J'adore ce vieux bonhomme ! »

Et pendant le restant de leur mariage haut en couleur, Jake avait repris l'expression à son compte. « Chercher du travail est contraire à mes sentiments », déclarait-il. « Arrêter la drogue est contraire à mes sentiments. » Et pour finir : « Vivre avec toi est contraire à mes sentiments. » Sur quoi il avait cessé de lui adresser la parole, se retranchant dans son coin de leur appartement de Greenwich Village, et limitant leurs relations à d'extravagants messages obscènes ou haineux qu'elle trouvait enregistrés sur son magnétophone quand elle rentrait du collège pour jeunes filles de bonne famille où elle enseignait.

Le petit lapin en bois de peuplier qu'Osgood leur avait offert comme cadeau de mariage avait depuis longtemps volé en éclats. Au cours d'une violente dispute, Cate avait jeté l'animal prêt à bondir à la tête de Jake. Lequel avait esquivé le projectile dont le crâne était allé s'écraser contre la cheminée.

Enfin, au moins ai-je réussi à ne pas fournir à Lydia un seul motif de rancune contre moi, songea Cate en grelottant dans les draps de son lit de jeune fille. Le matelas était trop souple et elle avait mal aux jambes. Sûr qu'elle avait de la fièvre. Perspective qui n'était pas pour lui déplaire. J'ai sauvé la paix, se disait Cate. Mais elle savait bien qu'on ne lutte pas impunément avec sa nature et que le subconscient se venge toujours des frustrations qu'on lui inflige. Elle glissa dans un sommeil agité et rêva que Lydia plaçait les gens à l'enterrement selon un plan particulier établi par ses soins, tendant à chacun un menu sophistiqué en même temps qu'elle lui désignait son banc. Une grande excitation régnait dans l'église surpeuplée, car la cérémonie promettait d'être inhabituelle, le mort devant monter en chaire, résumer le sens de sa vie et dispenser des conseils aux vivants sur la façon dont il convenait d'assumer le futur. Cate se réjouissait de faire partie de la proche famille, car elle tenait à être assise dans les premiers rangs. Elle avait le sentiment que son père allait répondre aux questions qu'elle s'était posées toute sa vie. Mais Lydia conduisit Cate au tout dernier banc de l'église, où se tenaient plusieurs vieillards en bleu de travail, comme ceux que l'on voit chiquer leur tabac devant le palais de justice. « Je suis censée être devant », disait Cate à Lydia qui s'empressait de lui répondre : « Non, tu es là. » Lydia portait la robe blanche de son premier bal. « Je refuse de rester dans le fond. » « Chut ! fit quelqu'un. Ça commence ! » Lydia lança littéralement un menu à Cate avant de filer vers le bas du chœur. Par respect pour son père, Cate demeura parmi les vieillards. Elle entendit parler son père de sa voix patiente et nonchalante. Sans apercevoir seulement le haut de sa tête. Elle crut reconnaître son nom à plusieurs reprises mais fut incapable de comprendre une seule phrase.

Elle s'éveilla en larmes, et ruisselante de sueur. « C'est vraiment trop pour moi, je n'en méritais pas tant », s'entendit-elle dire. Sans savoir si sa voix était une sorte d'écho à son rêve où si elle avait réellement prononcé ces paroles. Pour chasser ce mauvais rêve, elle s'assit dans l'obscurité. Il ne faut pas que je sois trop malade pour aller à l'enterrement, songea-t-elle avec une soudaine panique ; ce serait affreux, comme si le rêve se réalisait. Puis à sa grande déception, elle se rendit compte que l'enterrement ne fournirait pas de tribune où s'exprimerait la sagesse paternelle. Quelle injustice ! C'est pourtant bien à cela que devrait servir un enterrement. Ce monde était malade et fou ; l'idéal qu'elle défendait était toujours valable. Elle avait soif, mais était incapable de quitter son lit pour aller se chercher un verre d'eau. Je n'ai pas fait que le décevoir, se dit-elle. J'ai compensé mon divorce avec Pringle en passant un doctorat. Et je suis sûre que papa a compris mon mariage avec Jake. Il a fait expédier une caisse de Piper Heidsieck à Albuquerque, bien que lui et maman n'aient pu se déplacer pour assister à la cérémonie. Il conservait un exemplaire relié de ma thèse dans la bibliothèque de son bureau en ville (*Perspectives pour un monde nouveau dans la poésie de D. H. Lawrence*), et lorsqu'il me présentait à des étrangers, il ne manquait pas de dire : « Elle est docteur, vous savez. » Même au cours de ces dernières années, chaque fois que j'ai eu l'occasion de lui parler au téléphone, ou lors de mes rares visites à la maison, j'ai toujours eu le sentiment qu'il ne désespérait pas de moi. Presque comme s'il *anticipait* sur la prochaine surprise que je lui réservais.

Ses yeux apprivoisèrent l'obscurité et, de l'endroit où elle se trouvait, adossée contre ses deux oreillers, elle distinguait la surface argentée du lac, par la fenêtre. On aurait dit une soucoupe volante au-dessus de la cime des conifères en contrebas de la maison.

Puis un serrement de cœur lui indiqua qu'elle n'était pas seule dans sa chambre. Il lui fallut rassembler tout son courage pour tourner lentement la tête vers la porte. A la manière d'un mirage, le disque argenté du lac était encore imprimé sur sa rétine.

Ce nuage ne l'empêcha pas de distinguer la présence de son père. Le visage était dans l'ombre mais, finalement, le nuage qui voilait son regard produisait également une sorte d'illumination. Sous les sourcils noirs, elle reconnut les yeux qui scrutaient l'obscurité. Pour découvrir quoi ? La détresse paternelle sembla renforcer les battements de son propre cœur. Il avait besoin de quelque chose. Vraiment. Etait-elle impliquée dans cette quête ? D'un coup, elle mit les pieds hors du lit et voulut se diriger vers lui. Alors il y eut une sorte de tourbillon, suivi d'un noir total, et elle se retrouva étendue de tout son long, sans même les oreillers sur lesquels elle croyait s'être adossée. Elle n'était pas assise. Et elle ne pouvait pas voir le lac de l'endroit où elle se trouvait. Et la porte de sa chambre était fermée.

Tremblante, elle attrapa — réellement cette fois — l'interrupteur de sa lampe de chevet. (Toujours cette même vieille peur : il y a un fantôme dans ma chambre, mais si je réussis à allumer à temps...) Lumière. Le fantôme n'était plus là. Elle qui ne souhaitait rien tant que sa présence...

« Mon Dieu ! Je le savais ! Je savais qu'il manquait quelque chose ! »

Pelotonnée en bas avec un livre qu'elle détestait davantage à chaque paragraphe, Lydia entendit Cate parler à quelqu'un. Ce qui était assurément impossible. Elle aurait entendu la sonnerie du téléphone. Curieuse, elle referma le volume et éteignit la lumière. Il était l'heure d'aller dormir de toute façon. Elle s'arrêterait chez Cate au passage. En tournant les pages de ce livre insipide qui classait les femmes — des individus de sexe féminin, comme elle-même — en catégories simplistes établies par l'auteur, Lydia s'était souvenue qu'elle avait oublié de demander une chose à sa sœur.

Elle trouva Cate assise dans l'un des lits jumeaux, les couvertures tirées jusqu'au menton. Elle avait les yeux écarquillés, le regard fixe et son visage ruisselait de sueur.

« Mon Dieu, tu es *malade*, annonça Lydia.

— Je crois que j'ai un peu de fièvre, convint Cate. Tu pourrais m'apporter un verre d'eau ? »

Lydia revint avec l'eau et une cuillerée de poudre blanchâtre.

« Qu'est-ce que c'est que ce truc ?

— De l'aspirine. Je suis désolée, je n'ai pas trouvé mieux. Maman en avait toujours en réserve pour les garçons. Elle est un peu vieille, mais cela fera toujours tomber ta température. Demain, tu restes au lit et je jouerai les infirmières. » Perspective qui semblait la réjouir.

« Merci mon chou. Bon sang ! » Cate balaya la pièce d'un regard anxieux, puis fixa Lydia et fut sur le point de dire quelque chose. Mais elle se ravisa.

« Cate, commença Lydia. Je me posais une question tout à

l'heure. Est-ce que le gros a mangé quelque chose de ce déjeuner froid ? »

Cate se mit à douter de la santé mentale de sa cadette.

« Le gros de l'autocar, insista Lydia. Celui qui passait les sandwiches à la belle dame.

— Ah ! Oui, sans doute. Non, finalement, à y bien réfléchir, je ne l'ai pas vu avaler quoi que ce soit. Tu penses encore à eux ? Peut-être qu'il suivait un régime — elle rit — pour avoir le droit, à l'avenir, de s'asseoir à côté d'elle. Mais écoute, Lydia — le regard s'était fait fébrile, impatient — il faut appeler ce garage, cette Gulf Station, dès la première heure, demain.

— Pourquoi ? interrogea Lydia, franchement perplexe.

— Pour savoir si les lunettes de papa se trouvent encore dans la voiture. »

III
Affaire de famille

Comme la plupart des citoyens américains de sa génération appartenant à la même classe sociale que lui, Leonard Strickland avait commencé à prendre des dispositions pour sa propre mort à un âge relativement précoce.

Il avait ainsi rédigé cinq testaments successifs au cours de sa vie. Par le premier, établi pendant le sixième mois de son mariage, ce qui correspondait au troisième mois de grossesse de Nell, il léguait tout à cette dernière. Et, dans le cas où elle-même disparaîtrait, ce tout reviendrait à leur enfant, à charge pour le père de Leonard d'en être l'administrateur. A l'époque, le « tout » en question se limitait à une assurance-vie et à la certitude que, au moment voulu, M. Strickland Senior léguerait le « tout » dont lui-même était détenteur à l'orphelin qu'il laissait. Dans l'hypothèse où Leonard et Nell mourraient sans descendance, tous les biens de Leonard reviendraient à son père. A l'époque, le père de Nell était encore vivant, mais elle-même avait décrété qu'il pouvait subvenir à ses besoins, ce qui était vrai. Après le décès de la mère de Nell, le séduisant docteur s'était empressé d'épouser une riche veuve.

Par le second testament il laissait tout à Nell. Dans l'éventualité de leur double disparition, la gestion du patrimoine serait confiée à M. Teague, fondé de pouvoir (car le père de Leonard était décédé) dans l'intérêt des enfants. Theodora Blount aurait la garde de Cate et Lydia. Si Theodora était également décédée, cette charge reviendrait au parrain de Lydia, un cousin de Nell qui possédait une usine de meubles dans le Delaware. A ce moment, le « tout » comprenait une police d'assurance substantiellement augmentée et la succession nette de M. Strickland Senior, dont l'importance se révéla singulièrement inférieure à ce qui était escompté après que Leonard eut réglé les nombreux créanciers de son père, sans parler de ses dettes de jeu. (Il y avait également un legs non négligeable au bénéfice de certaine femme vivant en ville. Leonard préféra payer que contester le montant de cette donation.) Dans le nouveau testament de Leonard, le « tout » recouvrait également la nouvelle maison dont il était propriétaire avec Nell, ainsi que la villa que M. Strickland Senior possédait au bord de la mer, à Ocracoke, au large des Outer Banks. Leonard se rendit seul sur l'île afin de débarrasser la plupart des effets de son père (déposant au retour une caisse de produits de beauté, sous-vêtements affriolants plus un maillot de bains Jantzen tout neuf, dont l'étiquette n'avait pas encore été retirée, à certaine maison en ville). Leonard institua Nell copropriétaire de la maison de Lake Hills ainsi que de la villa d'Ocracoke, afin d'éviter à son épouse de payer des droits de succession au cas où il viendrait à mourir.

Puis, sans qu'il vît le temps passer, les filles devinrent adultes. Cate épousa le lieutenant Pringle Patchett, USAF. Lydia se maria à Max P. Mansfield et partit vivre à Londres. Leonard prit conscience de son impardonnable négligence lorsque Lydia écrivit pour annoncer la naissance imminente de leur premier petit-enfant. Lui qui avait rédigé plus de mille testaments pour des tiers et exécuté près de la moitié du même nombre, ne connaissait que trop bien les dangers de dispositions trop imprécises. Plus la famille comportait de membres, plus les cas de figures à prévoir, concernant l'ordre des décès, devenaient complexes. Il connaissait un certain nombre d'histoires horribles provoquées par les lacunes dues à l'inaptitude du testateur à imaginer toutes les éventualités au niveau de la chronologie des disparitions. Le Testament numéro Trois lui donna beaucoup de mal. Pour lui, la famille était un rempart nécessaire à un monde juste et stable ; par conséquent, son aptitude à garantir la survie de la cellule familiale, en toute perspicace équité et quelles que soient les contingences, représenterait son ultime message.

Il hésita longuement entre une répartition de l'héritage *per capita* ou *per stirpes* entre ses petits-enfants. Il soumit le problème à Nell qui finit par lui répondre, excédée : « Ecoute, Leonard, Lydia n'a même pas encore accouché de son premier bébé. Mais le partage *per stirpes* semble correct. Les enfants de Lydia se partageront sa part à elle, tandis que ceux de Cate en feront de même avec la part de leur mère. On ne peut imaginer de solution plus juste.

— Si tu savais le nombre de scandales dus à des *per stirpes* auxquels j'ai pu assister ! Suppose que Cate ait six enfants et Lydia un seul. Ou l'inverse. Un enfant hériterait à lui seul d'une petite fortune, tandis que ses malheureux cousins partageraient la même somme en dix.

— Dans ces conditions, tu n'as qu'à opter pour le *per capita*, dit Nell. Encore que, sincèrement, Cate pourrait bien ne jamais avoir d'enfant. Tu sais qu'elle a toujours prétendu avoir horreur des gosses, même lorsqu'elle en faisait encore partie.

— Pringle saura bien la faire changer d'avis. »

Le quatrième testament fut rédigé lorsque Lydia (de nouveau enceinte), Max et le petit Leo revinrent de Londres. Max avait montré de tels talents d'investisseur que Dick Broadbelt, fondateur, juste après la dépression, de la Broadbelt Commercial Trust, banque familiale, tant par ceux qui en sont propriétaires que par la façon dont elle est administrée, faisait de lui son directeur financier. D'où Leonard déduisit que si Broadbelt intégrait ainsi Max à « la famille », lui-même serait bien avisé d'en faire autant. Max avait déjà réalisé quelques placements excellents au profit de son beau-père. Par le quatrième testament, Leonard confiait donc à Max l'administration de la totalité du patrimoine hérité par Nell, sa légataire universelle, à charge pour lui d'agir avec prudence et circonspection, ce que Max avait du reste toujours fait et avec un beau succès, dans le cadre de la gestion du portefeuille de Leonard. Légalement, en tant qu'exécutrice testamentaire, Nell devrait se faire assister d'un procureur de l'Etat quand nécessité il y aurait. D'autre part, la susceptibilité du vieux fondé de pouvoir de la banque locale était indemne dans la mesure où, à cette même époque, le brave M. Teague venait d'être victime d'une attaque.

Le cinquième testament, qui devait s'avérer le dernier, aurait pu se limiter à un codicille au quatrième, mais l'expérience avait enseigné à Leonard que les codicilles étaient souvent générateurs d'ambiguïté. De plus, ils pouvaient présenter un caractère blessant par rapport à la première rédaction. Or son but n'était certainement pas de blesser Cate mais de la protéger, elle et tout enfant qu'elle pourrait avoir de M. Galitsky dont Leonard venait de faire la connaissance.

A la mort de Nell, la part de Cate serait dûment placée. Elle aurait la possibilité de tirer cinq cents dollars mensuels de ce capital. A la mort de Cate, le capital reviendrait, selon les mêmes modalités, à ses enfants. Si elle devait décéder sans laisser d'héritier, sa part serait alors reversée au patrimoine de sa sœur.

Une seule fois, depuis, Leonard avait été tenté de modifier son testament. C'était en 1970 ; il venait d'être contraint de prendre l'avion pour New York afin de payer la caution nécessaire à la libération de Cate, arrêtée pour avoir bloqué la circulation du Lincoln Tunnel pendant l'heure de pointe et mordu un policier. (Les fillettes qu'elle avait entraînées dans cette manifestation contre l'invasion du Cambodge furent rapidement emmenées en limousine par des autorités de l'école, outrées.) Cate accueillit son père avec son habituelle morgue teintée d'ironie. Elle avait passé le temps en apportant quelques ultimes corrections à sa thèse. Leonard eut droit à un compte rendu comique et détaillé des événements : les fillettes en uniforme de l'école faisant la chaîne à l'entrée du tunnel pour en interdire l'accès, les choses que leur crièrent les conducteurs, les éclairs des voitures de police. Suivit une imitation caricaturale de la directrice lui disant, avec un violent tremblement des bajoues : « Il va sans dire que vous êtes virée », tandis que la limousine démarrait. En revanche, elle glissa plus rapidement sur la scène où elle mordait cruellement le policier, expliquant avec un haussement d'épaules : « La façon dont il a traité mon bras m'a déplu. C'était grossier et douloureux. J'ai voulu lui faire un peu mal, à lui aussi. »

« Si tu venais te reposer un peu à la maison ? » avait proposé Leonard à sa fille.

Et elle avait passé quelques mois au bercail, pendant lesquels elle devait terminer sa thèse que Leonard fit dactylographier par sa secrétaire. Dans le même temps, Theodora la déshéritait. Et puis elle avait repris l'avion, direction le Nouveau-Mexique, afin de soutenir sa thèse.

C'est au cours de cet été 1970 que Leonard avait eu envie de faire un legs direct en faveur de Cate, valable dès sa mort à lui. Ne serait-ce pas équitable ? Lydia avait fait un beau mariage en épousant Max qui figurait déjà dans son troisième testament tandis que, depuis le départ de M. Galitsky (il avait plaqué Cate au début de cette même année), les temps n'étaient guère faciles pour Cate qui avait passé la trentaine, avec deux divorces sans pension, et une marraine qui la déshéritait. Néanmoins, après mûre réflexion, il devait renoncer à ce projet. Comme prévu depuis toujours, Nell serait sa légataire universelle tant qu'elle vivrait. Un legs séparé au profit de Cate risquait de créer des dissensions entre les deux sœurs, de sous-entendre que Nell ne serait peut-être pas capable de traiter équitablement ses deux filles, bref, de ruiner cette solidarité qu'il s'était employé à maintenir au prix de tant de tact et de patience dans une maisonnée composée de trois femmes aussi fortes que différentes. Et puis Cate, la seule femme de la famille à subvenir à ses propres besoins, n'allait-elle pas interpréter cette clause particulière la concernant comme un manque de confiance à son endroit ? Ce cadeau pourrait bien en fait la dépouiller de ce qui constituait pour elle (et pour lui) la vertu cardinale, à savoir l'entêtement avec lequel elle agissait systématiquement selon son cœur, quitte à se faire jeter en prison. (Leonard ne pouvait réprimer un sourire, en même temps qu'il grinçait des dents, chaque fois qu'il imaginait Cate en train de mordre son policier.)

D'une certaine façon, Cate avait agi comme il aurait aimé le faire, eût-il été un peu moins prudent, un peu plus fougueux et passionné. Peut-être avait-il tort, mais il attendait avec une impatience teintée d'inquiétude la prochaine initiative de sa fille aînée. Non qu'il lui souhaitât le moindre danger ; rien, du moins, qu'elle ne pût vaincre par la force de son étonnante sagacité.

Il laissa donc la clause instituant une rente mensuelle de cinq cents dollars. Son doctorat était le patrimoine dont elle avait su se doter elle-même : son passeport pour un métier, avec trois mois de vacances en été. De plus, Cate était encore une jolie femme ; elle se marierait sans doute une troisième fois. A défaut d'un nouveau Galitsky qu'elle avait tout simplement entretenu, elle pourrait tomber sur une autre race d'individu qui, avec les meilleures intentions du monde, utiliserait son capital pour mener à bien ses projets à lui. Or Cate pouvait encore avoir des enfants. Il fallait donc aussi songer à protéger ces innocents héritiers encore à naître. L'aptitude de Cate à occuper un emploi intéressant (compte tenu de quelques manifestations intempestives pour soutenir de nobles causes), plus une rente annuelle de six mille dollars payables mensuellement et, éventuellement, un troisième mari gagnant correctement sa vie, étaient infiniment préférables à un soudain héritage de quelque deux cent mille dollars, si Nell venait à mourir subitement, fortune qui ferait d'elle la proie des convoitises d'un coureur de dot. Pire, prise d'un grand accès de charité, Cate était capable d'en faire don intégralement pour quelque juste et noble cause. Si, à l'âge de vingt-trois ans, Leonard avait été prêt à sacrifier sa vie pour la démocratie espagnole (jusqu'à ce qu'Osgood ait le courage et la générosité de lui faire entendre

69

raison), pourquoi la fille du même Leonard, avec sa trentaine passée et une passion encore plus absolue que la sienne, hésiterait-elle à sacrifier la bagatelle de deux cent mille dollars dans une belle utopie ? Depuis l'âge de quinze ans, époque à laquelle elle avait exigé de fréquenter l'école publique « afin de côtoyer d'autres personnes que les membres de la bonne bourgeoisie », elle n'avait jamais fait mystère de ses sympathies socialistes. Elle croyait à la juste répartition des richesses et était suffisamment fière pour que, ayant proclamé ses mille convictions à qui voulait bien les entendre, elle se sentît obligée de sortir instantanément son carnet de chèques si quelqu'un lui rétorquait : « D'accord, camarade, mais si on commençait par tes deux cent mille dollars ? »

C'est ainsi que, en dépit de l'admiration qu'il avait pour elle, ou plutôt à cause des circonstances qui suscitaient cette admiration, Leonard tint à protéger Cate d'elle-même. Que cette mesure revînt en fait à sanctionner son indépendance et ses penchants égalitaires lui échappa peut-être totalement. Encore que... Mais par-delà les motivations obscures dont lui-même n'avait pas vraiment conscience, par-delà les déchirements de son cœur, Leonard ne put se résoudre à renoncer, même par-delà la mort, à sa paternelle emprise sur une fille aînée intéressante et déconcertante.

C'était le soir de Noël, neuf jours après la mort de Leonard. Les visites de condoléances s'étaient sensiblement espacées mais, pour ne prendre aucun risque, Nell et Lydia étaient dans la cuisine où elles faisaient une nouvelle fournée de petits gâteaux. L'accalmie du lendemain de Noël susciterait certainement un sursaut de conscience chez des relations moins proches de la famille qui, pour peu que la journée soit belle, sauteraient dans la voiture pour venir présenter leurs respects à la nouvelle veuve. Pendant que mère et fille pétrissaient des monceaux de pâte, échangeant quelques confidences entre deux grincements du vieux mixer Waring, Cate — qui soignait toujours son rhume et une dépression grandissante — regardait en compagnie de ses neveux un documentaire sur Dracula, sur la grande télévision couleurs du salon.

Max, qui en était déjà à son deuxième aller et retour en avion — une fois pour amener les garçons et pour l'enterrement, une seconde pour Noël —, était installé dans le bureau de son défunt beau-père où il regardait les informations sur un petit poste en noir et blanc. Le noir et blanc lui convenait parfaitement ; né à l'ère des actualités filmées, il faisait plus facilement confiance aux

70

documents lorsqu'ils n'étaient pas en couleurs — d'autant que les couleurs étaient rarement fidèles. L'atrocité des massacres de Guyana quittait progressivement la une (ces piles de cadavres, entassés face contre terre dans un enchevêtrement bariolé de cotonnades bon marché, conservaient un peu de la dignité que l'on doit aux morts sur un petit écran en noir et blanc) et les différentes chaînes faisaient de nouveau leurs choux gras de la « crise » incarnée par la Révolution iranienne. Assis sur le divan qui lui servirait bientôt de lit, puisqu'il avait perdu le droit d'occuper l'un des deux lits jumeaux étriqués qui meublaient la chambre de jeune fille de son épouse, au premier étage, Max regardait avec une espèce de fascination irritée un gros plan de jeunes barbus Iraniens qui hurlaient en brandissant docilement le poing contre la caméra. Lui, l'orphelin qui ne devait sa réussite qu'à lui-même, ne lisait que trop clairement dans leur cœur et nourrissait contre eux une terrible rancœur, plus grande encore que celle que lui inspiraient jadis les gens riches, à une époque où lui ne disposait que de son dynamisme, de sa capacité de travail et de son « nom » (sa mère était née Powell, ce qui n'était pas rien dans cet Etat).

Bien sûr, il était plus amusant d'aller semer le désordre dans la rue et d'avoir les honneurs des caméras du monde entier, que d'être confiné dans un vieux bazar, à vendre des tapis pour le compte d'un oncle, ou d'aller suer sang et eau du côté des puits de pétrole, voire de suivre les cours ennuyeux d'une université, aux frais de Papa. Max soupçonnait la « Révolution », pour reprendre le mot fétiche cher à sa belle-sœur, de servir essentiellement de caution à la paresse de générations successives de jeunes gens trop contents de renoncer à se préoccuper de bâtir leur avenir ; ils préféraient sans doute parader dehors avec leurs camarades, faire du tapage et créer des incidents.

Le père de Max avait trouvé la mort en 1937 sur une route de campagne alors qu'il essayait une nouvelle Studebaker en compagnie d'un client potentiel. Un vieux tracteur avait fait irruption sur la chaussée et Jake Mansfield roulait trop vite pour l'éviter. Il doubla donc, mais alla heurter de plein fouet un camion qui arrivait en sens inverse. Tout le monde fut tué, à l'exception du vieux cinglé qui conduisait le tracteur et jura ensuite que la Studebaker avait surgi du néant en fonçant sur lui à cent dix kilomètres heure. Un peu plus tôt, on avait vu Mansfield au café du coin. Les gens de chez Studebaker se dispensèrent ainsi de payer des dommages à la veuve et au petit orphelin de six ans que laissait cet imprudent.

Si ces militants réussissaient effectivement à ramener de France leur vieux derviche fanatique, grand bien leur fasse ! (Max rédigea mentalement un ordre de vente pour liquider certaines actions incertaines du portefeuille de sa banque, afin d'acheter un peu plus de Norfolk & Western. C'était le bon moment : si le coup réussissait — et les dernières bouffonneries en date de ces salauds de l'OPEP laissaient peu de doutes à ce sujet —, le charbon de l'Est deviendrait une source d'énergie indispensable.)

Max ressentait une certaine tristesse, confortable il est vrai, à s'installer dans le bureau où aimait se retirer Leonard Strickland. Toute la pièce portait encore l'empreinte du maître de maison. Ses livres de droit, sur les étagères ; ses marines, dont la professionnalité était plus apparente dans l'encadrement que dans les peintures elles-mêmes ; Strickland avait été un inconditionnel absolu des Outer Banks et ces quelques croûtes représentaient l'effort, renouvelé chaque été, pour rendre hommage aux immuables dunes de sable, varech et autre phare, au long des quelques décennies que dura sa vie. Il s'agissait donc d'un art honnêtement primitif, généralement exécuté sur le perron de derrière, dans la villa familiale de l'île d'Ocracoke.

Etre capable de rester assis une journée entière avec une boîte de peinture et des pinceaux pour chasser le temps qui passe... Et puis ses livres, il les lisait, manifestement. Ceux de l'étagère juste au-dessus du bureau... Des marque-page ponctuaient Montaigne et les lettres de Cicéron à Atticus. Emerson. Mais pourquoi trois exemplaires de *Hommage à la Catalogne* d'Orwell ? Des éditions rares, peut-être. Strickland aurait pu devenir infiniment plus riche. Mais il rechignait à accepter des dossiers d'affaires lui déplaisant, et puis il détestait prendre l'avion.

Un de ces jours, quand les choses seraient calmées, peut-être, et que lui-même aurait pris sa retraite, Max avait l'intention de lire des classiques.

Max avait « demandé la main » de Lydia dans ce bureau même. Avec un père tel que Leonard Strickland, une telle démarche faisait partie des normes. Il n'avait pourtant aucun projet de mariage en tête en descendant vers Chapel Hill pour le match Duke-Caroline ; il comptait aussi « dire adieu » à la délicieuse élève infirmière, avant de partir vivre sa vie de garçon à Londres. Tiens, encore une expression qui ne veut plus rien dire. La société perd le nord, depuis une dizaine d'années. Le mariage, par exemple : aussi solide que le dollar depuis que les ayatollahs font la loi ! Dire qu'il se retrouvait sur le divan où il était assis le jour où Strickland l'avait accueilli dans le cercle familial... sauf qu'à présent, il était le « mari éconduit », celui à qui était désormais interdit l'inconfortable plaisir de petites incursions entre les deux petits lits jumeaux de la romantique chambre de jeune fille, juste au-dessus de sa tête. Ironie du sort, il était plus épris de Lydia aujourd'hui qu'à l'époque où il demanda sa main en 1960. A ce moment-là, l'adoration qu'elle lui vouait l'avait (littéralement) ravi. Le battement des longs cils humides, quand il était venu prendre congé d'elle à Chapel Hill, avait fait vibrer en lui les délices d'une douce cruauté : il la tenait à sa merci et elle mourrait de chagrin s'il l'abandonnait ainsi. Alors il serra le doux fardeau en larmes contre sa poitrine et regarda disparaître à l'horizon des occasions à jamais perdues l'« autre » Maxwell Powell Mansfield, le jeune célibataire au parapluie impeccable, prêt à s'installer dans une garçonnière de Chelsea, paré pour faire un malheur à la Bourse et bien disposé à briser le cœur de quelques jeunes beautés londoniennes de bonne famille, avant de demander tranquillement la main de certaine Lady Jane ou autre Honorable Arabella de Machin-chose. Or, voilà que sa tendre biche était devenue femme et savait ce qu'elle voulait. Il l'avait modelée, partiellement du moins, pour avoir aujourd'hui le plaisir de constater que cette compagne sur mesure (le fait qu'il en fût l'artisan ne la rendait que plus chère à son cœur) s'apprêtait à sortir de sa vie.

Dure comme le roc. Tout le charme de Lydia résidait dans cette force qui ne cédait jamais une once de féminité. Cette dernière semaine, par exemple. Nell écrasée par le chagrin, les tranquillisants et les remontants. Cate, passant le plus clair du temps dans son lit, à renifler et à dormir. Qui s'occupait de la cuisine, servait le sherry et coupait une tranche de cake pour les hordes de relations venues présenter leurs condoléances ? (Et cette Mme Bell qui avait tiré Max par la manche pour lui demander discrètement s'il ne pourrait pas « faire quelque chose » à propos de cette petite paysanne enceinte que Theodora hébergeait chez elle... Comme s'il y pouvait quoi que ce soit ! Et quelle raison aurait-il d'intervenir, d'ailleurs ? La famille n'espérait aucun héritage, grâce au caractère fantasque de Cate. Que lui importait, à lui, que Buddy Bell, le filleul qui fabriquait des missiles, se retrouvât ou non à la tête d'un joli magot sans avoir à lever le petit doigt ?)

Lydia pendant l'enterrement. Avec les sanglots intempestifs de l'inénarrable Theodora drapée dans sa dentelle noire. Et Cate à la sortie de l'église, dans cette espèce de robe hippie trop longue qui dépassait de son manteau, tenant Azalea par le cou. A croire que c'étaient elles qui étaient sœurs. (Il fallait d'ailleurs reconnaître, au crédit d'Azalea, qu'elle avait eu le chagrin silencieux et paraissait plutôt gênée par les manifestations d'affection de Cate.) Nell livide, assommée par les médicaments, mais toujours en beauté. Et Lydia, admirable de dignité, comme il seyait aux circonstances, vêtue de son strict tailleur sombre, le visage blême, impassible. Pendant la cérémonie, elle était restée droite comme un vaillant petit soldat, entourée de ses deux fils. Max, qui se trouvait à côté de Leo, l'avait vue se mordre cruellement la lèvre supérieure au risque de se faire saigner. Un enterrement était une cérémonie publique. Que cela plaise ou non, les gens venaient, entre autres, pour *voir* la famille. Le chagrin de Lydia était-il moins authentique — Max savait mieux que personne l'adoration qu'elle vouait à son père — sous prétexte qu'elle avait épargné à la foule qui se pressait dans l'église le spectacle d'un visage rouge et bouffi, accompagné de manifestations bruyantes de désarroi ? (Le soir de l'enterrement, il l'avait entendue pleurer son soûl dans la petite chambre au-dessus du bureau et il avait dû se retenir de courir la consoler.)

C'était à elle qu'ils devaient ce Noël feutré, convenable. On avait installé un sapin de Noël au pied duquel furent déposés les cadeaux déjà achetés, pour ne pas décevoir les enfants. Et c'était elle encore qui le matin, avant de défaire les paquets, avait trouvé les mots justes pour dire : « Je sais que personne dans la famille n'a jamais été porté sur les dévotions publiques, mais pour une fois, je crois qu'il serait gentil que l'un des garçons dise une petite prière pour Grand-Père. Leo, tu es l'aîné, c'est toi qui portes son nom. Allez, tu peux improviser. » Excessivement sérieux et réfléchi, Leo, qui serait mort plutôt que de se couvrir de ridicule, implora sa mère du regard. Mais elle ne se laissa pas fléchir et l'enfant finit par baisser ses paupières ourlées de longs cils avant de marmonner quelques phrases rituelles pour prier Dieu de veiller sur le repos de son grand-père. Alors, à la surprise générale, Dickie annonça : « Moi aussi, je veux en dire une. Grand-Père, nous savons que tu es avec nous, quelque part dans cette pièce. Nous t'aimons tous très fort et tu nous manques beaucoup. » Ces quelques mots firent pleurer Nell. Dickie était l'artiste de la famille. Un tempérament intuitif. Lydia savait se faire obéir de

ses fils. Elle exprimait clairement ce qu'elle attendait d'eux et ne les lâchait pas tant qu'ils ne s'étaient pas exécutés. Généralement, du moins. Pourquoi donc, se demanda Max, ne disait-elle pas à Dickie : « J'aimerais que tu perdes quelques kilos ? » Enfin, tout compte fait, c'était une mère fantastique.

On ouvrit ensuite les cadeaux. Dickie trouva ses disques de Mozart. Leo son pull-over vert foncé. Plus un jean de Calvin Klein pour chacun. Nell reçut de Lydia (Cate n'avait pas apporté de cadeaux) un flacon de son parfum préféré ; Cate, un article de papeterie acheté par Lydia au dernier moment. Lui récupéra la chemise de laine de chez Bean's, celle que Lydia pensait offrir à son père, il le savait. Et, grâce à Dickie qui lui avait servi de conseiller ès cadeaux, Max avait pu offrir à Lydia une chose qu'elle s'était refusé malgré l'envie qu'elle en avait. Mais pourquoi avait-elle rougi en ouvrant le paquet, tandis que Cate commentait avec une moue : « Tiens, ta pochette ! »

Le vieil Osgood avait envoyé à Cate une belle petite tortue sculptée. C'est Dexter Everby, le promoteur, qui l'avait apportée. Osgood et elle avaient eu un long entretien en tête à tête sur le trottoir, après l'enterrement. Quel couple ils faisaient !

Pas de Cronkite* ce soir, c'était jour férié. Conférence SALT II prévue pour la mi-janvier, deux semaines avant l'arrivée des Chinois. IBM passe aux démocrates. Taux d'inflation prévu pour l'année à venir 7,5 %. Renversement d'alliances. Evolution de la philosophie patronale avec le temps. Les nouveaux de l'équipe prennent congé avec un sourire timide, un petit mot anodin ou un dressement de sourcils ironique, avant de se fondre docilement dans le style maison. Mais nul autre que Cronkite ne savait empiler résolument ses dossiers avant un péremptoire : « Ainsi va la vie, bonsoir », phrase qui disparaîtrait sans doute avec lui. Bonsoir, Cronkite, où que vous soyez. Bonsoir, Strickland. (Sur le bureau de Leonard se trouvait le numéro de décembre de la *Revue professionnelle de la Cour suprême de Caroline du Nord*, encore sous bande, à côté d'autres courriers parvenus trop tard.) Réjouissons-nous d'avoir vécu une époque où l'on pouvait dire : « Ainsi va la vie », en y croyant presque, songea Max en appuyant sur la touche « arrêt » du petit téléviseur japonais de son beau-père.

---

* Célèbre présentateur-chroniqueur de la télévision américaine *(NdT)*.

« Pourquoi est-ce que j'adore les vampires, tante Cate ? J'ai peur, et j'adore en même temps. » Dickie se tortillait de plaisir contre Cate avec qui il partageait une boîte de cacahuètes grillées. « Est-ce que tu as ce genre de réaction, toi aussi, quelquefois ?

— Je sais ce que tu éprouves, dit Cate qui lui parlait toujours comme si elle s'adressait à un adulte. Je réfléchissais justement à ce problème. Je dois dire que ce Vlad l'Empaleur, qui fut paraît-il le "véritable" Dracula, ne me séduit pas tant que ça. Je n'ai aucun penchant particulier pour le sadisme.

— Je sais, convint Dickie. Mais tu crois vraiment qu'il est possible de torturer et tuer vingt mille personnes ?

— Bien sûr, le chah d'Iran doit bien en avoir autant à son actif à l'heure qu'il est.

— Pourquoi ? Pourquoi est-ce qu'il y a des gens qui font ça ? » La voix de Dickie, qui n'avait pas encore mué, dérailla dans les aigus.

« Dickie », protesta Leo qui s'était approprié le fauteuil de son grand-père, à côté de la chaîne hi-fi. « Si tu n'as pas envie de suivre cette émission, pourquoi ne vas-tu pas bavarder ailleurs ? » Il était beaucoup trop bien élevé pour inclure sa tante Cate dans le reproche, encore qu'il eût entendu ses parents prétendre qu'elle était un peu cinglée.

« Ce n'est pas une émission, répliqua Dickie, mais un documentaire. » Sur quoi il plongea la main dans la boîte pour reprendre une cacahuète grillée.

« Eh bien, disons que j'essaye d'écouter ce documentaire. » Avec son nouveau pull-over de cachemire vert foncé, Leo avait fière allure dans le grand fauteuil à haut dossier. De sa mère, il possédait la longue silhouette gracile et les boucles brunes. Depuis sa plus tendre enfance, son visage traduisait cette espèce de maturité que ses pairs attribuaient à une sagesse supérieure et qui réjouissait toujours les adultes peu enclins à apprécier des enfants trop turbulents ou expansifs. « Un vrai *petit homme* », disaient-ils généralement, avec une belle originalité, à propos de Leo. Cate, quant à elle, trouvait l'équanime sérieux de son neveu quelque peu paralysant, voire désincarné, comme si la vie s'était desséchée en lui avant même qu'il ait eu l'occasion d'y mordre à belles dents. Bien qu'elle se fût presque toujours montrée allergique à la présence de jeunes enfants — ils vous empêchent d'aller au bout d'une phrase cohérente —, elle trouvait normale la propension enfantine à une saine pratique de la rébellion. De sa propre enfance, elle gardait le souvenir mitigé d'une situation acrobatique où elle jouait le jeu des adultes pour sauver sa liberté de penser, mais ce jeu la rongeait intérieurement. Elle guetta chez Leo des signes de cette rage rentrée, mais ne vit qu'un jeune homme distant, raide jusque dans sa façon de s'asseoir, complètement hypnotisé par un documentaire dont la conception ne brillait pas par son originalité.

Toutefois, la question posée par Dickie intéressait Cate qui resta sur le canapé, croqua encore une cacahuète malgré un début d'écœurement, et réfléchit aux raisons qui pouvaient expliquer la fascination exercée sur l'imagination américaine par le mythe de Dracula. On donnait deux Dracula en ce moment à Broadway. Elle-même avait assisté à un spectacle sur le même thème dans l'établissement où elle enseignait. Et ici, le soir de Noël — rien que ça — l'une des chaînes les plus populaires sacrifiait à cet engouement du jour.

Le phénomène dépassait la simple complaisance pour toute forme d'horreur. Fallait-il pour autant remonter à l'éternel manège de séduction entre Eros et Thanatos ? Ce beau garçon, dans le spectacle de son établissement, avec sa cape qui devait bien faire neuf mètres de long... eh bien, pourquoi avait-elle éprouvé cette... cette *satisfaction*, au moment où il enveloppait la vedette féminine dans la longue traîne d'étoffe noire avant de s'incliner lentement pour venir planter ses faux crochets dans la chair blanche du cou offert ? La scène avait certes un côté parodique qu'elle ne niait pas. Mais ces charmants bambins, que connaissaient-ils de Thanatos, et même d'Eros ? Or public et comédiens communiaient dans le *frisson** télécommandé : de braves hurlements de peur montèrent des quatre coins de l'auditorium plongé dans l'obscurité ; le Dracula du cru mordit le cou de la vierge éplorée qui sentit toute faculté de résistance l'abandonner. La toute-puissance du sexe, bien sûr ! Dans sa version gentiment désuète. Mais aussi le désir d'être transformé. Une transformation instantanée, nette et sans bavure, du pré-emballé version moderne. Une simple petite morsure infligée par une force extérieure, et tout était réglé, sans effort.

« Ainsi, continua-t-il, animé du désir de vivre, animé du désir de mourir », psalmodiait pompeusement une voix off sur une vue des ruines du véritable « château de Dracula, en Roumanie ». « Ni vraiment vivant, ni tout à fait mort. De telles légendes attestent à quel point l'homme redoute la mort, mais — pathétique

* En français dans le texte *(NdT)*.

77

temps de silence — il est des choses qu'il craint encore bien *davantage*. »

« Lesquelles ? s'écria Dickie. Il ne va pas dire quoi ?

— Tais-toi ! lui intima sèchement Leo.

— C'est fini, maintenant, Leo, protesta Dickie, avant de se plaindre à Cate. Il n'a même pas dit de quelles choses il s'agissait !

— Non ce n'est pas fini, dit Leo. Je veux voir le générique de fin.

— Tante Cate, qu'est-ce qui te fait plus peur que la mort ? demanda Dickie.

— La perte de mes facultés de résistance », répondit immédiatement Cate. Qui se rendit compte que cette réaction spontanée correspondait à l'exacte vérité.

« De résistance à quoi ? »

Leo se leva. Le générique était terminé. « Tenez-vous essentiellement à ce que cet appareil reste allumé ?

— Eteins, dit Cate, si tu veux bien.

— Dickie, mon petit, tu es champion pour gâcher une émission », dit Leo avant de quitter la pièce, tel un zombi qui avancerait l'épaule haute. Depuis son arrivée, trois filles l'avaient appelé de loin, deux depuis la ville où il vivait, et une depuis la maison de vacances de ses parents, à Key West.

« De résistance à quoi ? » répéta Dickie soulagé par le départ du grand frère répressif.

« Bôf ! » fit Cate en prenant encore une praline dont elle décida que ce serait la dernière, même si Dickie avait acheté le paquet avec l'argent qu'elle lui avait donné. (Dans un accès de générosité qui la laissait douloureusement démunie en argent liquide, et pour sacrifier à la tradition de Noël, elle avait remis dix dollars à chacun de ses neveux.) « Aux compromis. A la lâcheté. A la tentation de l'immobilisme... » A vouloir mastiquer et articuler solennellement en même temps, elle mordit à contretemps dans la praline et une douleur aiguë lui transperça immédiatement la gencive. Avant même de porter la main à la bouche, elle savait ce que ses doigts allaient trouver : un morceau non négligeable de sa molaire du bas, côté droit, plus l'amalgame qui obturait une carie déjà sérieuse. « Merde de merde », dit-elle avec des larmes de rage et de douleur dans les yeux. Jusqu'à son propre corps, semblait-il, qui entrait dans la danse pour lui faire perdre confiance en elle.

S'étant informé des heurs et malheurs de ce monde en ce jour anniversaire de la naissance du Seigneur, Max fit un tour de maison pour se dégourdir les jambes. Occupée à nettoyer le plan de travail dans la cuisine, Nell lui tournait le dos. Une délicieuse odeur qui lui rappelait la maison de sa propre mère émanait des fourneaux. Ses galettes favorites, les Toll House au chocolat. Un livre coincé sous le bras, Lydia sortait justement de la cuisine. Elle finissait de faire pénétrer une crème de soin sur ses mains et ses poignets.

« Tiens, bonjour, qu'est-ce que tu fabriquais ? » demandat-elle. Sans attendre de réponse, mais sur un ton plus bas, elle enchaîna : « Tu sais, je tiens à te dire encore merci pour la pochette. Tu n'aurais pas dû, mais elle est superbe. C'est vraiment du beau travail et tu es très gentil d'avoir eu cette idée.

— Dickie m'a dit qu'il était avec toi quand vous l'avez repérée ensemble dans la boutique. » Bien qu'il fût plus ou moins parti à sa recherche, elle avait surgi en le prenant un peu au dépourvu. Debout dans l'alcôve à l'éclairage doux, il se dandinait d'un pied sur l'autre comme un lycéen cherchant à retenir la fille sur laquelle il a jeté son dévolu. « C'est quoi, que tu lis ?

— Rien, des bêtises. » Mais elle avait la mine d'une enfant prise en faute. « Jusqu'à maintenant, je n'y ai rien appris que je ne sache déjà. Enfin, je lui accorde une dernière chance pendant que je prends mon bain. Encore que je ne lise jamais très attentivement dans ma baignoire. Tu pars demain ?

— J'ai quelques affaires à régler impérativement. Il faudrait que je sois parti à neuf heures.

— Je te conduirai à l'aéroport.

— Si tu préfères te reposer un peu, il est facile d'appeler un taxi.

— Non, j'y tiens. »
Un minuscule rayon d'espoir lui fit battre le cœur. « Dans ce cas, je serai ravi.

— J'ai l'intention de faire des *popovers** pour le petit déjeuner, dit-elle. Dickie adore ça. On partira tout de suite après.

— Dickie se porterait aussi bien avec moins de *popovers*, répliqua-t-il sèchement.

— C'est du gras de bébé. De ce point de vue, treize ans est le plus mauvais âge. De toute façon, nous allons faire un peu de

* Espèce de pâtisserie sèche, très volumineuse, mais creuse à l'intérieur *(NdT)*.

79

régime quand nous serons de retour chez moi. Bon, je monte prendre mon bain. »

Et Lydia grimpa l'escalier, avec ses sandales médicales du Dr Scholl. Ainsi donc, il passait désormais après l'envie de prendre un bain. Du même escalier, dix-huit ans auparavant, était descendue une jeune fille parée et habillée pour lui seul.

Elle ne lui avait même pas dit le titre du livre qu'elle lisait.

Il ne resta plus à Max qu'à se diriger vers l'endroit d'où lui parvenaient les voix de son fils et de sa belle-sœur, dans le salon. Quelques joutes oratoires avec Cate ne seraient pas pour lui déplaire.

« Tante Cate a perdu un morceau de dent dans une cacahuète pralinée », expliqua Dickie à son père.

Debout sur l'épaisse moquette, dans ses chaussettes noires, Max apprécia le tableau. La tante, le cheveu fou et défait, vêtue d'une chemise indienne ouverte un bouton trop bas. Son plus jeune fils, qui débordait déjà de son jean Calvin Klein. La boîte de pralines, à moitié vide, ouverte entre eux deux. Neveu et tante étaient occupés à examiner avec un intérêt scientifique le petit caillou rond, blanc et cassé qu'avait été la dent de Cate.

« Pas étonnant ! Les dentistes détiennent sans doute l'essentiel des actions dans l'industrie de la praline. Mais je m'attendais à ce que tout le monde fût repu, après la dinde et les tartes.

— C'était seulement pour grignoter pendant le documentaire, dit Dickie.

— Alors, disons que tu as tellement grignoté que tu ne tiens déjà plus dans ton jean », dit Max, incapable de dominer sa réaction de dégoût.

Dickie accusa le choc. Cate s'en aperçut et dressa un menton vindicatif en direction de son beau-frère. « Apparemment, question tour de taille, aucun d'entre nous ne peut trop se vanter, lança-t-elle négligemment, ses yeux de chat fixés sur la bedaine de Max.

— Comment avez-vous trouvé ce documentaire ? » Max rentra l'estomac. Il regrettait amèrement d'être venu se jeter dans la gueule du loup.

« Pas terriblement original, répondit Cate, prête à faire la paix à présent qu'elle l'avait puni. Il n'expliquait pas véritablement le pouvoir de fascination que possède sur nous le mythe de Dracula.

— Le vrai Dracula était drôlement sadique, papa. Il a mutilé et tué au moins vingt mille personnes. Mais tante Cate dit que le chah d'Iran en a fait autant à lui seul.

— Je ne crois pas que ce soit prouvé, dit Max. Les relations que nous entretenons avec le chah étaient bénéfiques pour les deux parties et il se pourrait bien que nous regrettions de ne pas l'avoir soutenu un peu plus efficacement, avant même que l'histoire arrive à son épilogue.

— Malheur à vous qui soutenez Sion, dit Cate avec un étrange petit sourire à l'intention de son beau-frère.

— De quoi s'agit-il ? demanda Dickie. C'est la Bible ?

— C'est seulement une petite prière familiale pour clore cette belle journée de Noël, dit Cate. Nous en avons entendu une, ce matin, ou plus exactement deux — j'ai beaucoup aimé la tienne, Dickie — alors j'apporte à mon tour ma petite contribution. » Elle continuait de sourire à Max, ses yeux félins à moitié cachés sous les paupières mi-closes.

« Bon, j'ai à faire, dit-il en tournant brusquement les talons. Mes enfants, je vous laisse à vos pralines. Mais ne te gave pas, Dickie, parce que ta mère a prévu des *popovers* pour demain matin, avant que vous m'accompagniez tous à l'aéroport.

— Ouais ! des *popovers* ! » cria Dickie qui avait complètement oublié ses malheurs.

Max était de retour dans le bureau quand Nell y entra. La mine un peu déconfite, il classait de nouvelles pages dans son manuel de pilotage. Elle lui tendit deux Toll House sur une serviette en papier.

« Nell, vous êtes une femme formidable. » Il mordit dans une galette. La tiédeur onctueuse du chocolat lui rappela son enfance. Il regrettait soudain d'avoir cherché querelle à Dickie.

Avec une légère grimace, Nell vint s'asseoir à côté de lui, sur le divan. La ceinture de sécurité qui lui avait sauvé la vie lui avait cependant cassé une côte. « Je réfléchissais à une chose dans la cuisine, dit-elle d'une voix incertaine. D'ici quelques années, je mourrai, et vous serez obligé de venir encore une fois traîner par ici pendant que les filles feront cuire des galettes pour que les gens se restaurent sur mon cadavre.

— Allons, Nell ! Il vous reste encore de longues années devant vous. Vous possédez la beauté, la santé et, grâce à Dieu, votre mari ne vous a pas laissée démunie. Vous avez de quoi mener une vie très confortable. Et c'est exactement ce qu'il aurait souhaité.

— Et que suis-je censée faire de cette vie ? répliqua-t-elle avec une amertume sarcastique. J'ai soixante-trois ans. Il aurait été infiniment plus simple pour tout le monde que je meure en même temps que lui dans l'accident.

— Nell, vous n'êtes pas dans votre état normal, ce qui se comprend fort bien. Habituellement, vous êtes l'une des personnes les plus solides et les plus sensées que je connaisse.

— Je ne me sens pas précisément solide », répliqua-t-elle. Son regard parcourut la pièce en s'attardant sur les objets qui appartenaient à Leonard. Max aperçut le tremblement de la lèvre inférieure. « Je vous donnais l'impression d'être solide uniquement parce que je pouvais m'appuyer sur lui. »

Max ne la crut pas. Pour lui, Nell avait toujours été l'élément fort du couple. « J'imagine qu'elles ont toutes deux pris connaissance du testament, à présent.

— Bien sûr. J'en ai remis un exemplaire à chacune. Comme il le voulait. Et si j'étais partie la première, mon testament était prêt, dans les mêmes conditions, pour qu'il puisse leur en donner un exemplaire à chacune le lendemain de mon enterrement. Le partage des bijoux, de la vaisselle, de l'argenterie. Sincèrement, Max, je trouve tout cela un peu ridicule. Comme si des kilos de métal, quelques piles d'assiettes et de vagues hectares de poussière conservaient un semblant d'existence à celui qui les laisse derrière lui. C'est presque faire insulte aux morts. Et aux vivants. »

Nell aurait-elle subi l'influence de Cate ? Max se le demanda. « Quelle a été la réaction de Cate à propos du testament ? questionna-t-il.

— Eh bien, elle savait évidemment — elles étaient toutes les deux au courant — que j'héritais de tout. Cate a commencé par refuser de lire en disant que ce n'était pas nécessaire car elle était d'avance d'accord avec les dispositions prises par son père. J'ai insisté. « Il tenait à ce que vous lisiez toutes les deux ce testament, ne serait-ce que pour prendre connaissance de ces dispositions ! » Elle a dit que dans ces conditions, elle s'inclinait. Je suis donc restée pendant qu'elle lisait le document. Nous étions dans ma chambre. Elle a fait « Hum », une fois. Je suis sûre que c'est en lisant la partie concernant sa rente mensuelle. L'idée qu'elle pourrait prendre cette mesure comme un manque de confiance me chagrinait. Mais en me tendant les papiers, elle m'a seulement dit : « Merci maman. Je suis sûre que tu vivras encore longtemps, comme nous le souhaitons tous, et c'est tout ce qui compte. Le temps que cet héritage parvienne à Lydia et à moi, le monde aura tellement changé que nous n'en aurons plus besoin.

— Je me demande ce qu'elle a voulu dire par là ! s'exclama
Max avec irritation. La fin du monde, sans doute. Ou l'avène-
ment du socialisme. Elle citait justement un prophète, il y a un
instant, dans le salon.

— Et moi je me demande ce que nous réserve l'avenir, rêva
Nell. Encore que je ne serai pas là pour le voir.

— Bien sûr que si. L'avenir nous entoure déjà. Partout. Il
n'est ni aussi schématique ni aussi mauvais que certains le prétendent. A mon avis, le monde va dans le sens d'une plus grande
cohésion, pas l'inverse. Je veux dire par là qu'il se produit encore
des incidents de parcours ici ou là — l'Iran en est un exemple —,
mais au bout du compte, les choses progressent. L'évolution
sécrète elle-même un mécanisme d'auto-correction. Non, de plus
en plus, nous allons assister à un meilleur contrôle des événements, une aptitude à consolider ce qui est acquis. Les personnes
qui passent leur temps à gémir contre les méfaits du gigantisme
ne comprennent pas que ce gigantisme contient notre salut.
Comme je le disais l'autre soir à Leo : "Fais donc un tour de maison, ramasse quelques objets au passage et regarde où ils sont
fabriqués. Cette petite expérience te donnera une idée de l'état
d'interdépendance dans lequel nous vivons déjà." Tenez, je pourrais aussi vous montrer certains relevés d'opérations effectuées
par la banque, ou la liste de ceux qui nous confient des fonds ou
nous en empruntent. Vous ne sauriez plus dans quel pays vous
vous trouvez. Pareil pour une banque de Caroline du Nord.
Fini ! Le monde a cessé d'être une poignée d'Etats-nations isolés.
Nous sommes tous embarqués sur le même navire. Et il nous faudra réfléchir à deux fois avant d'expédier l'un des missiles de
Buddy Bell sur un pays qui nous doit plusieurs milliards de
dollars.

— Puissiez-vous avoir raison, dit Nell. Et espérons que les
autres ne nous enverront pas un engin du même acabit, histoire
de se libérer de leur dette.

— Cela n'arrivera pas. Les petits pays ne possèdent pas la
technologie nécessaire. Quant aux puissances qui nous inquiètent
le plus, elles se rapprochent chaque jour davantage de notre mode
de vie. Prenez la Russie : ils deviennent plus capitalistes que
nous. Et les Chinois viennent chez nous le mois prochain pour
boire du bon vin, goûter de la bonne chère et visiter nos complexes industriels.

— Vous avez une vue résolument optimiste des choses, dit Nell qui pencha la tête de côté comme pour évaluer l'enthousiasme de Max par rapport à ses propres réticences.

— Mon avis est que ceux qui jouent les Cassandre sont les gens qui craignent de n'avoir plus leur place dans le monde à venir, dit Max. Moi, je crois qu'il faut parier sur le futur. Je n'ai pas le choix.

— Leonard aussi avait tendance à se montrer confiant, remarqua songeusement Nell. Mais sur un mode différent. Lui était toujours capable de citer un exemple historique où ce que l'on semblait redouter s'était effectivement produit, mais tout avait fini par s'arranger. » Elle rit doucement. « Enfin, les choses s'étaient arrangées, parfois aux dépens des personnes intéressées. » Elle se leva avec la même petite grimace. « Bon, je vais me coucher. Ces tranquillisants me donnent sommeil.

— Votre côte vous fait encore très mal ?

— Oui, mais vous savez, je serai très malheureuse quand la douleur aura disparu. Chaque fois que j'ai mal, je me dis qu'aussi longtemps que je porte cette souffrance, c'est le dernier moment de notre vie commune que je garde en moi. » Après un regard nostalgique pour le bureau de son défunt mari, elle se dirigea vers l'une des petites peintures, une vue du bras de mer, depuis la villa d'Ocracoke. « Je me souviens parfaitement du jour où il a peint ce tableau. Il s'y est mis tôt, un matin, et plus le temps passait, moins il était satisfait de son travail. La lumière changeait constamment. Or il ne pouvait pas lui demander de bien vouloir poser pour lui. Il a refusé de s'arrêter pour déjeuner. J'ai dû lui porter un sandwich qu'il toucha à peine. Max, comment vais-je bien pouvoir réussir à m'occuper de l'entretien de cette villa ? Elle est à l'autre bout de cet Etat qui se trouve être particulièrement long, isolée dans une petite île. Il nous fallait deux jours de voiture pour arriver là-bas. Pensez-vous que je devrais la vendre ? Mais cela me ferait beaucoup de mal, à cause de lui. Il parlait toujours du jour où les fils de Lydia amèneraient leurs enfants à eux. Et ceux de Cate, pareil... à supposer qu'elle décide d'en avoir.

— N'est-ce pas une éventualité que l'on peut exclure à présent ? » demanda Max.

La pointe de critique qui perçait dans le ton de la voix titilla le sentiment maternel de Nell. « Cate n'a pas encore quarante ans, lui rappela-t-elle. Aujourd'hui, une femme moderne se cramponne à ses prérogatives jusqu'au dernier moment. Ce qui ne veut pas dire pour autant que je m'attende à voir Cate choisir d'être mère, mais...

— J'ai une idée, Nell. Si vous me laissiez faire un saut en avion de temps en temps pour surveiller un peu la villa ? L'île possède un joli petit aérodrome, si je me souviens bien. Je pourrais sauter dans mon Piper après le travail et en une heure, je serais sur place. J'aurais le choix entre une partie de pêche ou une grasse matinée. J'ai besoin de me ménager un peu et, pour moi, la seule façon d'y parvenir est de mettre un maximum de distance entre la banque et moi. Et puis je serais ravi de vous rendre ce service.

— Max, c'est très gentil à vous, mais je m'en voudrais d'abuser de votre... »

Max dressa une main verticale, comme un agent qui veut arrêter la circulation. « Nell, n'en parlons plus, affaire conclue.

— Il faut brancher l'eau, dit Nell comme dans un rêve. Il y a un robinet sous l'évier ; il est dur quelquefois. Et le registre de la cheminée n'est pas de tout repos non plus. Il faut aller le chercher et le manipuler à la main. Quant au four, il ne marche pas très bien non plus. Je n'ai jamais réussi à cuire convenablement un gâteau.

— Je crois que je me débrouillerai avec le robinet et la conduite de cheminée, dit Max. Et je ne ferai pas de pâtisserie. »

Les joues de Nell avaient retrouvé une sorte de douceur au fil de la conversation. Elle ressemblait de plus en plus à la belle femme, sûre d'elle, qu'elle avait toujours été. Quelque chose dans son expression lui rappela la façon dont Lydia lui disait tacitement sa gratitude quand il proposait de se charger d'une corvée.

« Cela m'ôterait effectivement un gros souci, finit-elle par avouer timidement. Encore que, Max, qu'est-ce qui vous y oblige ? Je veux dire, que sommes-nous pour vous maintenant, puisque Lydia... bien que je n'aie pas perdu espoir de la voir reprendre ses esprits.

— Tout ce que Lydia pourra juger bon de faire ou de ne pas faire, affirma Max, ne changera rien à mes sentiments à son égard. Et outre le fait que je vous ai toujours beaucoup admirée et que Leonard a eu de mes capacités une opinion suffisamment élevée pour me confier la gestion de son portefeuille, eh bien, nom d'un chien, je suis le père de vos petits-fils et vous êtes la grand-mère de mes enfants et... — il décida d'aller jusqu'au bout — vous êtes la mère de la femme que j'aimerai toujours.

— Cher Max », dit Nell, avec un regard de compassion.

Cate avait lu récemment qu'un coiffeur célèbre de New York recommandait de ne plus se brosser les cheveux ; loin de leur apporter du brillant, l'opération ne servait qu'à les arracher et abîmer les pointes. Ce qui ne l'empêcha pas, elle, assise à sa coiffeuse de jeune fille, de brosser soigneusement ses cheveux. Les règles d'hygiène et d'esthétique évoluaient maintenant si vite que l'on était bien obligé de se fier un peu à son jugement propre. Or l'opération brossage favorisait une forme de méditation. Ce qui était incontestablement un facteur positif.

Sur le dessous de verre en forme de haricot de la coiffeuse, étaient posés la petite tortue d'Osgood et un gros morceau de la dent cassée. Tout en s'acquittant des cent coups de brosse rituels du soir, elle taquinait les deux objets de l'index. De temps à autre, elle relevait la tête, le temps d'un rapide coup d'œil au miroir où elle guettait la vieille bonne femme qui devait l'attendre quelque part, passé le cap de la quarantaine ; elle se demanda si, l'habitude aidant, elle ne se faisait pas trop d'illusions sur la qualité de son physique.

Elle ouvrit la bouche. Apparut le trou. Cette fois, le bilan était moins brillant. Le dentiste allait-il réussir à faire une couronne, ou bien faudrait-il arracher le tout et faire un bridge ? Beaucoup de gens se laissaient allégrement enlever une dent gâtée. Un jour, Pringle lui avait expliqué qu'il y avait des listes entières de personnes réclamant qu'on leur arrache toutes les dents pendant que le gouvernement était encore tenu de rembourser la pose d'un joli dentier.

Rien de tel que la perte d'une dent, ou d'un morceau de dent, pour rappeler l'insidieuse attaque du temps sur l'intégrité de la personne. Elle se demanda si Taggart Mc Cord était morte avec une dentition impeccable, ou bien si diverses prothèses dentaires trahissaient l'usure progressive de son capital de confiance en elle ?

Cate avait été très ébranlée par le suicide de Taggart lorsque sa mère lui avait appris la vérité sur ce décès. Comme si Taggart les avait lâchées en abandonnant le navire. Puis le fait de se reconnaître elle-même une sorte de parenté avec Taggart la chagrina. En fait, elle n'y croyait pas vraiment. Mais les autres risquaient de pratiquer ce genre d'amalgame.

Pourtant, se demanda-t-elle, en quoi suis-je différente de Taggart ? Je pense avoir fait preuve, jusqu'à présent du moins, d'un certain courage dans ma vie personnelle. Il est vrai que les choses qu'elle a faites demandaient aussi du courage. Car il ne faut pas manquer d'audace pour s'arracher du milieu dans lequel on est né.

D'une certaine façon, Taggart s'est montrée même plus courageuse. Elle a quitté son mari, s'est engagée dans les *WAVES* et elle a appris à piloter son propre avion. Je n'ai fait qu'épouser un homme qui pilotait des avions en me persuadant que j'étais amoureuse de lui parce qu'il représentait un billet de départ pour ailleurs. Je suis indépendante financièrement depuis près de dix ans, mais elle subvenait aussi à ses propres besoins, mises à part les périodes de chômage où elle vivait un peu aux crochets de sa mère, entre deux emplois. Et si Melanchton College ferme ses portes, je pourrais bien être obligée d'en faire autant jusqu'à ce que je retrouve un poste.

Cate reposa la brosse à cheveux. Et le testament de son père ? Qu'elle le veuille ou non, elle s'était sentie blessée. Elle avait beau se répéter que le document avait été rédigé l'année même où elle avait amené Jake Galitsky à la maison, ce dernier ne faisant aucun mystère du fait qu'elle l'entretenait, les termes du testament — le dernier message paternel en quelque sorte — étaient humiliants pour elle. Les dispositions indiquées jetaient un doute manifeste sur son mode de vie. Pourquoi lui ferait-il moins confiance qu'à Lydia, sous prétexte qu'elle avait décidé de voir les choses avec lucidité et de les vivre en toute honnêteté ?

Bien sûr, il était mort en croyant Lydia toujours douillettement blottie sous l'aile protectrice de Max. Ce qui était une façon de la déprécier finalement, non ?

L'idéal de liberté et d'égalité de son père aurait-il été plus fort que ses réactions passionnelles, dès lors qu'il s'agissait d'agir au nom de cet idéal ?

Quand bien même cela serait vrai, elle n'était pas encore prête à l'accepter. Elle était davantage tentée de croire qu'elle n'était pas à la hauteur de l'idéal paternel.

Elle prit la petite tortue dans le creux de sa main. Enfin ! grâce à sa vision — ô ironie du vocabulaire —, son père avait été enterré avec ses lunettes. Ces lunettes, elle les lui avait toujours connues. Elles faisaient partie intégrante de lui. S'il existait une forme de vie après la mort — et nombre de fins esprits avaient foi en cette éventualité —, il en aurait bien besoin pour y voir clair.

« Tu n'es pas venue avec ton beau brun ? » lui avait demandé Osgood après l'enterrement. Et elle en était venue à lui conter l'histoire — partiellement du moins — de son éphémère mariage avec Jake Galitsky. Le vieil homme opina du chef prudemment, comme s'il ne s'était jamais attendu à entendre autre chose que ce dénouement. Cate se demanda s'il avait eu le temps de jamais connaître une femme avant de perdre son nez pendant la guerre. « Tu as toujours le petit lapin que je t'avais donné ce jour-là ? » voulut-il savoir. Elle lui répondit que non, à son grand regret, parce qu'au cours d'une querelle, elle l'avait jeté sur Jake qui avait esquivé le projectile, et le lapin s'était brisé en mille morceaux. Osgood émit l'habituel petit grognement sec qui, associé à une série de haussements de ses frêles épaules, passait pour un rire. Il portait un vieux pardessus de tweed qui semblait tout droit sorti de l'Armée du Salut, avec une chemise blanche au col élimé et une mince cravate marron tricotée à la machine. Il était appuyé sur une canne de noyer et Cate avait été stupéfaite par la jeunesse de ses mains. Rougies par le froid, elles étaient cependant souples, la pigmentation de l'épiderme était intacte et les doigts ne portaient aucune trace d'arthrite : étaient-ce les vertus de la sculpture ?

« Bôf ! dit-il après une minute de réflexion. Ce petit lapin était en bois de peuplier. Ce n'était pas assez solide. »

Puis Dexter Everby les avait rejoints. « Combien d'hectares avez-vous là-haut, Osgood ? » Selon son père, la famille d'Osgood avait jadis été propriétaire de toute la chaîne de montagnes ; mais ils avaient vendu inconsidérément des morceaux entiers de forêt à des étrangers trop gourmands, chaque fois qu'ils étaient à court d'argent.

Osgood prit le temps de répondre : « Bôf ! Assez je crois pour pouvoir me mettre sur le pas de ma porte et brailler à tue-tête sans gêner mes voisins.

— Comment comptez-vous rentrer ? » s'enquit Dexter.

Osgood dressa le pouce.

« Pas la peine, l'ami. Je me ferai un plaisir de vous raccompagner.

— Très aimable à vous », murmura le vieil homme avec un regard à Cate qui signifiait : ce crétin ou un autre... « Revenez donc me voir, mademoiselle », avait dit Osgood avant de s'éloigner en compagnie de Dexter qui était repassé quelques heures plus tard par la maison de Lake Hills pour y déposer la tortue, enveloppée dans du papier kraft, avec un carton glissé à l'intérieur.

Pour Cate. Joyeux Noël. Osgood.

Cate éprouva la carapace de la tortue. Du bois dur, cette fois.

Mais pourquoi une tortue ? Avait-il voulu lui signifier qu'elle s'essoufflait, que l'époque du petit lapin était révolue ? Ou bien qu'il la croyait encore capable de remporter la victoire au moment où tout le monde lui retirait sa confiance ? A moins qu'il n'ait rien voulu dire du tout. Peut-être n'était-il rien de plus qu'un vieil homme à qui l'on prêtait toutes sortes d'intentions à cause de l'histoire de sa vie.

Cate se surprit à froncer les sourcils dans le miroir. Telle était donc son image lorsqu'elle réfléchissait. Jake passait son temps à la photographier. Il prétendait qu'un grand photographe est capable de saisir la personnalité insaisissable cachée derrière le visage qui, pour tous les autres, incarne la personne dans sa totalité. C'était l'époque où il avait décidé d'être un grand photographe. Il l'avait saisie en train de rire, de prêcher, de faire le pitre, de dormir, de jouer les vamps. Un jour, il l'avait maltraitée jusqu'à la faire fondre en larmes et il l'avait photographiée en train de sangloter. « Intéressant, lui avait-il dit plus tard en lui montrant le cliché, tu gardes toujours le menton pointé en avant, même quand tu pleures. »

Jake et elle avaient fait l'amour par terre dans cette chambre. Non sans avoir préalablement installé les matelas des deux lits jumeaux sur le sol, afin d'amortir les échos de leurs ébats, à l'intention des parents. Allongés dans l'obscurité, ils avaient beaucoup ri lorsque Cate avait raconté à Jake comment sa mère lui avait dit : « Maintenant, tu pourras inviter des camarades à passer la nuit dans ta chambre. »

Jake n'incarnait peut-être pas l'être responsable dont tout père rêve de voir sa fille faire un mari, songea Cate, mais papa aurait dû me faire davantage confiance. Je ne suis ni une pauvre fille, ni une irresponsable. Je tiens seulement à voir les choses comme elles sont et suivre ce que me dicte mon instinct — dans la mesure où la société me le permet. Pourquoi faut-il que de telles exigences m'attirent des ennuis et me fassent considérer comme un être dangereux ? Pour répondre à ses questions, le vent se mit à souffler et la maison à hurler, moins fort cependant que lorsque les conifères plantés par son père étaient encore tout petits.

Un jour, elle avait quatre ans à l'époque, Cate avait passé la journée chez Theodora. Marraine et filleule se trouvaient dans le jardin de devant, côté Edgerton Road. Theodora taillait ses rosiers, lorsqu'un autocar marron entreprit de grimper poussivement la rue. Il était plein essentiellement de femmes et d'enfants qui ne ressemblaient à aucune des personnes que connaissait Cate, ce qui la fascina. Elle salua de la main les occupants de l'autocar, mais il n'y eut qu'un enfant pour répondre à son signe. Les autres se contentèrent de la regarder par la vitre, muets et tristes.

« Qui sont ces gens, tante Thea ?

— Ma chérie, ce sont des Japonais. Ils doivent séjourner à Edgerton Park Inn.

— Mais je croyais que c'était un hôtel pour des gens riches. Et eux, ils arrivent dans un vieux car tout sale.

— Disons qu'ils doivent habiter là provisoirement, dit Theodora. C'est notre gouvernement qui les invite. C'est gentil, non ? »

Pour la première fois de sa vie, Cate percevait le « drôle de ton ». Celui qui signifiait qu'on éludait plus ou moins sa question. Ce « drôle de ton », elle devait l'entendre encore des milliers de fois et plus elle grandirait, plus elle prendrait un malin plaisir à essayer de forcer celui qui y avait recours à sortir de l'abri confortable des belles paroles creuses. Ce sport était même l'une des grandes missions de sa vie.

« Mais nous sommes en guerre avec les Japonais, avait insisté la petite Cate de quatre ans. Pourquoi est-ce que nous serions gentils avec eux ?

— Les gens que tu as vus dans l'autocar ne nous ont rien fait, mon amour. Simplement, ils vivent dans notre pays.

— Tu veux dire que leur maison est ici ? Alors pourquoi est-ce qu'ils ne peuvent pas habiter chez eux ?

— Parce que ce n'est pas possible, voilà, répliqua Theodora avec une pointe d'impatience. Ils vont avoir une belle chambre à l'hôtel et pourront manger tout ce dont ils ont envie.

— Alors pourquoi est-ce qu'ils ont l'air tellement triste ? »

Theodora ferma son sécateur, enclencha la sécurité. « Que de grandes questions pour une si petite fille. Mais je vois qu'il est l'heure de rentrer boire un verre de citronnade, tu viens ? »

Ce jour-là, Cate s'était laissé acheter, mais Theodora n'avait certainement pas noyé sa curiosité sous un flot de citronnade. Depuis, Cate n'avait jamais cessé de poser inlassablement la même question. Quel droit une catégorie de gens avait-elle de disposer des autres à sa guise ? Quel droit les Theodora de ce monde avaient-elles de dicter leur loi aux autres, moins bien nantis ? Cette question, qui avait conduit Cate au Tunnel Lincoln à la tête d'une classe de fillettes gâtées par la vie, la conduirait encore en bien d'autres endroits avant que le chapitre soit clos.

Ainsi donc, ma vie a suivi un cours logique, songea-t-elle. Il m'est certes arrivé parfois de me bercer d'illusions, mais qui pourrait se vanter de ne jamais avoir succombé à cette tentation ? L'important est, ou devrait être, que les erreurs soient constructives. Je n'aurais pas dû épouser Pringle sans l'aimer ; cependant, pour être juste avec moi-même, j'ignorais tout de l'amour. J'avais lu des livres, mais à l'époque, j'étais encore sensible à un certain conformisme, au point de confondre tradition et désir. Pringle était un bon parti, et le seul fait de commander un trousseau brodé à mon chiffre me procura un plaisir d'ordre érotique. J'étais intimement persuadée que l'amour suivait l'acte du mariage. Et j'ai effectivement connu les douces joies du bonheur conjugal toutes ces années où je l'ai suivi dans les diverses bases de l'OTAN. D'une certaine façon, je l'idolâtrais, lui et son calme rayonnant, quand il revêtait son uniforme et nouait son foulard de soie blanche avant de s'envoler aux commandes de ces superbes avions « Phantom » dont personne n'était censé souffler mot. Il possédait la radieuse sérénité des anges.

Pourtant, lorsque les choses ont commencé à se gâter de mon côté, j'ai eu l'intelligence de m'en rendre compte. Avec moi le destin s'est toujours montré généreux en petits signes avant-coureurs, métaphores discrètes tissées dans le déroulement quotidien de ma vie. Je regardais par la fenêtre de l'appartement que nous occupions à Reykjavik ; je voyais ces arbres rabougris, plantés sur le flanc des volcans morts ; je regardais le soleil se coucher à deux heures de l'après-midi en hiver. Je regardais Pringle et ses collègues taquiner la mort au mess des officiers, le soir, tandis que sautaient les bouchons de champagne à trois dollars la bouteille (du Piper Heidsieck) et que fusaient leurs vantardises sur la partie qu'ils jouaient dans le ciel avec les pilotes russes. Un jour, seule dans l'appartement, dans le clair-obscur du début d'après-midi, j'ai lu la *Justine* de Durrell. Je venais juste de m'imaginer en train de boucler mes valises pour rentrer aux Etats-Unis. J'étais veuve parce que Pringle était tombé au cours d'une de ses joutes aériennes avec les Russes.

Or, soudainement, en reprenant ma lecture, mes yeux lurent cette phrase : *« Justine était une femme heureusement mariée, mais qui rêvait de veuvage. »*

Le message était presque *trop* clair.

Sans oublier le « hasard » qui me fit tomber sur ce roman de Lawrence. Je flânais dans la bibliothèque des Forces américaines du côté du rayon « Voyages : le Sud des Etats-Unis » (j'avais un peu le mal du pays, après ce rêve de valises que l'on boucle pour rentrer chez soi), quand je découvris *St. Mawr* classé par erreur sur l'étagère « Voyages : le Sud-Ouest des Etats-Unis ». Et ce fut l'histoire de cette Américaine entêtée qui quitte son mari anglais, retourne en Amérique et achète un vieux ranch abandonné dans la montagne à la sortie de Taos qui me décida à rentrer chez moi. Lorsque, de retour au pays, j'ai fait le tour des universités dotées d'un troisième cycle, c'est le souvenir des paysages décrits dans le roman qui m'incita à m'adresser à l'université du Nouveau-Mexique. Une fois arrivée là-bas, nantie d'une bourse d'études, ma première visite fut évidemment pour le ranch de Taos.

J'ai garé ma voiture devant le pavillon du gardien, tout en haut de la montagne. A qui pouvaient bien appartenir les beaux pieds nus qui dépassaient de la Jaguar blanche en réparation ? Pas au gardien, non, mais à son copain, Jake — l'homme-orchestre — qui, je l'appris plus tard, n'était autre que l'artiste local spécialisé dans le camouflage de la drogue dans une voiture, à des endroits qu'aucun policier n'avait idée d'aller explorer. Et lorsque vint pour moi le moment de choisir un sujet de thèse, qui aurait mieux convenu que l'auteur de toute cette histoire ? Lui dont l'héroïne, désespérant de trouver un Dionysos en chair et en os, s'était tournée vers la nature, me conduisant sans le savoir à celui qui serait mon Dionysos à moi.

Et même si Jake ne fut pas un Dionysos définitif, ni même l'incarnation du Nouveau Rêve Américain comme je l'avais d'abord cru, personne ne pourra prétendre que ma voie n'était pas tracée d'avance. Il ne me reste donc plus qu'à attendre la suite de mon itinéraire et à le suivre avec allégresse, mais aussi discernement. Discernement qui s'acquiert avec l'âge.

Peut-être que si elle avait attendu, Taggart aurait vu où la menait sa voie. A moins que... elle ait effectivement vu l'étape qui l'attendait ensuite et résolu de mourir plutôt que d'en passer par là. Peut-être aussi que le destin de certaines personnes est de servir d'avertissement aux autres.

Pourvu, pourvu que tel ne soit le mien.

Dans la cuisine qui se trouvait juste en dessous de la chambre de Cate, quelqu'un circulait doucement, à tâtons, toutes lumières éteintes.

Sous l'évier, dans la poubelle métallique fermée d'un couvercle en plastique blanc, un livre de poche, *Les différentes crises de la vie d'une Américaine moderne*, avait rejoint les écorces d'orange, croûtes de pain, peaux d'avocat, os de dinde et autres détritus biodégradables de ce jour de Noël. S'il s'était trouvé une personne point trop délicate pour mettre bravement les mains dans les feuilles de salade huileuses ou le marc de café, et suffisamment curieuse pour aller pêcher le livre, et le ramener au grand jour, cette personne-là aurait trouvé une page cornée en plein milieu du chapitre, au milieu du livre, et ledit chapitre s'intitulait : « Les années du "Maintenant ou Jamais" ». Que le lecteur ait marqué cette page en cours de lecture ou que la lassitude se soit produite dès la page cornée, nul ne le saura jamais, et l'éventuel curieux devra se contenter de spéculations.

Grignotant une galette Toll House, le visiteur nocturne alla fouiller sans hésiter dans les recoins d'un placard pour en sortir le flacon d'Old Crow. Il serait bien agréable d'ajouter deux glaçons, mais le tintement cristallin risquerait de donner l'alerte à Max qui ne dormait peut-être pas encore dans le bureau à côté, ce qui entraînerait une confrontation inopportune dans le couloir. (« Toi non plus, tu ne dormais pas ? — Non, mais pas pour les mêmes raisons que toi. ») Pourquoi s'évertue-t-on toujours à faire souffrir celui dont le seul tort est de trop vous aimer ?

Parce qu'une telle personne représente une contrainte, voilà ! On se sent mal à l'aise, coupable et finalement on se venge.

Si la situation inverse s'était présentée, si lui était venu la trouver, elle, un jour, pour lui expliquer : « Ecoute, je tiens à ce que nous restions très bons amis, mais j'ai besoin de prendre mes distances et de vivre seul un moment », elle lui aurait concédé la satisfaction de lire une seconde de regret sur son visage, mais cet instant passé, elle aurait affiché un parfait sang-froid. Quand bien même son cœur se serait brisé en mille morceaux, elle aurait offert au monde et à lui l'image de la sérénité. Si d'aventure ils avaient eu à se croiser, elle ne lui aurait pas adressé le moindre regard suppliant. Jamais elle ne lui aurait donné des raisons de se sentir coupable ou d'avoir pitié d'elle. Il en serait venu à se demander si elle tenait un tant soit peu à lui. Et finalement, elle l'aurait sans doute récupéré.

Elle prit un autre gâteau et, son verre à la main, elle entreprit de traverser sur la pointe de ses pieds nus le vestibule du rez-de-chaussée où, un peu plus tôt, elle avait rencontré Max. Une ampoule de faible intensité restait contamment allumée sur la lampe de la table. Au passage, elle put donc admirer, dans le miroir ovale suspendu juste au-dessus, sa silhouette drapée dans le déshabillé de soie cognac au décolleté de dentelle beige. Lorsque la famille avait emménagé dans cette maison, le même miroir ne lui révélait que les boucles sur le sommet de sa tête, mais maintenant, elle se voyait en pied. Force lui fut de reconnaître qu'elle avait meilleure allure aujourd'hui qu'à aucun autre moment de sa vie. Elle était à son apogée. Pourvu qu'elle ne grossisse pas et ne laisse pas sa peau se déshydrater, sa période de gloire pourrait durer encore un petit moment...

(Si vous avez passé la trentaine et rangé votre intellect dans la naphtaline le temps d'élever quelques robustes enfants, l'heure est peut-être venue d'aller faire un tour au grenier pour essayer ce que vous y avez laissé dormir ces quelques années. Votre carrure est-elle devenue trop faible pour vos anciennes ambitions ? Vous sentez-vous un peu trop avachie pour la pensée rigoureuse qui était la vôtre ? Et quels sont donc ces rêves secrets de romance et d'aventure ? Si vous trouvez un vieux miroir poussiéreux, essuyez-le donc d'un coin de votre tablier et regardez-vous bien. Eh oui ! vous êtes toujours là. Et fort jolie, en plus ! C'est maintenant ou jamais, vous dites-vous...)

Je trouverai ma voie à moi, se dit Lydia en montant les marches. Sans me laisser enfermer dans un des tiroirs de leur psychologie de bas étage.

La porte de Cate était fermée. Celle des parents... celle de la chambre maternelle à présent, aussi. Les garçons dormaient dans des duvets, dans la salle de couture de leur grand-mère, puisque la chambre de Cate était occupée. Lydia s'arrêta un instant devant cette porte qui n'était pas complètement fermée, le temps de reconnaître le rythme distinct des deux respirations. Celle de Leo était calme et profonde. Dickie, qui avait des problèmes de sinus, ronflait légèrement.

Dans sa chambre, elle resta allongée dans l'obscurité, à siroter son verre jusqu'à ce qu'elle se sente réchauffée et somnolente. Sa langue explora les anfractuosités de la cavité buccale pour en expulser les résidus de gâteaux ; elle n'avait plus le courage de se lever pour aller se brosser les dents. Récemment, au Club Santé où elle allait nager, un homme brun et mince s'était mis à nager dans le couloir proche du sien. Son estomac se contracta imperceptiblement au souvenir du corps de cet homme qui glissait doucement à côté du sien dans l'eau chlorée. A travers ses lunettes, elle pouvait suivre le battement de ses longs pieds dans le sillage des bulles laissées par sa bouche. Un jour, peut-être l'attendrait-il sur le bord du bassin. Ils ne s'étaient pas encore parlé, mais elle avait vu qu'il la remarquait.

Lydia posa ses lunettes sur la table de nuit, avant de s'enfouir plus douillettement sous les couvertures. Mentalement, elle envisagea une aventure avec l'étranger, mais son imagination refusa de se concentrer sur cette activité. Ce serait manquer de respect à son père. Et le pauvre Max qui dormait juste en dessous, au rez-de-chaussée... De plus — et ce fut peut-être le facteur déterminant — ce serait tomber exactement dans le type de fantasme que cette garce de yankee décrivait dans son livre pour illustrer les états d'âme d'une femme de trente-six ans qui, s'étant récemment séparée de l'unique homme dont elle ait jamais partagé le lit, se retrouve toute seule dans sa chambre de jeune fille.

Deuxième Partie

Ku : TRAVAIL SUR CE QUI A ÉTÉ GÂTÉ
(IDÉE DE DÉCADENCE)

Le caractère chinois *Ku* représente une coupe
dans le contenu de laquelle prospèrent des vers.
Ce qui symbolise un processus de décadence.
Cette situation résulte de la conjonction de la
douce indifférence du trigramme inférieur et de
l'inertie rigide du trigramme supérieur, pour donner un état de stagnation. Dans la mesure où est
impliquée la notion de culpabilité, la réalité
décrite comprend l'exigence d'en faire disparaître
la cause. C'est pourquoi la signification de l'hexa-
gramme n'est pas seulement : « Ce qui a été
gâté » mais : « Travail sur ce qui a été gâté ».

Le *Yi King.*

IV
Le père de Dracula

Cate resta auprès de sa mère pendant la première semaine de la nouvelle année. Le dentiste de la famille — un homme chaleureux et volontiers mondain dont la femme partait en avion renouveler sa garde-robe, deux fois par an, à New York — avait réussi à couronner sa dent cassée et Cate s'en voulait d'avoir déchargé sur lui toute son agressivité. Le jour où elle était revenue pour la pose définitive de la couronne en or, il avait entrepris de lui faire une radio de l'autre mâchoire où tout allait bien.

« Quel intérêt ? demanda-t-elle avant de lui laisser placer son petit carré de pellicule.

— Oh, tant que nous y sommes, je me suis dit que nous ferions aussi bien de nous offrir une série de petites radios toutes neuves. » Il avait tendance à bêtifier un peu, à force, sans doute, de parler à tous les enfants qui défilaient sur son fauteuil ; depuis le dernier passage de Cate, il avait adopté des blouses écossaises un peu voyantes et portait une lourde chaîne d'or autour du cou.

Je ne vais tout de même pas attraper un cancer pour que sa bonne femme puisse s'offrir un chemisier de plus chez Bergdorf*, se dit Cate avant de se lancer dans une diatribe virulente sur le thème, traité récemment dans la presse, des pratiques abusives de certains dentistes en matière de radiographie. Elle l'avait piqué au vif car il riposta par un exposé sinistre de toutes les maladies pouvant se dissimuler derrière et entre des dents apparemment saines. « Vous prenez l'avion pour rejoindre votre université du Middle West, je crois. Eh bien, vous allez recevoir autant de radiations que vous en auriez subies avec cette série de radios. »

* « Le » grand couturier de New York *(NdT)*.

A quoi elle ne put s'empêcher de répliquer : « Raison de plus pour éviter celles-ci. »

Lorsque Cate raconta l'incident chez elle, Nell observa : « Tu n'avais qu'à lui dire qu'on venait de t'en faire une série chez un autre dentiste de l'Iowa.

— Auquel cas on se demande pourquoi je n'irais pas m'adresser à ce dentiste pour faire couronner ma dent ? »

Nell gratifia sa fille d'un regard qui lui fit désespérer d'être jamais comprise. Puis elle ajouta plus légèrement : « Ce pauvre Dr Musgrove. On dit que sa femme le harcèle constamment. Lucy Bell m'a raconté qu'elle avait eu l'occasion de rentrer chez eux et que Mme Musgrove avait un placard en teck rien que pour ranger ses chaussures. »

De retour à Melanchton, Cate trouva un mot du président dans son casier. « Veuillez passer à mon bureau. »

Ce qu'elle fit aussitôt.

Le président était un homme décharné dont les cols de chemise étaient toujours trop grands pour lui. Ses yeux ronds avaient une étrange façon d'accommoder derrière la personne à qui il s'adressait. Il avait reçu l'ordination luthérienne et gérait la faculté comme s'il s'agissait d'une distraction inévitable dans le dialogue qu'il entretenait avec Dieu. Cate avait un peu peur de lui dans la mesure où elle le détestait tellement qu'elle craignait de ne pouvoir dissimuler son aversion.

« Dr Galitsky, vous plairait-il d'assurer un cours d'art dramatique ?

— Mais ce cours est assuré par M. Terry, dit Cate.

— M. Terry a dû nous quitter. » Le président leva ses yeux ronds au regard vague en direction de Cate.

« Comment ? Mais pourquoi ? Je veux dire, il semblait tellement passionné par son travail. Et le succès de *Dracula* lui avait fait un grand plaisir. Comme à tout le monde d'ailleurs.

— Il n'a pas eu le choix, dit le président. Nous regroupons donc ses cours en une seule classe. Vue la brièveté des délais, nous pourrons difficilement faire mieux !

— Bizarre », dit Cate, se souvenant de M. Terry dans sa ferme aménagée, pendant la fête donnée après la représentation. C'était la nuit où son père était mort et elle avait dansé comme une folle. Sans se douter de rien. Est-ce que ce soir-là, M. Terry savait qu'il allait quitter Melanchton ? Elle aurait juré que non. La façon dont il avait décoré la maison, avec toutes ces lampes, ces

100

rideaux, ces coussins, ces estampes : l'endroit ne ressemblait vraiment pas à la maison de quelqu'un qui a déjà bouclé ses valises. « Il paraissait pourtant heureux ici, dit-elle.

— Nous vivons dans un monde en perpétuelle mutation, dit le président en curant l'ongle d'un de ses pouces avec celui de l'autre. Vous m'avez impressionné par votre esprit coopératif lors de notre dernière réunion de synthèse. Tant de gens, à notre époque, ne vivent que pour eux-mêmes. Votre sens du collectif est réconfortant.

— Je pensais sincèrement ce que j'ai dit », se crut-elle obligée de confirmer, bien que, dans l'immédiat, une baisse de salaire ne serait pas exactement bienvenue. La couronne en or et le billet d'avion avaient porté un sacré coup à ses finances.

« Je n'en doute pas. Mais nous ne pouvions décemment profiter ainsi de votre élan de solidarité. Nous sommes tous logés à la même enseigne et le coût de la vie augmente plus vite que nos salaires. Néanmoins, si vous pouviez nous faire cadeau de deux heures hebdomadaires de votre temps, je vous en serais infiniment reconnaissant. Cela nous permettrait de ne pas décevoir nos jeunes tragédiens en herbe.

— Je ferai de mon mieux », dit Cate, furieuse de voir sa semaine, déjà bien chargée, amputée de deux précieuses heures. Mais après avoir offert publiquement de renoncer à une partie de son salaire pour éviter la fermeture de l'établissement, elle pouvait difficilement refuser de donner deux heures de son temps. « Néanmoins, je dois vous avertir que ma dernière expérience en matière théâtrale remonte à une fête de Noël où je jouais un des Rois mages en classe de terminale. »

Le président la gratifia d'un sourire qui parut lui coûter un douloureux effort. « Je suis certain que vous serez parfaite. Vous allez nous tirer d'affaire. M. Terry leur faisait lire des scènes ou bien prévoyait des exercices à faire en cours. Faites appel à votre imagination. Bien sûr, le semestre se termine généralement par une représentation. Mais je ne voudrais pas abuser de votre gentillesse. Nous verrons comment les choses se passent. Si jamais vous preniez la décision de monter une pièce, j'apprécierais que vous choisissiez une œuvre offrant un plus grand éventail de rôles que le *Dracula*. D'aucuns reprochent à *Dracula* d'avoir trop servi de faire-valoir à Jody Jernigan. Sans mettre en question la popularité dont jouit Jody, certains étudiants ont eu le sentiment de gaspiller un peu leur talent en passant toute la pièce sagement allongés dans ces cercueils.

— Je verrai le moment venu, dit prudemment Cate.

— Bien. L'année prochaine, bien sûr, nous engagerons une personne à temps plein.

— Vous pensez donc qu'il pourrait y avoir une année prochaine ? demanda Cate, persuadée d'avoir gagné le droit de poser cette question.

— Je suis plus optimiste que je ne l'étais avant Noël », répliqua le président, le regard fixé, œil rond et pupille vague, derrière l'épaule gauche de Cate.

Tiens, tiens, songea Cate en rentrant chez elle au volant de sa voiture, je me demande qui est le nouveau bailleur de fonds. A moins qu'il s'agisse d'un legs fait par un ancien étudiant riche à millions et mort récemment.

Il s'écoula plusieurs heures avant que la colère prît le dessus. Elle s'était encore fait avoir. Avec ses airs de missionnaire, cette espèce de salaud venait de la rouler dans la farine. Compte tenu des vacances de Pâques, il restait seize semaines de travail. A raison de deux heures hebdomadaires, cela faisait trente-deux heures de son temps, sans parler de la pièce de fin d'année dont il était évident qu'elle assurerait la mise en scène. En fin de compte, on arrivait facilement à la centaine d'heures. Gratis. Parce qu'elle n'avait pas le choix. Et la même aventure advenait à des tas d'enseignants, un peu partout dans le pays, parce que l'administration savait qu'elle pouvait se le permettre. Il y avait trop peu de postes vacants pour faire la fine bouche.

Puis elle fit contre mauvaise fortune bon cœur. Autant se sentir grande et généreuse que vulnérable et désarmée. Après tout, s'il lui fallait donner deux heures de plus et monter une pièce, elle n'en mourrait pas. Peut-être même que l'expérience lui permettrait d'acquérir de nouvelles connaissances et d'élargir son champ d'action. Bien que le philosophe fût fort décrié et ses analyses très controversées, elle souscrivait sans réserve au célèbre slogan de Karl Marx : « A chacun selon ses moyens », etc. Et puis j'ai fait une belle affaire avec ma dent, raisonna-t-elle. Peut-être est-ce le tribut à payer. Auquel cas, je m'exécute volontiers. Tant que je garde dynamisme et enthousiasme, je demeure prête à payer mon écot.

Cependant, la soudaine démission de M. Terry — un fonceur passionné qui paraissait au comble du bonheur le soir de sa représentation, la laissait encore perplexe.

Cate démarra son cours de théâtre avec une lecture de *La ménagerie de verre* de Tennessee Williams. Le thème de la pièce était de nature à séduire les jeunes (comment les parents gâchent la vie de leurs enfants) et il y avait quatre rôles importants, ce qui laissait une certaine latitude à Cate.

La meilleure comédienne était une fille terne et sans grâce, nommée Nan Tyler. Étudiante de dernière année, elle suivait le cours pour le troisième semestre consécutif. Elle prenait donc cet enseignement au sérieux car, au-delà de deux semestres, ce cours ne pouvait plus être validé dans le cursus universitaire littéraire. Nan tenait le rôle féminin dans *Dracula*, mais Cate ne fit pas immédiatement le lien entre la comédienne vive et brillante qu'elle avait vue pendant la représentation et cette gamine un peu hirsute au visage anonyme. Pourtant, lorsque vint le tour de Nan et qu'elle lut le rôle de Laura Wingfield, Cate sut qu'elle tenait la personne adéquate. Les autres étudiants du cours ne manifestèrent ni jalousie ni amertume lorsque Nan décrocha le rôle. Ils s'inclinèrent devant son talent comme on reconnaît la finesse d'une lame ou la pureté du chant d'un oiseau. Nan avait l'intention d'aller tenter sa chance à New York à la fin de ses études et Cate se dit que s'il existait une justice, cette fille méritait de réussir.

Le meilleur comédien — faute de concurrence sérieuse dans la classe — était Jody Jernigan. Jody avait interprété l'élégant comte Dracula dans l'ultime réalisation de M. Terry. Alors que Nan Tyler n'existait pas avant de devenir le personnage qu'elle incarnait, Jody ne faisait jamais qu'être lui-même, quel que soit le rôle qu'il interprétait. Dans la peau de Tom Wingfield, il était un frère séduisant et rêveur que son narcissisme exacerbé isolait du reste de la famille. Ce qui lui allait comme un gant. Tout comme lui avait parfaitement convenu le rôle du vampire séduisant et rêveur. Il lui suffisait de se draper dans sa cape de velours pourpre pour proclamer qu'il vivait sur une autre planète. Sous réserve de se cantonner à un certain registre et de conserver sa beauté exceptionnelle, il ne serait jamais ridicule.

Jody rappelait à Cate les adolescents élancés que peignait Burne-Jones*, — de jeunes narcisses occupés à contempler leur reflet dans les cours d'eau, quand ils ne lévitaient pas quelques centimètres au-dessus du sol, auprès de jeunes filles leur servant de miroir. Jody était un peu l'enfant chéri du cours. Les filles

* Peintre préraphaélite anglais (1833-1898) *(NdT).*

103

semblaient admirer sa grâce et sa beauté, elles lui faisaient compliment de son élégance vestimentaire et touchaient volontiers les pulls en cachemire, les chemises de soie et les pantalons de daim qu'il portait pour venir en classe, sans que cette familiarité revêtît jamais la moindre connotation sexuelle. Les garçons du cours le supportaient avec une affabilité teintée de légère condescendance — en particulier les athlètes, pour qui ce cours avait comme vertu cardinale de n'avoir lieu qu'une fois par semaine et de n'exiger aucun travail écrit. Un ou deux garçons continuèrent de l'appeler « comte » après la représentation, et certains échangeaient un regard amusé lorsque Jody arrivait de son pas dégagé, narine frémissante et crinière au vent.

Néanmoins, Jody bénéficiait auprès d'eux d'un traitement de faveur, non dépourvu d'un certain respect, qu'il ne devait pas à sa bonne mine, mais au fait qu'il était le fils de l'un des notables en vue de la région : Roger Jernigan. Tout le monde savait qui était Roger Jernigan. Impossible de circuler dans la ville ou sa banlieue, à pied ou en voiture, sans voir au moins un panneau publicitaire ou une affiche vantant les mérites des Sunny Enterprises. La dernière que Cate eût remarquée était signée par un dessinateur célèbre dont le style « naïf », agrémenté d'un zeste de mysticisme clinquant, avait les faveurs des grandes sociétés. Abattre des milliers d'arbres cessait d'être une mauvaise action dès lors que l'on voyait adroitement représentées les multiples activités utiles qu'une telle opération offrait à l'humanité. Les monstrueux monopoles sévissant dans les transports et communications devenaient plutôt touchants quand ils prenaient l'apparence de délicieux petits hommes d'affaires flottant comme autant de ballons dans un firmament bleu. Ainsi des Sunny Enterprises, grands fabricants d'insecticides et herbicides devant l'Eternel, et dont la publicité utilisait le charme simple de la campagne au petit matin : terres et fermes sous un ciel plus bleu que nature et, dans chaque champ au périmètre parfaitement carré, des rangées symétriques d'un blé superbe et sans défaut. Dans la partie supérieure du ciel à la pureté non polluée, dansaient une série de lettres jaunes et rondes, comme si elles avaient été gonflées à l'hélium : SUNNY ENTERPRISES. Image rassurante qui semblait garantir à chacun sa part des bienfaits de l'Amérique — santé, liberté, fécondité — sans même que l'on connût exactement la nature du produit vanté.

Roger Jernigan était le président fondateur des Sunny Enterprises dont l'immense usine de produits chimiques se trouvait sur une petite route de campagne isolée, au sud-ouest de la ville. Il existait également une filiale, fort lucrative, spécialisée dans les pesticides, et qui possédait des antennes dans tout l'Etat. Jernigan avait monté son affaire à la fin de la Seconde Guerre mondiale, au moment de l'apparition du DDT sur le marché, mais il avait vraiment percé (et fait fortune) avec un produit qui s'avéra très efficace contre un parasite européen qui contamina ce pays en 1917, dévastant les cultures céréalières d'Est en Ouest — blé, maïs, soja, seigle — sans parler des pommes de terre. Jusqu'aux glaïeuls qui furent touchés par cette calamité. Ce premier produit, commercialisé par Jernigan, avait depuis été retiré du marché, après que l'un des ingrédients se fut révélé posséder des effets résiduels douteux. Mais lui et ses chimistes mirent au point un produit de remplacement. La presse locale se faisait régulièrement l'écho de ses démêlés incessants avec l'Agence pour la Protection de l'Environnement ; cependant, jusqu'à présent, il avait toujours réussi à conserver une tête d'avance sur eux. Les Sunny Enterprises furent ainsi baptisées en l'honneur du fils premier-né de Jernigan, Sunny, dont la rumeur publique faisait une espèce de vaurien doublé d'un bourreau des cœurs. Les deux garçons vivaient avec leur père et une gouvernante, dans un château perché sur les hauteurs, à quelque soixante kilomètres en amont du fleuve dont les rives étaient agrémentées d'un certain nombre de vieilles demeures extravagantes. Ces « châteaux » avaient été construits par des colons allemands qui, pour avoir réussi dans le Nouveau Monde, n'en gardaient pas moins une inextinguible nostalgie de l'architecture du Vieux Continent. C'est pourquoi, dédaignant les richesses forestières de la région, ils firent tailler de la pierre pour édifier des demeures aussi fidèles que possible à celles qui, dans leur souvenir, dominaient le Rhin. Jernigan avait apparemment eu le coup de foudre pour l'une d'elles qu'il rénova à grands frais, et c'est de là-bas que le jeune Jody venait chaque jour, au volant d'une vieille Lincoln Continental dont la tenue de route s'apparentait à celle d'un tank.

Cate tenait ses renseignements sur les Jernigan de son amie Ann, celle qui avait mis son mari à la porte et goûtait les délices d'une séduisante solitude, entre ses vieux meubles et ses traductions. Ann avait eu Jody en cours de français. « Il est venu geindre qu'il n'avait pas pu terminer sa dissertation parce qu'il avait été obligé d'aller chercher une fille à l'aéroport, pour son frère. Apparemment, ce Sunny se fait expédier des dames par avion. Je lui ai demandé pourquoi Sunny se s'était pas déplacé lui-même.

"Mon frère n'a pas le droit de conduire", m'a-t-il répondu. Tout cela est très mystérieux. Je trouve d'ailleurs que Jody a tendance à cultiver le mystère.

— Il a peut-être commis une infraction grave, ce fameux Sunny, ce qui lui a valu un retrait de permis », dit Cate. Ann haussa joliment les épaules. Elle avait effectivement un faux air de Virginia Woolf, mais c'était par pure provocation que Cate avait annoncé à Lydia une éventuelle liaison avec Ann. Si elle avait eu l'intention de se choisir une première partenaire féminine, son choix se serait porté sur une personne à la fois plus énergique et plus curieuse de la vie. Ann menait une existence nette et ordonnée, mais il y avait en elle une sorte de complaisance qui frisait la décadence : elle vivait trop confortablement dans sa vieille maison, entourée de ses chères vieilles éditions françaises aux reliures désuètes.

« *Tant pis**, dit Ann. Il faut de tout pour faire un monde. Il se peut que le frère de Jody soit un satyre aux pieds fourchus. Mais moi, je rentre chez moi avec leurs copies à corriger, pas leurs vies. Et la frontière est nettement tracée. »

Jody commença par bouder Cate ostensiblement. Bien qu'ils aient dansé ensemble pendant la fête donnée chez M. Terry, il gardait à présent ses distances. Comme s'il lui en voulait de faire ce cours, à moins qu'il ne désirât la mettre à l'épreuve. Lorsqu'il n'était pas directement sollicité, il se retranchait au fond de la classe. La tête légèrement inclinée, il se laissait aller à ses rêves, la narine toujours frémissante. Mais Cate savait d'expérience qu'il était vain de tenter de séduire les récalcitrants. Mieux valait les ignorer jusqu'à ce qu'ils viennent d'eux-mêmes — ou mobilisent trop l'attention générale.

Un jour qu'elle travaillait sur un cas pratiquement désespéré, Jody se fit particulièrement remarquer. Il se trémoussait, reniflait, s'agitait ; puis il entreprit de secouer sa crinière avec plus d'énergie que jamais. Son épaisse chevelure noire avait été taillée de façon à lui conserver un maximum de volume et les vigoureux mouvements de tête étaient sa manière à lui de combattre toute tendance à la platitude.

Les autres étudiants finirent par remarquer le manège. Les regards se tournèrent vers Cate, guettant sa réaction. Cela suffit, se dit-elle.

* En français dans le texte *(NdT)*.

106

Elle s'adressa ostensiblement au fond de la classe. « Est-ce que vous allez bien ? » demanda-t-elle avec une fausse sollicitude.

Jody était tellement occupé à hérisser ses plumes qu'il ne se rendit même pas compte que la question lui était destinée. Il donna quelques coups de tête pour ébouriffer davantage sa volumineuse crinière. Puis, doucement, toujours inconscient d'être le point de mire général, il leva ses deux mains pour apprécier amoureusement le résultat du bout de ses longs doigts fuselés. A la fin de l'opération, ses yeux croisèrent le regard ému de Cate. Il rougit lentement, mais inéluctablement, depuis la base du cou jusqu'à la pointe des oreilles.

« Je parie que vous avez une bestiole dans l'oreille, dit Cate. Est-ce que je me trompe ?

— Une... bestiole ? répéta le jeune homme, le visage écarlate.

— Oui, un insecte, si vous préférez, dit Cate. Une puce, par exemple. Chez moi dans le Sud, nous avons un remède infaillible dans ces cas-là. Il suffit d'approcher une lampe de poche allumée contre le tuyau de l'oreille. La bestiole est attirée par la lumière et sort toute seule. Je vous autorise à quitter le cours pour vous procurer une lampe. Ce sera sans doute plus efficace que votre méthode. » Et de produire une imitation cruellement fidèle du manège de Jody, sans oublier les langoureux battements de paupières et le frémissement des narines. La classe pouffa. Cate sentit que sa coiffure résistait mal à l'opération, mais le jeu valait la chandelle.

Jody opéra un rétablissement remarquable et se contenta d'indiquer qu'il préférait rester en classe, si elle n'y voyait pas d'inconvénient.

« Absolument aucun », répondit-elle aimablement avant de reprendre son travail avec l'étudiant peu doué, devant une classe subjuguée et conquise qui la regarda avec un respect accru. Puis elle leur fixa un travail pour la semaine suivante. « J'aimerais que vous réfléchissiez à la façon de révéler le caractère d'un personnage par le biais des réactions qu'il produit chez une tierce personne. »

Après le cours, Jody suivit Cate jusque dans le hall, les épaules haut levées dans sa canadienne de soie grise à col de renard argenté. « Faut-il absolument que ce soit une *personne* qui réagisse au caractère du premier personnage ? demanda-t-il.

— Vous avez une autre suggestion ? » répliqua Cate sans ralentir le rythme de sa démarche. Elle avait envie d'un grand bain moussant, d'un verre de vin et d'encens.

« Est-ce qu'on ne pourrait pas songer à un animal ? Un animal qui s'exprimerait avec des mots ? »

Cate ne trouva pas d'argument à opposer. Elle était curieuse de voir ce qu'il ferait. Elle fit pourtant mine de réfléchir à sa proposition, tout en boutonnant son manteau, tandis qu'il sortait de sa poche deux gants de daim gris. Il attendit la réponse avec une attention pleine d'humilité.

« Eh bien, d'accord », dit-elle. Apparemment, il m'aime beaucoup depuis que je l'ai mis publiquement dans l'embarras, songea-t-elle. Peut-être qu'il n'est pas habitué à ce qu'on le bouscule. « Veillez seulement à ce que le caractère du personnage transparaisse clairement.

— Je ferai attention, promit Jody en tortillant ses doigts luxueusement gantés. Puis-je vous déposer quelque part ?

— Non merci, je suis motorisée. » Elle affronta la première le froid mordant de l'extérieur, tandis qu'il lui tenait la porte. Ils se séparèrent courtoisement. Lui se dirigea gaillardement vers le parc de stationnement étudiant où l'attendait sa Lincoln Continental, afin de regagner son château dans la vallée ; elle courba la tête pour résister au vent abominable et partit retrouver sa petite Volkswagen rouge dans le parc réservé aux professeurs.

Lorsque Cate avait échoué ici, un an et demi auparavant — parce que c'était le seul poste qu'elle avait trouvé après la fermeture de l'université du New Hampshire où elle travaillait précédemment — elle avait soigneusement visité l'endroit pour en recenser toutes les possibilités. Elle reconnaissait nourrir les préjugés habituels des gens de la Côte Est à l'égard du Middle West et avait même ressenti un courant de panique au moment de franchir le Mississippi au volant de sa voiture. L'impression de partir en exil. Elle fut hébergée à la résidence universitaire, le temps de se trouver un domicile fixe ; elle eut ainsi le loisir de faire connaissance avec ses nouveaux collègues et de découvrir la façon dont eux avaient résolu le problème du logement. Le dernier chic, pour les gens sans patrimoine, semblait se résumer à une simple alternative : fuir la réalité ou la parodier. Dans le premier cas, on achetait l'une des nombreuses maisons victoriennes à vendre. Construites en retrait, telles de vieilles filles déshonorées, elles se situaient dans les rues jadis résidentielles et aujourd'hui bordées d'ormes miteux et rabougris. A l'instar d'Ann, on pouvait ensuite décaper et astiquer les parquets de chêne pour accroître la valeur marchande de la maison, avant d'accrocher sur les murs des paysages méditerranéens aux chaudes harmonies brunes et vertes tels que les peignait Cézanne, sans oublier de tirer les stores de bambou pour effacer la réalité extérieure. Si l'on optait pour la seconde solution, ce qu'avaient fait le Poète Résident et sa petite famille, on louait une ferme à l'extérieur de la ville et l'on battait la campagne en veste de chasseur et bottes achetées par correspondance, quand on ne jouait pas les nounous auprès des bestiaux du propriétaire, pendant que ce dernier et son épouse visitaient la Floride dans leur somptueuse auto-caravane achetée avec l'argent du loyer.

Cate circula, à pied et en voiture, en ville et dans les environs, et elle prit une décision au bout de plusieurs jours. Chacun trouva fort original et bien audacieux son choix d'élire domicile dans ce petit appartement situé au-dessus d'un réparateur de télévisions, dans une rue vouée à la rénovation, tout près du fleuve. Elle disposait d'une grande pièce ensoleillée le matin, d'une cuisine suffisamment vaste pour y prendre des repas et d'une salle de bains avec baignoire. Trop heureux d'héberger une locataire aussi respectable, le réparateur télés et sa femme avaient peint, récuré et même installé un petit téléviseur couleurs que Cate pouvait regarder depuis le lit qu'elle s'était acheté chez Goodwill. Chaque soir, après cinq heures trente, quand fermaient les rares boutiques à n'avoir pas émigré ailleurs, Cate avait toute la rue à elle. Elle se sentait un peu dans la situation de ces religieuses contemplatives qui prient essentiellement à l'heure où dort le commun des mortels, parce qu'il faut bien que quelqu'un se préoccupe du salut du monde aux moments les plus dangereux. Cate se retrouvait donc à la tête d'une rue déjà promise aux marteaux-piqueurs, sorte de pont entre un passé révolu et un avenir nouveau. Elle fit poser de solides verrous à sa porte, bien sûr, sans toutefois réussir à se faire vraiment peur. C'est qu'elle avait vécu seule à New York, après le départ de Jake. Un jour dans le train, elle était même tombée sur un exhibitionniste noir. Or, malgré la réelle terreur qui l'avait alors étreinte, elle s'était entendue dire avec un naturel à peine teinté d'humour : « Voilà qui ne me semble pas absolument indispensable. » Sur quoi l'homme s'était levé et avait changé de wagon.

Ici, rien n'arriverait. Peut-être était-ce la raison qui l'avait incitée à choisir cette situation marginale. Il lui suffisait d'ouvrir la fenêtre et de se pencher à peine pour voir le Mississippi et la rive opposée, celle de l'Est. Elle se sentait un peu dans la situation de l'ivrogne qui est en sécurité tant qu'il peut dormir avec un pied par terre.

Un jour que, étendu à côté d'elle dans le lit de chez Goodwill, le Poète Résident lui avait demandé : « Mais pourquoi es-tu allée te dénicher cet endroit ? » elle avait répondu que parmi tous ceux qu'elle avait visités, l'âme de celui-ci lui avait semblé plus sympathique que les autres. Cette façon qu'elle avait de s'exprimer le fascinait toujours. Elle aurait pu formuler les choses autrement et dire qu'ici, elle avait le sentiment qu'elle pourrait être à la hauteur de tout ce que l'âme des lieux pourrait lui révéler, sans risque pour son équilibre mental ; mais cela l'aurait effrayé. Sauf que, de toute façon, elle avait fini par lui faire peur. Il ne lui avait plus fait signe depuis leur altercation pendant la réunion plénière où elle avait suggéré que chacun renonçât à une part de son salaire au nom de l'intérêt général. Quand elle le croisait dans un couloir, il semblait tendu et fuyant. Apparemment donc, elle n'aurait pas l'initiative de la rupture. Vivre dans une rue abandonnée parce que l'âme des lieux y est sympathique et intéressante relevait d'un anticonformisme de bon aloi, mais ses penchants pour le socialisme étaient autre chose.

Cate fut désolée de perdre sa compagnie, tout en sachant bien qu'elle pouvait se passer de lui. Quand il n'avait pas peur, il savait être un alter ego à l'esprit acéré et à l'œil impitoyable pour l'opportunisme institutionnel d'autrui.

« L'animal » de Jody s'avéra être l'une de ces fameuses petites larves fatales aux cultures céréalières, le parasite dit européen ; leur destruction systématique était à l'origine de la fortune de Roger Jernigan. Sauf que dans l'improvisation de Jody, la petite larve devenait le personnage positif : le méchant, celui dont le « caractère » devait être révélé, n'était autre que son ennemi : le père de Jody. La complainte du malheureux parasite prenait la forme d'une ballade style Country Music, que Jody interpréta en s'accompagnant sur une belle guitare :

> *J' suis qu'un pauvre p'tit parasite*
> *Et j' fais seulement mon p'tit boulot*

chanta Jody d'une voix de baryton un peu nasillarde. Gracieusement assis, jambes croisées, sur un tabouret bas, il portait une chemise de soie pêche, un pull cachemire tête de nègre décolleté en V, une veste de cuir frangé à la mode cow boy, des pantalons de cuir brun moulants et des bottes marron foncé.

Mais dans le ciel Monsieur Poison
Ne m'oublie pas, ne m'oublie pas.
Voyez ses anges jaunes
Dont l'ignoble souffle pestilentiel
Vient troubler cette belle journée.
Car il veut ma peau...
Et celle de l'univers entier

Jody toussa et crachota. Il porta la main à sa gorge. Puis brandit haut sa guitare comme pour repousser les « anges » maléfiques, reproduisant le bruit de moteur par un sourd grondement guttural. La classe avait accroché, ravie. Ce n'est pas exactement ce que Cate avait à l'esprit en proposant l'exercice, mais elle aussi fut amusée. La présentation de Nan Tyler fut décevante ; elle était manifestement plus douée pour interpréter des rôles écrits par d'autres. Nan avait choisi d'incarner un prisonnier torturé par son geôlier pour révéler le sadisme du bourreau. La plupart des jeunes avaient opté pour un rôle de victime passive tyrannisée par une figure autoritaire. Est-ce ainsi que la jeunesse actuelle percevait son avenir ? Pas étonnant dès lors, qu'ils hurlent de rire et applaudissent à tout rompre chaque fois que le parasite chantant décochait une nouvelle flèche contre le « Papa ». Lui, au moins, réagissait.

Monsieur Poison ! Vous... (étranglement)
M'avez presque occis, cette fois !
Aïe !
Faut que j'respire, comme disait mon grand-père
On verra bien qui aura l'autre !

Quand Jody fouilla dans un sac de supermarché d'où il sortit un véritable masque à gaz derrière lequel il interpréta le dernier couplet, le public fut définitivement conquis.

Pendant que vous trôniez sur votre piédestal,
Comptant vos sous et concoctant des lois,
Nous autres, en bas, tous les Lépidoptères,
On organisait la riposte.

Jody chantait d'une voix douce mais claire, derrière son masque à gaz (qui était authentique, sans doute « emprunté » à l'un des employés de son père).

« On organisait la riposte », reprit toute la classe après Jody. Même Cate rejoignit les chœurs malgré sa sympathie pour le

111

puissant papa, absent et moqué par ces jeunes sans expérience. Vêtu de vêtements coûteux payés par papa, grattant une superbe guitare payée par papa, le fiston et héritier entraînait toute la classe dans sa ritournelle, raillant les valeurs incarnées par le même papa. Je dois avoir un faible pour les papas, se dit Cate. Sans doute parce que je viens de perdre le mien.

Ce qui ne l'empêcha pas de féliciter Jody après le cours. « C'était l'exercice le plus travaillé et le plus amusant de la classe. »

Le compliment l'enchanta. « Pour être plus précis, dit-il en désignant ses précieux atours pêche et marron, ce sont les véritables couleurs de l'insecte en question, mais vous ne pouviez pas le savoir. »

Plusieurs jours passèrent. Dans son bureau, Cate corrigeait quelques dissertations. Elle restait, bien que la nuit soit déjà tombée, parce qu'elle appréhendait le bout de chemin qu'il lui fallait faire pour rejoindre le parc de stationnement réservé aux enseignants et le temps qu'elle devrait passer à grelotter dans sa voiture en attendant que le moteur chauffe. Une autre raison était que ces devoirs étaient trop décevants pour qu'elle ait envie de les emporter chez elle. Pour ses cours de composition littéraire, elle se donnait beaucoup de mal à imaginer des sujets susceptibles d'éveiller les esprits les plus mornes, amorcer une éventuelle étincelle de génie, aussi mince soit-il. Le premier thème qu'elle avait proposé à cette nouvelle série d'étudiants était le suivant : « Décrivez ce qui vous a le plus intéressé au cours de la semaine passée. » Après lecture d'une demi-douzaine de copies, il était patent que ce groupe d'étudiants était encore plus amorphe et conformiste que ceux du semestre précédent. Pour l'auteur du devoir qu'elle était en train de corriger, le summum de l'excitation intellectuelle lui avait été procuré par une virée en Iowa avec des copains, à l'occasion d'un match de basket. Elle se contraignit à poursuivre sa lecture malgré le sentiment qu'elle avait de gâcher ses talents pédagogiques et de perdre le contact avec la réalité de la vie. Le soir précédent, elle avait commis l'erreur de regarder la télévision sur le petit poste couleurs de son propriétaire, ce qui lui avait permis d'assister à une interview affligeante de Sara Jane... — elle ne se souvenait déjà plus de son nom de famille... —, la femme qui avait tiré sur le président Ford, il y avait maintenant plusieurs années. Et qui s'était naturellement retrouvée en prison. Eh bien, cette Sara Jane avait réussi à s'évader avec une codétenue et, pendant quelques heures, elles avaient erré sous les étoiles, puis traversé une ville où brillaient encore quelques lumières avant d'être reprises. Dans l'interview, Sara Jane expliquait le bonheur d'avoir été dehors, dans le monde réel, fût-ce pour un aussi court instant. Cate avait été frappée par les capacités d'expression de cette femme ; elle fixait la caméra avec une intelligence calme et triste que Cate aurait aimé lire plus souvent sur le visage des soi-disant dirigeants de ce monde. Pourtant cette femme était folle, ou du moins, elle avait commis une action totalement insensée. Cate avait tenté d'imaginer la vie de Sara Jane : ses parents, son éducation, ses amants. Quelle conjonction d'événements avait pu l'amener à sortir acheter un fusil pour traquer un président inoffensif qu'elle n'avait d'ailleurs pas l'intention de tuer ? Qu'essayait-elle de prouver par cet acte ? Et Cate de se souvenir de cette ultime menace proférée neuf ans plus tôt par sa marraine : « Tu finiras en prison, ou dans un asile de fous si tu n'y prends pas garde. »

Cate s'attarda dans son bureau, d'où elle entendait les bruits de pas dans le couloir. Des collègues qui bouclaient la porte de leur bureau avant de rentrer chez eux. Elle avait laissé la sienne entrouverte — si jamais quelqu'un avait idée de venir la voir... Peut-être s'était-elle leurrée en croyant pouvoir se passer aisément du Poète Résident pour le reste de ce long hiver solitaire. Elle essayait d'imaginer quelle atrocité elle serait capable de perpétrer, qui la conduirait en prison (pas au poste, comme à New York, mais derrière de vrais barreaux, pour de longues années) lorsque des pas s'arrêtèrent brusquement devant sa porte en même temps qu'une voix masculine annonçait :

« Doc-teur Galitsky. » On déchiffrait sa plaque.

Levant les yeux, elle vit un homme trapu au cou épais, vêtu d'une veste matelassée semblable à la sienne, et d'une casquette en tricot, enfoncée sur la tête jusqu'aux sourcils, roux et broussailleux.

« Oui ? » répondit Cate. L'idée lui traversa l'esprit qu'il pourrait s'agir enfin de l'ouvrier qu'elle réclamait depuis novembre. Le thermostat de son bureau était bloqué à 26 degrés ce qui paraissait être du gaspillage, compte tenu des difficultés financières de l'établissement. Mais lorsque, son visiteur ayant résolument franchi le seuil de la porte, elle put le voir de plus près, elle comprit son erreur. L'œil était trop vif, le regard trop perçant et les muscles du visage rougeaud trahissaient une énergie et une

113

détermination incompatibles avec l'habitude d'exécuter les ordres d'autrui.

« J'ai vu votre plaque, ce qui m'a donné l'idée de venir vous saluer. » Il la regarda de pied en cap, comme on dit, et parut agréablement surpris par ce qu'il vit. « J'ai entendu chanter vos louanges par le président et par mon fils. Je suis le père de Jody Jernigan. Monsieur Poison, si vous préférez. » Un sourire dévoila une double rangée de dents très saines, légèrement écartées.

« Ah ! » Cate fit pivoter son fauteuil et lui tendit une main qu'il broya avec enthousiasme. « Vous êtes donc au courant. Mais ne restez pas debout ! » Elle désigna le fauteuil dit « de conférence », à côté de son bureau.

« Si je suis au courant, je l'ai même aidé à l'écrire ! » Et de s'asseoir, non sans avoir retiré sa casquette. Il portait des vêtements de travail et des bottillons lacés. « Son frère et moi avons été son premier public. Vous vous souvenez du vers où les "anges" gâtent cette belle journée de leur ignoble souffle pestilentiel. Lui voulait leur faire vomir des produits chimiques, mais je lui ai dit : "Mon garçon, tu as trouvé une situation intéressante, alors exploite-la. Pour un ange, on parlerait plutôt de *souffle*. Il faut que tu ailles au bout de ta..." Je suppose que vous avez un mot précis pour ce dont je veux parler. » Ses cheveux blond roux, clairsemés sur le sommet du crâne et grisonnant sur les tempes, paraissaient animés d'une vie propre. Depuis qu'il avait retiré sa casquette de laine, ils semblaient danser un petit ballet électrique.

« Vous faites sans doute allusion à une personnification, sourit Cate. Enfin, elle a fait un beau succès, la chanson de votre fils. Tout le monde a beaucoup aimé. » Après tant d'années d'enseignement, elle demeurait toujours et désespérément incapable de reconnaître les parents de ses étudiants. Jamais elle n'aurait deviné que cet homme trapu et sans grâce particulière était le père du séduisant et gracile Jody.

« Content de l'apprendre. Content aussi de voir que les choses se sont bien passées. » Il fit un effort pour chasser l'électricité statique de ses cheveux en les lissant de ses deux paumes de main. Puis il passa tout le bureau en revue, méticuleusement, et termina l'inspection par un second passage au crible, un rien désuet, de son interlocutrice. Les yeux vifs et verts, profondément enchâssés dans une peau basanée et ridée, semblèrent ravis, ou amusés, ou peut-être les deux à la fois. « Sa chanson dit l'exacte vérité, vous savez. Les petits démons ripostent. Ils développent une immunité à mon produit.

— Vraiment ? Et qu'allez-vous faire ? N'est-ce pas ennuyeux pour vos affaires ?

— Ce n'est pas le premier revers que je subis. Celui-ci deviendrait franchement fâcheux si je laissais faire, ce dont je n'ai pas la moindre intention. Il faut toujours avoir une tête d'avance sur le progrès si l'on ne veut pas être écrasé par lui. Je ne suis pas encore prêt pour les manipulations génétiques. J'étais au centre d'expérimentation d'Urbana hier. Ils font un travail intéressant sur les pièges à pherhormones — c'est-à-dire qu'on utilise l'instinct sexuel de l'insecte pour l'attirer dans les pièges en question. On le manipule ensuite. Mais je possède encore quelques formules chimiques dans ma manche. Nous sommes en train de les tester. Je n'ai rien contre l'évolution. Elle permet de ne pas s'ennuyer. » Il la dévora une nouvelle fois des yeux, comme pour vérifier qu'elle n'avait pas cessé d'être intéressante. Et Cate, qui jusqu'alors ne lui avait trouvé aucune séduction, se surprit à s'inquiéter du charme qu'elle exerçait sur lui.

« Moi aussi, l'évolution m'intéresse, dit-elle. J'espère seulement être capable de suivre le rythme. »

Il rit : « Vous avez l'air de bien vous en sortir. Bon... » Il se leva. « J'ai laissé mon moteur tourner. Je m'arrêtais seulement pour déposer quelques papiers chez votre président. »

Cate redressa le menton de quelques degrés. « Je suis ravie d'avoir fait votre connaissance, dit-elle aimablement. Merci de votre visite. »

Il remettait sa casquette. « Vous ne faites pas des heures supplémentaires en ce moment ? demanda-t-il en coinçant quelques mèches rebelles.

— C'est que j'ai repris le cours de théâtre de M. Terry, vous savez. Il...

— Je n'ignore rien de ce sale type, dit-il avec humeur. Non, je voulais seulement dire que vous restiez terriblement tard.

— Je ne fais que remettre à plus tard une échéance inévitable.

— Comment cela ? » Il la fixa avec une lueur de curiosité dans ses yeux verts.

« Affronter le froid pour aller faire chauffer ma voiture.

— Mais bon sang, pourquoi ne pas l'avoir dit plus tôt ! J'ai ma jeep devant la porte. Dépêchez-vous, je vous emmène. Vous n'aurez qu'à rester dans ma voiture le temps que votre moteur chauffe.

— Non, c'est idiot, dit Cate qui regrettait ce qu'elle venait de dire. Ne vous en faites pas. Il faut que je reste corriger encore quelques copies.

— Allez. Prenez votre manteau. » Il avait repéré son vêtement suspendu au portemanteau derrière la porte et le décrocha pour elle.

« Je vous en prie, dit Cate qui commençait à être ennuyée, Allez. Votre moteur est en train de tourner.

— La voiture ne partira pas sans moi. » Il lui tendait sa veste avec insistance. Son regard signifiait : N'abusez pas du temps d'un homme occupé.

« Bon, c'est entendu. Merci. » Elle se leva. Inutile de faire des manières. Elle tourna le dos pour enfiler les manches de la veste qu'il lui présentait. Avec ses bottes, elle était plus grande que lui ; en se cambrant en arrière pour compenser la différence de taille, elle se déséquilibra légèrement et il n'eut que le temps de la rattraper sous les bras.

« Eh là ! fit-il en respirant tout près de son oreille.

— Tout va bien », s'entendit-elle répondre, non sans coquetterie. Elle se redressa de toute sa hauteur avant de se retourner pour lui faire face. Etait-ce les effets de quelque mystérieuse chimie, ou seulement l'épuisement qui venait de lui donner cette envie de sombrer à nouveau dans ses bras ? A petits gestes vifs et nerveux, elle boutonna sa veste, consciente du sourire qui éclairait son visage tandis qu'il la regardait faire.

Pendant qu'elle fermait la porte de son bureau, il dit : « J'ai une idée.

— Quoi ?

— Laissez-moi vous inviter à dîner ; ainsi pourrez-vous remettre encore un peu l'échéance inévitable.

— Vous voulez dire ce soir ? » Elle regarda son jean. « Je ne suis pas habillée...

— Moi non plus. Mais je connais un endroit où l'on sera ravi de nous accueillir. » Sous les sourcils broussailleux, les yeux verts pétillaient. La perte d'équilibre avait-elle installé une sorte d'intimité entre eux ? Elle n'était pas certaine d'avoir envie de repartir pour un tour, quelles que soient les rigueurs d'un hiver solitaire en Iowa. Pourtant, cet homme l'intriguait. Il serait amusant de dîner en sa compagnie. « Je sais, proposa-t-elle. Vous pourriez m'amener jusqu'à ma voiture et je vous rejoindrai au restaurant. Cela vous évitera de me raccompagner à l'école ensuite.

— Je n'ai rien contre l'école. » Il appuya sur la lourde barre métallique qui commandait l'ouverture de la porte et s'effaça pour lui laisser le passage. « Nous prenons ma jeep », dit-il, tandis qu'elle affrontait la première les rigueurs de la tempête arctique.

« Mais... » Elle regimbait à ses manières autoritaires mais, d'un autre côté, il était reposant de laisser un autre prendre les choses en main. Pour une fois. Phares allumés et moteur ronronnant, une énorme jeep jaune à quatre roues motrices dormait sur ses gros pneus neige, en travers des places de stationnement réservées aux personnes handicapées.

Galant, il l'aida à monter avant de s'installer à sa place et de donner un ou deux coups d'accélérateur. Il faisait bon dans la jeep.

« Accordez-moi une minute pour appeler chez moi, dit-il. Le temps de vérifier que tout se passe bien. »

Il utilisa une radio émettrice. « Rollingstone ? Il y a quelqu'un à la maison ? »

Série de crépitements dans le tableau de bord. Puis une voix de femme : « Ici Hilda.

— Quoi de neuf ? demanda-t-il d'une voix bourrue...

— L'avocat de ce pilote a encore appelé...

— J'ai dit quoi de *neuf*. Où sont les garçons ?

— Sunny est en bas, dans la salle de gym. Jody dans sa chambre. Vous voulez lui parler ?

— Non, dites-lui seulement que maintenant, il ne lui reste plus qu'à réussir ses examens. Je dîne en ville. Qu'on ne m'attende pas.

— D'accord.

— Merci, Hilda. Dix-quatre. » Il tourna le bouton et effectua un demi-tour complet pour rejoindre la sortie.

« Rollingstone, c'est le nom de votre château ? » Le petit intermède radio avait intrigué Cate. Il y avait tant de choses qu'elle avait envie de savoir. Pourquoi Terry était-il un sale type, par exemple ?

« Comment savez-vous que j'ai un château ?

— Les gens sont bavards, dit-elle. Vous devez en avoir l'expérience. Surtout ici, dans l'établissement que fréquente votre fils.

— Que dit-on de moi ? Je sais qu'on m'appelle le baron pesticide chez les gens de gauche. Mais à part cela ?

— Pas grand-chose. Sinon que vous vivez dans un grand et vieux château au bord du fleuve. Ce nom de Rollingstone est-il

117

un hommage au groupe rock ? Ou bien une allusion au pierre-qui-roule-n'amasse-pas-mousse* ? »

Il rit. « Ni l'un, ni l'autre. Et le groupe rock n'a certainement rien à voir là-dedans. Non, le nom vient de la fameuse ville de papier. Vous savez, la célèbre escroquerie du siècle dernier.

— Non, je ne suis pas au courant.

— Vous autres gens de la Côte Est m'étonnerez toujours. Vous ne semblez jamais être au courant de quoi que ce soit à l'ouest du Mississippi, sans éprouver du reste la moindre culpabilité pour une telle ignorance. En l'occurrence, il s'agissait de la rive est du Mississippi, ce qui vous retire toute excuse, docteur Galitsky. » Il accompagna la remarque d'un coup de coude gentiment familier.

« Mais si, j'ai honte, et ce d'autant plus que je ne sais même pas ce qu'est une ville de papier. Cela dit, appelez-moi Cate, s'il vous plaît. Avec un C.

— Cate. Quel joli nom ! Vous n'avez pas la tête d'une Galitsky, vous savez.

— A quoi devrait ressembler une Galitsky ? demanda sèchement Cate.

— Pas à vous, en tout cas. » Il avait réussi à éviter le piège sans pour autant se rétracter.

« C'était le nom de mon second mari.

— C'était ? Il est mort ?

— Non. Nous avons divorcé.

— Vous avez divorcé les deux fois ?

— Oui.

— Moi aussi, je me suis fait éjecter deux fois. Pourquoi avez-vous conservé le nom de Galitsky ? Je croyais que les femmes tenaient toujours à reprendre leur nom de jeune fille à présent. Comment vous appeliez-vous ?

— Strickland. J'imagine que j'ai conservé Galitsky parce que c'est le nom qui figure sur mon doctorat. Mais quelle différence ? Porter le nom de son mari ou celui de son père... Nom de jeune fille est un terme impropre, non ? Mais vous alliez me parler de Rolling Stone.

— C'est en un seul mot, Rollingstone. Eh bien, il s'agit d'une ville qui n'a jamais existé ailleurs que sur le papier. Aux alentours de 1850, des gens de la Côte Est ont commencé à débarquer dans le secteur avec les plans superbes *d'une ville* nommée

---

* *Rollingstone* signifie littéralement une pierre qui roule *(NdT)*.

118

Rollingstone, où ils avaient acheté de la terre, tous au même type, dans leur pays d'origine. Ils avaient embarqué sur un bateau à vapeur et demandé au capitaine de les laisser à Rollingstone. Lorsque ce dernier leur répondit qu'il n'existait pas d'endroit ainsi nommé, ils sortirent leurs cartes et lui montrèrent la topographie de la ville, avec son église, sa mairie, sa bibliothèque — car il y avait une bibliothèque — et l'endroit où se trouvaient les terres qu'ils avaient achetées. Même lorsque le bateau arriva à l'endroit où était censé se trouver Rollingstone, juste à la frontière du Wisconsin, et qu'ils constatèrent de leurs propres yeux qu'il n'y avait rien, à part quelques vieilles fortifications datant de l'époque indienne, nombre d'entre eux s'entêtèrent néanmoins à quitter le bateau, incapables de se résoudre à l'idée qu'ils s'étaient fait berner. Certains sont morts d'avoir voulu passer l'hiver là-bas.

« Le pire est que, en abattant les murs de la cave pour installer une salle de gymnastique pour mes fils, nous avons retrouvé des piles entières de ces vieilles cartes.

— Vous voulez dire les cartes de Rollingstone ?

— Ouais. Un de mes amis travaille aux archives de l'Etat qui possèdent un exemplaire exactement semblable à ceux que nous avons découverts. Quelle conclusion en tirer, sinon que l'escroc était peut-être l'homme qui fit construire mon château ? On n'a jamais pu démasquer l'auteur de ce forfait, vous savez. Fascinante histoire, non ? Une belle tranche de l'authentique saga de l'Amérique, en tout cas.

— Certes, acquiesça Cate en imaginant tous ces pauvres gens ruinés et refusant de croire à leur naïveté. Parlez-moi de votre autre fils. Est-il aussi beau que Jody ?

— Sunny est un beau garçon. Blond, comme vous. Mes fils n'ont pas la même mère, mais les deux ont eu la chance de ressembler à leur mère. Encore que Sunny ait hérité de ma stature. Il m'arrive de penser que Jody est un peu trop beau et que cela risque de lui nuire. Mais sa mère était comme lui.

— Sunny est l'aîné, je crois ?

— Sunny a trente-trois ans, dit Jernigan, subitement sur la défensive. Le restaurant où je vous emmène s'appelle La Centrale. Vous connaissez ?

— J'en ai entendu parler, mais je n'y suis pas allée.

— Et qu'en dit-on ?

— Que l'on y mange du bon steak dans un décor agréable. Les

bâtiments sont ceux de l'ancienne centrale électrique de la ville, je crois.

— C'est à peu près juste », dit Jernigan.

En arrivant à La Centrale, Cate remarqua que la plupart des autres convives étaient en tenue de ville. La salle était pratiquement pleine. Ici, les gens dînaient scandaleusement tôt. Elle se redressait avec toute l'arrogance dont elle était capable, prête à exhiber crânement son jean, lorsqu'un jeune maître d'hôtel accourut à leur rencontre, tout sourire. « Monsieur Jernigan ! dit-il avec respect. Vous auriez dû nous prévenir ! »

— C'est que je n'avais rien prévu moi-même avant que cette dame accepte mon invitation à dîner », dit Jernigan en retirant sa casquette. Une fois de plus, l'électricité statique lui dressa les cheveux sur la tête. « Vous allez bien nous trouver une petite table, non ? »

Le maître d'hôtel les conduisit à une table agréable, à côté de la fenêtre donnant sur la chute d'eau illuminée et glacée qui actionnait autrefois les dynamos de la centrale. L'ensemble avait été intelligemment rénové et les architectes avaient conservé la hauteur de plafond et repeint sans le modifier le complexe réseau de conduits métalliques, en misant sur l'éclat de couleurs primaires. Si bien qu'en levant la tête, on découvrait une sorte de Mondrian en trois dimensions. Cate eut à peine le temps de lire le nom inscrit à la main au-dessus du mot « réservé » avant que le maître d'hôtel fasse discrètement disparaître l'étiquette pour les installer à la table.

« M. et Mme Axel Ollin vont faire chou blanc, dit-elle à Jernigan qui avait également remarqué le tour de passe-passe, lorsqu'ils furent assis. Comment expliquez-vous cela ?

— Eh bien, pour ne rien vous cacher, dit-il non sans un léger embarras, je suis actionnaire dans cette affaire. » Il tenta une fois encore de dompter ses cheveux en les lissant à deux mains. « Un de mes amis m'a proposé des parts. Il vend du matériel agricole et avait besoin d'un endroit où amener ses fermiers pour les repas d'affaires. Comme l'établissement était relativement proche de mon usine, je pouvais également y organiser des déjeuners et des dîners. Les gars de l'Agence pour la Protection de l'Environnement qui viennent volontiers fouiner par chez moi adorent ce restaurant. Surtout le buffet froid. En été, toutes les salades sont faites avec des légumes produits localement. Ce qui les enchante.

Dites-moi la vérité, que pensez-vous du décor ? Le plafond entre autres ?

— Etonnant. L'idée de conserver tous ces vieux tuyaux pour en faire des éléments décoratifs est excellente.

— Vous trouvez ? » Le regard pétillait. « Elle est de Jody. Il a un don pour ce genre de choses. Je lui ai laissé relativement carte blanche pour la décoration du château lorsque nous avons emménagé. Il s'est beaucoup amusé. Lui commandait les meubles et je signais les chèques. Mais j'ai mis le frein pour ma chambre. Il voulait me faire crouler sous les tentures et les miroirs, comme si j'étais Hugh Hefner*... Moi, j'aime avoir un grand lit dur et deux fenêtres que je puisse ouvrir sans m'empêtrer dans les rideaux ; par ailleurs, je me passe facilement de miroir. Mais il a fait le bonheur de Hilda. Hilda est une cousine, du côté de ma mère. Elle vit chez nous depuis que Jody est tout petit. Jody lui a fait des appartements dignes d'une princesse germanique. Or, si elle est effectivement d'ascendance allemande — ma mère était une demoiselle Schmidt — il rit —, la pauvre Hilda n'a rien d'une princesse. Pour moi, elle est une bénédiction du Ciel. Elle fait partie de ces vieilles filles dont la vocation était le mariage sanctionné par une quinzaine d'enfants. Alors elle se console en gâtant honteusement les miens. Prendrez-vous un apéritif ?

— Et vous ?

— Je ne suis pas très porté sur l'alcool, mais que cela ne vous arrête surtout pas.

— Si nous nous contentions d'une bouteille de vin avec le dîner ? dit Cate.

— Vous êtes sûre ?

— Absolument. Je préfère le vin. A condition que vous vous joigniez à moi. Je ne vais pas boire la bouteille à moi toute seule.

— Je vous aiderai. Mais, choisissez donc une bonne bouteille. Je suis un rustre mal dégrossi dans le domaine des vins. »

Et il la gratifia d'un splendide sourire rustique, bien compensé par la vivacité du regard vert et le charme des petites rides. Cate l'imaginait parfaitement à un déjeuner d'affaires, laissant son interlocuteur sacrifier un peu ses capacités intellectuelles, sûr qu'il était de ne courir aucun risque face à ce « gros paysan », tandis que lui-même conserverait la belle humeur, l'assurance et la sobriété qui lui permettraient d'arriver à ses fins. Malgré l'envie qu'elle avait de se laisser voluptueusement sombrer dans

* Le propriétaire de *Playboy (NdT).*

l'ivresse avec une (ou deux) bouteilles de bon vin, elle restait déterminée à ne rien perdre de sa lucidité afin d'apprendre tout ce qu'elle souhaitait savoir de Jernigan. Il l'intéressait. Elle n'avait que très rarement eu l'occasion de fréquenter des « nababs ». A vrai dire, elle n'en connaissait même aucun. Ce genre de personnage ne fréquentait pas les bases de l'OTAN où elle avait vécu avec Pringle. Ils ne circulaient sans doute pas non plus dans l'univers de Jake, encore qu'il lui soit arrivé de rencontrer un ou deux trafiquants de drogue roulant en Rolls Royce, entre deux avions de leur navette aérienne avec l'Amérique du Sud. Max n'entrait même pas dans cette catégorie ; lui n'était qu'un valet au service de l'un de ces messieurs — M. Broadbelt en l'espèce — à qui il vendait son aptitude à prévoir les réactions de la Bourse aux divers événements de ce monde. (Il serait amusant que Lydia la vît en ce moment, partageant la table d'un de ces capitaines d'industrie ; sauf que voir ne lui suffirait pas, car un simple coup d'œil à la chemise râpée de Roger Jernigan, avec son pantalon usé et ses gros godillots, le disqualifierait instantanément à ses yeux. Il lui faudrait un minimum d'explications.)

Cate était curieuse d'apprendre comment, concrètement, un homme comme Jernigan avait réussi à asseoir son pouvoir, jusqu'où il pouvait l'étendre et par quelles méthodes. Pourquoi soupçonnait-elle automatiquement ces méthodes d'être malhonnêtes ? D'où lui venait ce préjugé ? D'aussi loin qu'elle s'en souvînt, elle avait toujours nourri un mélange de mépris et de rage moralisatrice pour ceux qu'elle appelait les « seigneurs abusifs ». Vocabulaire gauchisant, dirait Jernigan. Pourtant, son père qui n'avait rien d'un gauchiste avait utilisé l'expression devant elle. Lui avait toujours fait preuve d'une honnêteté scrupuleuse dans sa profession mais, aux yeux du monde, il n'avait pas réussi. Il fut un homme prospère, certes. Admirable aussi. Le type de personne que l'on compare volontiers à un roc. Mais il n'avait été ni brillant ni téméraire, il ne s'était jamais lancé dans des combats épineux et n'avait jamais figuré pas plus dans le gros des troupes qu'à l'avant-garde d'aucune grande cause ou découverte importante. Son idéal se limitait à un minimum de justice et à la conservation de principes établis par d'autres — le statu quo, en d'autres termes.

Pour l'avoir bien connu, elle se demandait s'il était simplement possible de réussir sans sacrifier un peu de son humanité, de sa civilisation, et de son honneur. A cette question, son père devait indubitablement répondre négativement. Mais d'où lui venait cette assurance ? Lui aurait-il, avec la force tranquille qui le caractérisait, transmis cette espèce de mépris pour la réussite en même temps qu'il l'incitait à sortir du rang ?

Le seigneur abusif était, au sens originel, un noble qui, à l'époque féodale, dépouillait les voyageurs passant sur ses terres. L'acception moderne pourrait désigner celui qui utilise sa fortune ou son pouvoir pour profiter d'autrui. Le « scélérat » qui avait monté l'opération Rollingstone ne méritait même pas la dénomination de « seigneur abusif ». Lui n'était qu'un vulgaire escroc. Il aurait fallu qu'il agisse au grand jour et prospère de même pour prétendre à ce titre.

Jernigan était-il un seigneur abusif au véritable sens du terme ? Elle s'aperçut qu'elle voulait en découvrir suffisamment long à son sujet pour se convaincre elle-même qu'il n'était pas homme de bien. Alors elle pourrait le rayer de la carte, sans risque ni remords. *Si je savais que le pouvoir ne s'acquiert qu'aux dépens de l'honnêteté, je crois qu'il me serait plus facile de m'accepter telle que je suis*, se dit-elle.

Découverte qui lui fut un choc. Tout ce temps-là, elle était restée plongée dans la carte des vins, sans la lire véritablement et, au moment précis où elle commençait à enregistrer le nom des vins proposés (il y avait un bon vin rouge de Californie, du Mondavi — elle se souvenait de ce nom à cause de l'été où, avec Jake, elle avait travaillé comme serveuse au El Tovar Lodge, dans le Grand Canyon), elle eut un nouvel éclair de lucidité qui la fit frissonner. C'était à propos de Sara Jane Moore (ce nom venait de refaire tristement surface en elle), cette femme déjà mûre aux yeux pleins de mélancolique sagesse, qui s'exprimait tellement bien et avait tiré sur le président Ford. Et si un jour, en se regardant dans son miroir qui lui disait que ses chances de réussir comme elle le méritait s'amenuisaient singulièrement, cette Sara Jane Moore avait été prise d'une rage soudaine et incontrôlée contre la Réussite ? Alors le fait de savoir que des individus moins méritants qu'elle détenaient un pouvoir dont ils se targuaient haut et fort — celui-ci en avait hérité pour la seule et unique raison qu'un autre avait dû s'en défaire pour filer vers une sortie sans gloire — avait peut-être dépassé les limites du supportable. Qui sait si elle avait seulement « vu » Gerald Ford au moment de pointer sur lui son fusil ? Elle avait peut-être visé l'auréole capricieuse et aveugle que l'on nomme Réussite, celle qui avait de bien éphémère façon brillé au-dessus de cette tête-là. Sans doute est-ce pour cette raison qu'elle l'avait raté. Ratage sur toute la ligne, donc. Si elle avait réussi à le tuer, au moins aurait-elle inscrit son nom dans les manuels d'histoire...

Cate conseilla donc à Jernigan de commander du Mondavi. En revenant du buffet des hors-d'œuvre où l'on se sert soi-même, elle demanda : « Ces gens de la Protection de l'Environnement, qu'espèrent-ils trouver en venant fouiner autour de votre usine ?

— Des catastrophes. De nos jours, tout le monde s'occupe de démasquer l'horreur absolue. La recherche de la catastrophe en puissance devient une entreprise rentable. Pour ne pas dire l'industrie numéro un des Etats-Unis. » Il sourit avant de piquer une rondelle de concombre sur sa fourchette.

« Quel genre de catastrophe, plus précisément ?

— Dans mon cas ? Eh bien, en ce qui me concerne, la catastrophe la plus banale serait que mes cheminées crachent certains petits résidus. Alors, non seulement j'aurais l'Agence pour la Protection de l'Environnement sur le dos, mais aussi une ville entière susceptible de m'intenter des procès. La poursuite judiciaire étant l'autre industrie florissante de notre époque. Il y a *huit* ans, j'ai employé un pilote — à *temps partiel*, et en été seulement — pour la pulvérisation. Il a eu un bébé souffrant d'anomalie cardiaque et il me fait un procès. Il incrimine son exposition à un herbicide de ma fabrication dont il a lu dans la presse qu'on l'avait retiré du marché.

— Croyez-vous que ce soit possible ?

— Nous n'avons encore aucune preuve formelle. Cela dit je serais le premier à le regretter s'il devait s'avérer que son accusation est fondée. Le problème est que toute nouvelle découverte de la science n'est pas forcément un bienfait pour l'homme. Une moisissure de pénicillium oui, un hydrocarbone peut-être pas. Il faut des expériences, le droit à l'erreur et la bonne volonté de tous. Ou du moins il faudrait. Je n'ai certes jamais rien entrepris en me disant : Pourvu que ce truc tue les rouges-gorges ou provoque quelques malformations génétiques ! Mais ce qui m'agace, c'est la tendance actuelle à lancer des accusations fondées sur une connaissance à posteriori. Je dois consacrer la moitié de mon temps et dépenser des sommes considérables, rien que pour prévoir des catastrophes potentielles. Ce dernier mois, j'ai passé une nuit sur trois à l'usine afin d'être paré pour l'inspection gouvernementale dans mes labos. De cette façon je suis sur place à la première heure pour surveiller l'équipe qui installe le système d'épuration, ces espèces de filtres que l'on installe dans les conduits de cheminée. Ils sont censés coincer la catastrophe avant qu'elle n'atteigne l'azur du ciel.

« Mais il faut bien quelqu'un pour fabriquer ces filtres. Et moi je dois les acheter à ce quelqu'un. La protection est une autre des industries en pleine expansion dans ce pays. La dénonciation des catastrophes, les procès, la protection. L'ironie de cette histoire est que, au moment où j'ai monté mon affaire, je travaillais dans un secteur relevant de la protection. Nous étions les sauveurs, nous sommes devenus les "salauds". » Il fourra le concombre dans sa bouche et mastiqua songeusement. « Je suis écœuré de constater combien les gens ont la mémoire courte. Je me souviens de l'époque où tout le monde voyait dans le DDT la solution à tous nos problèmes. Juste après la guerre. Vous devez être trop jeune pour vous souvenir.

— J'aurai quarante ans dans l'année, dit Cate qui refusait de tricher sur son âge.

— Vraiment ? Vous ne les faites pas. Je sais bien que ma réaction est des plus banales, mais c'est la vérité. Vous avez des enfants ?

— Non, dit Cate.

— Pourquoi ? Je n'ignore pas que ma question est incongrue, mais cela m'intéresse.

— Euh, commença Cate, fâchée de se trouver soudain sur la défensive. Mon premier mari et moi ne voulions pas de bébé tout de suite, et à la fin du tout de suite, nous étions divorcés. Je me souviens de certains moments de faiblesse avec mon second mari où je n'aurais pas été hostile à la venue d'un enfant mais, heureusement, cela ne s'est pas fait. Peut-être ne suis-je pas féconde, je ne sais pas. » Elle eut un rire un peu faux. « Mon père, qui est mort en décembre dernier, avait pris des dispositions testamentaires en faveur de mes enfants ; je pense donc qu'il n'excluait pas cette possibilité. Bien sûr, il s'agit d'un document rédigé il y a plusieurs années.

— Et vous ? Pouvez-vous vraiment exclure cette possibilité ? demanda Jernigan.

— Oui. Je crois. » Depuis le temps elle s'attendait encore à voir le ciel lui tomber sur la tête en guise de châtiment chaque fois qu'elle osait dire qu'elle ne voulait pas d'enfant ! « Je pense m'être habituée à faire figure d'exception. Mais vous ? N'êtes-vous pas également une exception, dans votre genre ? J'ai cru comprendre que vous avez élevé vos fils seul.

— Pas tout à fait. La mère de Sunny a vécu avec nous jusqu'à

125

ce qu'il ait près de dix ans. Mais elle n'était pas très forte. Je veux dire psychologiquement. Nous avions des problèmes avec Sunny et elle les esquivait en sombrant périodiquement dans la dépression nerveuse. Elle a passé beaucoup de temps hospitalisée ou en convalescence. Quant à la mère de Jody, c'est encore autre chose. Elle était très belle, une Brésilienne. Je crois qu'elle m'a épousé pour la sécurité et pour vivre en Amérique. C'est moi qui l'ai persuadée d'avoir un enfant. Elle redoutait terriblement les effets d'une grossesse sur sa silhouette. Son tour de taille n'a pas eu à en pâtir, mais elle n'a jamais éprouvé beaucoup d'attachement pour Jody. Il y a des femmes ainsi faites qu'elles n'aiment pas leur propre progéniture. C'est Manuela qui me l'aura appris. Ce n'est du reste pas la seule chose qu'elle m'ait enseignée. Toujours est-il qu'elle m'a définitivement dégoûté des jolies femmes. »

Trop aimable, songea Cate. « Où sont-elles à présent, ces mères ?

— Remariées, toutes les deux. Selma, la mère de Sunny, vend des bateaux avec son mari, en Floride. Elle se dit plus heureuse qu'elle ne l'a jamais été. Manuela dirige une agence de mannequins à Los Angeles et a épousé un riche Oriental. Elle prétend s'être enfin réalisée et n'a de cesse d'avoir mis le grappin sur Jody pour en faire un mannequin. Elle l'aime davantage depuis qu'il s'est transformé en joli garçon. » Il gratifia Cate d'un sourire candide, dents du bonheur exhibées. « A votre avis, qu'y a-t-il en moi qui fait ainsi fuir les femmes ? Peut-être — rire — que j'exsude Dieu sait quel femmicide.

— Mais non, absolument pas, dit Cate, toujours prompte à voler au secours de la veuve et de l'orphelin. Vous êtes un homme costaud et viril, qualités en voie de disparition. De plus vous avez du dynamisme, de l'assurance, et vous posez des questions. Les gens vous intéressent. Si vous saviez comme il est rare que les autres arrivent à me poser moitié autant de questions que je leur en pose. La curiosité ne manque pas de charme. De plus — le vin était servi, et le demi-verre qu'elle avait bu lui donnait toutes les générosités... — il émane de vous une sorte d'énergie qui vous est propre, un pouvoir. Et ce type de pouvoir est terriblement séduisant. » Gênée, elle piqua du nez et but davantage de vin.

« Vous croyez ? » Un plaisir non dissimulé illuminait son visage. « Bon. Encore un peu de vin. » Il remplit son verre.

« Non merci. J'attends que vous me rattrapiez. »

Il vida son verre jusqu'à la dernière goutte.

« D'accord. » Elle rit. « J'aime les choses équitables. »
Il remplit son verre. « Buvons, buvons aux surprises agréables.
— Avec plaisir. »

Pendant le dîner, il dit : « Lorsque mon système de filtrage
sera installé, j'ai promis d'emmener Sunny faire du ski dans le
Colorado. A mon retour, puis-je vous appeler ?
— Mais bien sûr. » Elle était séduite par ce mélange de délicatesse et de brutale franchise. Cet émouvant attachement à ses fils
l'intriguait et elle brûlait d'en apprendre davantage sur leur vie.
Force lui était de reconnaître qu'elle n'avait pas entendu le
fameux « drôle de ton » pendant qu'il défendait son travail.
L'esquive n'était pas « son genre ». Il ne possédait ni le mystère
d'un Pringle, ni le charme dionysiaque d'un Jake. (Jake l'aurait-
il guérie des beaux messieurs ?) Elle ne trouverait pas chez lui les
reparties aigres-douces et autres traits d'esprit dont le Poète Résident avait le don. Mais il émanait une force vivifiante et sécuri-
sante de cet homme qui, comme elle, vivait au jour le jour, en
s'efforçant de se maintenir une bonne tête au-dessus du flot susceptible de l'emporter. Peut-être qu'à cette étape de sa vie, la
compagnie d'un frère mutant lui suffisait. « Je pourrais vous préparer à dîner, dit-elle, si vous acceptez de manger dans une cuisine située au-dessus d'un atelier de réparation de télévision, dans
une rue condamnée.
— Quelle rue condamnée ? Où habitez-vous, d'ailleurs ? »
Lorsqu'elle le lui dit, il se mit à rire, rire, rire.
« Qu'y a-t-il de tellement comique ?
— Seulement une coïncidence, rien de plus. Vous savez que ce
secteur a été acheté par un groupe de promoteurs locaux. Ils vont
y construire un vaste complexe. Théâtre, deux restaurants, bouti-
ques, quelques appartements.
— Oui, j'ai entendu parler de ce projet. Par mes propriétaires.
Mais attendez un peu. Non ! Ne me dites pas que vous êtes dans
le coup. Vous ne faites pas partie des promoteurs ! »
Hochement de tête affirmatif.
« Eh bien, nous sombrons progressivement dans la féodalité.
Au moins saurai-je à qui attribuer mon expulsion, le moment
venu. Quel délai puis-je espérer, au fait ? Mes propriétaires n'ont
aucune certitude eux-mêmes.
— Vous aurez autant de temps qu'il vous en faudra, dit-il.
— Ce qui veut dire ?
— Euh... » Son visage se crispa avant de devenir délibérément

impassible. Il avait failli lui dire quelque chose puis s'était ravisé.
« Je veux dire que je ne vous expulserai jamais. On laissera votre
immeuble tel quel, à titre de souvenir. Au rez-de-chaussée, on
ouvrira un restaurant que l'on baptisera Chez Cate.

— Eh bien, peut-être serai-je contente de me faire embaucher
à la cuisine si l'université ferme ses portes. Cette menace vous
semble-t-elle fondée ? »

Tiens, tiens ! Cet air coupable. Il savait quelque chose.

« Pas dans l'immédiat, en tout cas. »

Lui revint alors en mémoire l'autre question qu'elle voulait lui
poser.

« Pourquoi avez-vous traité M. Terry de sale type ?
Connaissez-vous les raisons de son départ précipité ? »

Nouvelles crispations sur son visage. Puis il la regarda comme
pour s'assurer qu'elle était digne de confiance et, après un
moment encore de réflexion, il répondit : « Oui. C'est moi qui ai
demandé à ce qu'il parte. Il a voulu séduire mon fils Jody. »

Cate avala lentement une gorgée de vin. « Je suis étonnée de
n'y avoir pas pensé. Mais comment vous en êtes-vous aperçu ?

— Je connais mon fils. Je l'observe attentivement depuis presque vingt et un ans. J'ai détecté certains signes et je lui ai posé la
question directement. Il m'a tout raconté. Jody n'a pas de plomb
dans la cervelle, mais il n'est pas cachottier. Il aime être admiré
et se vante volontiers de ses succès pour peu qu'on l'y incite légèrement.

— Et il vous a vraiment dit : "M. Terry a voulu me
séduire" ?

— Oh non ! Il m'a raconté que M. Terry l'avait invité à partir
en Europe avec lui, cet été, pour un vague festival théâtral. J'ai
extrapolé la suite. Je suis alors allé trouver M. Terry dans sa maison de style kitsch, ce qui m'a permis d'en apprendre davantage.
Puis j'ai rendu une petite visite au président.

— Comme ça, sans autre forme de procès ? dit Cate, spontanément solidaire du professeur évincé. Quelle chance avait
M. Terry, sur les terres du seigneur ? Il n'a même pas pu faire
valoir ses droits ?

— Quels droits ? Avez-vous eu la curiosité de lire votre contrat, récemment ? Il comporte une clause de moralité. Si vous-
même vous avisiez de séduire Jody, il y aurait motif à rupture du
contrat. En l'occurrence, Terry est parti avec sa réputation sauve
et des indemnités de licenciement. Le président lui a dit que s'il

s'abstenait de faire des histoires, l'incident ne serait pas inscrit à son dossier.

— Eh bien, dit Cate, j'ai intérêt à me tenir à carreau, non ? Au fait j'ai dansé une fois avec Jody. C'était pendant la fête, après la représentation de *Dracula*. Je crois même que j'ai joué un peu de la prunelle, histoire de ne pas perdre la main.

— Vous n'avez aucune inquiétude à avoir là-dessus, dit Jernigan qui posa ses deux mains sur celle de Cate. Vous êtes très séduisante. J'ai été extrêmement surpris en entrant dans votre bureau. Je m'attendais à trouver une dame revêche avec... avec des frisettes noires et des lunettes cerclées de métal... Ne montez pas sur vos grands chevaux à cause de ce Terry. Je ne suis pas homme à jouer de mon influence inconsidérément, pour le plaisir. Mais je me fais un devoir de veiller sur les miens et sur ceux dont j'ai accepté de prendre la responsabilité. Si chacun agissait de même, il y aurait un peu moins de foutus problèmes en ce bas monde.

— En user avec les siens et soi-même doucement et justement est gloire suffisante à l'honnête homme, dit Cate.

— Joli, dit Jernigan avec douceur, mais sans relâcher sa main. C'est de qui ?

— De mon père. Quand il paraphrasait Montaigne.

— Votre père parlait bien. Il devait être fier de vous.

— Je n'ai pas toujours eu l'heur de lui plaire. Et l'idée blasphématoire que la réciproque est vraie m'effleure aussi parfois.

— Les pères n'ont pas le beau rôle. Les mères non plus, je suppose. Si Jody était votre fils, vous ne voudriez pas le voir acquérir des mœurs bizarres. Vous auriez envie qu'il rencontre une jeune fille, fasse un mariage d'amour, et vous donne des petits-enfants.

— Et Sunny ? N'est-ce pas à lui de vous offrir le premier petit-fils ? » Elle n'avait pas oublié ce que lui avait raconté Ann au sujet de Sunny et des demoiselles qu'il se faisait envoyer par avion.

Cate comprit immédiatement qu'elle venait de commettre une bévue. Il retira ses mains, lissa ses cheveux sur ses tempes alors que cela n'était plus nécessaire maintenant. Lorsqu'il reprit la parole, il y mit beaucoup de gentillesse, comme s'il cherchait avant tout à ne pas lui faire sentir son manque de tact.

« Sunny sera une fin en soi, dit-il. C'est une réalité à laquelle je me suis habitué depuis longtemps. Un jour, si nous nous connaissons mieux, peut-être vous raconterai-je mes ennuis. Peut-être même que vous ferez la connaissance de Sunny. Mais pour le moment, c'est un sujet que je ne désire pas aborder davantage.

— Bien sûr. » Seigneur Dieu, quel pouvait bien être le problème de Sunny ? Il ne lui restait plus qu'à faire taire sa rancune contre l'homme responsable du renvoi de M. Terry pour n'être que compassion envers celui contre qui le sort s'acharnait manifestement. Deux fois abandonné par une épouse, un fils qui risquait fort de devenir homo (car il lui semblait évident que Jody évoluait en ce sens) et l'autre... qui serait « une fin en soi », avec tout ce que la formulation augurait de sinistre. Une maladie héréditaire ? Pourtant, il faisait venir ses petites amies et partait skier dans le Colorado.

La vérité toute bête était que ce foutu Jernigan lui plaisait à cause précisément des qualités dont elle l'avait gratifié pour le mettre en confiance. (Pourquoi s'était-elle imaginé qu'il avait besoin d'être mis en confiance ?) Enoncer ainsi ses séductions et les voir s'inscrire sur son visage à la laideur sympathique l'avait fait succomber plus aisément.

Quand le serveur apporta le dessert et le café, Jernigan lui tendit les clés de sa voiture en le priant d'avoir la gentillesse d'aller faire tourner le moteur de sa jeep, dans le parc de stationnement. Il prêta même sa veste au garçon avant qu'il ne sorte.

« Mais pourquoi ? Nous ne partons pas tout de suite, s'étonna Cate.

— Pour qu'il fasse chaud dans la voiture, dit Jernigan. Je veux reculer pour vous l'échéance inéluctable. » Et sa main vint se reposer sur les siennes.

Pour la énième fois de son existence, Cate décida d'aller au-devant du destin imprévisible. Non sans défiance, elle posa sa main restée libre sur celle de Jernigan.

Lui avait encore une main libre qu'il posa sur l'ensemble.

Ils demeurèrent ainsi, échangeant un long sourire par-dessus leurs mains empilées, jusqu'au retour du garçon qui rapportait la veste de Jernigan.

Dans l'heure qui suivit, ils étaient amants.

V

Lydia et Eros

Pendant sa vie de femme mariée, Lydia avait toujours été une grosse dormeuse. C'est elle qui avait le plus de mal à se lever le matin et elle encore qui s'endormait la première le soir venu. « Je croyais que les dames reprochaient aux messieurs de s'endormir un peu trop vite », disait Max pour la taquiner puisqu'il était, de notoriété publique, l'insomniaque de la famille. Après la naissance de Leo, à Londres, Max avait engagé une nourrice à mi-temps pour que sa femme puisse disposer de ses après-midi. Mais Lydia utilisait souvent ces heures de liberté pour s'offrir le luxe d'une petite sieste pendant que la nounou poussait le landau de Leo dans Kensington Gardens. Durant toutes les années où les enfants étaient encore petits, Lydia avait fonctionné par la promesse d'un somme récupérateur comme d'autres trouvent du courage dans la perspective de sucreries ou du petit verre qui les attend quand elles se seront acquittées de leur tâche. Ce n'est que plusieurs années plus tard, en surprenant une conversation entre Dickie et un de ses camarades d'école qu'il avait ramené à la maison, qu'elle fut contrainte de revoir son habitude favorite. « Ta mère est infirme ou quoi ? » demanda le petit copain. « Oh non, répondit Dickie avec naturel, mais elle aime beaucoup dormir. » Entendre son fils évoquer ses siestes avec une telle désinvolture mettait un accent peu flatteur sur ses habitudes de marmotte. Pourtant, tout est fait en temps et en heure, se défendit-elle intérieurement ; je suis simplement quelqu'un de très organisé, ce qui me laisse le temps de faire un petit somme. Certaines papotent pendant leurs parties de bridge, d'autres filent à un cours de danse moderne ou se payent une petite récréation avec leurs amants. Moi, je n'ai jamais été portée sur les cartes et je réprouve l'adultère, alors je vais dans ma chambre faire un peu le vide dans ma tête. Je suis disponible en cas d'urgence et ma sieste me restitue une efficacité optima.

Cependant, cette nouvelle image peu flatteuse de la dame qui « aime beaucoup dormir » — pour ne pas faire mention de l'« infirme » ! — la chagrina au point qu'elle cessa de goûter le plaisir enfantin et sans mélange que lui offraient ses petits sommes. Cet impérieux besoin de dormir était une sorte de cordon ombilical qui la reliait à son enfance, elle le voyait à présent : quand elle posait sa tête sur l'oreiller, elle se disait même tout bas des petites phrases de réconfort telles que : « Voilà, là ! Chasse les soucis de ta petite tête », ou encore : « Tout ira bien ». En elle, la mère endormait l'enfant. Mais grâce à ce camarade de Dickie — qu'elle ne put jamais se résoudre à aimer par la suite —, son sommeil perdit son innocence et ses vertus salutaires. Elle commença de se demander quel genre de vie pouvait susciter l'envie de demeurer éveillé.

La Lydia qui se levait maintenant avant l'aube pour se rendre à l'université de Greensboro avait peine à se reconnaître dans cette autre femme qui n'avait eu de cesse de regagner sa chambre à n'importe quelle heure du jour, pour tirer les rideaux et s'abandonner à la volupté de l'oubli. Elle éprouvait d'ailleurs une sorte de répulsion pour cette évocation d'elle-même, un peu comme un convalescent répugne à se souvenir de sa longue maladie. Mais Lydia n'avait jamais perdu beaucoup de temps à se lamenter sur ses erreurs passées et, si cet excès de sommeil était à ranger parmi les erreurs, eh bien, il faisait aussi partie d'une époque révolue. Aujourd'hui, elle trouvait difficilement ses huit heures de repos nocturne sans pour autant souffrir de ce déficit. Comme si sa nouvelle vie se déroulait dans une atmosphère deux fois plus vivifiante que la précédente. Lorsque l'on disposait d'un surcroît d'oxygène, le besoin de dormir était moindre.

Elle s'était inscrite en première année et avait choisi un programme à temps complet pour le premier semestre. C'est qu'elle avait un gros retard à rattraper. Mais d'une certaine façon, Lydia ne regrettait pas ce démarrage tardif. Elle avait moins tendance à la dispersion qu'à l'époque de ses dix-huit ans. Ses facultés de concentration s'étaient également accrues. Adolescente, elle papillonnait dans la plus belle inconstance, incapable de consacrer son attention à un seul projet, de peur de manquer autre chose dans le même temps. Urgences et ambitions se gênaient réciproquement : elle avait envie d'éblouir la galerie par ses talents d'infirmière hors pair, elle voulait que le beau garçon qui faisait ses études de dentiste l'invite à danser, elle désirait que Max la demande en mariage et l'emmène à Londres avec lui. (Et si c'était à refaire, songea Lydia en roulant tranquillement sur la I 40 qui la menait à la fac, au son de la cassette de Leo qu'elle s'était mise à aimer, je referais la même chose et dans le même ordre. Elle avait épousé l'homme dont elle rêvait, à ce moment-là du moins ; elle avait eu les enfants qu'elle désirait, et elle les avait eus jeune, ce qui était bien ; à présent elle voulait se cultiver et faire un certain nombre d'autres choses. Et elle avait vraiment l'impression qu'elle réussirait à concilier le tout.)

Elle suivait les cours suivants : Introduction à l'économie contemporaine, Littérature de la Renaissance, Psychologie générale I et — malgré son intention initiale de jouer la sécurité en ne prenant que trois matières jusqu'à ce qu'elle ait retrouvé l'habitude d'étudier, comment aurait-elle résisté à la séduction d'un cours baptisé : Histoire de la conscience féminine ?

L'enseignement avait changé. Du temps où Lydia allait encore en classe, on prenait un cahier où l'on notait ce que le professeur disait et présentait comme la vérité, puis on apprenait le tout par cœur la veille de l'examen afin de le retranscrire fidèlement sur sa copie. Plus la version de l'élève se rapprochait de celle du maître, meilleure était la note. Cette méthode convenait parfaitement à Lydia qui possédait une excellente mémoire.

A présent, on demandait apparemment à l'étudiant de penser. Voire de se livrer à des jeux intellectuels avec lui-même. Pour le premier cours d'économie, le professeur avait fait circuler des fiches et demandé à chacun d'y inscrire ses options en matière d'économie. « Je crois à notre système capitaliste, avait écrit Lydia de son écriture nette et penchée d'élève sage. Je crois à l'esprit de compétition, à la libre entreprise et à la juste récompense de l'initiative. » Elle avait rendu sa fiche, contente d'elle. Au cours suivant, le professeur rendit les fiches. Au bas de chaque fiche, expliqua-t-il aux étudiants, il avait indiqué un programme de lectures visant à ébranler leurs certitudes. Et Lydia d'aller directement à la bibliothèque, munie de sa bibliographie. Ainsi lut-elle des morceaux choisis d'un ouvrage sur Karl Marx. Elle ingurgita sur la lancée un polycopié, écrit par son professeur, traitant de la façon dont les multinationales contrôlaient les gouvernements en sous-main. Dans un livre intitulé *Le crépuscule du capitalisme*, elle découvrit une analyse tout à fait nouvelle de la crise de l'énergie que nous vivons actuellement. Cette crise serait imputable au fait que, en 1943 — un an après sa naissance à elle — le président Roosevelt avait reculé et abandonné la gestion du pétrole d'Arabie saoudite aux compagnies pétrolières au lieu de persister à confier cette tâche à la Petroleum Reserve Association créée par ses soins à cet effet. Ce ne serait donc pas l'OPEP, mais une politique gouvernementale subventionnant systématiquement les choix des compagnies pétrolières *sur les deniers des contribuables* qui serait responsable de la crise de l'énergie. Bon sang ! Max était-il au courant ? Elle résolut de lui poser la question lors de leur prochaine rencontre, puis changea d'avis. Il était capable de réfuter cette thèse intéressante en quelques mots et elle se retrouverait à la case départ. Non qu'elle eût renoncé à ses convictions. Mais elle aimait cette sensation vivifiante pour l'esprit de se trouver au cœur d'un vaste débat d'idées. Ces nouvelles données ne la mettaient pas en cause directement dans la mesure où elle n'éprouvait aucun sentiment de culpabilité à propos de faits dont elle ne saurait en aucun cas être tenue pour responsable. Comment l'aurait-elle pu ? Elle n'avait qu'un an à l'époque. Toutefois, la possession de telles données lui donnait l'impression de mieux dominer le problème. Plus elle apprenait de choses concernant les affaires de ce monde, plus elle se sentait partie prenante de son histoire. Que quiconque fasse allusion à Karl Marx en sa présence maintenant qu'elle avait lu les deux chapitres le concernant, et Lydia éprouverait l'agréable pincement de cœur du propriétaire comblé, comme si désormais il lui appartenait un peu. Le même phénomène se produisit avec Aristote, Descartes et Spinoza, premiers philosophes au programme du cours de psychologie générale ; eux aussi suscitèrent en elle un sentiment de propriété, comme si l'intérêt qu'elle leur portait leur avait donné une soudaine existence.

Le professeur de littérature de la Renaissance était un charmant vieux monsieur qui versa de vraies larmes en déclamant *Lycidas* devant ses étudiants. Quelque chose dans ses épaules, dans le rythme monotone de sa voix sourde, lui rappela son père et, lorsqu'il arriva au vers : « *Cessez vos pleurs, bergers affligés cessez vos pleurs / Car Lycidas dont la perte vous tourmente n'est pas mort / bien qu'il gise profondément enseveli sous le sol aquatique* », Lydia sortit son mouchoir de fine batiste et joignit ses larmes sincères à celles du vieil homme. Lequel en conclut que sa lecture l'avait émue et, à dater de ce jour, il la guettait du regard chaque fois qu'il se mettait à déclamer.

Cependant, c'était le cours d'histoire de la conscience féminine que Lydia attendait avec le plus d'impatience. Bien qu'à l'origine elle ait été séduite par l'intitulé du cours et les promesses qu'il contenait au niveau des thèmes traités, elle était aujourd'hui fascinée autant, sinon plus, par le professeur qui en assurait l'enseignement. Lydia n'avait jamais rencontré de Noire comparable à Renee Peverell-Watson.

Renee était une femme remarquable, dont la couleur de peau se rapprochait de celle du président Sadate. D'ailleurs, sa coiffure à la Nefertiti lui donnait des allures égyptiennes. Elle possédait le phrasé nonchalant typique des salons de la Côte Est, mais pouvait à volonté changer de registre et utiliser le niveau de langue d'une Azalea. Ce qui avait le don d'agacer souverainement Lydia. Comme si elle, Lydia, se mettait délibérément à imiter son oncle Osgood en adoptant ses fautes de syntaxe et son accent du terroir. Mais il y avait une arrogance agressive dans l'attitude de Renee, à croire qu'elle tenait à montrer à son auditoire que, si elle était également à l'aise dans ces deux univers, elle se plaçait aussi au-dessus de chacun. Légèrement plus jeune que Lydia, Renee était titulaire d'un doctorat de sociologie décerné par Harvard. Malgré les offres d'emploi qu'elle avait eues un peu partout dans le pays, elle était revenue en Caroline du Nord, d'abord, disait-elle, parce que c'était son pays, et ensuite parce que le climat lui convenait mieux. L'arrière-arrière-grand-mère maternelle de Renee avait été domestique dans la célèbre plantation Peverell du comté de Halifax. « Vous devez ne jamais perdre de vue une chose, dit Renee avec une morgue professorale où se glissait une pointe d'ironie dans laquelle Lydia retrouvait un peu de Cate, c'est que le statut de « négro maison » représenta jadis la situation enviable à laquelle aspirait toute personne de race noire, exactement comme le statut d'épouse et de mère fut longtemps la seule ambition de toute personne de sexe féminin. » Il y eut quelques gloussements nerveux dans l'auditoire féminin. Lydia avait sourcillé au mot « négro » employé par Renee.

Depuis plus d'un siècle, toute la branche maternelle de la famille de Renee conservait Peverell dans ses patronymes. Renee raconta à ses étudiants avec quel plaisir elle était allée jusqu'à la bibliothèque de Chapel Hill consulter la documentation sur les Etats du Sud. Elle avait passé des journées entières à lire la succession des registres et journaux de la plantation. « Mon ancêtre par la main gauche consignait scrupuleusement tout dans ses carnets, leur dit-elle de sa voix moelleuse de contralto. Je crois que son journal lui tenait lieu de conscience. A maints égards, il fut un esprit éclairé. Il confiait à ses propres esclaves la surveillance du travail de la ferme, ce qui était singulièrement intelligent. Et quand il partait en voyage, il leur envoyait ses instructions par courrier. Eux ne savaient évidemment pas lire, mais un fermier voisin venait leur donner lecture de ses lettres. Ensuite eux lui dictaient la réponse pour le maître. » Elle tendit devant elle ses longs bras couleur de bronze, le temps d'observer le joli bracelet de corail monté sur or qui encerclait son fin poignet. « Je pense réellement que, compte tenu de l'époque et des circonstances, ce Révérend Peverell se conduisit fort bien. »

Durant les trajets entre son domicile et l'université, Lydia écoutait la cassette de musique électronique de son fils aîné, celle qui faisait résonner en elle d'étranges ondes de vibrations cosmiques. Et puis elle se racontait comment Renee et elle deviendraient amies quand elle aurait pu faire ses preuves devant le professeur. Lydia s'était même composé un petit scénario gratifiant où elle présentait Cate à Renee ; l'ironie et le vocabulaire de la seconde ne manqueraient pas d'impressionner la première.

En conduisant sa voiture, Lydia rêvait aussi volontiers à l'objet de son badinage aquatique au Club Santé où elle allait nager les mardis et les jeudis, jours où ses cours ne l'emmenaient pas à Greensboro. Les choses progressaient avec une bienséance sensuelle entre elle et l'homme brun et mince qui nageait dans le couloir mitoyen du sien. Jusqu'au jour où Lydia troqua ses gentils fantasmes contre une évaluation lucide de réalités physiques qui lui firent monter le sang à la tête, tandis qu'elle roulait aux accords futuristes du Alan Parsons Project.

Lydia et son bel inconnu étaient passés du stade de l'observation mutuelle à travers les lunettes de natation à celui de l'échange de vues sur la technique de la brasse ou des battements de pieds, pendant les pauses qu'ils s'accordaient dans le petit bain. Il avait un accent inhabituel qu'elle ne sut pas situer. Ensuite, il lui effleura souvent une cuisse ou un bras tandis qu'ils progressaient parallèlement jusqu'au grand bain. Des obstacles venaient parfois ralentir le jeu des travaux d'approche : ils avaient beau arriver sensiblement à la même heure, ils ne trouvaient pas toujours deux couloirs côte à côte. Les éventuels intrus éveillaient en Lydia des envies de meurtre. Il y eut ainsi une femme qui nageait avec une serviette enroulée sur sa tête pour protéger la teinture de ses cheveux ; eh bien, Lydia avait redoublé de vigueur dans ses battements de pieds pour éclabousser l'impudente qui avait plusieurs fois osé s'interposer entre elle et son bel inconnu brun. Il y eut encore l'abominable prêtre qui mobilisait deux couloirs à lui seul à cause de ses moulinets peu orthodoxes. Il souriait béatement, alors qu'il gâchait la séance de natation des autres, mais personne n'osait rien lui dire par respect sans doute pour le col blanc ecclésiastique qu'il portait à l'arrivée. Dans un état proche de l'apoplexie, Lydia l'avait vu foncer tête baissée pour s'approprier le couloir à côté du sien devançant d'une seconde le bel inconnu qui fut évidemment trop poli pour coiffer le prêtre au poteau et occuper le couloir libre avant lui. Lydia se demanda si son beau monsieur n'était pas catholique.

Pourtant ce fut un jour que le prêtre s'était immiscé entre eux que l'inconnu fit enfin le premier pas.

Il attendait dans le parc de stationnement où il remédiait ostensiblement à quelque malpropreté sur le capot de sa BMW métallisée. Il lorgna dans sa direction, par-dessus la monture de ses verres teintés, au moment où elle poussa la porte du Club pour émerger au soleil. En fait, son regard était presque hostile. Il ménage sa fierté au cas où il aurait présumé de ses charmes, se dit Lydia ; après tout, il n'est pas censé savoir que j'ai des palpitations chaque fois qu'il m'effleure dans l'eau et que les mêmes palpitations sont susceptibles de me reprendre à n'importe quelle heure du jour au seul souvenir de ces attouchements furtifs.

Jamais, avant ce jour, elle ne l'avait rencontré à l'arrivée ou à la sortie du Club, si bien qu'elle le voyait habillé pour la première fois. La fine chemise sport dont le col ouvert encadrait discrètement un triangle de toison brune et le pantalon à taille basse, sans poches, qui moulait ses hanches minces, lui semblèrent infiniment plus érotiques que son corps presque nu. Elle s'était déjà habituée aux longs bras musclés, à la peau de miel et à la forêt de petites boucles noires qui couraient sur le buste, depuis les épaules jusqu'à la limite du slip. Elle s'était même accoutumée à la fascinante protubérance qui faisait saillie, juste en dessous de l'élastique.

Eh bien, c'est parti, songea Lydia en fronçant les sourcils dans sa direction, les sens en révolution dans la douceur de cet avant-goût de printemps. Son sac de natation en bandoulière sur l'épaule gauche et sa jolie pochette gansée de cuir tressé serrée contre elle, elle avança résolument, avec ce rien d'affectation qui la caractérisait, vers l'homme dont elle ne savait même pas le nom.

Avec Max, les choses s'étaient déroulées de façon diamétralement opposée. Elle connaissait son nom depuis des années sans l'avoir jamais vu et elle avait décidé de l'épouser avant même d'imaginer son corps nu.

Leur première rencontre, alors qu'ils avaient grandi dans la même ville, eut lieu à l'occasion du banquet du Rhododendron, l'année où elle fit ses débuts dans le monde. Lui avait été couronné roi de la fête du Rhododendron douze ans plus tôt, alors que Lydia n'avait pas six ans et se souciait peu d'être invitée au principal événement mondain de la ville. Il était ensuite parti pour faire ce que doit faire tout jeune homme de bonne famille, mais dépourvu de fortune : ses preuves. C'est donc preuves faites qu'il était revenu en visite chez les siens. Bénédiction de la Providence, il était toujours célibataire et accompagnait sa jeune cousine Snooky Powell, camarade de classe de Lydia et qui, comme elle, faisait ses premiers pas dans le monde.

Max avait revêtu la traditionnelle jaquette rouge ainsi que le pantalon et la cravate des Gardes de la Brigade. Ce festival avait été inauguré, en 1928, sur le modèle supposé de ce qui se pratiquait en Angleterre avant la seconde guerre mondiale, et l'uniforme des gardes était l'exacte réplique de celui de la Garde royale de Buckingham. Cate trouvait qu'avec leur jaquette rouge, les gardes en question ressemblaient à des portiers d'hôtel, mais Cate adorait se moquer des mondanités — elle avait raconté à Lydia que leurs parents l'avaient obligée à participer au bal du Rhododendron sous prétexte qu'un refus de sa part ruinerait tout espoir d'invitation pour Lydia.

Lydia prit pour un signe du Destin le fait de se trouver placée (elle et son cavalier, le pauvre Hugo Miller) juste en face de Max et Snooky pendant le banquet ; elle bénit la personne qui avait disposé les cartons. (Il s'avéra par la suite que celle-ci n'était autre que la dévouée Lucy Bell, qui n'avait pas de fille à marier.)

« Vous êtes la petite dernière de Leonard Strickland, n'est-ce pas ? avait demandé Max avec un paternalisme bienveillant, au moment de la salade de crevettes. Je vous ai souvent vues, vous et votre sœur, vous donner gentiment la main pour aller au bazar d'Ash Street. Comment va la grande sœur ?

— Oh, Cate est déjà mariée », répondit Lydia avec plaisir, et une soudaine reconnaissance pour Cate qui avait fait quatre années d'université en trois ans avant de convoler avec **Pringle**, ce qui lui permettait à elle, Lydia, de donner maintenant cette opportune information. Son regard fixa la coupelle de crevettes. « Et je fais encore un peu partie des petites, je crois ! »

Elle piqua gracieusement une crevette pour la prendre entre ses dents et grignoter solennellement, lèvres serrées, comme elle l'avait vu faire aux vedettes de cinéma, à l'écran. Quand elle releva les yeux, elle vit que sa dernière remarque avait amusé, ce qui correspondait parfaitement à l'effet recherché.

Quand les serveurs emportèrent les coupelles d'argent pleines de glace fondue pour apporter le plat principal, elle avait déjà répertorié les atouts du jeune homme. Il possédait le joli nez légèrement aquilin des Powell et combinait harmonieusement une mondaine assurance avec une affabilité sans prétention. Il était grand. Plusieurs filles lui avaient déjà fait des avances ; c'était Snooky qui le lui avait raconté. Bien sûr, c'étaient des vieilles — encore plus âgées que Cate. Au rancart, déjà. Oh, merci, Cate, merci d'avoir pour une fois fait quelque chose de bien, songea Lydia en se tournant afin d'adresser un mot gentil à ce pauvre Hugo. Que Max sache qu'il a de la concurrence. Il était bon pour l'image de marque de la famille que Cate fût déjà mariée, à vingt et un ans : une Strickland n'a pas le temps de se rider, elle n'a que l'embarras du choix.

« Où faites-vous vos études ? demanda Max pendant la poule faisane accompagnée de riz sauvage et de petits pois extra-fins.

— A Chapel Hill, répondit Lydia.

— Vraiment ? Mais les filles n'y sont pas admises avant la troisième année, si ?

— Si, à condition de faire des études d'infirmière.

— Vous allez donc devenir infirmière ?

— Pourquoi, vous ne me voyez pas dans ce rôle ? » Lydia se retint d'entamer sa volaille, malgré l'envie qu'elle en avait, préférant commencer par une petite bouchée de riz. Elle le regarda en même temps qu'elle mangeait.

« Je suis convaincu que vous serez parfaite, quel que soit le métier que vous vous choisirez », dit galamment Max qui, pour la première fois, lui adressait un sourire n'ayant plus rien de fraternel.

Les choses se précisent, songea Lydia. A présent, et pour le reste du dîner, il faut que je joue la carte de la stricte camaraderie. Pour ne pas l'effrayer. Et à l'ouverture du bal, j'irai chercher papa et lui demanderai de m'inviter plusieurs fois. Nous danserons ensemble et je le regarderai avec des yeux de petite fille qui ne veut pas grandir. Voilà qui mettra M. Mansfield encore plus en confiance. Snooky dit qu'il part à Londres en novembre. Juin, juillet, août, septembre, octobre...

Quand Max vint arracher Lydia aux bras de son père pendant le bal, il la fit danser avec une maîtrise sans faille. « D'où vous est venue l'idée de vous faire infirmière ? » demanda-t-il en virevoltant autour d'elle comme s'il avait déjà dansé avec un millier de filles. Il avait une tête de plus qu'elle. La perfection.

Et tandis qu'elle lui expliquait, sans zèle excessif, au moyen de quelques petites phrases bien senties glissées au moment opportun, toutes les bonnes raisons qu'elle avait de vouloir être infirmière (sa mère était infirmière avant son mariage... c'était un beau métier pour une femme... très utile... quelque chose qu'on pouvait faire toute sa vie... leur mère avait toujours été fantastique lorsqu'il y avait un malade à la maison...), l'imagination de Lydia fonctionnait en accéléré pour préparer un plan de bataille valable pour l'été à venir ; elle serait encore sur son territoire à elle, où elle avait ses boutiques, ses miroirs fidèles et ses meilleurs atouts, parmi lesquels le pauvre Hugo occupait une place de choix.

Elle entendait déjà les exclamations de ses diverses amies et celles, encore plus gratifiantes, de ses pires ennemies. « Devinez qui a réussi à décrocher Max Mansfield en moins de trois mois ! »

« Oh, mais je vois que vous êtes une fille sérieuse, dit gentiment Max avec à peine une pointe de regret quand la sylphide de charme avec qui il dansait lui adressa soudain un sourire ravageur.

— C'est l'exacte vérité, dit Lydia qui, d'un regard, sut qu'il lui trouvait deux fois plus de charme maintenant que l'infirmière s'interposait entre eux, tel un prétendant jaloux.

Il lui avait fallu un peu plus de trois mois, au cours desquels elle n'avait guère trouvé le loisir de s'interroger sur la qualité de ses pectoraux ni sur aucune autre partie de son anatomie, détails qui, à l'époque, ne l'intéressaient d'ailleurs que très vaguement.

A l'approche de Lydia, le beau brun cessa d'astiquer le capot de sa BMW. Allez, un sourire, songea Lydia, un peu contrariée de le voir la fixer derrière les verres teintés de ses lunettes solaires sans que rien dans son visage confirmât que l'on continuait le petit manège de la séduction. Bon sang, nous étions moins timorés dans la piscine.

« C'est une trois cent vingt, non ? » demanda Lydia pour détendre l'atmosphère, quitte à passer pour une imbécile. Le chiffre 320 était inscrit en caractères d'argent à l'arrière de la voiture, or elle arrivait précisément de ce côté. « J'ai failli me laisser tenter par une trois cent vingt BMW, l'année dernière, continuat-elle, à croire qu'elle n'avait fait le détour que pour discuter mécanique auto, mais finalement, j'ai opté pour la Volvo. Je voulais un toit ouvrant et le concessionnaire BMW m'a dit qu'il fallait compter six semaines de délai pour cette option.

— Oui, je regrette un peu de ne pas l'avoir sur la mienne d'ailleurs », dit-il avec un regard de chien battu, comme s'il rangeait son interlocutrice dans la même catégorie que le toit ouvrant qu'il n'avait pas eu. Puis il continua de frotter la tache, sans grand succès, avec le gras du pouce.

« Vous avez une autre tache, là ! » annonça Lydia, jugeant que le moment était venu de passer à l'offensive. D'un bond elle fut devant la voiture. Ce qui lui permit de découvrir, non sans une légère surprise, les chaussures relativement pointues, et d'un orangé peu banal, qu'il portait.

« Je crois que c'est de la résine, dit-il. Je range ma voiture sous un pin devant mon cabinet. Pourtant, il est un peu tôt pour la résine, non ?

— Attendez que je voie ça », dit Lydia. Et de laisser tomber son sac sur le trottoir avant de poser délicatement la pochette grise sur le capot. En même temps qu'elle se penchait sur la tache, elle sentit qu'il profitait de l'occasion pour se livrer à une évaluation de sa personne, habillée. Elle admira la jeunesse de sa propre main qui émergeait du gris pastel de la manche de sa veste de tweed pour s'activer sur la tache dure et poisseuse, à l'aide d'un ongle impeccablement laqué de rose bistré. « C'est effectivement de la résine », annonça-t-elle vivement tandis qu'elle grattait consciencieusement. Silence. S'il n'a pas fait un geste avant que je sois venue à bout de cette tache, se dit-elle, je le laisse à ce curé de malheur ainsi qu'à la bonne femme à la serviette. Zut ! Les choses n'ont guère évolué depuis que j'ai quitté l'école. Avec tout ce qu'on raconte sur la révolution sexuelle, j'imaginais que le chapitre des préliminaires pouvait être évacué rapidement avec un minimum de grâce aérienne. Nous nous débrouillions nettement mieux dans l'eau.

Quand elle en eut fini avec la tache, elle se redressa, pointa l'index verticalement pour lui permettre d'inspecter le résidu de résine brune coincé sous son ongle. « Le printemps est précoce par ici, dit-elle pour le provoquer. Vous n'êtes pas de la région, si ?

— J'ai été élevé à New York, dit-il. Mais je suis descendu dans le Sud pour ouvrir un cabinet. » Et il se racheta amplement en lui prenant la main pour retirer lui-même le bout de résine séchée collé à son ongle.

Cabinet, réfléchit Lydia, les terminaisons nerveuses en révolution à cause de ce simple contact des épidermes. Il doit être docteur. Pour être avocat, il faudrait qu'il soit inscrit au barreau de l'Etat.

La résine resta collée à son ongle à lui. Ce qui les fit rire et brisa un peu la tension. Il avait de jolies dents, petites et blanches, des gencives saines. Il se dirigea vers l'arbre le plus proche et se débarrassa de la résine en frottant son doigt contre le tronc. « Retour à l'envoyeur, dit-il avec une autorité humoristique qui l'amusa.

— Vous avez déjeuné ? » demanda-t-il en revenant.

Ils étaient dans l'eau depuis onze heures du matin. Pour avoir déjeuné, il aurait fallu qu'elle se mette à table aux alentours de dix heures.

« Non, non, pas encore ! s'exclama-t-elle.

— Nous pourrions aller quelque part. A moins que... je dois avoir des trucs froids et de la bière chez moi. Mon appartement n'est pas loin.

— Mais, vous ne devez pas retourner à votre... cabinet ? demanda Lydia qui, par quelque étrange perversité, s'évertuait maintenant à reculer l'échéance qu'elle avait tant désirée.

— Je me garde une demi-journée de liberté le jeudi », sourit-il.

Docteur, conclut-elle avec plus de certitude. La plupart des médecins de la ville réservaient leur jeudi pour jouer au golf. Son sourire exprimait un mélange de douceur timide et de mâle orgueil qui lui plaisait bien. Il avait conscience de ses charmes. « Alors, allons chez vous, proposa-t-elle ; si vous êtes certain d'avoir assez de vos trucs froids. » Elle ne s'était encore jamais exhibée dans un lieu public en compagnie d'un autre homme depuis sa séparation d'avec Max et ne souhaitait pas s'engager à la légère, sans savoir où elle mettait les pieds.

« On peut toujours acheter autre chose, dit-il. Vous montez avec moi ou vous préférez me suivre dans votre voiture ?

— Je vous suis dans la mienne », dit Lydia.

Mais tandis qu'elle se dirigeait déjà vers sa Volvo, il la rappela en riant.

« Hé, attendez une minute. »

Lydia fit demi-tour.

« Vous n'avez pas envie de savoir quoi que ce soit à mon sujet ? » demanda-t-il.

Sourire perplexe de Lydia. « Bien sûr que si. Quoi, par exemple ?

— Mon nom, pour commencer. Si nous nous perdions à cause de la circulation, vous n'auriez aucun moyen de me retrouver. Et si vous changiez d'avis et décidiez de me semer, je ne saurais pas comment retrouver votre trace. »

Bof ! se dit Lydia, je ne crois pas qu'il ait la moindre intention de se conduire en goujat. Sa sincérité était touchante, mais elle eut pour effet de la mettre sur ses gardes quant aux suites possibles. « Je m'appelle Lydia, dit-elle, sans savoir si elle devait s'inventer un nom de famille. Lydia Mansfield. » Le plus simple était encore de lui dire la vérité.

« Moi, je m'appelle Stanley Edelman », dit-il. Et ils se serrèrent la main.

Je me demande s'il est juif, songea Lydia, qui se dirigeait à nouveau vers sa voiture. Oh, tant pis. Cate a bien épousé un Juif. Elle a prétendu un jour que les gens du Sud avaient plus de points communs avec les Juifs qu'avec les Yankees, parce que les deux aimaient extérioriser leurs sentiments et les deux savaient vivre.

Stanley vivait dans une résidence tout à fait comparable à celle de Lydia. En fait, les immeubles auraient pu être dessinés par le même architecte, avec pièces mansardées et petit porche en surplomb. Celui de Stanley s'appelait les Pavillons de l'Erablière tandis que Lydia habitait La Colonie. Ces circonstances fournirent opportunément un sujet de conversation qui leur permit de tromper la gêne de l'instant délicat où ils gravirent ensemble l'escalier extérieur qui conduisait à l'appartement de Stanley. (Qui vivait au second, alors que Lydia habitait au premier.)

« Je me demande où ils vont chercher des noms aussi prétentieux, dit-elle. Enfin le vôtre est tout de même mieux que le mien. La Colonie ; une colonie de quoi ? Les fourmis vivent en colonie. Comme les artistes et les bactéries. Je serais curieuse de savoir ce que nos propriétaires croient héberger dans cette colonie. Des "personnes seules" sans doute. Ce qui est également peu valorisant.

— Pourquoi, vous n'êtes pas célibataire ? demanda Stanley en ouvrant sa porte.

— Si, bien sûr. Enfin, disons que je le suis depuis le mois de décembre.

— Très bien, dit Stanley. Moi aussi, je suis célibataire. » Et de lui adresser son plus radieux sourire où perçait cependant un rien d'appréhension, en même temps qu'il la faisait entrer.

Ses rideaux étaient restés tirés, si bien que la lumière du jour qui filtrait à travers le vert pâle du voilage synthétique donnait à la pièce les mêmes reflets verts que le fond de la piscine du Club Santé. Tandis qu'il s'occupait de les ouvrir, Lydia recensa rapidement le reste du décor : quelques éléments modulaires, d'un brun clair de bon goût, que l'on pouvait disposer au choix, de façon à former une seule grande banquette, ou bien une petite et deux chauffeuses (cette dernière solution étant celle adoptée par Stanley), une table basse en verre et inox avec, pour unique décor, un gros cendrier de marbre rose et de forme bizarre, qui semblait n'avoir jamais été utilisé. Il y avait également un lampadaire inox en col de cygne, sans oublier l'inévitable moquette au beige atrocement « neutre », comme chez elle. Il ne pouvait en être tenu pour responsable.

A première vue, il n'avait pas encore fini d'emménager. Deux grands cadres encore emballés étaient appuyés contre le mur de la cuisine, qui donnait directement dans la grande pièce, par une porte double. La cuisine bénéficiait également d'un revêtement beige rêche et résistant, comme chez elle. Elle aurait bien aimé jeter un coup d'œil aux deux tableaux, savoir ce qu'il avait l'intention d'accrocher sur ses murs.

« Je vous fais visiter le reste de la maison... » Il l'interrompit au moment précis où elle commençait à s'exclamer, avec un enthousiasme un peu forcé, sur la similitude de leurs appartements respectifs, sauf que lui n'avait pas de miroirs chez lui. Tous deux étaient gênés.

Mais pour la seconde fois, il sauva la situation avec délicatesse. Prenant simplement sa pochette qu'il posa sur la table de verre, laquelle ne demandait qu'un peu de compagnie, il la prit gentiment par les deux épaules et lui adressa un sourire de réconfort. Malgré ses grands yeux bruns aux longs cils féminins qui la dévisageaient avec une sorte de sainte terreur.

« Je n'arrive pas à croire à votre présence ici », murmura-t-il.

Ainsi donc, lui aussi pensait parfois à elle.

« Et si vous… si vous m'embrassiez, articula nettement Lydia, vous pourriez acquérir plus de certitude. »

Très curieusement, elle eut la nette impression de le sentir défaillir en même temps qu'elle, tandis que, dans un battement de paupières, il penchait son visage au-dessus du sien. Et il lui prit les lèvres comme s'il voulait en absorber toute la substance. Elle resta sur la pointe des pieds, accrochée à son cou, une douce mèche de ses cheveux sous chacune de ses paumes, jusqu'à ce que ses jambes tremblent et que ses genoux menacent de flancher. Elle sentit le désir de l'homme durcir contre elle. Et crut en défaillir.

« Allons dans la chambre », murmura-t-il.

Il la prit par la main et l'entraîna derrière lui, mais elle eut la présence d'esprit d'attraper sa pochette avant de le suivre. Ils tournèrent à droite dans un couloir. Chez elle, il aurait fallu prendre à gauche. La première porte à droite devait donc être celle de la salle de bains.

« Un instant », dit-elle en désignant la porte. Elle ne s'était pas trompée.

Il comprit. « Je suis à côté, si vous vous perdez, je viendrai vous chercher ! » Et de lui taper affectueusement l'épaule, comme pour lui donner du courage.

Que de gentillesse ! Curieusement, elle ne s'y attendait pas vraiment.

Elle fut surprise de trouver son visage inchangé dans la glace de la salle de bains, car elle se sentait toute brouillée, chiffonnée. Beau linge de toilette sur les porte-serviettes. Un doux peignoir de bain éponge était accroché derrière la porte.

A hauteur des yeux quand on était assis sur le siège des toilettes, sur le mur d'en face, une gravure encadrée représentait un pied dont tous les os, muscles et tendons étaient apparents et désignés. « *Astragalus* », déchiffra soigneusement Lydia en même temps qu'elle se penchait en avant pour vérifier que tout était en ordre, « *os calcis* ». Les parties de notre corps sonnaient tellement mieux quand on les nommait en latin !

Elle plia ses affaires dont elle fit une pile sur le rebord de la baignoire, cachant son soutien-gorge et sa petite culotte sous son chemisier, comme elle le faisait toujours dans le cabinet du gynécologue. Elle s'était rendu compte qu'elle serait incapable d'aller jusqu'au bout et de se déshabiller devant lui ; pour une dame mariée depuis dix-huit ans (la moitié de sa vie !), elle avait encore des pudeurs de vierge effarouchée.

Elle enfila le peignoir de bain imprégné d'un mâle parfum épicé et souhaita intérieurement qu'il ait eu le tact de se dévêtir un peu.

Une fois de plus, il fit preuve de délicatesse. Elle le trouva couché, le drap tiré jusque sous le menton. Dans cet état de total abandon, avec ses longs cils recourbés dissimulant modestement un regard malicieux, il lui rappela un peu son adorable Leo quand elle allait l'embrasser dans son lit, le soir. Leo aussi avait conscience d'être beau. Et l'idée vint soudainement à Lydia que cet homme devait avoir une mère qui l'idôlatrait. Pour la première fois, elle l'appréhenda comme l'enfant de quelqu'un. Autant d'images nouvelles qui lui collaient le vertige. Elle se glissa donc auprès de lui avec un long frisson, sans rien voir du décor environnant, sauf qu'il avait fermé les volets ; à moins qu'il ne les ait pas ouverts en se réveillant ce matin.

Avant son mariage, Lydia envisageait l'acte sexuel (du moins lorsqu'elle y pensait car, dans ses rêveries, elle préférait généralement s'en tenir à la phase plus esthétique et plus gratifiante des préliminaires) comme une chose où l'homme « prend » et où la femme « donne ». « Il la prit rapidement », disait-on dans les livres ; ou bien : « Elle se donna à lui ». Pour autant que ces images verbales aient jamais eu le moindre pouvoir de fascination sur son imagination, Lydia se voyait faisant don de sa virginité à l'homme à qui elle « appartiendrait ». L'heureux élu, qui lui voueait dès lors une reconnaissance éternelle, lui accorderait en retour sa protection et, selon les livres, pourvu qu'elle ait choisi son partenaire avec discernement, elle « apprendrait progressivement à l'aimer. » Lydia rêvait aussi volontiers à la manière dont cet homme, judicieusement choisi, s'y prendrait pour mener à bien la longue tâche ardue de se faire aimer d'elle, mettant toute sa patience et son talent à faire d'elle une épouse docile et passionnée.

Dûment instruite par ses lectures prénuptiales et son éducation sociale, Lydia prit donc grand soin de « faire un bon choix. » Là s'arrêtait son rôle. Le reste incombait entièrement à l'homme. Et avec Max, tout sembla se dérouler conformément au schéma prévu. Il avait au moins douze années d'avance sur elle. C'était un bon parti, qui avait déjà brisé le cœur de plusieurs femmes en mal de mari. Pendant leur nuit de noces, qu'ils passèrent dans la maison de campagne de M. Broadbelt (le frigidaire confortablement garni de bouteilles de champagne), Max agit avec l'incontestable sang-froid de celui qui sait ce qu'il fait. Mais elle n'avait jamais envisagé le contraire. Il s'acquitterait très bien de cette tâche, comme il faisait bien tout le reste : danser, tenir conversation, choisir ses vêtements, trouver des investissements rentables. Au lit il se conduisit donc avec une irréprochable efficacité, attentif à accomplir les gestes qui convenaient pour provoquer en elle les réactions adéquates. Bon, eh bien, ce n'est pas si mal, s'était dit Lydia en se réveillant Mme Mansfield pour la première fois. Et les choses continuèrent de se passer « pas si mal » dans l'enthousiasme de leur première année à Londres, puis pendant la seconde, jusqu'à ce qu'elle vive l'état de grossesse comme une expérience authentiquement érotique... plus que tout le reste, finalement. Ensuite, elle n'eut de cesse de se retrouver encore enceinte. Elle avait fait une fausse couche entre Leo et Dickie. Et puis ce fut le retour aux Etats-Unis, elle enceinte de Dickie, et Max avec une promotion importante. Suivirent les années de perpétuelle fatigue, Max à cause de ses responsabilités au sein de la banque, elle à cause de deux jeunes enfants à élever, ce qui ne les empêcha jamais de s'acquitter scrupuleusement de leur devoir conjugal ; pendant cette longue période, tous deux s'étaient conduits avec une louable professionnalité. Bien que parfois, au moment de forcer un peu le rythme de leurs ébats pour atteindre leur quota hebdomadaire de spasmes, elle ait eu envie de s'écrier : « Oh, à quoi bon continuer ainsi ? Quel est l'intérêt ? » Et elle s'était mise à attendre avec une impatience accrue le moment où elle pourrait s'abandonner au sommeil, la conscience tranquille, parce que son partenaire et elle auraient fait ce qu'on attendait d'eux.

Lorsqu'elle avait commencé de bercer doucement le secret projet de quitter Max pour vivre seule, les images qui la motivaient le plus n'étaient jamais celles d'un amour plus passionné, plus sensuel, mais celles d'un espace et d'une liberté accrus : longues plages de temps qu'elle pourrait meubler à sa guise, grand lit aux draps bien frais qu'elle n'aurait à partager avec personne. Le Club Santé était venu après la séparation officielle; un jour, ayant constaté avec horreur qu'elle ne pouvait plus manger à sa guise sans grossir, elle avait couru s'inscrire pour la seule forme d'exercice physique qu'elle supportât. « On nage dans la position couchée, aimait-elle à dire, et l'on n'est pas obligé d'avoir un partenaire. »

L'inconnu, qui était son voisin de piscine, n'avait pris d'existence qu'après coup. Elle l'avait remarqué le jour où elle s'était sentie remarquée par lui.

C'est ainsi que tout avait commencé. Il l'avait d'abord possédée en pensée, elle en était certaine, ce qui avait déclenché en elle un déclic dont elle ignorait totalement l'existence.

A présent, il la désirait d'une façon qui pour elle était entièrement neuve. Elle le savait. Comment ? Parce qu'il ne tolérerait pas qu'elle maintienne entre eux la barrière défensive qu'elle avait toujours maintenue en semblable circonstance. Tolérance qu'avait eue Max. Mieux, elle était persuadée qu'il approuvait une telle réserve. Lui-même ne pratiquait pas différemment, si bien qu'ils pouvaient se lancer dans l'aventure à armes égales. En fait, pendant toutes ces années, Max et elle avaient connu une belle réussite si l'on considère que ces barrières étaient le rempart qui garantissait leur implication réciproque jusque dans le pas de deux de leurs ébats amoureux. Or cet homme se moquait de la bienséance comme des belles manières. Lui se livrait volontiers à ces tourbillons obscurs de la passion qui sont capables de vous engloutir. Et il attendait d'elle une reddition absolue, un abandon total, à la mesure de son ardeur à lui. La force de son désir était telle qu'il ne la laisserait pas dérober le moindre petit morceau d'elle-même au torrent qui les emporterait. Ils sombreraient ensemble, ou pas du tout.

Mon Dieu !

« Excuse-moi, murmurèrent les lèvres humides de Lydia contre l'oreille de Stanley.

— De quoi ?

— J'ai crié, non ?

— Ça ne fait rien. » Il eut un sourire épuisé. Il avait le torse couvert de petites boucles humides et brunes. « Tout le monde est parti, à cette heure.

— C'est moi qui suis partie », gémit Lydia qui l'attira à nouveau contre elle en l'enlaçant de tous ses membres ; et de replonger dans les courants sauvages. Elle entendit sa voix lointaine s'inquiéter : « Chérie... mon amour chéri », comme s'il essayait d'exorciser une peur commune en lui offrant la bouée de sauvetage que représentaient ses protestations d'amour réitérées. Touchant, mais superflu. Pour ne pas dire déplacé, au stade où ils en étaient.

Après cette première fois avec Stanley, elle avait roulé plus d'une heure autour de la ville. Il lui avait fallu tout ce temps, seule, pour refaire surface et récupérer avant de retrouver les enfants : Leo devait venir dîner, ce soir-là. Fidèle à une stratégie dont elle avait eu le temps d'éprouver l'efficacité, elle se fabriqua une barrière de préoccupations pratiques pour faire écran aux bouffées de passion qui l'envahissaient encore, l'empêchant de retrouver son calme habituel. Pendant qu'elle conduisait, elle n'arrivait pas à effacer de son visage un sourire penaud qui serait du plus mauvais effet sur ses fils.

Le second prénom de son amant était Albert. A cause du frère de sa mère qui s'appelait Alberto. Elle était d'origine italienne, américaine de la seconde génération et — oui — elle idolâtrait effectivement son fils. C'était d'ailleurs une des raisons qui l'avait incité à partir aussi loin : tant qu'il vivait à New York, elle trouvait évident qu'il vienne déjeuner chez elle tous les dimanches. Il avait trente et un ans (le premier « petit jeune » pour Lydia) et était podologue. Mieux que dentiste, songea Lydia, mais tout de même moins bien que médecin. Les deux cadres posés contre le mur contenaient des marines célèbres signées Dufy. Un achat fait à la hâte pour meubler les murs vides, dit-il. Enfin, elle avait échappé à la fausse tapisserie. Il en était à ses débuts, il avait la vie devant lui. Plus tard, il achèterait mieux et ferait preuve de plus de discrétion dans le choix de ses chaussures. Edelman était bien un nom juif et Cate ne se trompait pas en évoquant leur aptitude à extérioriser leurs sentiments. Sacré nom ! Mais voilà que la barrière menaçait de céder sous la vague. Lydia s'arrêta dans un Burger King et commanda un super burger ; ni l'un ni l'autre n'avaient eu vraiment le cœur à manger ensuite. Elle avait cependant pu apprécier son frigo tandis que, vêtue de son seul peignoir, elle avait grignoté une tranche de saucisson italien. A ce niveau, on pouvait apporter certaines améliorations et elle avait prévu dans sa tête quelles gâteries elle apporterait pour leur prochain pique-nique du jeudi. Il avait ri quand elle lui avait dit ne pas bien situer son accent. « Judéo-italien de Brooklyn », répondit-il.

Après une seconde douche chez elle, Lydia avait récupéré son état normal pour servir à ses fils une grande assiette de spaghetti aux boulettes de viande — sauf qu'elle manquait un peu d'appétit, à cause du superburger. Leo lui dit qu'il appréciait davantage sa compagnie depuis qu'elle avait repris ses études. « Tu es plus vivante », dit-il. Le plus long compliment qu'elle ait jamais entendu de la bouche de Leo, le perfectionniste taciturne.

Vint pour Lydia le moment de fixer le sujet de son devoir trimestriel en accord avec Renee, puisqu'elle insistait pour que ses étudiants l'appellent par son prénom. « M'dame » avait un côté bêta, prétendait Renee, et « Docteur » était pompeusement désuet.

La porte du bureau de Renee était ouverte. Assise à sa table de travail, elle lisait une lettre sur papier avion, postée d'Angleterre, et fumait un petit cigare. Vêtue d'un tailleur pantalon de tweed avec un chemisier décolleté en soie cerise, elle incarnait parfaitement l'image stéréotypée de la femme qui a « réussi ».

« Salut ! dit Renee. Entrez donc. » Elle plia la lettre qu'elle glissa dans son sac.

« Lydia Mansfield », lui rappela Lydia, car le cours comprenait beaucoup d'étudiants. L'histoire de la conscience féminine rencontrait un vif succès.

« Je sais, dit Renee en crachant un filet de fumée. Née dans le comté de Ruffin. Un demi-semestre d'études à l'école d'infirmières de Chapel Hill. Domiciliée à Winston-Salem. Deux fils âgés de treize et quinze ans. Séparée. » Elle désigna le fauteuil à côté de son bureau. « Asseyez-vous.

— Comment savez-vous toutes ces choses ? » Lydia s'assit, flattée.

« Quelles choses ? Ces statistiques ? Je consulte toujours le dossier d'inscription de mes étudiants. J'aime savoir d'où ils viennent et où ils vont. Je suis sociologue, vous savez.

— Eh bien, pour l'instant, je ne suis pas allée bien loin, dit Lydia, se dénigrant avec l'élégance détachée qui lui tenait lieu de seconde nature.

— Il faut bien commencer un jour, répliqua Renee avec la même courtoise décontraction. Voulez-vous un cigare, ou la fumée vous dérange-t-elle ? Ils sont assez forts. Je n'avale pas la fumée. » Elle ouvrit une mince boîte de métal jaune marquée Dunhill Montecruz, qu'elle tendit à Lydia.

« Merci. Je crois que je vais me laisser tenter. Je n'ai encore jamais fumé de cigare. Mais ceux-ci sont tellement fins et jolis. »

Renee fouilla dans le tiroir de son bureau dont elle sortit une pochette d'allumettes. « Je n'ai pas de briquet, expliqua-t-elle à Lydia, je ne suis pas une fumeuse invétérée.

— Tiens, Chez Antoine », dit Lydia en voyant la pochette. Elle eut quelques problèmes pour allumer son cigare mais conserva sa belle humeur. « Que pensez-vous de la cuisine française de La Nouvelle-Orléans ? *Franchement*.

— Ce que j'en pense ? Je vais vous le dire. J'en pense la même chose que vous à en juger par votre "franchement". Pour eux cuisine française est synonyme de « baigner dans la sauce ». Un soir, Calvin, mon fiancé, a écrit un mot en français qu'il a confié au serveur en le priant de le remettre au patron le lendemain matin. Le serveur a cru qu'il s'agissait de compliments, mais en fait le billet disait ceci : Si un jour vous passez par Greensboro, en Caroline du Nord, passez chez moi, je vous montrerai comment on prépare un vrai *pompano en papillote*. Mais j'imagine que le patron du restaurant soi-disant français ne comprenait pas non plus le français.

— Mon mari a failli laisser ses huîtres Rockefeller le soir où nous avons dîné là-bas, dit Lydia. J'y ai goûté et je vous jure qu'ils avaient mis une espèce d'ignoble chapelure dessus. C'était avant notre séparation, bien sûr.

— Bien sûr », dit Renee.

Les deux femmes tirèrent sur leur cigare en échangeant des regards entendus.

« Bon, pour mon mémoire... » dit Lydia dont le regard passait en revue les livres de Renee. Sur l'étagère juste à côté de sa chaise se trouvait une série d'imposants volumes reliés en vert. Sur le dos des livres était imprimé en lettres d'or, *La notion de classe sociale chez les Noirs d'Amérique*. En dessous, en caractères plus petits mais également dorés, elle lut *Peverell-Watson*. « Mon Dieu, tout cela constitue votre thèse ?

— Il y a des doubles, dit Renee. Je me suis dit qu'après un si long temps d'esclavage, je pouvais bien m'offrir les services de Rank Xerox.

— J'aimerais beaucoup la lire. Enfin, si vous acceptez de me prêter un exemplaire, dit Lydia. Cela me semble tellement — elle hésita un peu sur le choix de l'épithète — ... passionnant.

— Il faut croire, répliqua Renee de sa douce voix de contralto. Chez Harvard Press on partage apparemment ce point de vue. Ils m'ont demandé de développer certains chapitres en vue d'une publication.

— Une publication ! Vous n'êtes pas folle de joie ? » Bon sang, songea Lydia, elle est plus jeune que moi — pour ne faire allusion qu'à cet aspect du problème — et elle a déjà tant de choses à son actif.

« Je crois que si. Ma joie aurait cependant été plus totale si j'avais été sollicitée par Oxford ou Yale. Avec Harvard, on peut toujours m'accuser de m'être fait plus ou moins coopter par mes pairs.

— Par vos pairs ? Ah, vous voulez dire que c'est là que vous avez soutenu votre thèse ? Je vois. » Lydia se sentait un peu perdue. Pour elle, il s'agissait d'un milieu relativement peu connu.

« Bon, pour votre mémoire, dit Renee, vous avez des idées de sujet que vous aimeriez traiter ?

— Eh bien, je pensais travailler sur Eros », dit Lydia. Le mot prenait une tonalité un peu stupide, prononcé à haute voix. Pourtant, avant de venir, elle s'était répété mentalement les propos qu'elle tiendrait au cours de cet entretien et son idée de sujet lui avait alors semblé fantastique.

« Eros, répéta Renee comme pour mieux peser le mot. *Le Dieu de l'Amour*, ajouta-t-elle avec une pointe de sarcasme dans la voix, voilà incontestablement un vaste sujet...

— Je ne sais pas, il se peut qu'il le soit trop, dit Lydia. Je devrais peut-être chercher dans une autre direction. » Tout s'embrouillait et elle avait perdu son assurance.

« Non, attendez un peu. Minute », dit Renee en tirant sur son cigare. Elle plissa les yeux pour interroger sa bibliothèque. « Eros, Eros... C'est surtout que je n'ai guère pensé à ce brave Eros ces derniers temps. » Rire grave, un peu forcé. « J'imagine que j'étais trop occupée. Quel aspect précis d'Eros vous intéressait plus particulièrement ? »

Le timide sourire qu'elle avait tant de mal à réprimer ces derniers jours retroussa les coins de ses lèvres tandis que Renee la fixait attentivement. Les yeux noisette étrangement pailletés de jaune dessinaient deux amandes au-dessus des pommettes saillantes. Lydia remarqua qu'elle accentuait son type oriental par un trait d'eye-liner.

« Je n'en sais rien, grogna Lydia qui préféra une moue rébarbative à un sourire niais. Je voudrais faire le tour de la question, une fois pour toutes. »

L'amusement écarquilla les yeux de Renee. Elle posa son cigare sur un petit cendrier métallique. Les lèvres se crispèrent sous le nez joliment dessiné. (Peverell avait sans doute des concurrents dans le patrimoine génétique de Renee, songea Lydia.) « Eh bien, si vous réussissez à faire le tour de la question, soyez gentille de me faire signe », ironisa Renee ; et Lydia crut entendre Cate. Mais le correctif ne tarda pas : « J'aurais besoin d'un petit recyclage dans ce domaine. »

Le brusque changement de ton prit Lydia au dépourvu. Elle rougit, gloussa. Le gloussement interféra avec une inspiration qui le transforma en ronflement. Alors Renee se mit aussi à pouffer. Ce genre de petit jeu devait lui plaire, surtout lorsqu'il se jouait sur son terrain à elle, parce que personne n'était pris au dépourvu.

« L'aspect d'Eros que, personnellement, j'ai toujours trouvé intéressant — Renee revenait au style Harvard — concerne l'idée socratique selon laquelle Eros correspondrait à une tentative pour combler un manque. Le concept d'Eros comme désir sexuel impossible est, je crois, un peu surfait, surtout à notre époque.

— Une tentative pour combler un manque ? » dit Lydia en s'avançant un peu sur sa chaise. Renee venait de lui ouvrir des horizons. Elle posa son cigare dans le cendrier de Renee.

« En quelque sorte, oui. Ecoutez, quelle heure avez-vous ? Je suis incapable de porter une montre. Mes ions négatifs en perturbent le fonctionnement. »

Lydia consulta la coûteuse montre à quartz offerte par Max pour son dernier anniversaire. « Mon Dieu, presque midi. J'ai abusé de votre temps, non ?

— Absolument pas. Mais il faut que je rentre chez moi faire sortir mon chien. C'est lui qui règle ma vie. Je n'habite pas très loin. Voulez-vous m'accompagner et nous déjeunerons légèrement ? J'ai quelques kilos à perdre pour entrer dans mon bikini. Calvin et moi partons aux Bermudes pour le congé de printemps. Nous pourrions partager un repas "spécial dames" et poursuivre la conversation. »

Lydia avait son cours de littérature de la Renaissance à une heure. Les sonnets métaphysiques de John Donne étaient au programme du jour. Hier soir, en les lisant pour préparer le cours d'aujourd'hui, elle avait sélectionné les vers par lesquels elle honorerait le vieux Maître de ses expressions de solennelle appréciation ; car il ne manquerait pas de faire une lecture à voix haute. Et il serait terriblement déçu qu'elle ne se manifestât pas.

Mais, dans la vie, il fallait faire des choix. « Je serais ravie de vous accompagner », répondit Lydia à la proposition de Renee.

Renee habitait une vieille rue bourgeoise à quelques pâtés de maisons de la faculté. « En général, je prends ma bicyclette, dit-elle à Lydia, mais les pantalons que je porte aujourd'hui se coincent dans les rayons. » Elle avait la démarche des gens dotés de longues jambes et Lydia dut sérieusement allonger le pas pour suivre le rythme. Bien que la rue ait incontestablement connu des jours meilleurs, à en croire la taille et l'âge de la plupart des maisons, le quartier de Renee conservait une indéniable élégance ; les gens entretenaient leur pelouse, taillaient leurs forsythias, et plantaient des azalées. « Nous y sommes », dit Renee avec son habituel ton gentiment sarcastique ; mais Lydia sentit que sa nouvelle amie était fière de la maison de deux étages dont elles venaient de franchir le seuil gardé par une haie. Un superbe vieil érable japonais bourgeonnait dans le petit jardin de devant. Quelqu'un l'avait paillé d'aiguilles de pins. L'extérieur de la maison était peint de frais, dans un ton gris-vert qui, avec les volets et autres détails noirs, formait une harmonie de couleurs d'un raffinement sans comparaison avec les maisons voisines. Elles gravirent les marches du perron fermé. Le Raleigh à trois vitesses de Renee y était rangé sur son chevalet. Dès que Renee amorça le geste de sortir son trousseau de clés, Lydia entendit des frottements intempestifs contre la porte, accompagnés de gémissements impatients.

« Tranquille, Judge ! cria Renee. Tranquille, s'il te plaît ! » Puis s'adressant à Lydia, elle continua : « Attention à vos bas. Il n'est pas méchant, mais il est surexcité. »

Elle ouvrit la porte qu'elle poussa précautionneusement. Un animal au poil ras, bleu acier, bondit littéralement sur Renee. Les pattes de devant atterrirent sur sa poitrine tandis que, menton contre menton, elle subit un léchage en règle. Il devait peser près de cinquante kilos. « Couché, Judge, couché ! commanda Renée. Espèce de gros bêta ! Tu veux la fessée ? »

Au mot fessée, il reprit immédiatement une position normale, quatre pattes au sol, et se contenta de trémousser béatement l'arrière-train. Il fit mine de sauter sur Lydia qui para l'assaut de son poing fermé, comme le lui avait enseigné son père ; puis Renee frappa dans ses mains et cette menace suffit à faire battre en retraite le chien qui dérangea plusieurs petits tapis au passage. Un dérapage contrôlé lui permit de s'arrêter devant la porte de derrière et là, il parut implorer Renee du regard.

« Tu veux sortir ! » gronda tendrement Renee. Et de suivre le chien dans le vestibule pour lui ouvrir la porte et le laisser dépenser un peu d'énergie à l'air libre.

Un seul coup d'œil suffit à Lydia pour apprécier le rez-de-chaussée. Jamais elle n'aurait cru possible de ménager tant de lumière et d'espace dans une maison dont l'aspect extérieur semblait tellement conventionnel. On avait dû abattre les cloisons démodées qui séparaient la cuisine de la salle à manger et du salon. Le sol était souvent nu, mais les charmants petits tapis tempéraient l'impression de dénuement. Il y avait des plantes vertes dont certaines atteignaient la taille d'arbustes ; un piano à queue ouvert, avec la partition d'une mazurka de Chopin sur le lutrin. Plus tard, Lydia aurait le loisir de regarder de plus près les estampes qui ornaient les murs, mais elle savait instinctivement qu'elles étaient d'un goût parfait et qu'elles correspondaient exactement à ce que Renee avait envie de voir sur les murs de la maison où elle vivait.

« Bon, dit Renee, excusez-moi pour cet incident. Si nous nous occupions de notre dînette, maintenant ? « Elle avait déjà ouvert le réfrigérateur vert olive d'où elle sortait un certain nombre de choses qu'elle empilait sur un seul bras.

« C'est un beau chien, dit Lydia. Un voisin de nos voisins de rue avait un weimaraver, quand j'étais petite, mais le sien était plus brun. Vous l'avez depuis longtemps ?

— Ah ! Préparez-vous à entendre un conte de fées », dit Renee. Elle ouvrit une boîte de thon. « A moins qu'il ne s'agisse davantage d'une histoire de fantômes. Par une nuit pluvieuse, ce chien est tout simplement venu sonner à ma porte. Je venais d'emménager. J'ai cru qu'un voisin voulait m'emprunter un peu de sucre, ou bien, sait-on jamais, — elle eut un rire rauque et sarcastique — que le comité d'accueil venait me souhaiter la bienvenue dans le quartier, ou encore qu'il s'agissait d'un visiteur travaillant tard le soir. Erreur. J'ouvre ma porte, et je trouve ce chien qui semble ne pas comprendre pourquoi je ne l'ai pas encore invité. Il était trempé... maigre et tremblotant... Je vous assure qu'il avait plutôt triste mine ce soir-là. Je n'arrivais absolument pas à imaginer comment quelqu'un avait pu laisser un aussi bel animal en aussi piètre état. Je l'ai donc fait entrer et l'ai séché avec une serviette de bain. J'ai dû le suivre partout, en haut et en bas car il a inspecté toute la maison, en reniflant les moindres recoins. Apparemment il connaissait les lieux, jusqu'à l'emplacement des placards. Je lui ai donné du foie de poulet que je gardais pour faire du pâté, après avoir décidé de l'héberger pour la nuit. Je n'avais pas le cœur de le jeter dehors sous cette pluie : si bien que lorsque je suis montée me coucher, il m'a suivie spontanément, comme s'il s'agissait pour lui d'un rituel connu. Et de se planter devant le placard de la chambre en gémissant jusqu'à ce que je lui ouvre la porte. Il entre, se laisse choir et me regarde comme pour me dire : "Merci beaucoup. Je suis bien installé maintenant." Vous aimez le thon ?

— Bien sûr, dit Lydia. C'est excellent pour le régime.

— Enfin, je ne tiens pas à vous faire jeûner. Je le sers avec des pois chiches, une goutte de vinaigre de vin, un peu de mayonnaise et des germes de luzerne. A propos de vin, vous en voulez un verre ? J'en ai — elle ouvrit le réfrigérateur avant de préciser — du Piesporter. La bouteille est entamée. Calvin essaye différents vins et, lorsqu'il aime, il en achète une caisse entière.

— A peine un peu, alors, dit Lydia. C'est que je rentre à Winston en voiture tout à l'heure.

— Et si je coupais avec un peu d'eau gazeuse ? On peut se faire un spritzer ?

— Formidable ! Je me demande pourquoi je n'y ai pas pensé. Mais et votre chien ? Je veux dire, est-ce qu'il a réellement sonné à la porte ?

— Bien sûr que oui. Je n'ai pas fini mon histoire. Je voulais seulement m'acquitter de mes devoirs de maîtresse de maison. » Elle prit deux délicats verres à pied qu'elle emplit à moitié de vin avant de compléter à l'eau gazeuse. Lydia regarda le cristal se couvrir de buée sous l'action du froid. Elle était comblée et heureuse de vivre, sans réussir à croire cependant qu'elle avait pu passer tant d'années dans un tel état de stupeur apathique. « A la vôtre ! » dit Renee avec un sourire. Elle semblait ravie d'avoir Lydia chez elle, et retourna préparer sa mixture de thon. « Toujours est-il que le lendemain, les "propriétaires" firent leur apparition et j'eus droit à toute l'histoire. L'animal avait appartenu au juge qui était jadis propriétaire de cette maison. Mais un jour, le vieux juge eut une attaque qui le laissa un moment dans le coma, si bien que sa secrétaire reçut pouvoir de régler toute affaire le concernant, par procuration. Il était célibataire et n'avait aucune famille. Or la secrétaire ne pouvait prendre le chien, vu qu'elle-même avait cinq chats. Elle tenait cependant à trouver une personne de confiance pour s'en occuper, car elle savait l'affection que le juge lui portait. C'est lui qui lui avait appris à sonner, soit dit en passant. Elle sollicita donc ces personnes — lui avait eu l'occasion de travailler pour le juge et ils avaient une maison à la campagne — pour qu'ils se chargent de l'animal le temps de voir comment évoluait la santé du vieux monsieur parce que, s'il guérissait, il réclamerait son chien. Ils acceptèrent, ces gens, par amitié pour le vieux juge, mais aussi, je suppose, pour le plaisir de parader un temps avec un chien de cette classe. Mais le juge vint à mourir et le chien représenta une charge trop lourde pour eux. Il mangeait trop, se détachait constamment et s'enfuyait. Ce dont je ne saurais le blâmer, vu qu'ils l'enfermaient dans une niche. Dès que je les ai vus ici, j'ai compris qu'ils n'avaient pas le style qui convient pour apprécier ce genre d'animal. Je les ai cependant laissés le reprendre. Je n'avais pas encore réfléchi à la question. Mais lorsqu'il a fait une nouvelle fugue pour venir sonner à ma porte, je lui ai ouvert, en lui disant : "Entre, Judge." J'ai décidé de l'appeler ainsi au moment précis où je lui ai ouvert ma porte pour la seconde fois. Son premier nom était Blue Boy et ces abrutis de paysans disaient Blue pour faire plus court, si bien qu'il avait sans doute oublié son vrai nom. J'ai ensuite pris le téléphone pour annoncer à ces gens que j'acceptais de garder le chien. Ils se sont mis à faire des manières. Finalement, ils sont revenus à la maison, m'ont expliqué qu'ils l'avaient acheté et... Je peux vous assurer que toutes sortes de réflexes sociaux jouant, l'atmosphère s'est alourdie sensiblement. Mais je tenais à conserver ce chien. Alors je leur ai raconté que j'avais besoin d'un gros chien pour assurer ma protection, qu'après tout il était ici un peu chez lui, etc. L'argument a paru les amadouer. Surtout lorsque j'y ai joint un chèque de cent dollars. » Elle eut une moue de mépris.

« Et maintenant, comme vous le voyez, c'est lui qui me commande. Il ne dort même plus dans son placard. Il se couche carrément sur le lit, avec moi. » Elle rit. « Ce qui a posé des problèmes avec ce pauvre Calvin. Quand Calvin et moi avons envie d'une petite récréation, il faut que j'aille chez lui. Judge ne supporterait même pas que Calvin ose seulement s'asseoir sur le lit de la chambre.

— Vous... vous êtes amoureuse de Calvin ? » demanda Lydia qui se demandait si Calvin était noir ou pas. A propos de réflexes sociaux, Lydia en avait le tournis. Tout cela était tellement passionnant. Peut-être devrait-elle se lancer dans la sociologie.

« Non, dit Renee. Ce serait l'idéal, mais je ne suis pas amoureuse de lui et Calvin ne l'est pas de moi. Nous nous entendons bien, néanmoins. Disons que nous sommes deux pèlerins sur la courbe ascendante et que chacun sert de compagnon de route à l'autre. » Elle disposait la mixture de thon sur un lit de feuilles d'endives, avec des olives noires et des poivrons rouges. « Calvin est producteur de télévision pour la chaîne locale. » Elle sortit d'un buffet deux ravissantes assiettes japonaises et prit des couverts à salade en argent et deux couteaux à pain dans un coffret de bois doublé de feutre qui se trouvait dans le même meuble. La table était déjà prête, avec une nappe à damiers.

Il y eut un grattement péremptoire contre la porte de derrière.

« Voyez-vous un inconvénient à ce que Judge nous tienne compagnie ? Il est tout à fait sociable. Il aime bien manger son hachis pour chien à côté de nous.

— Bien sûr que non ! dit Lydia. Il est chez lui, après tout. »
Les deux femmes rirent en échangeant des regards satisfaits.
Chacune savait avoir trouvé en l'autre une amie qui l'appréciait à
sa juste valeur.

Judge entra, prodigua généreusement ses manifestations de
joyeuse amitié. Lydia alla se laver les mains dans le petit cabinet
de toilette du rez-de-chaussée ; elle en profita pour regarder de
plus près ce qui était accroché aux murs. Renee avait choisi des
cartes anciennes, encadrées par une fine baguette argentée sur
fond vert tendre. Il y avait une vieille carte de Caroline du Nord.

Renee coupa quelques tranches de pain noir, prépara un morceau de beurre dans un ravier de verre taillé ; elle prit ensuite
deux portions de nourriture pour chien — on aurait dit des steaks
tartares — qu'elle plaça soigneusement dans une assiette en plastique, avant de la déposer en grande cérémonie aux pieds de
Judge.

« Vous êtes au courant pour le pain, n'est-ce pas ? » Renee
tendit une fine serviette damassée à Lydia. Puis elle s'assit, déplia
sa propre serviette sur ses genoux. « Même quand on suit un
régime, il est important de manger au moins une tranche de pain
par jour et de boire un verre de lait. J'ai appris ça dans un groupe
de Weight Watchers. Ça empêche le visage de se rider.

— C'est bon à savoir, dit Lydia en attrapant un morceau de
pain. Je suppose aussi qu'un soupçon de beurre ne peut être que
bénéfique !

— Évidemment. » Et Renee de rire avant de tendre à Lydia le
petit ravier de verre taillé.

Judge, qui n'avait fait que deux bouchées de son repas, était
assis à côté de Renee. Le museau gris était posé sur son genou
tandis que les yeux fixaient mélancoliquement son morceau de
thon.

« Et vous ? demanda Renee, qui enlevait quelques germes de
luzerne pour donner un peu de son poisson à Judge. Eros occupe-
t-il votre vie ? »

Lydia fut prise au dépourvu. Sans lui laisser le temps de réagir,
le sourire de stupide béatitude éclaira son visage. « Pourquoi
cette question ? » demanda-t-elle. Mais elle s'était déjà trahie.

« J'ai un don de voyance, dit Renee. Non, je n'ai aucun don.
Simplement, je sais observer le visage des gens quand ils parlent.
C'est devenu l'une de mes spécialités. Quand vous avez dit :
"J'aimerais faire le tour de la question, une fois pour toutes", j'ai
su que vous viviez en plein cœur du problème.

— Eh bien vous aviez raison, admit Lydia en beurrant généreusement sa tranche de pain, puisqu'elle n'en mangerait qu'une.
Je suis en plein cœur du problème. Franchement, il m'arrive de
penser que ce genre de situation ressemble à... à un virus que l'on
attrape. Je suis prise d'une espèce de fièvre chaque fois que je
vais chez lui. Je ne peux pas le recevoir chez moi parce que je vis
avec mon plus jeune fils et que, même s'il venait pendant que
Dickie est à l'école, j'aurais peur qu'il s'aperçoive de quelque
chose, après.

— Vous ne sortez pas ensemble officiellement, alors ?
demanda Renee.

— Certainement pas ! Enfin, je n'ai rien contre lui... contre,
euh, Stanley — c'est son nom. Mais je tiens à voir comment les
choses vont évoluer avant de commencer à m'afficher publiquement avec un homme. C'est une sorte d'aveu, vous comprenez,
lorsque vous vous mettez à sortir avec quelqu'un après une séparation. Et puis je dois tenir compte de Max aussi — c'est mon
mari... mon ex-mari... enfin, mon futur ex-mari. Max est un
homme très en vue dans la société et bien que je ne veuille plus de
lui, je tiens à ne pas le mettre dans l'embarras. Je lui dois ça, à
lui et aux enfants. C'est pourquoi je dois faire attention.

— Je vois, dit Renee et, à la regarder, on pouvait croire qu'elle
voyait effectivement.

— Mais comme je le disais, poursuivit Lydia, cette fièvre me
prend chaque fois que nous sommes ensemble. Je me conduis
comme... comme je ne sais qui. A croire que je cesse d'être celle
que j'ai toujours été. Et pour dire toute la vérité, je ne sais pas où
caser ce nouvel état dans ma vie, ni si je peux le caser, ni même si
j'ai envie de le caser. C'est la raison pour laquelle je tiens à faire
le tour complet de cette question. Ensuite, je pourrai envisager le
problème rationnellement et dire : oui, je veux faire une place à
cette chose dans ma vie et je le peux, ou bien : non, il faut en
finir. Ce que je dis n'a probablement aucun sens.

— Détrompez-vous, dit Renee, en fixant Lydia de ses yeux
pailletés de jaune ; des yeux auxquels rien n'échappait. Ce que
vous dites est l'essence même du bon sens.

— Je n'en suis pas sûre », dit Lydia, qui baissa les paupières
pour fuir le regard de Renee. Elle avait le sentiment d'avoir un
peu trahi Stanley mais, ce faisant, elle se sentait plus libre. Plus
conforme à son identité habituelle, ce qui était déjà un soulagement.

Après leur déjeuner diététique (qui laissa Lydia sur sa faim), Renee lui fit visiter le premier étage ; et c'est aux révélations contenues dans ce premier étage que Lydia songeait au volant de sa voiture, alors qu'elle regagnait son appartement à la lumière déclinante de cette fin de journée. Elle parcourait mentalement la maison de son amie et voyait au passage les pièces, les cartes anciennes et le grand vase de forsythias précocement fleuris dans la chambre du premier étage que Renee partageait avec Judge. Se mettre des fleurs dans sa chambre, rien que pour elle, était parfaitement conforme à l'image qu'elle se faisait de Renee. Et son lit : haut, à baldaquin, avec le traditionnel couvre-lit en patchwork. « Maman est née dans ce lit, dit-elle. Elle m'en a fait cadeau quand j'ai acheté cette maison. C'est ici qu'elle allait à l'école, vous savez. Et c'est dans cette ville qu'elle a rencontré mon père, alors tout cela revêt pour moi un sens profond.

— Vous voulez dire qu'ils ont fait leurs études dans cette université ?

— Non, ils fréquentaient Palmer. » Renee guetta un signe sur le visage de Lydia montrant qu'elle avait compris le message mais, ne voyant rien venir, elle expliqua. « L'établissement a fermé. Il s'agissait d'une sorte de lycée mixte pour l'élite noire. Sauf que — gloussement amusé de Renee — la fondatrice, Miss Charlotte Hawkins Brown, aurait préféré être vouée à l'enfer plutôt que d'utiliser le mot "noir". Mon père et ma mère se sont connus à Palmer, ils se sont mariés tout de suite après leurs études et sont repartis à Atlanta où mon grand-père paternel avait monté une société d'assurances. Vous les avez tous là, sur le mur. Ma famille au grand complet. Je me suis composé une sorte d'album de famille mural. La nuit, par exemple, je peux contempler mes origines depuis mon lit. Mais il faut être assis sur le lit pour avoir une vision correcte. »

Et Lydia s'était assise à côté d'elle, sur le lit où était née sa mère ; Renee avait ensuite présenté tous les membres de la famille Peverell-Watson. « Voilà mon arrière-arrière-grand-mère, dans le daguerréotype. Le Révérend Peverell l'acheta en 1810, à Newport News. Elle faisait partie d'un convoi en provenance des Antilles et fut la première femme à être vendue. Tous les renseignements sont consignés dans le journal tenu par le Révérend, et qui se trouve maintenant à Chapel Hill. Elle mesurait un mètre soixante-dix-huit, portait des anneaux d'or véritable à ses oreilles percées, et était « avenante pour une fille de couleur ». Je cite les termes employés par le Révérend. Sur ce portrait, elle devait approcher de la soixantaine, selon toute hypothèse ; de plus, son visage est dans l'ombre. Dommage que la photographie n'ait pas été inventée un peu plut tôt, nous aurions pu voir à quoi elle ressemblait quand elle était jeune. Le vieux bonhomme en fauteuil roulant derrière qui elle se tient est le Révérend Peverell. Après la mort de l'épouse, elle était allée habiter dans la maison de maître pour prendre soin de lui. Et le jeune homme debout à côté du fauteuil, celui qui tient son chapeau à la main, est mon arrière-grand-père. Nous pensons que "ce portrait de famille" a été offert par le vieux Peverell à mon arrière-arrière-grand-mère ; il avait dû faire venir un jour un photographe à qui il commanda toute une série de clichés dont il avait intégralement fait cadeau à ma trisaïeule. Maman en a d'autres où la pose diffère légèrement et mon cousin en possède aussi. Ce qui est sûr, en revanche, c'est que pas une ne figure dans les archives de la famille Peverell conservées à Chapel Hill.

« Et là c'est maman avec sa mère. Et là, maman et papa le jour de leur mariage. Et voici leur photo de classe quand ils étaient à Palmer. Je ne vais pas vous ennuyer avec tous les membres de la famille encore que chacun soit amusant à sa façon. Celui-ci est mon frère aîné, Warren, qui est avocat à Atlanta...

— Et qui est cette belle fille ? » Lydia venait de s'arrêter à une photo récente représentant une jeune beauté sculpturale. Elle ressemblait beaucoup à Renee, en plus foncé, et portait l'uniforme d'un collège. « C'est votre petite sœur ?

— Non, c'est Camilla, ma fille. » La voix de Renee, sans rien perdre de son calme, trahissait cependant une petite pointe d'orgueil. « Elle est pensionnaire en Angleterre. Maman l'a élevée pour que je finisse mes études, et tout le reste. En fait, il s'est produit un incident assez triste lorsque la pauvre petite avait trois ans. Je rentrais de Wellesley et Camilla a sauté dans mes bras — la joie de me revoir. Elle s'est nichée contre moi en disant que j'étais sa sœur. Maman, pour qui la vérité ne supporte aucune dérogation, s'est crue obligée de rectifier : "Non, chérie, Renee n'est pas ta sœur, c'est ta mère !" Et la pauvre gosse s'est mise à pleurer toutes les larmes de son corps. "Non maman, c'est toi ma maman, c'est toi !" Elle parlait naturellement de ma mère. Je suppose que cette confusion est venue du fait que maman ne disait pas "ta mère" mais plutôt "Renee" quand elle parlait de moi en mon absence. Mais ce jour-là, j'ai eu tellement de chagrin pour Camilla que je serais volontiers devenue sa sœur si je l'avais pu, simplement pour la voir moins malheureuse. Enfin, tout cela s'est arrangé. Elle est le pur produit de l'éducation de maman ; cela se voit à l'œil nu. Et c'est un atout. Maman est une grande dame, comme l'on dit. Moi, j'ai mes petites faiblesses. Camilla est la première de sa classe, en Angleterre. Elle m'aime beaucoup. Dans ses lettres, elle m'écrit des choses qu'elle ne dirait pas à maman. Alors, peut-être que j'ai la meilleure part des deux situations, après tout. »

Sur la I 40 qui la ramenait chez elle, Lydia entendait encore les riches changements de registre de la voix de Renee quand elle passait de l'ironie à l'amusement pur et simple au fil d'une conversation où alternaient confidences intimes et réflexions désabusées. Au moment de prendre congé, Lydia avait demandé à Renee si elle jouait souvent du piano. « Pas autant que je le devrais, répondit nonchalamment Renee dont le doigt effleura l'instrument au passage, compte tenu du temps que j'ai consacré à l'étude de la musique. En règle générale, je ne joue plus que lorsque je suis triste. Ce qui se produit en moyenne deux fois par mois, maintenant. »

La vie de Renee intriguait Lydia, la réussite de la première titillait l'esprit de compétition de la seconde. Lydia fit le bilan des acquis de Renee par rapport aux siens ; puis elle fit le point de ce qu'elle possédait que Renee n'avait pas. Elle avait hâte d'apprendre un maximum de choses de sa nouvelle amie. Cependant si elle reconnaissait la supériorité de Renee dans de nombreux domaines socialement valorisés, Lydia conservait, au fond d'elle-même, la douce et secrète assurance d'être celle que toutes les Renee les plus ambitieuses et combatives de ce monde ne sauraient jamais abattre. Lydia savait qu'elle pourrait apprendre et apprendrait beaucoup de Renee en faisant l'économie de l'humiliation d'une dangereuse rivalité avec un modèle trop parfait.

Ce soir-là, pendant que Dickie étudiait sa clarinette, Lydia téléphona à sa mère. Nell lui fournit l'occasion rêvée pour parler de Renee. En effet elle raconta à Lydia son déjeuner chez Theodora. « La situation était franchement grotesque, dit Nell. Nous étions à table toutes les trois, Theodora, Wickie Lee et moi, pendant qu'Azalea déjeunait de son côté, à la cuisine. Theodora a passé la majeure partie du repas à brailler pour se faire entendre de Azalea, et vice versa, tandis que Wickie Lee et moi grignotions en silence notre salade de crevettes. Lesquelles crevettes étaient du reste minuscules et d'une fraîcheur douteuse. Je m'attendais à être malade cet après-midi, mais jusqu'à présent, tout va bien.

— Maman, c'est passionnant. A mon tour de te raconter mon déjeuner. » Et Lydia de relater les détails importants. Elle parla de Judge, de l'école Palmer (dont Nell n'avait, elle non plus, jamais entendu parler), de l'alliance contractée entre l'arrière-arrière-grand-mère de Renee et le Révérend Peverell, de la fille illégitime de Renee toujours première de sa classe à Battle Abbey en Angleterre.

La réaction de sa mère lui causa une vive déception. Nell écouta, avec une attention ponctuée de quelques « Oh, c'est vrai ? » sans souhaiter davantage de précisions. Elle tenait à ramener la conversation à Theodora et Wickie Lee.

« Theodora semble s'être complètement entichée de cette gamine. Wickie Lee est un mystère, ce qui, en soi, est toujours intéressant, mais elle se montre peu coopérative. Sa corpulence ne lui permet même plus de faire du ménage — Theodora le lui interdit — et du temps où elle en faisait un peu, Azalea devait recommencer derrière elle. Sa seule activité consiste à coudre ses fameuses poupées. Et regarder les feuilletons télévisés de l'après-midi. Theodora prétend pour sa défense qu'elle coud en même temps. Theodora a d'ailleurs une théorie sur les poupées. Elle pense que Wickie Lee souffre de son déracinement et que chaque poupée qu'elle fabrique correspond à une personne qu'elle a laissée là-bas. Maintenant, elle fait les têtes en bourrant des vieux bas nylon sur lesquels elle brode des rides et diverses expressions de physionomie. Theodora lui a donné tout un coffre de chiffons et elle l'asticote sur son alimentation en exigeant d'Azalea qu'elle lui confectionne des menus spéciaux. Theodora va jusqu'à lire les livres de puériculture recommandés par le médecin car Wickie Lee dit qu'elle a les yeux fatigués d'avoir trop cousu. Ce qui me dépasse, c'est la totale... capitulation de Theodora. A croire qu'elle ne voit pas la même personne que nous autres. Elle semble être entièrement sous le charme.

— Justement, en parlant de Gregory, son petit chat, Dickie m'expliquait l'autre jour que son charme tenait en partie au fait qu'il se contentait d'être lui-même en ne faisant que ce qui lui plaisait, sans même exprimer la moindre reconnaissance. Peut-être Theodora est-elle séduite par l'ingratitude de Wickie Lee.

— Oh non, ce n'est pas une question d'ingratitude, dit Nell, sans prêter attention à la théorie de Lydia. Je pense qu'à sa façon, elle manifeste une certaine gratitude. Simplement, son éducation ne lui a pas enseigné l'art de l'exprimer convenablement. C'est Dickie que j'entends à la clarinette ? J'entends une mélodie délicieuse ! »

Mère et fille bavardèrent encore quelques minutes. Nell informa Lydia que, conformément aux conseils de Max, elle se faisait installer un système d'alarme. « Max s'est montré très prévenant, dit Nell. Il appelle au moins une fois par semaine pour s'inquiéter de mon moral.

— Tu as des nouvelles de Cate ? demanda Lydia.

— Oui, même elle fait preuve d'attentions. Pas autant que Max. Ni que toi, bien sûr. Mais pour Cate, cela représente un gros effort. Elle paraît en grande forme. Pleine d'assurance ; tu la connais quand les choses se passent comme elle veut.

— C'est une bonne nouvelle, dit Lydia en s'efforçant de paraître sincère. Je suis très contente pour elle. Elle semblait assez déprimée à Noël. Enfin, nous l'étions tous, à cause de papa, mais elle avait l'air... Je ne sais pas moi... prête à baisser les bras. »

Mais Nell tenait à revenir à Theodora et Wickie Lee. « Que va-t-il se passer après la naissance du bébé ? Restera-t-elle avec l'enfant, tout simplement ? Et si Theodora adoptait carrément Wickie et son enfant ? Ça ferait sensation, non ? »

Après avoir raccroché, Lydia s'installa sur le canapé, les jambes repliées sous elle et, sur fond sonore de clarinette — Dickie jouait justement un très joli morceau, doux, aérien et triste à la fois —, elle se mit à penser à Stanley, son Eros, qu'elle imagina en train d'arpenter les pièces de son appartement en essayant de deviner dans laquelle elle pouvait se trouver, puisque leurs appartements étaient l'exacte réplique l'un de l'autre. Elle savait que Stanley pensait à elle ; peut-être même qu'à ce moment précis, il abattait mentalement la dernière barrière qu'elle lui opposait. Ses entrailles se nouèrent curieusement, là, dans le salon, tandis que la musique de Dickie égrenait une succession de notes pures et pleines d'espoir, derrière la porte de sa chambre. Dickie et elle avaient tenté ensemble de suivre un régime et, bon sang, elle était morte de faim.

Elle faisait souffler du maïs lorsque son fils vint la rejoindre dans la cuisine.

« J'ai l'impression que je viens de faire une petite entorse au programme, lui annonça-t-elle.

— Est-ce que je peux en faire autant ? » demanda Dickie qui vint lui passer le bras autour de la taille et poser sa tête au creux de son épaule. Elle se rappelait l'odeur exacte de cette tête quand il était bébé ; il n'avait pas encore tout à fait perdu son odeur de nourrisson bien propre.

« Bien sûr que tu peux. Mieux vaut consommer un peu de beurre pour l'équilibre de notre système. Cela évite d'avoir des rides précoces. Quel était ce joli morceau que tu jouais ? Même grand-mère l'a remarqué pendant que nous bavardions, il y a une minute. C'était du Mozart ?

— Oh maman, je t'adore. C'était de moi. Un morceau de ma composition.

— C'est toi qui as écrit ça ? Ce que tu viens de finir de jouer dans ta chambre ? »

Dickie opina. Rayonnant. « Mais j'ai quand même du retard sur lui, dit-il. Mozart a composé sa première symphonie à l'âge de huit ans !

— Il faut bien commencer un jour », dit-elle en citant la réflexion de Renee.

Pendant qu'assis chacun à un bout de la table, son plus jeune fils et elle partageaient un saladier de pop-corn, un frisson de douce béatitude fit vibrer le corps de Lydia. Elle avait eu le soudain pressentiment qu'elle venait de prendre son départ personnel et qu'un avenir passionnant l'attendait. Elle n'avait pas encore démêlé tous les détails, mais sa conviction était aussi forte que la certitude qu'elle avait eue d'épouser Max, dès le premier soir où ils avaient dansé ensemble au bal du Rhododendron.

VI

Le Club Lecture

Les mains nues, Nell fouilla dans les feuilles mouillées et autres vestiges de l'hiver, en bordure du jardin, sur la pente douce derrière la maison. Là. Couchée dans son lit, plus tôt dans la matinée, à guetter le moment où l'aube naissante rosirait les branches, elle savait qu'elle allait le trouver.

Les petites feuilles fraîches, acérées comme des lames, montaient la garde autour de la fleur nouvellement éclose. C'était un crocus mauve, avec des traînées plus sombres striant les pétales. Au centre luisait le jaune d'or du pistil. Le premier crocus de l'année ; né d'un bulbe que Leonard avait enfoui sous terre de ses propres mains, plus de vingt ans auparavant.

Les yeux de Nell s'embuèrent. Elle baissa la tête. Elle sentit l'humidité remonter par les genoux de son vieux pantalon de jardinage. Si seulement nous n'étions pas mortels, songea-t-elle ; si seulement nous n'étions pas particuliers, cela éviterait bien des souffrances. Mais qu'en sais-je ? Cette fleur n'est pas mortelle et elle n'est pas particulière. Cependant, si je déchirais ses jolis pétales lisses et nets, si j'arrachais le bulbe à son trou pour le laisser cuire au soleil, et mourir, elle ressentirait bien à sa façon les douleurs de la trahison. Est-ce que j'aimerais mieux être ce crocus en assumant le risque de subir la souffrance des crocus ? Même si je pouvais survivre à l'humain qui me planta, même si pouvaient m'être épargnées les affres humaines de la mémoire ou de l'angoisse face à l'avenir ?

Non.

Un jour, il y avait de cela une quinzaine d'années, Leonard et elle travaillaient ensemble dans ce jardin. De leurs activités communes, le jardinage était celle qui les rapprochait le plus et ils avaient eu ainsi quelques-unes de leurs conversations à cœur ouvert, entre les silences sereins durant lesquels chacun de son côté ratissait, bêchait, plantait et sarclait. Nell n'avait jamais supporté le port de gants qui la frustraient du plaisir tactile du jardinage. Ce jour-là, elle avait justement regardé sa main droite, occupée à tasser doucement la terre autour de pieds d'impatientes qu'elle venait de repiquer, et elle remarqua pour la première fois une vilaine tache brune sur le dos de cette main. Première attaque du temps. Elle fut prise d'un immense dégoût, bientôt suivi d'un sentiment d'impuissance ; c'était l'arrivée de la vieillesse avec son cortège d'outrages ignobles. Lui revint en mémoire une remarque désagréable qu'elle avait entendue de la bouche de son père, des années auparavant, à propos de certaine belle femme qui ne pouvait plus dissimuler son âge à cause de ses mains. Nell cacha sa main derrière son dos et tenta de travailler avec l'autre. Mais la journée était définitivement gâchée pour elle et elle ne tarda pas à capituler. Assise sur ses talons, elle respira profondément pour contrer cette déplaisante vérité qui semblait lui étreindre la poitrine.

Leonard remarqua qu'elle avait interrompu son jardinage. « Déjà fatiguée ? » avait-il demandé en lui accordant un regard par-dessus l'épaule. Il portait un vieux chapeau de paille aussi ridicule qu'inutile et ses lunettes étaient couvertes de buée, à cause de sa transpiration. De la crasse apparaissait dans les poils des joues et de chaque côté de la bouche. Il vieillit, lui aussi, s'était dit Nell. Et, subitement, elle s'était sentie revivre.

Elle se mit sur la pointe des pieds pour avoir une vue plus panoramique du jardin. « Tu sais, je crois qu'une rangée entière de pieds-d'alouette ferait très bien là-bas, tout au fond, dit-elle. Essaie d'imaginer. Une somptueuse bande bleue sur laquelle se détacheraient le blanc et le rose des phlox. Le projet est assez extravagant. Je le sais, car il faudrait au moins deux douzaines de pieds pour meubler cet espace, mais je pense avoir atteint le stade où je préfère regarder des fleurs que mon image dans un miroir. »

Les sourcils de Leonard s'étaient dressés, et dépassaient maintenant des montures de ses lunettes. « Pourquoi devrions-nous renoncer à l'un ou l'autre de ces plaisirs ? interrogea-t-il, sincèrement surpris. Nous avons les moyens de nous offrir les deux. »

Elle savait qu'il était sincère, que sa remarque ne répondait pas seulement à un souci de galanterie. Il pensait réellement que le corps de son épouse méritait encore soins, parures et autres frais, pour leur seul plaisir. Et il avait utilisé le « nous » avec une belle spontanéité.

Plus tard, alors qu'ils s'habillaient — ils dînaient en ville ce soir-là ; chez qui ? — elle s'était regardée dans la glace et l'« instant de vérité » du jardin lui parut un peu ridicule. Tout à fait disproportionné à tout le moins. Nous vieillissons tous, et « à bien considérer l'alternative », pour reprendre le mot de Churchill... Le miroir lui renvoyait l'image d'une femme saine, belle, plutôt prospère et élégante qui s'apprêtait à sortir dîner avec un mari en rapport d'âge et d'apparence. Elle poussa le vice jusqu'à jeter un coup d'œil à la main coupable : à la lumière, la marque était à peine plus visible qu'une simple tache de rousseur !

Il me protégeait tellement, songeait maintenant Nell, à genoux dans la poussière. De l'intransigeance des jugements que je porte sur moi comme sur les autres. Je me demande d'où me vient cet esprit excessivement critique. De mon père, je suppose. Il ne supportait ni la laideur ni la fragilité des gens. D'ailleurs il n'aimait pas beaucoup les malades ; je me demande ce qui le poussa vers la médecine. Peut-être est-ce pour cette raison que maman a choisi de se laisser mourir, dans son sanatorium, au moment précis où son état était censé s'améliorer... comme si elle avait senti que cette longue maladie avait cassé quelque chose entre eux... elle n'aurait pas eu envie de rentrer affronter cette réalité... Il est étrange de voir les mêmes traits de caractère resurgir chez différents membres d'une famille : j'ai l'esprit critique comme l'avait mon père, sauf que lui ne l'exerçait jamais à ses propres dépens. Et non seulement Leo ressemble à mon père, mais il pratique également le même perfectionnisme. Probablement ne faut-il pas aller chercher ailleurs la vocation de redresseuse de torts de Cate, encore qu'elle l'exerce sur le monde entier quand elle ferait mieux de balayer devant sa porte.

Nell entendit la sonnerie du téléphone dans la maison. Ce n'était pas l'heure habituelle d'aucune de ses deux filles et il était encore trop tôt pour Max. Il devait plus vraisemblablement s'agir de la Brigade des Pleureuses, cette poignée d'amies qui semblaient avoir juré de ne pas la laisser seule plus de trois jours consécutifs. De quoi avaient-elles peur, qu'elle apprenne à compter sur ses propres ressources ?

D'elles aussi, Leonard me protégeait, songea-t-elle en se

relevant pour retourner à la maison, machinalement, afin de faire taire la sonnerie. Lorsqu'elles savaient que Leonard était chez lui, elles y regardaient à deux fois avant de décrocher le téléphone. Sauf Theodora, bien sûr, qui demandait toujours à parler à Leo.

Elle finit par courir et arriva tout essoufflée devant le combiné. Bien entendu, à l'autre bout du fil, la personne venait de raccrocher.

Furieuse contre elle-même, parce qu'elle avait couru pour répondre, autant que contre son correspondant qui venait de troubler sa rêverie bucolique, Nell se fit une tasse de thé et sortit son service à couteaux dont elle entreprit d'astiquer les lames ternies selon la méthode apprise par Lydia à son cours de Cordon Bleu* : en les frottant avec un bouchon de liège mouillé et de l'Ajax. La Brigade des Pleureuses, comme elle les avait baptisées en secret, obéissait à des motivations complexes. Nell ne doutait pas de leur sympathie dans le deuil qui la frappait — au moins devaient-elles se persuader elles-mêmes qu'elles partageaient son chagrin —, mais fondamentalement, elle sentait chez elles une sorte de satisfaction malsaine, oui, le terme était exact : elles parvenaient mal à dissimuler leur jubilation de la voir... rejoindre leur clan. Leurs lèvres avaient beau faire l'éloge des innombrables qualités de Leonard avant de déplorer avec elle la perte d'un tel compagnon, une certaine fébrilité dans les traits de leur visage, un éclat ambigu dans le regard clamaient ce qu'elles essayaient de cacher (peut-être même à elles-mêmes) : leur joie de voir s'établir un certain nivellement. Elle avait remarqué cet éclat particulier dans l'œil de Theodora qui n'avait jamais eu de mari ; dans celui de Grace Hill, dont le mari était mort depuis des lustres ; et, oui, même dans celui de Lucy Bell dont l'époux était cliniquement en vie, mais en grande partie conservé par l'alcool. *Tu sais Nell chérie* — et les pupilles de s'allumer davantage tandis que les lèvres se retroussaient en moues contrites — *nous sommes tous logés à la même enseigne, au bout du compte.*

Nous voici réunies, nous les solides femelles de la race, les légendaires « survivantes », ironisa Nell en brandissant une lame à l'éclat retrouvé dans la lumière du matin. Nous nous prodiguons condoléances, consolations et petits fours en même temps que nous nous ratatinons dans nos vieilles carcasses, comme les poupées de Wickie Lee.

* En français dans le texte *(NdT)*.

170

Et elle se serait sans doute laissée aller à la rage désespérée du remords généreusement agrémenté d'amertume violente, puisque telle semblait être son humeur du moment, si son attention n'avait pas été détournée par un gros corbeau bien lisse dans le jardin du bas. Nell à qui l'ophtalmologiste avait dit, lors de son dernier bilan de santé, qu'elle possédait l'acuité visuelle d'un pilote de ligne, observa l'oiseau par la fenêtre de la cuisine. Tant de superbe arrogance émanait du corbeau qui se pavanait dans les débris qu'elle-même fouillait quelques instants auparavant ! Il ramassait des brindilles pour faire son nid. Nell le regarda expédier de côté deux feuilles humides : Pas assez bon pour moi, semblait dire le corbeau par ses hochements de tête. Puis il trouva ce qu'il cherchait : une jolie touffe d'herbe sèche. Il en remplit son bec, avec gourmandise, jusqu'à chanceler sous le poids de son fardeau. Les brins d'herbe jaunes qui dépassaient de chaque côté du bec lui faisaient comme des moustaches. Nell se pencha au-dessus de son plan de travail pour voir l'oiseau s'envoler. Réussirait-il à décoller avec une telle surcharge ? Les premières secondes du vol furent incertaines, mais il réussit à gagner de l'altitude sans abandonner la moindre brindille. Bravo, songea Nell, sensible à l'exploit du corbeau qui s'envolait vers la cime du plus haut des pins blancs de Leonard, ceux qu'il avait plantés l'année de leur emménagement, pour lutter contre le « hurlement » des murs. Le corbeau disparut dans les frondaisons. Et Nell fut heureuse de savoir où le corbeau faisait son nid.

Le téléphone sonna de nouveau. Nell décrocha à la seconde sonnerie.

« Nell chérie — c'était la voix magistrale de Theodora —, j'ai appelé il y a quelques minutes, mais tu devais être au jardin, je suppose. Quelle belle matinée, n'est-ce pas ? (Elle mettait dans ce « n'est-ce pas » une provinciale affectation qui avait le don d'agacer Nell.)

— J'étais effectivement sortie dans le jardin, dit Nell. Je suis d'ailleurs rentrée en courant, mais pas assez vite, puisque tu venais de raccrocher.

— Dommage ! dit Theodora, sans donner à ce regret une véritable valeur d'excuse. Ecoute, Nell, je t'appelle pour notre Club de Lecture. Quelles sont tes intentions pour la réunion d'avril ? C'est toi qui es prévue au programme, mais tu es absolument libre de faire ce que tu veux. Si tu ne te sens pas encore d'attaque, je suis sûre que l'une ou l'autre des filles se fera un plaisir d'échanger son tour avec toi. D'un autre côté, il serait peut-être bon pour ton équilibre de sortir de cet isolement que tu t'imposes. »

Le ton de Theodora était sans équivoque : elle pensait que la réunion d'avril devrait se tenir chez Nell. Quant au mot « filles » pour désigner les membres du Club, il avait un côté grotesque. Etait-ce vraiment le terme qui avait cours depuis le début ?

« Il faudra que tu me mettes au courant de ce qui s'est passé », dit Nell, qui avait manqué les rendez-vous mensuels depuis la mort de Leonard. Personne ne s'était attendu à la voir les deux premières fois, et elle s'était fait excuser en mars, arguant du fait qu'elle n'avait pas encore repris ses lectures.

« Tu connais la liste, dit Theodora. Samedi dernier, nous avons parlé du *Chesapeake* de M. Michener. Merveilleux ! Il faut absolument que tu le lises. C'est une lecture très enrichissante. Grace Hill avait fait un gâteau qui avait la forme du Maryland, puisque l'action du roman se déroule là-bas. Quelle imagination ! Elle avait poussé le zèle jusqu'à reproduire tous les petits bras de mer, si bien que le gâteau avait tendance à s'émietter d'un côté. Grace se donne toujours beaucoup de mal. »

Par quoi il fallait entendre qu'elle en faisait trop. La pauvre Grace n'était entrée que tardivement au Club, et seulement après être devenue échotière de la gazette locale.

« Voyons, mon livre a pour sujet... Je n'ai pas la liste à portée de la main », dit Nell. Autant accueillir la réunion d'avril, ce serait toujours une corvée de faite.

« C'est justement ce dont je voulais te parler, chérie. Le titre qui figure effectivement sur notre programme est ce roman qui parle d'une femme de rabbin. La petite Jean Lewis y tenait beaucoup et, comme c'était sa première année au Club, nous avons toutes accepté de l'inscrire sur la liste. Seulement Lucy Bell vient de le finir et me l'a apporté. Je l'ai lu en diagonale et ça ne vole pas très haut. Lucy partage du reste mon point de vue. Par chance, nous avons une voie de sortie impeccable. A croire que Dieu l'envoie, tellement elle arrive à point nommé. La télévision scolaire diffuse *La lettre écarlate* en plusieurs épisodes, dont le dernier tombe juste avant notre réunion d'avril. Il serait passionnant, tu ne crois pas, de comparer l'adaptation au livre.

— Est-ce que Jean Lewis ne va pas être froissée que nous supprimions son livre au dernier moment ? » demanda Nell, pour le seul plaisir de discuter. En fait, peu lui importait le titre qui serait retenu. *La lettre écarlate* lui faciliterait la tâche : elle

172

n'aurait qu'à regarder l'adaptation télé et parcourir le livre dont elle gardait un souvenir assez vague.

« Jean est très gentille, dit Theodora. Elle se fera un plaisir de se rallier à la majorité. Lucy va lui parler. Après tout, le petit Lewis est l'assistant de Latrobe. Je suis persuadée que *La lettre écarlate* nous apportera beaucoup plus. Et toi ?

— C'est parfait », dit Nell. Elle imaginait la sensation qu'elle pourrait créer en découpant des grands A en feutrine rouge qu'elle prierait chaque membre d'avoir « l'amabilité » d'agrafer à sa poitrine avant de franchir le seuil de sa porte. (« Nell a toujours eu un curieux humour, dirait Theodora derrière son dos. Elle a été élevée dans le Delaware qui est un Etat bizarre dans la mesure où il n'appartient ni au Nord, ni au Sud. Ce qui est finalement un peu le cas de Nell ».)

« Je suis ravie, dit Theodora. Et je me réjouis également que tu accueilles la réunion. Surtout préviens-moi si tu as besoin de l'aide d'Azalea ou de la mienne. La proposition vaut également pour Wickie Lee, bien sûr. Elle pourrait faire des cocardes ou des cartons au nom de chacune. Cette petite a des doigts de fée.

— Je te tiens au courant, dit Nell. Nous avons encore le temps. » Elle n'avait jamais été du genre à s'organiser des mois à l'avance pour le menu, le gâteau et le décor floral.

« Pas tant que cela, insista Theodora. Nous sommes à moins d'un mois du premier samedi d'avril. Mais je ne veux pas te déranger plus longtemps.

— Bon, je te rappellerai, Theodora », répondit Nell qui savait parfaitement ce qu'elle aurait dû dire si elle avait réellement été des leurs : « Mais chérie, tu ne me déranges absolument pas ! Je suis ravie au contraire. Nous allons toutes beaucoup nous amuser avec *La lettre écarlate* ! » Ce dont elle était incapable, serait-ce par dérision. Elle n'avait d'ailleurs jamais su, pas même par égard pour Leonard, et maintenant qu'il n'était plus là pour la protéger contre sa nature propre, elle deviendrait sans doute de moins en moins conciliante.

Cette nuit-là, Nell rêva que c'était le jour de la réunion du Club Lecture. Chaque membre de l'assemblée venait à tour de rôle devant la cheminée de Nell et tournait le dos à la pièce, tandis que les autres lui épinglaient une queue d'âne. Personne n'avait les yeux bandés et le jeu n'avait rien de gai. Il régnait un silence de mort, comme pour un service religieux. Quand ce fut le tour de Theodora de se tourner contre la cheminée pour tendre la croupe à l'assistance, Nell se rendit compte qu'elle-même ne participait pas à la cérémonie ; elle se tenait en effet à l'écart, à côté d'un homme qui lui glissait à l'oreille des remarques obscènes sur les autres participantes. « Regardez cette vieille vache, murmurait-il en pinçant le bras de Nell. Et cette vieille peau... fripée... avec les seins qui tombent. »

Bien que Nell eût incontestablement conclu quelque diabolique alliance avec lui, la conduite de son voisin l'écœurait. Elle venait de se glisser vers lui dans l'intention de lui faire remarquer qu'après tout, ces femmes étaient aussi ses amies, les seules qu'elle eût et que, étant leur contemporaine, elle se sentait visée par les descriptions désobligeantes qu'il faisait d'elles. Mais à ce moment précis, Theodora, à qui les autres venaient juste d'épingler sa queue, émit un son abominable. En tant qu'infirmière, Nell en perçut immédiatement le sens précis et terrible : il ne s'agissait pas d'un pet banal ; le bruit entendu était celui provoqué par le relâchement intestinal survenant dans un corps humain décédé depuis peu. « Il faut faire quelque chose », cria Nell à son voisin. Elle vit alors qu'il portait la blouse blanche des médecins. Il devait donc comprendre. Or, à sa grande horreur, il se contenta de hausser les épaules avec un sourire radieux. Tout ceci ne nous concerne pas, semblait dire son regard complice.

Nell se réveilla seule dans l'obscurité, sur le lit qu'elle avait partagé pendant quarante ans avec Leonard ; par habitude, elle occupait toujours sa moitié de la couche. Son cœur battait encore à cause de l'effroyable rêve. Elle savait que la meilleure solution serait d'allumer la lampe de chevet, regarder l'heure, et reprendre pied dans le monde réel ; enfiler son peignoir et descendre se faire une tasse de thé. Mais le cauchemar l'avait rendue malade et elle se sentait faible. « Qui était cet homme, je le connais ! » gémit-elle en tirant davantage la couverture avant de rouler au milieu du lit, vers le côté de Leonard, pour y chercher un réconfort. Mais cette moitié de lit était froide et elle battit en retraite de son côté.

Elle s'assoupit de nouveau et eut l'un de ces rêves étranges qui singent l'état de veille. Dans ce rêve, elle se levait, enfilait sa robe de chambre en laine dont elle nouait la ceinture avant de descendre. La lumière était allumée dans le salon. Leonard était assis dans son fauteuil, à côté de la chaîne sur laquelle il écoutait habituellement ses opéras du samedi, en utilisant le casque pour ne pas déranger le reste de la famille.

« Leonard, dit Nell, Leonard, je viens de faire un cauchemar. »

Elle alla s'asseoir sur ses genoux, comme une petite fille, et appuyer sa tête contre la sienne. La main de Leonard fit le vieux geste familier de venir lui caresser tendrement les cheveux.

Cette fois, elle s'éveilla en larmes. Se força à s'asseoir, comme une personne raisonnable, pour allumer et se lever. Elle enfila sa robe de chambre, se moucha dans un kleenex trouvé dans sa poche et descendit se faire du thé.

La cuisine lui fut un réconfort. Avant la construction de la maison, elle avait expliqué à l'architecte ce qu'elle souhaitait pour l'agencement de cette pièce. « Je tiens à voir les montagnes en épluchant les légumes, en récurant les casseroles et en faisant revenir des oignons, lui avait-elle dit. — Dans ces conditions, il faudra beaucoup de fenêtres », répondit-il. Elle lui sut gré d'en savoir suffisamment sur les activités culinaires pour comprendre qu'elle aurait besoin d'autant d'espace. En regardant la résistance rougir sous la bouilloire, elle remua un peu la terre de son lierre suédois avant de l'arroser ; puis elle ébouillanta sa petite théière dans laquelle elle mit une cuillerée et demie de thé goût russe. Autant de gestes rituels qui l'aidèrent à retrouver son calme tandis qu'elle ressassait son rêve.

Nell avait sur les rêves une théorie fondamentalement pragmatique. « Les rêves puisent dans les événements de la journée passée, avait-elle maintes fois expliqué à ses filles quand elles faisaient un rêve ou un cauchemar particulier ; ils en font un mélange totalement arbitraire si bien que le résultat est souvent passablement indigeste. » Pourtant le rêve de Nell sur le Club Lecture devait avoir un sens précis puisque justement il conservait le pouvoir de la déranger après son réveil.

L'histoire de la queue d'âne était simple à analyser. C'était un rappel de l'idée perverse de la lettre A de feutrine rouge à épingler sur chacune de ces dames. Sa position ambiguë pendant le rêve, elle la comprenait aussi. Elle se moquait d'elles, tout en étant des leurs : c'est une contradiction qu'elle vivait depuis des années. Et puis, la veille, elle avait pensé à la vieillesse, inéluctable et laide. L'homme de son rêve n'était pas sans lui rappeler son propre père, le docteur qui détestait les malades. Mais elle le connaissait plus précisément, elle se souvenait bien de ce visage. C'était celui d'un petit homme étriqué, avec des cheveux blonds frisés et une fine moustache bien taillée au-dessus de lèvres très roses qui arboraient généralement une moue sarcastique.

La bouilloire se mit à chanter et Nell concentra toute son attention à guetter l'instant précis où le sourd gargouillement du liquide en ébullition ferait place au sifflement du mince jet de vapeur.

Son thé prêt, elle emporta une tasse dans le salon plongé dans l'obscurité et alluma la lampe que, dans son second rêve, elle avait trouvée allumée. Elle s'installa dans le grand fauteuil de Leonard, posa sa joue contre le dossier. Elle se rappelait encore le jour où ils avaient acheté ce fauteuil et le prix qu'ils l'avaient payé. Et le mal qu'elle avait eu à le recouvrir ensuite ; trouver le même tissu, car Leonard ne voulait pas de changement ; il s'était habitué à cette toile bleue, disait-il.

Le Dr Grady Moultrie.

La honte dessina une moue inattendue sur le visage de Nell qui, un instant auparavant, semblait encore crouler sous le poids du chagrin. Elle avala rapidement quelques gorgées de liquide brûlant, stupéfaite par la rouerie de son subconscient. Fallait-il qu'il monte une garde attentive pour s'engouffrer ainsi dans la première brèche !

Après ces longues années de bienheureuse amnésie, elle aurait préféré ne pas se souvenir de Grady Moultrie à l'instant où elle s'asseyait dans le fauteuil attitré de Leonard pour la première fois depuis sa mort.

Grady Moultrie était le jeune interne en chirurgie de l'hôpital où Nell était infirmière. Elle n'avait jamais bien compris pourquoi il avait jeté son dévolu sur elle. Belle fille saine douée d'une forte personnalité, elle ne possédait pas le charme délicat des jeunes filles en fleur, et l'on pouvait penser que le petit docteur à la minceur aristocratique et à la préciosité de bon aloi serait attiré par une partenaire plus conforme à ses goûts d'esthète raffiné. L'hôpital comptait plusieurs infirmières à qui ne manquaient pas les grâces séductrices que Nell, à l'âge de vingt-trois ans, avait désespéré d'acquérir un jour. Mais plus elles exerçaient leurs charmes sur lui, plus le délicat petit docteur semblait les mépriser. C'est à côté de Nell qu'il venait s'asseoir, à la cafétéria du personnel ; c'est elle qu'il consultait sur les richesses touristiques et culturelles de la ville ; il venait d'une petite agglomération vouée à l'industrie textile, de l'autre côté de la frontière de la Caroline du Sud et ne faisait pas mystère de ses origines provinciales. Nell se sentait bien en sa compagnie parce qu'il était le premier homme de son âge avec lequel elle ne se sentait pas tenue de faire étalage de ruses féminines, de toute façon étrangères à sa nature. De plus, ni l'un ni l'autre n'étaient des « enfants du pays », ce qui leur permettait de porter des jugements moins chauvins que la majorité de leurs collègues qui avaient grandi dans cette ville. Or, des jugements, Nell et le « Dr Moultrie » — puisque c'est ainsi qu'elle devait l'appeler dans l'enceinte de l'hôpital — en portaient beaucoup. Sur leurs collègues, sur leurs malades, sur les autochtones, sur les boutiques et les magasins, et même sur la forme des montagnes qui entouraient la ville. Lorsqu'ils se retrouvaient autour d'une tasse de café, à chaque pause du service, on aurait pu les prendre pour un couple royal en exil, déguisé provisoirement en médecin et infirmière et se consolant mutuellement de leur déchéance respective. Nell fut surprise de ses propres dispositions à l'inflation verbale. Avant Grady Moultrie, elle avait déjà l'esprit critique mais n'exerçait ce talent qu'en pensée et pour son compte personnel (ou, dans certains cas, pour soulager une blessure infligée par la société). Or, elle s'entendait désormais tenir des propos injurieux et cinglants, d'une voix qui sonnait étrangement. Cette voix grave, dangereusement sereine, venait du plus profond de son être et cette part d'elle-même, le petit docteur était le seul à savoir la solliciter. Le plus curieux de l'histoire étant que Nell n'éprouvait finalement pas de sentiments si violents, ni dans un sens ni dans l'autre, pour les personnes et les institutions qu'elle vilipendait brillamment en présence de son nouvel ami ; cette attitude faisait partie de leur manège de séduction réciproque, ce dont elle était relativement consciente.

Puis ils se mirent à sortir ensemble. Officiellement, les infirmières n'étaient pas censées entretenir ce genre de relations avec des internes de l'hôpital ; mais ce règlement signifiait seulement que les gens devaient tricher, ce qui ajoutait un peu de piquant aux rendez-vous illicites. Nell et Grady Moultrie se rencontrèrent donc « par hasard » dans l'obscurité d'une salle de cinéma. L'étape suivante les amena à dîner ensemble dans des petits restaurants de routiers, à l'extérieur de la ville. Ils commencèrent ensuite à « stationner » discrètement dans la petite décapotable du docteur, face au panorama de Beaucatcher Mountain (dont le nom ne manquait pas de les faire rire).

Au cours de ces petites récréations, Grady amenait Nell à un état de délicieuse excitation par des agaceries qu'il pratiquait du bout des lèvres et occasionnellement du bout de la langue. Il se permettait sur elle des privautés qu'elle n'avait jamais autorisées à qui que ce soit. Les mains, la bouche et la langue du jeune docteur purent explorer des parties de son corps dont personne encore n'avait percé l'intimité. Cet abandon paraissait lui procurer un certain plaisir, encore qu'il fût très économe de gémissements et halètements divers. Une fois d'ailleurs, par une belle nuit claire — ils avaient la capote baissée — elle avait surpris sur son visage une expression qui l'avait glacée d'effroi : une moue sardonique, à la limite du mépris.

Pourtant, il voulait l'épouser. Sans lui faire de demande en bonne et due forme, il l'avait emmenée chez lui pour lui présenter sa mère et sa sœur, deux femmes imposantes qui parurent tenir pour acquis que Nell serait sa femme. Divorcée, sa sœur avait un bon métier puisqu'elle était secrétaire juridique et les deux femmes vivaient à l'extérieur de l'agglomération, dans une respectable maison de style colonial avec des tas de boiseries cannelle. Elles se piquaient de collectionner la porcelaine et Nell gardait le souvenir d'un après-midi interminable passé à examiner des tasses à thé aussi minces que du papier pendant que Grady était parti à l'église pour répéter un cantique qu'il devait chanter pour le mariage d'un ami. Au terme de cette journée, il lui avait offert une photo de lui dans un joli cadre d'argent ciselé. « Ce portrait appartient à ma mère, dit-il, mais elle aimerait t'en faire cadeau, sous réserve que, au cas où tu ne resterais pas dans la famille, tu le lui rendrais. »

Nell n'avait pas répondu. Elle avait conscience de subir avec lui une sorte d'envoûtement sexuel, mais elle ne l'épouserait certainement pas. A moins que... Son père, déjà remarié avec une veuve fortunée, ne ferait aucune objection à un tel mariage. N'était-il pas conforme au rêve secret de toute infirmière qui se respecte d'épouser un beau médecin ?

Très peu de temps après, au cours de l'une de leurs petites récréations coquines, Nell voulut toucher la fermeture de sa braguette. Elle ne pouvait supporter ces restrictions une minute de plus. Or, à sa grande surprise, il la repoussa avec la pudeur offensée qu'était censée manifester une pucelle effarouchée en pareille circonstance. « Tss, tss, fit-il. Faut pas toucher. » Mais lui continua de faire ce qu'il voulait de ses mains. Nell éprouva colère et humiliation. Que se passait-il ? Ce « faut pas toucher » devait-il s'entendre jusqu'à leur mariage, ou définitivement ? Elle ne lui posa même pas la question. De peur de faire à son tour les frais de ses fameux sarcasmes.

Toutefois, une saine réaction tira Nell de ce mauvais pas. Elle savait que si elle laissait aller les choses, ils risquaient effectivement de se marier. Curieux mariage en vérité. Elle ne pensait pas que le docteur l'aimât vraiment. Peut-être n'aimait-il pas les femmes. Le seul fait de s'imaginer se réveillant tous les matins sous un tel regard lui donnait le frisson ; il lui faudrait faire attention, être constamment sur ses gardes. Elle lui retourna donc la photo en lui disant qu'elle était désolée, mais souhaitait réfléchir davantage. Il reçut la nouvelle avec un calme étonnant. Pour une fois il ne mania pas l'ironie corrosive. Au contraire, il fut presque aimable. On peut dire qu'il lui avait bien joué la comédie. Elle se crut libérée. Et puis était venu l'atroce tête-à-tête dans l'ascenseur de l'hôpital, alors qu'elle accompagnait le pauvre vieux M. Steckeroth à la morgue.

Nell avait pris M. Steckeroth en affection après sa sortie du service de réanimation. Elle aimait bien les malades combatifs, ceux qui luttent pour récupérer la santé, sans trop s'attendrir sur leur sort. C'était le cas de ce vieil Allemand, jardinier travaillant pour la municipalité : une attaque lui avait fait perdre l'usage de la parole et l'avait laissé partiellement paralysé, mais il était bien déterminé à sortir de l'hôpital sur ses deux jambes pour retourner soigner ses fleurs. Tandis que Nell le massait et l'aidait à rééduquer son bras et sa jambe, s'établit entre eux une sorte de dialogue. Elle lui posait des questions auxquelles il répondait par divers hochements de tête. Il mimait l'action de marcher, faisant courir deux doigts de sa main valide sur le couvre-lit, montrait la porte de la chambre, puis amorçait les gestes du jardinier avec un sourire, et Nell comprenait parfaitement. Chaque matin, elle avait hâte de rejoindre la chambre du vieil homme et lorsque, après plusieurs semaines d'efforts, la main malade parvint à agripper la sienne, elle comprit ce que Dieu avait pu ressentir après avoir façonné Adam dans l'argile. Elle réussissait à présent à reconnaître les sons plus ou moins cohérents qu'il commençait à émettre au fur et à mesure qu'il semblait retrouver l'usage de la parole après sa rupture d'anévrisme. « Vous savez, M. Steckeroth, lui dit un jour Nell, je crois sincèrement que vous allez vous en sortir. » Les doigts firent le geste de marcher sur le couvre-lit. Le vieil homme fut secoué d'un rire muet et ses yeux se remplirent de larmes. Ce jour-là, Nell se sentit fière de son métier ; même si je ne me marie jamais, se dit-elle, le seul fait d'être infirmière suffira à mon bonheur.

Et puis un matin, elle entra dans sa chambre pour constater qu'il avait rechuté. Il respirait à peine. Leurs regards se croisèrent et Nell lut la détresse contrite sur le visage du vieil homme.

Il avait renoncé à lutter. Il cessait le combat. Avant midi, il était mort. Nell revint lui donner les derniers soins : toilette, préparation, garniture, étiquetage. Autant de tâches qu'elle accomplit en pleurant. Le Dr Moultrie entra ; il la regarda faire avec un petit sourire songeur au coin des lèvres. Nell se raidit et s'efforça de lui tourner le dos aussi longtemps que possible. Sa présence dans cette chambre avait un côté profanatoire, comme si le spectacle de la mort l'amusait. Ou bien celui de ses sentiments. Ou bien les deux.

« Je te donne un coup de main pour la suite des opérations », dit-il négligemment avant de suivre Nell et le chariot dans le monte-charge. Nell protesta qu'elle pouvait se débrouiller toute seule, mais il ne lui était pas vraiment possible de lui interdire l'accès de l'ascenseur. Si un docteur a envie d'accompagner un corps à la morgue, quelle infirmière pourrait l'en empêcher ?

Les portes du vieux monte-charge claquèrent et l'ascenseur commença de descendre. Grady appuya alors sur le bouton « Arrêt ». La cabine s'immobilisa entre deux étages. Il retroussa l'uniforme de Nell et lui caressa les cuisses en même temps que sa langue s'activait dans la bouche de la belle infirmière avec la sinueuse souplesse d'un serpent. Et il enfonça un doigt. Puis un second et, dès qu'elle se trémoussa en gémissant, il força brutalement l'entrée pour un troisième, opération éminemment douloureuse. Réduite à l'état de masse frémissante en proie à diverses sensations, elle le chevaucha presque et le supplia de cesser. A la fin de ce curieux manège, les trois doigts du docteur étaient maculés de sang. Il les essuya sur le drap qui recouvrait le corps de M. Steckeroth. Puis il appuya sur le bouton « Marche ». L'ascenseur reprit sa lente descente cahotante. Il ne sortit même pas pour l'accompagner à la morgue. Elle roula le chariot et se retourna, juste pour voir les portes se refermer sur son sourire sardonique.

Après avoir rangé le vieux jardinier dans un tiroir réfrigéré en attendant la venue des pompes funèbres, et s'être occupée du drap — le pire de tout peut-être, l'épisode de Grady en train de s'essuyer les doigts sur le suaire —, Nell regagna son étage. Elle se rendit aux toilettes. Elle avait mal, son slip était taché de sang. Elle le retira, le jeta dans la cuvette des cabinets, tira la chasse. Ensuite, parce qu'elle tremblait encore, elle sortit sur la plate-forme de l'escalier d'incendie, le temps de reprendre ses esprits. C'est qu'elle craignait surtout de hurler ou de se ruer sur Grady

Moultrie si jamais il se montrait, voire de commettre un geste inconsidéré de nature à ruiner sa carrière. Elle regarda le sol, deux étages plus bas et se dit qu'elle ferait peut-être aussi bien de se jeter dans le vide, convaincue que Grady venait de ruiner définitivement ses chances de faire un mariage honorable. Mais puisqu'elle était infirmière, ou parce qu'elle avait perdu sa mère avant que la chère dame n'ait eu le temps de lui inculquer un respect excessif pour la fine membrane qu'il convient de préserver à tout prix pour l'heureux époux, Nell n'eut pas le loisir de s'attendrir longuement sur le dommage physique qu'elle venait effectivement de subir. Elle était prête à séduire Grady, là-haut sur la montagne, mais la façon dont il l'avait dépossédée de sa virginité la mettait en rage. Il ne l'avait pas prise avec la virilité qui sied à un homme.

Puis sa colère prit une dimension plus philosophique. Dans quel monde malade vivons-nous, où ceux qui ne demandent qu'à vivre meurent tandis que les bien-portants passent leur temps à dénigrer la vie et à traiter toute chose avec le dernier mépris ! Le pauvre M. Steckeroth était en train de refroidir dans son tiroir. Lui ne planterait plus jamais de fleurs, mais les gens comme Grady Moultrie n'utiliseraient leur voix et leurs mains que pour salir la vie et la tourner en dérision.

Dire que jour après jour, en sa compagnie, elle s'était adonnée à leur petit jeu malsain de dénigrement systématique.

Ah ! Si seulement il y avait une guerre ! Voyez ce que Florence Nightingale avait été capable de faire avec la guerre de Crimée.

Et Nell agrippa le parapet métallique pour mettre toute son énergie à tenter d'imaginer quelque noble façon de renoncer à la vie et de reconquérir dans l'action sa dignité perdue. Son visage passa par une succession d'expressions intéressantes dont elle devait entendre souvent la description détaillée, au fur et à mesure que Leonard écrivait après coup l'histoire. Ce que Cate appellerait plus tard le « mythe familial ».

Pendant que Nell se débattait entre ses démons sur l'escalier de secours de l'hôpital, quelqu'un, en dessous, se racla la gorge.

Elle baissa les yeux et vit un homme grand et dégingandé, debout dans le parc de stationnement du cabinet d'avocat d'en face. Quand il constata qu'il avait attiré son attention, il sourit ; un sourire timide, modeste. Il devait avoir sensiblement le même âge qu'elle, mais son visage était long, enfantin, tout plein encore de candeur juvénile. Il portait des lunettes cerclées d'écaille et un épi de cheveux bruns se dressait, hirsute, sans souci de la raie de côté. Il ressemblait à un être qui n'aurait jamais nourri la moindre pensée méprisante de sa vie.

Gênée d'avoir été observée dans l'état de désordre qui était le sien, Nell rendit son sourire à l'inconnu. Elle accompagna seulement le sien d'un petit haussement d'épaules, sans nuance péjorative, comme pour dire : suis-je bête, alors que je suis jeune, vivante et qu'il fait une belle journée de printemps ! Elle remarqua un joli massif de jacinthes autour du panneau qui indiquait STRICKLAND & STRICKLAND, Avocats.

(« J'étais sorti du bureau pour respirer un peu. C'est alors que je vis une infirmière, blonde et furieuse, sortir comme une fusée sur le balcon de l'escalier de secours de l'hôpital d'en face. J'aurais voulu que vous voyiez son visage. Il est passé, en un temps record, par toutes les couleurs de l'arc-en-ciel. Voilà une fille qui ne manque pas de caractère, me suis-je dit. Avant de conclure : Si j'arrive à lui faire tourner les yeux de mon côté, je saurai la faire sourire. Et lorsqu'effectivement elle a souri, j'ai su que je l'épouserais. »)

L'avait-il vraiment su ? A ce moment ? Ou bien s'en était-il persuadé à force de raconter cette légende mythique à leurs filles ? Leonard avait un faible pour les histoires d'amour.

Et à ce stade du feuilleton familial, la réplique était à Nell qui annonçait : « Tu as un peu aidé le destin, tu sais. Tu te raclais la gorge. Moi j'ai souri parce que je me suis retrouvée comme une imbécile. Il faisait un temps splendide et tu avais l'air tellement calme et sérieux, là, en bas ! »

Puis venait le mensonge : « *Dire que je n'ai jamais été capable de me rappeler ce qui m'avait mise dans une telle colère ce jour-là.* »

Romantisme nostalgique de l'histoire paternelle, admirablement compensé par le bon sens ironique de la mère. Le mélange était plutôt salutaire pour les deux fillettes. Les histoires de morgue, de doigts ensanglantés et autres dépucelages pervers n'avaient pas leur place dans une telle saga. Même Leonard ignorait la vérité sur cette journée. La conscience de Nell avait été mise à rude épreuve pendant les premiers mois de leur mariage lorsque Leonard, dans le souci de tout partager avec son épouse, avait soulagé son cœur en avouant son premier amour pour Mercedes Machin-Truc, la professeur d'espagnol avec qui il voulait partir en Espagne pour s'engager dans la guerre civile ! A mon tour à présent, s'était dit Nell, dont le secret était un tel fardeau qu'il l'empêchait presque de respirer. Mais elle fut incapable de parler. Je vais attendre quelques jours, résolut-elle. Attendre le moment opportun.

Elle aurait tant voulu avoir une mère qu'on peut appeler au téléphone. (« Maman, que dois-je faire ? Être scrupuleusement honnête, au risque de le blesser ou de le décevoir, ou bien vivre en gardant pour moi ce détestable petit souvenir afin de préserver son innocence et son optimisme ? ») Encore que Nell ne pût que trop aisément imaginer la réponse que lui aurait fait sa mère à elle : « Ne lui fournis aucun renseignement dont il puisse te faire un jour grief ! » Non, ce qui lui avait cruellement manqué pendant cette crise de conscience, c'était la mère idéale, la sagesse faite femme, celle dont les conseils étaient dictés par des principes d'absolue générosité. En l'absence de cet idéal — qui fait généralement défaut quand on en a le plus besoin — il faut bien se fier à son intuition et son bon sens.

Nell se dit donc que Grady Moultrie hanterait davantage leur couple si elle fournissait à Leonard certaines images précises que si elle gardait pour elle les détails sordides. Elle n'avait pas commis d'autre crime que celui de permettre à ce docteur de lui révéler une part particulièrement sombre et un peu effrayante de sa nature. Mais ne valait-il pas mieux pour elle être au courant de cette réalité de son être ? Elle était portée sur le sarcasme, et sur le sexe. Mais peut-être pourrait-elle mettre le premier au service de l'intelligence. Quant au sexe... eh bien, n'était-elle pas déjà enceinte après trois mois de mariage ? Elle aurait sans doute de quoi s'occuper physiquement. Faire l'amour avec Leonard ne provoquait pas en elle ces sinistres sensations ravageuses d'anéantissement, un rien avilissantes, que lui avaient procuré les petites séances avec Grady. Néanmoins, son mari la satisfaisait en lui apportant un apaisement d'un autre ordre. Comme une respiration profonde par rapport à un halètement. Leonard prenait tranquillement *possession* de son corps et sa force attentive l'ébranlait plus intimement que les attouchements désordonnés de Grady.

Et Nell avait fini par se convaincre qu'elle avait gardé l'essentiel d'elle-même pour son époux, ce qui mettait un point final à ce chapitre. Chaque fois qu'il racontait leur roman d'amour aux filles, c'est la tête haute qu'elle lançait sa remarque rituelle : « *Dire que je n'ai jamais été capable de me rappeler ce qui m'avait mise dans une telle colère ce jour-là !* »

La déesse de la mémoire s'était montrée bienveillante. Un jour, l'oubli vint réellement. Elle avait tellement vécu dans l'histoire racontée par Leonard que cette fiction avait fini par acquérir plus de réalité que sa propre version censurée des faits. La jeune infirmière solitaire, à la langue bien pendue, celle qui ne comptait que sur elle et se débattait avec ses appétits juvéniles et anarchiques, se mit à céder le pas à une petite sœur plus sage, pour qui Nell aurait nourri une tendre affection, mêlée d'agacement. La première n'avait pas cessé d'exister, mais elle s'était laissé enfermer dans une version à la fois plus douce, plus lisse et plus sage d'elle-même — rendue possible par la foi que Leonard avait en Nell, femme de caractère, dont il ne mésestimait ni la bonté ni les capacités.

« Mais que vais-je devenir sans lui ? » se demanda Nell pelotonnée dans son grand fauteuil et serrant contre elle sa tasse de thé refroidi. Le ciel s'éclaircissait. Elle apercevait les premières lueurs de l'aube à la crête des montagnes sur lesquelles donnait l'arrière de la maison. Elle se redressa, éteignit les lampes, se leva et marcha jusqu'à la fenêtre, la tasse toujours serrée contre sa poitrine, comme s'il s'agissait d'un talisman. En bas, dans le jardin, le corbeau s'affairait déjà ; il rejetait les feuilles pour ne conserver que la paille qu'apparemment il préférait. Nell avait l'impression d'avoir affaire à un vieil ami maintenant. « Je ne virerai pas à la vieille femme aigrie et méchante », annonça-t-elle au corbeau par les vitres fermées.

Elle ne s'immolerait pas non plus sur le tombeau de son mari. Ce n'était pas son genre, de même qu'en 1938, elle n'avait pas été fille à se jeter par le balcon parce qu'un sale type l'avait techniquement privée de sa virginité. D'ailleurs Leonard n'avait pas été un saint. Il avait parfaitement su jouer de sa gentille naïveté pour esquiver les affrontements ; il poussait au sublime l'art de se dérober aux escarmouches familiales : il se réfugiait en lui-même, le casque sur les oreilles, et se laissait transporter par un opéra, ou bien disparaissait dans son bureau où il lisait les lettres d'un avocat décédé à un ami, pendant que le reste de la famille circulait sur la pointe des pieds en ruminant ses griefs divers. Il l'avait maintes fois rendue folle par le temps qu'il mettait à trouver une place pour garer sa voiture. Et bien qu'elle ait appris à maîtriser sa voix dans les aigus, pour parler comme lui — car il ne se serait jamais permis de lui dire : « Nell, cesse de piailler ! » —, elle avait très vite perdu le goût des joutes oratoires au niveau conjugal : elle avait mille fois le temps d'oublier sa repartie cinglante pendant que lui finissait sa phrase.

Certains hommes dominent par leur puissance brutale ; Leonard, lui, avait usé de la force d'inertie. Il avait amené tout le monde à son rythme tranquille. Elles auraient pu formuler les choses en disant : « il faut épargner cela à papa », mais la vérité était qu'en leur insufflant ce désir de « le protéger », il rognait en fait leur liberté.

Et maintenant, me voilà donc toute seule, avec mes soixante-deux ans. Et peut-être vingt années encore à vivre. Voire trente. Qui me servira de garde-fou, maintenant ? Contre quoi ? Quels excès ou extravagances pourrais-je commettre ? Entre Theodora qui tente de tromper son ennui avec une petite paysanne paumée, Grace Hill et ses maladies imaginaires (sauf qu'elle, au moins, a un *métier*), Sicca Dowling qui boit comme un trou et dont le visage part en décrépitude, Gertrude Jones et son pèlerinage annuel en Europe, depuis qu'elle se pique de se passionner pour tout ce qui touche l'architecture, sans oublier cette pauvre Taggart Mc Cord, de plus de dix ans ma cadette, qui se donne la mort dans une caravane.

Le corbeau s'envola vers le pin blanc, emportant avec lui un nouveau chargement de paille. « Parfait », dit Nell. Elle admira l'absolue concentration de l'oiseau que rien ne distrayait de sa tâche, et elle l'envia un peu.

Le Club Lecture de Mountain City avait été fondé en 1886 par Edna et Dora Hildebrand — « Eddie » et « Dos » pour les intimes. A l'époque, les deux vieilles filles, encore jeunes, tenaient le ménage de leur père, Adolf Hildebrand, qui possédait une bijouterie spécialisée dans la réparation des montres et des colliers de perles. Eddie Hildebrand, le bas-bleu de la famille, se décerna le titre de présidente-fondatrice du Club Lecture. Dos, qui préférait s'occuper de son potager et de ses chèvres, se retrouva cofondatrice et vice-présidente. (Après sa mort, la ville devait surtout se rappeler d'elle parce qu'à la fin de sa vie, elle avait épousé un homme connu sous le nom de Prince Albert.)

Le secrétariat général du Club était assuré par Bernice Taylor Blount (Biddie pour les intimes) qui habitait la belle maison neuve de l'autre côté de la rue et possédait l'écriture parfaite que l'on acquiert dans les cours privés. Jeune mariée pleine de vivacité, extrêmement fière de sa voix de cantatrice et de ses quarante-six centimètres de tour de taille, Biddie aurait ri au nez du premier devin venu qui se serait permis de lui prédire qu'un jour la ville saurait seulement d'elle qu'elle avait été la grand-mère de Theodora Blount. Biddie se serait sentie insultée, car elle nourrissait d'autres ambitions. N'avait-elle pas décroché Sam Blount, mal dégrossi mais entreprenant, puisqu'il avait eu la perspicacité de vendre ses terres du comté de Sharpe pour venir s'installer dans cette charmante ville au moment précis où la nouvelle voie ferrée en faisait un centre touristique en plein essor ? (Le patrimoine de Sam représentait treize kilomètres de vallée, de crête à crête, dont une forêt à l'état sauvage ; et cela n'était qu'un mouchoir de poche en comparaison des biens de son ancêtre Blount de Beaufort qui, après le Colonial Act de 1778, avait acheté 160 320 hectares de terre dans le comté de Sharpe, qui furent bradés par la suite à cinq sous l'hectare au moment où la famille connut sa période de « déclin ».) « Biddie chérie, tu as la classe, et moi j'ai le fric, répétait volontiers Sam avec son fort accent rocailleux des montagnes. On devrait faire une fine équipe, tous les deux. » Biddie, qui par ailleurs reprochait à Sam son langage et ses manières grossières, partageait ce point de vue. Lorsque toutes les affaires de Sam tourneraient bien (il avait monté une écurie de louage qui fournissait chevaux et équipage aux touristes, était actionnaire d'une entreprise de pompes funèbres et venait d'ouvrir le premier cabinet de détectives de la ville), Biddie envisageait d'aller faire un tour d'Europe où, par la grâce de ses moyens financiers et de ses talents mondains, ils seraient invités dans les salons parisiens et les résidences de campagne anglaises ; ses hôtes ne manqueraient pas de la prier de bien vouloir chanter. Entre-temps, il fallait faire avec ce que l'on avait et, pour ce qui était de la culture, Biddie prenait très au sérieux son appartenance au premier Club Lecture de la ville.

Tous les comptes rendus et dossiers de presse du Club avaient été soigneusement conservés depuis la première réunion. En 1976, les membres voulurent faire un travail historique pour célébrer le bicentenaire de la naissance de la Nation (et le quatre-vingt-dixième anniversaire du Club Lecture) ; il fut donc décidé que chacune se chargerait d'une « recherche » sur l'un des membres fondateurs, afin de préparer un rapport. Les noms furent tirés au sort et celui de Biddie Blount échut à Nell. Theodora lui fournit une multitude de documents photographiques et autres détails biographiques. Nell passa de longues heures sur les vieux dossiers de presse du Club et les livres de comptes rendus reliés en cuir qui, conformément aux statuts, se trouvaient au domicile de la présidente en exercice.

Biddie avait eu quatre bébés dont trois étaient morts. Un

enfant mort-né, deux jumeaux emportés par la diphtérie. Seul avait survécu l'aîné, Teddy, qui devait devenir le père de Theodora. Nell étudia les métamorphoses de Biddie, rendues plus manifestes par les photos. Même dans sa prime jeunesse, elle avait le visage trop rond pour les fameux chemisiers à col très haut, mais son tour de taille avait effectivement été minuscule. Elle avait également dû posséder une belle voix, car une note du Dr William James, professeur à Cambridge, en témoignait. En 1904, lorsqu'il avait fait une étape ferroviaire pour rendre visite à l'université de la ville, le Club Lecture de Mountain City avait littéralement enlevé le grand philosophe américain pour lui offrir le thé, avant que son train ne l'emmenât vers le nord. Dans la lettre de château qu'il expédia de Cambridge (à l'adresse de « Mme Samuel Blunt », alors présidente du Club) le Dr James déclarait avoir été conquis par l'aria de Verdi de Mme Blunt et disait ne pas douter de « l'avenir florissant et prospère de la Culture et de la Littérature dans cet Etat, grâce à l'efficace vigilance de groupes comme le vôtre ».

« Grand-mère fut seulement ulcérée qu'il ait oublié le o de son nom*, raconta Theodora à Nell. Cet oubli l'obséda pendant des années jusqu'au jour où, n'y tenant plus, elle prit son stylo pour effectuer la correction elle-même. Elle déclara que le nom de la famille lui importait davantage que l'authenticité de la lettre. Toute sorte de gens ont essayé de récupérer cette lettre, tu sais. La bibliothèque la réclame pour ses collections historiques, et un inconnu qui travaillait sur la biographie du Dr James a assiégé maman avec une insistance incroyable pour obtenir qu'elle lui envoie la lettre, quelque part en Ohio, afin qu'il puisse la consulter. A quoi maman a répondu que s'il voulait la voir, elle se ferait un plaisir de le recevoir à la maison et de la lui montrer. Ils arrivèrent finalement à un compromis : elle lui adressa une copie du message, calligraphiée par ses soins ; mais pour finir, il n'est jamais apparu dans le livre, c'est ce que j'appelle de la désinvolture et de l'ingratitude ! »

« Je suis surprise que cette lettre ne se trouve pas dans les archives du Club correspondant à la période 1900-1910, avait dit Nell.

— Oh, mon chou. Eddie Hildebrand fit un tel scandale de cette histoire ! Mais après tout, la lettre était bien adressée à ma grand-mère. Elle avait été expédiée chez elle, et seul son nom

---

* Blunt signifie carré, brusque, direct *(NdT)*.

figurait dans le corps du message. D'autre part, ce document était trop précieux pour être bêtement collé dans un album qui déménageait chaque fois que le Club changeait de présidente. Et puis, si cela n'avait pas été pour grand-mère, jamais le Dr James ne serait venu au Club. Elle s'est donné tant de mal pour hisser ce Club au rang de véritable valeur culturelle pour la communauté. Avant qu'elle ne prenne les choses en main, il tenait un peu... euh, disons des bonnes œuvres de la paroisse ! » Rire rauque de Theodora qui poursuivit. « En fait, grand-mère disait souvent que si c'était elle qui avait fondé le Club, elle n'aurait jamais admis les sœurs Hildebrand. Elles n'étaient pas exactement... » Theodora eut un petit geste de la main, comme si elle cherchait à évaluer le poids de quelque invisible évidence sociale. « Disons que leur père était un brave petit Allemand qui réparait des montres. Quant à Dos, qui courait la campagne derrière de fichues chèvres, elle n'était pas précisément une grande dame. »

Cette pauvre Billie Blount, dont les qualités vocales survécurent au tour de taille, ne chanta jamais dans les salons parisiens, ni dans aucun manoir anglais. Elle n'eut même pas l'occasion de traverser l'océan. Il y eut d'abord les bébés, et lorsque Teddy fut en âge de voyager, Sam Blount avait perdu l'essentiel de ses économies dans des spéculations malheureuses. Il passait donc son temps enfermé dans le « laboratoire » au-dessus des écuries où, avec l'aide d'un pharmacien local, il travaillait à la mise au point d'une « potion tonique ». Il possédait encore des parts dans l'entreprise de pompes funèbres, ce qui permettait à ses amis de dire qu'il jouait gagnant sur tous les tableaux. « Tu pourras toujours les enterrer si ton tonique n'est pas efficace. » Mais le tonique marcha. Sam le lança sur le marché et, en trois ans, il s'était constitué une nouvelle fortune. La Potion tonique avait bon goût et donnait un coup de fouet à celui qui en avalait une gorgée ; la présentation était séduisante et les apothicaires appréciaient le produit d'autant plus que le liquide ne gelait pas dans leur vitrine en hiver. En 1919, lorsque le jeune Teddy reprit l'affaire, la « panacée familiale » — pour reprendre l'expression utilisée par les Blount pour désigner le produit — connaissait un renouveau de prospérité. Après la loi Volstead, dite de prohibition, faute de trouver le trafiquant local, les touristes découvrirent que la Potion tonique possédait presque les mêmes vertus que le whisky ; elle pouvait même accompagner certains plats — les fromages par exemple. Teddy s'associa à un autre pharmacien de la ville et ils diversifièrent leur production en créant sous le même

label des crèmes de soins dont la plus populaire fut une préparation blanchissante à base de saindoux, d'huile d'amande et
d'hydroquinone. Cet onguent connut un franc succès auprès de la
population de couleur.

C'est ainsi qu'en 1930, alors que la plupart des gens souffraient
de la Dépression, Theodora Blount put embarquer en première
classe sur un paquebot à destination de l'Angleterre, chaperonnée
par une grand-mère obèse et sourde (Biddie n'avait pourtant que
soixante-quatre ans à l'époque) qui lui braillait : « Si tu ne vois
pas l'Europe avant de te marier, tu le regretteras pour le reste de
tes jours ! Ton fiancé n'aura qu'à t'attendre ! »

Theodora vit toute l'Europe. Et le fiancé commit une erreur
tactique avec une Lucy Tartempion — une fille de Spooks
Branch Road — ce qui le plaça dans l'impossibilité d'attendre sa
promise. Du moins le père de Theodora avait-il réussi à sauver
l'essentiel de l'héritage de sa fille. Lorsque la Food and Drug
Administration chargée de la protection du consommateur fut
créée en 1931, Teddy flaira les difficultés à venir. Il convertit
alors ses bénéfices en actions des chemins de fer et autres placements municipaux, au lieu de les réinvestir dans l'affaire. Les crèmes de soins furent maintenues sans changement sur le marché,
tandis que la Potion subissait quelques subtils ajustements.
L'apparence resta la même, le goût fut presque inchangé, mais il
perdit de son attrait auprès de ses plus ardents consommateurs.
Pourtant, et Teddy fut le premier à s'en étonner, la demande
locale se maintint bien. Les fidèles, parmi lesquels figuraient en
bonne place de bons baptistes anti-alcooliques, continuèrent à
chanter les bienfaits de la panacée, longtemps après l'abrogation
de la Prohibition.

Lorsque Nell avait fait son « compte rendu » sur Biddie Blount
devant le Club Lecture, elle était consciente des accents de faux
enthousiasme de sa voix. Tandis qu'elle insistait longuement sur
le rôle inestimable joué par Biddie dans l'histoire de ce Club, évoquant sa réputation de figure de proue dans la vie mondaine de la
ville et de critique éclairée en matière de style, elle gardait constamment le sentiment lucide de s'être laissé manipuler par la
petite-fille de Biddie (qui avait maintenant l'âge d'être grand-
mère) et qui s'était bien assurée que Nell s'en tiendrait à la version orthodoxe de la saga familiale. Nell s'était docilement inclinée, quitte à ennuyer tout le monde, ce qui n'empêchait pas le
commentaire dissident de courir dans le secret de son âme.

Ce soir-là, pendant le dîner, elle avait dit à Leonard : « Tu sais, la famille de Theodora est représentative sur des tas de points. Cette façon, à peine sortie de sa campagne, d'acquérir du pouvoir grâce à l'arrogance dont on use envers les braves gens qui ont eu la faiblesse de vous prendre au sérieux. Et tous ces sacrifices que l'on s'empresse d'oublier par la suite, quand on ne les érige pas au rang de fantastiques prétentions ! Finalement, si l'on va au fond des choses, l'"aristocratie" ne désigne jamais que les premiers arrivants.

— Il en a toujours été de même au cours des siècles, fit incidemment remarquer Leonard. Reste qu'arriver le premier implique une belle dose d'énergie, et que rester suppose un certain effort concerté. Cela dit, ma chérie, si ce Club commence à t'ennuyer, ne te crois pas obligée d'y rester à cause de moi...

— Pas du tout, je trouve ça très intéressant », avait répondu Nell en toute sincérité. Puis elle eut un petit rire sec. « Je les trouve intéressantes, elles.

— Elles, après toutes ces années ? observa Leonard l'avocat. Voilà qui me semble, à moi, intéressant. »

Mais lancée sur son sujet, Nell était intarissable. « Tu sais une chose, Leonard ? » Elle s'était mise à rire. « Chaque fois que Biddie Blount recevait chez elle, elle exigeait que le journal annonce : "Une table de douze, quinze ou Dieu sait combien de couverts, attendait les invités que Mme Blount avait conviés en son domicile." On peut difficilement faire mieux ! Une table de x couverts, non, mais tu te rends compte, Leonard ? Comment peut-on prendre au sérieux une telle société ? Nous sommes une bande de péquenots à peine sortis de leur campagne, et toute la hiérarchie sociale repose sur la date à laquelle nous avons quitté notre brousse pour revêtir des jupes et des pantalons, avant de nous mettre à dresser x couverts les uns pour les autres ! » Elle commençait à avoir des crampes d'estomac tellement elle riait.

Quand Nell fut un peu calmée, Leonard observa attentivement les dents de sa fourchette. « Il y a du vrai dans ce que tu dis », murmura-t-il. Et la douceur de sa voix contrasta fortement avec l'hilarité intempestive de Nell. « Mais tu sais, je crois que ce Club a beaucoup compté pour ma mère. Elle lisait les livres avec une belle application, en prenant des notes sur un petit carton afin d'avoir des commentaires pertinents à faire. Et lorsque c'était elle qui recevait, elle prévoyait tout plusieurs mois à l'avance. Rien n'était laissé au hasard pour la décoration. Je me souviens qu'une fois, elle avait cousu des petits rats de bibliothèque en peluche pour chaque participante. Papa la taquinait souvent. C'était la tradition, pourrions-nous dire ; les messieurs se moquaient gentiment de leurs femmes qui s'habillaient et se donnaient beaucoup de mal les unes pour les autres. Mais je crois que le Club Lecture constituait une distraction importante pour maman. Pendant qu'elle s'occupait de ce genre de préparatifs, elle ne pensait pas à autre chose. Papa ne lui a pas toujours fait la vie facile, tu sais.

— Mon Dieu que je suis méchante, avait gémi Nell aussi sincère dans le remords qu'elle l'avait été dans le sarcasme. Je te demande pardon Leonard. Je ne voulais pas te faire de peine.

— Tu m'as fait de la peine ? » Il la regarda à travers les verres épais de ses lunettes (qui lui avaient évité de partir pour la Seconde Guerre mondiale), et sa candeur paraissait parfaitement authentique. « Eh bien, je ne m'en suis pas rendu compte. Nell, la cuisson de ce rosbif est absolument parfaite. »

Ainsi donc tempérait-il ses accès d'ironie destructrice et d'auto-accusation ; il désamorçait le moindre pétard susceptible d'exploser un jour entre eux. Parfois, il était arrivé à Nell d'avoir le sentiment d'être sur le point de river un clou intéressant : Et si j'allais jusqu'au bout, que se passerait-il ? s'était-elle demandé, sans formuler aussi précisément la question. Quelque part, au-delà de ce que peuvent dire les mots, elle se savait capable d'avoir le dernier mot dans n'importe quelle confrontation. Au niveau de la violence ou de la passion animale, elle était assurée de gagner. Mais il ne lui donna jamais l'occasion d'en faire l'expérience.

C'est peut-être aussi bien, songea Nell, la veuve ; encore que l'épouse en elle eût souvent souhaité plus de flamme, quitte à ce qu'il y ait quelques ailes brûlées au passage.

Un soir, vers le milieu du mois de mars, à l'époque où les vents printaniers s'efforçaient de faire résonner le chant de sirène de la maison, Nell était couchée dans son lit où elle essayait de venir à bout de la préface sur le « Bureau des Douanes » servant d'introduction à *La lettre écarlate*. Le téléphone sonna sur la table de chevet. C'était Cate. Elle était apparemment d'humeur bavarde et Nell flaira, dans l'inhabituelle prolixité de sa fille, que Cate l'appelait dans un but précis qu'elle tenait à camoufler. Elle parla de ses cours, raconta qu'elle sortait avec un « magnat local » qui se trouvait être le père de l'un de ses étudiants en cours d'art dramatique, qu'elle était installée sur sa table de cuisine pour faire sa déclaration d'impôts. « Je viens justement de sortir mon dossier administratif pour vérifier quelque chose, continua Cate, et je suis

191

tombée par hasard sur la date de ma retraite. Deux mille deux. Ça m'a fait un drôle d'effet. C'est si loin, sans l'être vraiment. En fait, je n'ai plus que vingt-trois ans avant cette échéance. Dis, maman, c'est une question idiote, mais je me demandais — sans doute à cause de cette histoire de retraite : A quel âge... enfin à partir de quand suis-je susceptible d'observer les premiers signes de la ménopause ? »

Seigneur ! se dit Nell. Déjà ? Est-ce possible ? Mon enfant ?

« Eh bien, c'est assez variable, répondit Nell avec un détachement aussi professionnel que possible. Chez certaines femmes, le phénomène s'amorce avant la quarantaine, tandis que quelques coriaces franchissent allégrement le cap de la cinquantaine et se retrouvent même enceintes. Tu as entendu parler des "bébés ménopauses". Cela dit, on admet généralement que le cycle menstruel est susceptible de se maintenir d'autant plus longtemps qu'il s'est amorcé à un âge précoce. Ce qui est ton cas. Tu avais dix ans. Lydia était un peu moins jeune, elle en avait presque douze. Je ne crois donc pas que tu aies de souci à te faire dans l'immédiat. »

Elle attendit la contradiction de Cate.

Qui se contenta de répondre : « Je suppose que non. Mais puisque nous en sommes à ce sujet, décris-moi donc les premiers symptômes. Ainsi, je serai parée pour affronter la grande épreuve. » La dernière remarque avait été prononcée sur le mode ironique.

« Eh bien, les règles ont tendance à devenir irrégulières, dit Nell. Dans le temps, ou en abondance... quand elles ne sautent pas un cycle.

— Je vois, dit Cate dont la voix était grave en dépit de l'ironie qu'elle tentait d'afficher.

— Tu as... un retard ? se résolut à demander Nell.

— Dieu merci non ! répliqua Cate avec humeur. Est-il impossible d'avoir une conversation théorique ? J'ai seulement envie de savoir ce qui se passe dans mon corps. » Mais elle se reprit : « Ou plutôt, ce qui va se passer.

— Dans ce cas, dit Nell légèrement piquée au vif, ce n'est qu'une description rudimentaire de ce qui va se passer. Mais il existe aujourd'hui beaucoup de livres excellents sur la question. Des ouvrages modernes ! » Et elle ne put retenir un petit coup de griffe. « Après tout, les choses ont peut-être changé depuis l'époque où j'étais jeune. Si ça se trouve, ils ont revu tout le système. »

A sa surprise, Cate prit la chose avec humour. « C'est une éventualité à ne pas négliger », répondit-elle aimablement.

Puis Nell sentit qu'elle avait été méchante. Elle voulut se rattraper en s'intéressant à la nouvelle conquête de Cate. « Il est beau ?

— Il ne manque pas d'un certain charme masculin. Mais il est plus petit que moi et son visage est rouge et plutôt vilain, répondit Cate avec son incorruptible franchise.

— Il est très riche, alors ? demanda Nell.

— Assez, dit Cate.

— Et il..., je veux dire, tu l'intéresses vraiment ? » Pour correspondre exactement à ce qu'elle pensait, cette question n'était pas celle que Nell avait l'intention de poser.

Rire de Cate. « Aussi bizarre que cela puisse paraître, maman, il existe encore des hommes pour me trouver séduisante.

— Je ne voulais pas dire ça... » Nell réfléchit un instant. « Je me demandais s'il était libre de s'intéresser à toi. Et c'était le sens de ma question.

— Il n'a pas de femme. Ses deux épouses successives l'ont quitté.

— Vraiment ? Et tu sais pourquoi ?

— Plus ou moins. Son premier mariage s'est érodé avec le temps ; et puis ils avaient des problèmes avec leur fils. Le second mariage fut une erreur. Ou plus exactement, elle était amoureuse de son argent et lui de sa beauté ; ce qui ne l'a pas empêché d'élever également ce deuxième fils.

— Seigneur ! Tu auras de quoi t'occuper. A moins que... Quel âge ont ces garçons ?

— Ils sont déjà élevés, maman. L'un a trente-trois ans et l'autre finit ses études au printemps. Et pourquoi est-ce qu'ils me donneraient de l'occupation ? Je n'ai jamais parlé de l'épouser, que je sache.

— Non. Mais s'il te plaisait, s'il pouvait s'occuper de toi, et que vous vous trouviez bien ensemble... » Nell marqua un temps d'arrêt ; pourquoi fallait-il que Cate soit toujours prête à sortir les griffes, même au téléphone ? « Je ne voulais rien dire d'autre que ceci : il n'est pas rose tous les jours de vieillir seule.

— Mais je ne suis pas encore tout à fait vieille, maman. Comme toi, d'ailleurs. Vieillir aujourd'hui ne recouvre plus la même réalité qu'autrefois.

— Amusant, dit Nell. Tu sais, ton père m'a fait sensiblement la même remarque le soir où... bref, juste avant de quitter la route. Nous parlions de... de vous, les filles, justement. J'ai dit : "Cate aura quarante ans en juin prochain" et il m'a répondu que la quarantaine aujourd'hui n'était plus ce qu'elle était de notre temps. Il a dit que tous les espoirs restaient permis plus long-temps.

— Qu'entendait-il par là ? dit Cate. Il voulait parler de moi ?

— Je crois que oui », reconnut Nell qui jugea pourtant inopportun de dire à Cate comment ils en étaient venus à parler d'elle cette dernière fois : parce que, elle, Nell, avait rejeté l'anathème prononcé par Theodora contre les femmes qui prennent de l'âge et ne peuvent plus se permettre de vivre en n'en faisant qu'à leur tête. « Je crois que sa remarque avait également une portée géné-rale. Elle concernait tout le genre humain. Il pratiquait du reste volontiers la généralisation. »

Cate se mit à rire. « Je sais exactement à quoi tu fais allusion. Cher papa. Mais toi, comment te portes-tu ? Bien ? C'est surtout pour cela que je t'appelais, en fait. Pas pour discuter de la méno-pause.

— Oh, je vais bien. Je reçois le Club Lecture dans quelques semaines. Alors je veille dans mon lit, en essayant de lire *La lettre écarlate*. C'est étrange. J'étais sûre d'avoir déjà lu ce roman et, manifestement, je ne l'ai jamais lu. Toute cette première partie, je suis certaine de la découvrir pour la première fois de ma vie. Pour tout te dire, je ne suis pas exactement d'humeur à entrer dans ce livre ; mais je suppose que je vais m'accrocher. Et puis l'adaptation passe à la télévision, je pourrai toujours regarder.

— La chose à ne pas perdre de vue à propos de *La lettre écar-late*, dit Cate qui retrouvait subitement son assurance gentiment désinvolte, c'est que le roman pose une question cruciale qui est la suivante : Est-il possible à l'individu de survivre en tant que tel, dans la société où il est contraint de vivre ?

— Eh bien, je tâcherai de retenir la leçon », dit Nell qui ne put s'empêcher de sourire malgré elle aux dépens de sa fille.

Elles se dirent au revoir et Nell s'efforça en vain de replonger dans la poussière du « Bureau des Douanes ». Elle finit par éteindre la lumière et se coucher dans ses oreillers, les mains croi-sées sur la poitrine, pour essayer, comme elle l'avait déjà fait tant de fois, de comprendre sa fille aînée.

Le premier samedi d'avril, jour du Club Lecture chez Nell, s'annonça clair et ensoleillé, avec une température d'environ 18 ° à neuf heures du matin. Dans les montagnes, le début du mois d'avril pouvait être assez triste, au point que les femmes qui en avaient les moyens s'offraient souvent deux tenues pour les mondanités susceptibles d'intervenir à cette période. Nell sortit la plus légère de ses deux robes — celle en coton gris avec une rangée de minuscules boutons gris perle sur le devant — et la prépara sur son lit avant de mettre la touche finale à ses préparatifs pour le déjeuner. Si chaque hôtesse était censée opérer en toute liberté, elle était néanmoins liée par le carcan des traditions et critiques possibles, au niveau du menu, du décor et de l'ordre des événements. Certaines habitudes étaient d'ailleurs contradictoires (l'usage voulait que l'on servît une série de salades « basses calories » par exemple ; mais dans le même temps, il fallait fournir en permanence des petits pains chauds) ; pour Nell, d'autres relevaient carrément de la dernière grossièreté, surtout en un monde qui se piquait d'être tellement attaché aux raffinements de la culture. Les invitées arrivaient à onze heures quarante-cinq ; on était censé avoir installé tout le monde à table pour midi. Pas d'apéritif pour commencer, d'ailleurs toute boisson alcoolisée était bannie. Du café chaud devait couler de la même intarissable source que les petits pains, et être servi depuis la soupe jusqu'au dernier dessert. L'hôtesse — et cette tradition agaçait particulièrement Nell — ne s'asseyait jamais à sa propre table. Elle était en effet supposée circuler inlassablement autour de la table, cafetière dans une main et corbeille à petits pains chauds dans l'autre. Les rapides incursions qu'elle faisait à la cuisine pour remplir la cafetière ou regarnir la corbeille devaient lui permettre d'ingurgiter à la hâte autant de nourriture qu'elle pouvait en « tasser dans sa bouche », comme le font les domestiques entre deux voyages.

D'où pouvait bien venir une telle coutume ? se demandait Nell en même temps qu'elle appliquait une serviette chaude autour de ses aspics et de ses flans de fruits, attendant avec angoisse le « plouf » rassurant de la préparation sur le plat de service. S'agissait-il d'une conception désuète et rustique de la courtoisie envers ses hôtes, tout droit venue des montagnes ? Sans doute, puisque même les femmes pourvues de domestiques respectaient ce protocole. Les bonnes étaient autorisées à faire le service dans la cuisine, mais c'est la maîtresse de maison qui officiait dans la salle à manger. Un jour que Theodora recevait, Nell avait avalé de travers et s'était donc rendue dans la cuisine pour prendre un verre d'eau ; Azalea était tranquillement attablée devant une assiette copieusement garnie des gourmandises du jour, avec une

195

tasse de café fumant à côté d'elle, tandis que, debout devant l'évier, Theodora essayait de déglutir une bouchée de pain tout en bavardant avec Azalea en attendant le sifflement de la cafetière. A dix heures, le fleuriste livra le milieu de table. Encore une tradition. Vous pouviez bien avoir remporté tous les prix de jardinage de la ville, vous étiez censée commander les fleurs de votre milieu de table chez le fleuriste qui vous les faisait livrer déjà arrangées. Elle posa donc le décor floral plutôt conventionnel à la place prévue pour lui : des fleurs jolies et résistantes, coupées court pour ne pas gêner la conversation de ces dames. Puis, à titre de récompense pour sa belle docilité, elle alla contempler une fois de plus son gâteau, qui était une réussite absolue.

Ces dames n'auraient pas à épingler un « A » rouge sur leur poitrine, mais on leur en servirait un pour le dessert. Nell était particulièrement satisfaite du glaçage rouge. Elle avait fait des essais à base de jus de framboise et de teinture végétale, jusqu'à obtention de la nuance exacte recherchée. Et les fines nervures jaunes exécutées à l'aide d'un entonnoir en papier... bref, elle aurait aimé que Hester Prynne* pût admirer son œuvre. (Nell n'avait pas tout à fait terminé le roman, mais elle avait été assidue aux émissions de télévision.)

A onze heures trente-neuf, la première voiture se rangea devant la maison. A travers le rideau, Nell vit Sicca Dowling descendre de sa petite voiture de sport aux pare-chocs cabossés. Traînant derrière elle, comme une bannière au vent, une grande étoffe de mousseline, elle emprunta l'allée jusqu'au moment où, manifestement, lui revint en mémoire quelque chose qu'elle avait oublié dans la voiture. Elle rebroussa donc chemin, les chevilles mal assurées dans ses sandales à talons aiguilles. Puis elle plongea le nez du côté passager de sa voiture, prit un objet dans la boîte à gants et, après un rapide coup d'œil circulaire, elle avala une lampée du liquide contenu dans la flasque d'argent qu'elle remit en place avant de repartir à l'assaut d'un pas plus désinvolte. Le fils unique de Sicca était mort dans un accident d'hélicoptère au Vietnam. Elle avait fait une dépression nerveuse et son mari une fugue en compagnie d'une jeune personne rencontrée sur le terrain de golf. Mais il avait réintégré le domicile conjugal et ils buvaient désormais ensemble. Sicca supportait ses malheurs en pratiquant la dérision systématique, y compris sur elle-même.

* L'héroïne de *La lettre écarlate* (NdT).

Mais elle était dépourvue de la moindre méchanceté. Nell l'avait vue s'étaler de tout son long et se relever en plaisantant sur sa chute. Elle avait été pressentie pour servir de demoiselle d'honneur à Theodora, avant la disqualification de Latrobe Bell comme prétendant. Nell avait un faible pour Sicca et la regrettait toujours quand son état ne lui permettait pas de venir à une réunion ; pourtant il lui arrivait de tomber, de casser un verre de valeur ou de faire des plaisanteries douteuses.

Tandis que Nell sortait de chez elle pour accueillir Sicca, Theodora et Wickie Lee faisaient leur arrivée dans la Buick Special, cuvée 1954, impeccablement entretenue.

Sicca tangua jusqu'à Nell pour l'embrasser : « Nell, tu es franchement superbe. Tu sais que tu nous as beaucoup manqué à toutes. » Elle avait l'haleine nettement chargée de vodka. Sa silhouette était restée mince, malgré l'état de décrépitude de son pauvre visage.

Portant un panier couvert d'un torchon blanc immaculé, Theodora, accompagnée de Wickie Lee qui tenait à la main une petite boîte dans laquelle devaient se trouver les petits cartons annoncés, approcha avec toute la pompe des invités qui se savent indispensables. Wickie Lee, dont le bébé était attendu pour le mois courant, portait une robe neuve qui lui donnait une majesté désuète et ses cheveux étaient étrangement relevés sur le sommet du crâne. Nell eut l'image poignante de Theodora en train de babiller et de coiffer sa petite protégée comme une poupée grandeur nature sur le point de donner naissance à un autre poupon grandeur nature. Ce qui ne l'empêcha pas de reconnaître que le séjour de Wickie Lee auprès de Theodora n'avait pas été entièrement négatif : la petite semblait en bonne santé, reposée, moins « sur ses gardes ». Son comportement s'était amélioré. Le petit visage pâle et mince, « à la mode d'autrefois », avait acquis une sorte de dignité, et c'est avec un calme impassible qu'elle observa les trois femmes d'âge mûr en train de se congratuler mutuellement.

« Je le dis, cela fait vraiment plaisir de te voir de retour parmi nous », dit Theodora en embrassant Nell. Elle avait effectivement les yeux humides. « Mais regarde ce qu'Azalea te fait porter. Deux douzaines de ses fameuses ficelles de froment. Il faudra seulement les faire réchauffer. Sicca, où as-tu trouvé ce tailleur ? Exactement ce que je voulais, mais on ne trouve plus rien dans leur nouveau mail commercial.

— Dowling m'a descendue à Atlanta et il m'a laissé carte

blanche chez Rich, dit Sicca. Il y aurait long à dire sur le prix de revient d'un remords. »

Et les deux vieilles amies de rire bruyamment avant de monter bras dessus bras dessous vers la maison de Nell. Deux autres voitures arrivèrent. Lucy Bell et Jean Lewis, dans la nouvelle Toyota de Lucy ; et Gertrude Jones, qui vivait à la campagne, dans sa jeep de la dernière guerre.

« J'ai apporté les cartons pour mettre sur la table, dit Wickie Lee à Nell en lui tendant une boîte à savonnettes Yardley (parfum lavande « Old English »), au moment précis où Nell s'apprêtait à accueillir les nouvelles arrivantes. Ils sont là-dedans. Vous voulez les voir ?

— Bien sûr. Accordez-moi juste le temps de... » Nell entendit le téléphone sonner à l'intérieur de la maison.

« J'y vais, cria Theodora qui était sur place avec Sicca. Va t'occuper de tes invitées !

— Nell, vous êtes superbe ! » s'écrièrent en chœur les nouvelles venues. Lucy Bell portait une nouvelle tenue qui ressemblait dangereusement au tailleur neuf que Sicca avait acheté chez Rich ; Jean Lewis, auréolée de la supériorité que lui donnait la jeunesse, tenait un exemplaire de *La lettre écarlate*, lardé de marque-pages découpés dans du papier jaune ; Gertrude Jones n'avait pas encore renoncé à son vieux tailleur de tweed et ses chaussures étaient maculées de boue.

« Oh qu'ils sont mignons ! » s'écria Lucy Bell. Car Wickie Lee venait de retirer le couvercle et montrait les petits cartons à qui voulait les voir. « Quelle délicieuse idée ! Une petite perle collée à une brindille de sapin.

— C'est très symbolique. Vous avez bien saisi l'esprit du livre », dit Jean Lewis qui n'était guère plus vieille que Wickie Lee. (Nell se demanda quels commentaires Jean pouvait bien faire à son mari quand elle rentrait de leurs réunions. Est-ce qu'elle lui disait : « Je le fais pour toi, chéri ; autrement, ces vieilles commères me rendent cinglée » ?)

« Très simple et d'un goût parfait, dit Gertrude Jones, en admirant également les cartons. Tiens, voilà le mien. Vous avez utilisé un de ces trace-lettres, n'est-ce pas ? J'ai toujours pensé que la simplicité était finalement la meilleure solution. Vous n'avez qu'à voir comment s'est construite l'architecture normande.

— Merci, dit Wickie Lee, équanime. Ce ne sont pas de vraies perles. Nous les avons achetées à Prisunic.

— C'est pour tout de suite, maintenant, ma belle ? demanda Lucy Bell à Wickie Lee qui ne broncha pas pendant les manifestations d'affection intempestives de Lucy. Vous devez être très énervée. Je me souviens encore de l'état dans lequel j'étais, malgré le nombre d'années qui se sont écoulées depuis... J'espère que vous avez bien fait vos exercices, comme une bonne élève. Theodora dit qu'on vous a montré un film...

— On est sorties avant la fin, dit Wickie Lee en reposant le couvercle sur ses petits cartons. Dès que c'est devenu sordide, on est parties. Je n'ai pas besoin de voir des horreurs pareilles pour mettre mon bébé au monde.

— C'était Grace ! cria Theodora depuis la maison. Elle dit de ne pas l'attendre pour déjeuner. Elle a trébuché dans un trou en allant prendre sa voiture et pense s'être fait une entorse. Elle est à l'hôpital pour se faire faire une radio. Elle arrivera aussitôt que possible !

— Et si tout le monde entrait ? proposa Nell pour enclencher le mouvement. Venez, Wickie Lee, je vais vous montrer où mettre les petits cartons. Ils sont ravissants. » Elle se retint à temps de prendre Wickie Lee par l'épaule tandis qu'elles marchaient côte à côte vers la porte de la maison ; cette minuscule gamine, tellement stoïque, avec son ventre arrondi par la maternité à venir, l'émouvait soudainement. Mais Nell avait remarqué que Wickie Lee n'aimait pas être tripotée, et elle respectait ses réticences.

Le déjeuner fut une vraie folie. Nell s'y attendait. Elle s'agita comme un robot de charme, remplissant les tasses de café, offrant des petits sapins et les ficelles d'Azalea, qui partirent rapidement. Sicca Dowling raconta une anecdote amusante à propos de la vieille Mme Wyatt qui était descendue en ville s'acheter un soutien-gorge de nourrice à l'âge de quatre-vingts ans, parce que son médecin lui avait expliqué que ce serait plus pratique avec son stimulateur cardiaque. Plusieurs membres du Club regardèrent Wickie Lee couper soigneusement la pointe verte de ses asperges qu'elle poussa sur le bord de son assiette pour ne manger que les tiges. Gertrude Jones sortit sur la terrasse couverte pour fumer. La fumée qu'elle exhalait traversait les persiennes pour former un nuage sur les plus hautes branches du cerisier du Japon de Nell qui fleurissait juste en dessous, dans le jardin. Après que Rachel Stigley fut morte d'un cancer des sinus, toutes ces dames du Club avaient cessé de fumer, à l'exception de Gertrude. A midi quinze, Grace Hill fit une entrée claudicante mais triomphante, avec un pied bandé, et elle régala l'assemblée d'une série d'histoires illustrant les incroyables insuffisances du service des urgences. Nell apporta le gâteau et lorsque les « oh ! » et les « ah ! » se furent tus, elle vit Lucy Bell, la secrétaire en exercice, prendre quelques notes dans son carnet : une description du gâteau pour le compte rendu qui serait lu à la prochaine réunion. Sicca, qui s'était prise d'affection pour Wickie Lee, assise à côté d'elle, lui demanda si elle connaissait l'histoire du Polonais, du Juif et du Noir qui arrivaient au Paradis. Wickie Lee répondit que non. « Eh bien, commença Sicca, saint Pierre leur dit qu'ils devaient épeler un mot chacun avant d'avoir le droit d'entrer... »

Nell remporta la cafetière à la cuisine. Elle en avait une autre prête qu'elle tenait au chaud. « ... alors le Polonais dit "C-H-A-T" et saint Pierre lui dit : "C'est bon, vous pouvez entrer..." »

Nell trempa un bout d'asperge dans le reste de la mayonnaise maison et avala le tout en commençant par la pointe ; elle aurait bien voulu pouvoir remplir le lave-vaisselle. « ... le Juif dit "C-H-I-E-N" et saint Pierre lui dit : "C'est bon, vous pouvez entrer..." »

Nell avait caché deux des ficelles de froment d'Azalea sous une serviette de table. Elle engouffra les deux successivement et fit descendre le tout, plus les miettes délicieusement grasses qui restaient, avec un grand verre d'eau du robinet. « ..."et maintenant, dit saint Pierre au Noir, à votre tour. Pouvez-vous m'épeler le mot Chrysanthème ?" »

Nell arriva avec une cafetière de café frais au moment où les rires se calmaient.

« De mon temps, dit Theodora, il y avait une autre version de la même histoire. On lui demandait d'épeler le mot "parthénogenèse".

— C'est curieux, intervint la jeune Jean Lewis qui se voulait attentive. Parce que, à la vérité, "parthénogénèse" est plus facile à épeler. C'est presque l'orthographe phonétique. Je trouve qu'on devrait aller vers la simplification. Même dans les histoires drôles.

— J'ai entendu cette version chez mon petit cordonnier, dit Sicca. Il était tellement content de sa façon de raconter que son rire finit par être contagieux.

— Bôf ! dit Wickie qui n'avait apparemment pas ri. Moi je ne sais écrire ni l'un, ni l'autre. »

Un silence gêné s'installa un court instant. Puis Nell enchaîna :
« Mesdames, si nous passions au salon ? »

Suivit une pause d'environ sept minutes au cours desquelles les membres du Club firent usage de l'une des trois salles de bains ; plusieurs douzaines de litres d'eau s'écoulèrent d'un coup dans la tuyauterie ; puis, une par une, chacune reprit sa place au sein de l'assemblée, le nez poudré de frais et la mise en plis impeccable.

Wickie Lee, à qui l'on avait donné priorité aux toilettes à cause de son état, s'était attribué le grand fauteuil de Leonard dans lequel elle paraissait à peine plus grande qu'une poupée.

Elue pour un troisième mandat de présidente, Theodora ouvrit officiellement la séance.

Lucy Bell donna lecture du compte rendu de la session de mars. Figurait une éloquente description du gâteau de Grace Hill, reproduisant l'Etat du Maryland, sans allusions aux bras de mer friables dont Theodora avait parlé à Nell au téléphone.

Theodora demanda s'il y avait quoi que ce soit de nouveau à signaler ; il n'y avait rien. « Eh bien, j'ai une petite proposition que j'aimerais soumettre à votre réflexion, dit-elle. Les filles, nos effectifs sont en baisse. L'année passée, nous avons perdu Rachel Stigley. Montgomery Starnes est allée vivre chez sa fille au Texas et je crois qu'il nous faudra nous résoudre à cette triste réalité que, en dépit des progrès remarquables qu'elle a accomplis depuis son attaque, Portia Jane Woodcock ne participera plus jamais activement à notre Club. Nous avons donc, de fait, trois vacances qu'à mon avis nous devrions combler par des... visages jeunes et nouveaux. Jeunes. Après tout, s'il ne survit pas, qui fera des recherches sur nous, pour le tricentenaire de ce Club ? »

Tout le monde rit, à l'exception de Wickie Lee qui paraissait préoccupée.

« Je propose donc la création d'un comité de recrutement dont Jean Lewis, qui se trouve être notre plus jeune visage du moment, pourrait assumer la responsabilité. »

Applaudissements. La motion de Theodora fut adoptée à l'unanimité. Jean Lewis promit en rougissant de faire de son mieux pour être en mesure de proposer une liste de membres potentiels lors de la prochaine réunion.

Theodora aurait dû faire une carrière politique, songea Nell ; elle sait parfaitement donner après avoir repris. La susceptibilité de Jean Lewis, égratignée par la suppression, au dernier moment, du livre qu'elle avait choisi, trouverait son compte dans cette promotion.

« S'il n'y a pas d'autres questions diverses, je propose d'ouvrir la discussion sur le passionnant roman écrit par M. Hawthorne et dont nombre de personnes s'accordent à faire le premier chef-d'œuvre américain. » Theodora marqua un temps d'arrêt, comme si elle ne pouvait se résoudre à abandonner l'emprise qu'elle exerçait sur le groupe. « Et il sera particulièrement enrichissant d'établir une comparaison entre le roman et la série télévisée dont nous venons de voir le dernier épisode. Qui souhaite prendre la parole ? »

Jean Lewis feuilletait fébrilement son exemplaire emprunté à la bibliothèque et relisait les notes griffonnées sur les minuscules bandes de papier jaune. Tout le monde attendait. « Ce que j'ai trouvé de particulièrement enrichissant, commença-t-elle d'une voix tellement sincère qu'on ne pouvait décemment pas l'accuser de parodier Theodora en répétant l'un de ses mots fétiches, c'est l'occasion qui m'a été donnée de comparer les deux livres. Je parle du premier livre qui devait figurer au programme et de *La lettre écarlate*. J'ai été particulièrement frappée par le fait que les deux romans traitent du même sujet : une jeune femme indépendante et volontaire aux prises avec une société patriarcale et répressive. »

« Les yeux de cette fille, à la télé, étaient d'un bleu absolument irréel, entendit-on Lucy Bell murmurer à l'oreille de Sicca Dowling. Vous croyez qu'elle portait des lentilles ?

— Peut-être qu'elle flippait sec », dit Sicca un peu trop fort. Elle avait fait une autre petite incursion dans la boîte à gants de sa voiture pendant que les autres se rafraîchissaient.

Plusieurs membres du Club gloussèrent et Wickie Lee, le sourcil froncé, se tortilla dans son fauteuil comme si elle n'était pas bien installée. Jean Lewis ferma à demi les yeux ; sa mâchoire se contracta.

En bonne maîtresse de maison, Nell intervint. « Votre remarque est très juste, Jean. Ou, pour formuler les choses différemment : Est-il possible à l'individu de survivre en tant que tel dans la société où il est contraint de vivre ? » Jean semblait ainsi apaisée et Nell pourrait dire à Cate qu'elle l'avait citée.

« Peut-être suis-je hors sujet, dit Grace Hill, qui faisait souvent précéder ce qu'elle avait à dire de ce genre d'avertissement, mais j'ai plutôt pensé à une histoire d'amour. Un amour malheureux, bien sûr, vu le contexte puritain, mais...

— Je n'ai pas regardé la série télévisée, dit Sicca. Je suis toujours lessivée avant les programmes de grande écoute. Mais j'ai lu le livre, il y a des années et des années, à l'époque où nos cellules cérébrales n'étaient pas encore atrophiées, et il me semblait que ce livre mettait en scène des gens qui se vautraient avec délices dans leur conscience coupable.

— N'importe quoi, Sicca, tonna Theodora. Nous avons lu le livre ensemble quand nous étions au cours Spenser. Tu as pleuré comme une Madeleine. Tu voulais à tout prix que Hester et Dimmesdale prennent la fuite sur le fameux bateau.

— Je t'y prends encore, Thea, à créer des souvenirs de toutes pièces parce que tu sais que tu ne risques rien. J'ai une mémoire atroce ; eh bien, même si je voulais qu'ils réussissent à s'échapper, ils ne l'ont pas fait. Lui est mort et elle a passé le reste de ses jours à se complaire dans le remords béat. » Parce qu'elles étaient amies de longue date, Sicca et Theodora n'avaient aucun complexe à se quereller en public. Au contraire, elles considéraient presque qu'elles faisaient une faveur aux autres en leur permettant d'assister à leurs scènes.

« Excusez-moi, s'écria la jeune Jean Lewis, mais je me permets d'exprimer mon désaccord avec vous, Sicca. Hester Prynne n'a pas passé le reste de ses jours à ruminer sa mauvaise conscience. Elle est revenue de son plein gré pour aider beaucoup d'autres femmes à résoudre leurs problèmes. Elle est l'élément à la fois le plus brillant et le plus positif de cette communauté !

— A propos de brillant, vous n'avez pas trouvé cela trop *brillant* à la télévision ? interrogea Gertrude Jones. Je veux dire visuellement. L'atmosphère faisait plutôt songer à un camp de bohémiens. Ils ont mis trop de couleurs, trahi le puritanisme austère du décor tracé par Hawthorne.

— Wickie chérie, j'aimerais que tu nous livres un peu le fond de ta pensée, dit Theodora qui expliqua ensuite à l'assemblée : Wickie Lee a été très émue par le dernier épisode. Aucune de nous deux n'avait envie de voir le mot fin, n'est-ce pas Wickie ? Après, nous avons sorti le livre, j'ai lu l'épilogue à haute voix et nous avons pleuré ensemble.

— Peut-être que tu confonds cet événement avec ton soi-disant souvenir de mes sanglots à Spenser, commenta sèchement Sicca.

— J'ai très envie d'entendre le point de vue de Wickie, dit Grace Hill avec enthousiasme. Surtout dans votre... euh... » S'avisant subitement qu'elle était allée un peu loin, Grace voulut vite faire machine arrière mais elle ne trouva pas la porte de sortie. Elle poursuivit donc bravement. « Je veux dire que l'on peut faire des parallèles intéressants. Vous êtes toutes les deux... euh... seules... et... »

Theodora l'interrompit. « Si nous laissions Wickie Lee s'exprimer », susurra-t-elle doucement avec un regard noir à l'intention de Grace.

Wickie Lee se tortillait de plus belle dans le fauteuil depuis qu'on lui avait signifié qu'elle était censée parler. Nell se sentit prise d'un soudain élan de tendresse pour la petite qui se redressait maintenant dans le fauteuil de Leonard, tout en se tordant un peu les doigts. Pendant qu'elle parlait, ses yeux ne quittèrent pas un instant le ventre distendu.

« Ben, je l'ai bien aimée, elle, dit-elle d'une petite voix atone. Et puis lui aussi — Dimmesdale. Il avait un beau visage tellement triste... J'étais malheureuse pour eux. » Elle se trémoussa et fronça le nez. « Mais c'est lui que je plaignais le plus. Il a tout perdu. Alors qu'elle... »

Le visage de la petite se tordit. Seigneur, dit Nell, elle va fondre en larmes. Faut-il que nous soyons cruelles pour la mettre ainsi sur la sellette. Que pourrais-je lui dire pour la tirer d'affaire ?

Au même moment, Wickie Lee poussa un cri de détresse et bondit maladroitement du fauteuil. Une flaque d'eau se forma sur la moquette, à ses pieds.

« Elle perd les eaux, cria Lucy Bell.

— Impossible ! dit Theodora. Le docteur a dit le quinze avril. On est seulement le sept. »

Lucy pouffa carrément de rire avec une agressivité que Nell ne lui avait encore jamais connue. « Theodora, il existe un certain nombre de choses que le docteur lui-même ne saurait contrôler. Quand un bébé est prêt, eh bien il arrive. »

La scène dura à peine plus d'une seconde, mais Nell n'oublierait jamais ce plan fixe, tel qu'il se joua dans son salon : Wickie Lee, les yeux arrondis par la frayeur ou la surprise, se tenait le ventre à deux mains en fixant la moquette ; les autres femmes étaient assises — celles du moins que l'agitation et la confusion ambiantes n'avaient pas fait lever d'un bond et, pour couronner le tout, si l'on peut dire, Theodora Blount et Lucy Bell demeurèrent le regard figé par l'animosité réciproque qu'elles dissimulaient avec succès depuis plusieurs dizaines d'années en présence de leurs amies. Theodora qui ne pardonnerait jamais à cette Lucy Tartempion, de Spooks Branch Road, de l'avoir dépossédée du compagnon qui lui revenait de droit et par la même occasion de tous les enfants qui auraient pu naître de leur union. Lucy qui détestait Theodora pour la condescendance dont elle usait envers elle, quand il ne s'agissait pas de franche arrogance, alors que c'était elle, Lucy, qui avait « gagné ».

« Oh ! » fit Wickie Lee en reprenant son souffle. Et le scénario put repartir après ce mémorable plan fixe.

« Depuis combien de temps avez-vous des contractions ? demanda Nell en se dirigeant vers la petite.

— Eh bien, j'ai commencé à ressentir — aïe ! — ces espèces de pincements pendant le déjeuner, mais... — elle devint si pâle qu'elle en paraissait presque bleue — celui-ci était sérieux.

— Qu'on appelle une ambulance, vite ! ordonna Theodora. Grace, va appeler l'ambulance.

— Une minute, Grace, dit Nell. Nous n'avons pas le temps de faire venir l'ambulance jusqu'ici. Grace, téléphone à l'hôpital pour leur annoncer notre arrivée et demande-leur de prévenir le docteur. Wickie Lee, restez assise dans ce fauteuil et comptez à haute voix. Vous me préviendrez dès que la prochaine contraction sera là. Je vais chercher quelques serviettes de toilette et nous partons. Quelle voiture allons-nous prendre ?

— Mais je vais abîmer le fauteuil, dit Wickie Lee.

— C'était celui de mon mari et il vous aurait instamment priée de vous rasseoir.

— Des serviettes ! cria Theodora. Tu veux dire qu'elle risque d'accoucher dans la voiture ? On ne pourrait pas appeler au moins... un taxi. Je suis trop bouleversée pour conduire.

— Moi je n'ai perdu les eaux que plusieurs heures après le début des contractions, racontait Lucy Bell à mi-voix.

— Sicca, rends-moi un petit service, dit Nell. Sers donc un verre à tout le monde. Tu sais où se trouve le bar. Grace, occupe-toi du téléphone. Theodora, tiens-toi prête avec Wickie Lee pendant que je sors ma voiture du garage.

— ... seize... dix-sept... dix-huit... dix-neuf... compta Wickie Lee.

— Tu es une spécialiste, dit humblement Theodora. Je ferai tout ce que tu diras. »

Elles étaient installées dans la voiture avant la contraction suivante et avaient déjà parcouru un bon chemin sur l'autoroute lorsque Wickie Lee ressentit la troisième. « Ne vous inquiétez pas, Wickie, nous arriverons à temps, dit Nell. Un premier bébé met généralement un moment à arriver, même lorsque, comme le vôtre, il est pressé. »

La petite se mit à rire avant de s'arrêter net, bouche bée.

« N'oublie pas ta respiration, chérie », dit Theodora qui était assise sur la banquette arrière à côté de Wickie Lee et lui tenait la main. Et cette respectable dame de tirer la langue comme un chien pour donner l'exemple du halètement.

Grace avait bien fait son travail. Une sage-femme les attendait avec un fauteuil roulant et une infirmière annonça que le docteur avait appelé depuis le terrain de golf de St. Dunstan's Forest. Il était sur la route.

« Partez devant, dit Theodora qui resta devant le bureau des admissions, je vais remplir tous ces formulaires ennuyeux. » Elle paraissait surtout pressée de se débarrasser de Nell.

Mais tandis qu'elle suivait Wickie Lee et la sage-femme vers l'ascenseur, Nell entendit Theodora dicter à l'intention de la femme qui tapait le formulaire : « Wickie Lee Blount. Non, B-L-O-U-N-T. C'est cela. C'est ma petite nièce et nous aimerions qu'elle soit en chambre particulière... »

Wickie Lee, malgré une nouvelle contraction, avait également entendu. Elle leva les yeux vers Nell. « C'est une idée à elle », dit-elle, comme si elle éprouvait le besoin d'expliquer les caprices de Theodora.

Deux heures plus tard, Nell raccompagnait Theodora à la maison où elle avait laissé sa voiture. Avec un minimum de complications, Wickie Lee avait mis au monde une petite fille de sept livres et demie. Theodora pavoisait. Toute fière, elle raconta à Nell comment Wickie Lee avait dédaigné le film que le docteur les avait envoyées voir. « Wickie Lee m'a dit : "Je n'ai pas envie de regarder plus longtemps cette femme en chaussettes. Je ne suis pas censée assister à un spectacle, mais sentir les choses de l'intérieur !" Et tu as vu comme elle s'en est tirée ! Son bébé est presque aussi gros qu'elle !

— Est-ce qu'elles vont continuer à habiter chez toi ? » demanda Nell. On passerait bientôt devant l'endroit où Leonard et elle avaient fait leur embardée fatale du 16 décembre ; elle conduisait la même voiture... On n'avait eu qu'à redresser le toit et revoir le parallélisme de la direction. Sa côte cassée s'était ressoudée et elle avait repris ses activités habituelles. La vie continuait.

« Aussi longtemps qu'elles en auront envie », dit Theodora avec conviction.

De retour chez elle, Nell constata que ses invitées avaient rangé toute la vaisselle. Lucy avait même laissé une note où elle expliquait à Nell qu'elle avait shampouiné la moquette, mais qu'à son avis il n'y avait rien à faire pour la tache sur le tissu qui recouvrait le fauteuil. Sicca, qui avait prévenu Theodora qu'elle l'attendait pour la « féliciter », était affalée sur la banquette, avec un petit verre de cognac à portée de la main. Nell fit une cafetière de café frais et toutes les trois s'installèrent pour discuter maternité et bébés. Theodora ne fut pas en reste ; elle prétendit qu'elle avait l'impression d'avoir vécu elle-même cet événement. Le jour commençait à baisser et Theodora annonça qu'elle devait retourner à l'hôpital « veiller sur sa progéniture ». Nell raccompagna Sicca jusqu'à sa voiture, dans la douceur de cette fin d'après-midi printanière. « Tu es sûre d'être en état de conduire, Sicca ?

— Ecoute, mon chou, je suis fraîche comme un gardon. Il y a des années que je n'ai pas été aussi sobre à cette heure de la journée. »

Ce soir-là, Nell décida d'appeler Cate qui serait en mesure d'apprécier les développements amusants et symptomatiques d'une telle journée. Mais si Cate parut contente que sa mère ait pris l'initiative de lui téléphoner, elle ne répondit pas avec la verve décapante que ce genre de récit lui inspirait habituellement. Elle semblait déprimée et — pour la première fois à la connaissance de Nell — amère. Elle écouta le compte rendu que Nell lui fit de cette journée haute en couleur, rit sans enthousiasme aux passages censés être comiques, avant de dire enfin, quand Nell se mit à spéculer sur l'avenir de Wickie Lee et du bébé sous le toit de Theodora : « Wickie Lee, c'est le Tiers-Monde, et j'espère que Theodora sera justement rétribuée de ce qu'elle fait. »

Puis Cate demanda à sa mère si elle avait suivi l'affaire de l'accident survenu au réacteur nucléaire de Three Mile Island.

« Je me suis tenue au courant, bien sûr, dit Nell. Mais j'avais l'impression qu'ils avaient les choses relativement en main. Ce n'est pas ton sentiment ?

— Mon sentiment est que l'on ne nous dit jamais la vérité sur ce genre d'événements, dit Cate. Je ne suis pas sûre d'avoir envie d'élever un enfant à l'époque que nous vivons. Sans parler du futur météore géant qui devrait nous tomber sur la tête cet été. » Nell ne releva pas la mélancolie complaisante qui teintait la voix de Cate.

« Où vas-tu pour Pâques ? demanda-t-elle.

— A Chicago. Je pars lundi pour deux ou trois jours.

— Ah ! Tu as des projets en compagnie de ce charmant monsieur avec qui tu sors ?

— Non. J'ai des projets pour moi toute seule, dit Cate.

— Ah bon ? » s'inquiéta Nell. Pendant le temps mort qu'elle respecta pour donner à Cate la possibilité d'élucider ce mystère, elle entendit une autre conversation, sur une autre ligne. Des hommes d'affaires, apparemment. Nell finit par dire : « J'ai cité tes propos pendant notre réunion d'aujourd'hui.

— Quels propos ?

— A propos de *La lettre écarlate* et des chances que possède un individu de survivre dans une société donnée.

— Ah oui ? » Cate eut un rire amer. « L'individu !

— Bon, dit Nell que l'indifférence de Cate commençait à lasser. La journée a été longue. Appelle-moi quand tu auras envie.

— Je n'y manquerai pas, maman. » Puis dans un sursaut de remords : « Ton coup de fil pour me donner toutes ces nouvelles m'a fait bien plaisir.

— Amuse-toi bien à Chicago », dit Nell.

Elle entendit Cate inspirer un bon coup et crut qu'elle voulait ajouter quelque chose. Mais il ne vint qu'un : « Bonsoir, maman ! »

Nell entra dans le salon pour éteindre les lumières. Il y aurait effectivement une petite tache sur le fauteuil de Leonard. Mais il n'aurait rien dit. Elle actionna les interrupteurs et resta debout dans la pièce silencieuse qui ne gardait aucune trace de l'excitation de la journée passée. Elle eut une pensée attendrie pour Wickie Lee qui, seule dans sa chambre, s'habituait lentement à l'idée d'une petite créature dépendant désormais entièrement d'elle. En cet instant, Nell se sentait plus proche de Wickie Lee que de Cate. Et en montant se coucher, elle dit à voix haute, presque avec colère : « Wickie Lee n'est pas "le Tiers-Monde". C'est une mère. »

VII

Rollingstone

Lorsque, jeune épouse de vingt-trois ans, Cate quitta la base aérienne de Ruislip afin de rejoindre Pringle, elle dut subir l'examen médical le plus complet de son existence. Pendant une journée presque entière, elle passa devant une série de médecins militaires de l'aviation. On la fit monter et descendre à un rythme accéléré un petit escabeau portatif, avant d'écouter les battements de son cœur ; on l'enferma dans une cabine avec un casque sur la tête et elle devait appuyer sur un bouton dès qu'elle entendrait un son aigu ; on la pria ensuite de prendre place à un bureau pour raconter ce qu'avait été sa vie jusqu'à ce jour (elle eut le bon sens de faire dans la concision et l'euphémisme), on lui fit une radio pulmonaire, on éclaira ses yeux et ses oreilles, on lui tapa sur les rotules à l'aide d'un petit marteau d'argent. Figurait en dernier sur le programme un examen gynécologique : un vieux docteur impénétrable lui avait palpé les deux seins avec un zèle sinistre ; à croire qu'il pensait y trouver des charges d'explosifs. Puis il alluma une lampe flexible avant de disparaître, à la façon des photographes d'antan, sous le drap qui couvrait ses jambes repliées. Elle sentit qu'il localisait les deux ovaires... pour les aplatir successivement entre la main qu'il appuyait sur son ventre et celle qu'il avait introduite à l'intérieur de son vagin, au point d'en rendre perceptible la forme exacte.

Quand elle se fut rhabillée, il la fit asseoir dans son bureau où, à l'aide d'une petite poupée dont les organes féminins étaient exposés, il lui expliqua le mécanisme de la reproduction. Cate jugea préférable d'écouter attentivement. Après la fin de la leçon, il lui annonça que son « équipement » était en ordre de marche et

209

lui demanda si elle comptait fonder une famille à Ruislip. Cate lui dit que Pringle et elle ne désiraient pas d'enfants dans l'immédiat. Et lorsqu'il se fut assuré que Cate utilisait un diaphragme, le docteur parut approuver, sans que Cate pût dire avec certitude s'il jugeait la sécurité de la méthode utilisée ou l'opportunité pour elle d'en assumer la responsabilité. Sur quoi il lui prodigua quelques conseils supplémentaires à propos de la méthode contraceptive qu'elle avait choisie. Bien qu'il n'existe aucune méthode infaillible, dit-il, on pouvait essayer de prendre un maximum de précautions. La première consistait à déposer une dose de gelée spermicide sur le col de l'utérus et une autre sur les bords du diaphragme, en plus de la cuillerée prévue à l'intérieur dudit diaphragme. La seconde était de ne jamais avoir de rapports une seconde fois sans nouvelle application dans le vagin, et la troisième — sur laquelle il n'insisterait jamais assez auprès des « jeunes mariées actives » — voulait que l'on examinât attentivement son diaphragme en pleine lumière, au moins une fois par mois. (« Certaines femmes laissent leur diaphragme s'user jusqu'à la corde et s'étonnent ensuite de tomber enceintes. »)

Dix-sept ans plus tard, Cate ne faisait que suivre ce judicieux conseil ; à la lumière matinale du soleil qui filtrait par la fenêtre de sa chambre, elle inspectait son diaphragme. Le sixième, ou le septième. Au fil des ans, les boîtes qui leur servaient d'écrin devenaient de plus en plus ordinaires, à l'instar de la reliure des passeports américains. On pourrait probablement tirer d'intéressantes conclusions morales de cette comparaison, mais en ce jour du début du mois d'avril, Cate se sentait beaucoup trop déprimée pour décrypter des symboles.
    Le petit morceau de caoutchouc passa victorieusement l'épreuve ; pas de taches douteuses. Par conséquent, soit elle avait fait preuve de négligence au moment de la mise en place, soit les fabricants de gelée spermicide avaient décidé de réduire les coûts de fabrication en diluant davantage la préparation ; on apprenait tous les jours des malversations de ce genre. Néanmoins, que la faute lui fût imputable à elle ou aux laboratoires pharmaceutiques ne changeait rien au résultat : Cate était enceinte de huit semaines.
    Lorsque ses règles n'étaient pas venues comme prévu à la fin de février, l'idée d'une possible grossesse ne l'effleura que très vaguement. Jamais auparavant elle ne s'était trouvée enceinte ; alors pourquoi le serait-elle maintenant ? Les premiers

symptômes de la ménopause lui semblèrent peu vraisemblables. Du reste, après la conversation qu'elle avait eue avec sa mère, au cours de laquelle Nell lui avait dit que l'un des premiers signes était précisément que les cycles devenaient irréguliers, Cate s'était mise à considérer les aspects positifs de la ménopause. Plus besoin de contraception ; finie l'époque où, debout devant sa classe, une sensation liquide lui rappelait soudainement, mais trop tard, qu'il aurait été astucieux de se munir de tampax ; terminées, la paranoïa et l'irritabilité qui précédaient toujours la venue des règles. Quant à tous les redoutables effets secondaires que l'on attribuait généralement à la ménopause, Cate était persuadée de leur nature essentiellement psychosomatique. Elle avait bien l'intention de ne pas tomber dans le panneau. Et si par hasard elle avait des bouffées de chaleur, elle ouvrirait une fenêtre. Et si elle avait envie de pleurer, eh bien elle pleurerait. Mais elle n'éprouverait pas le sentiment que sa vie était terminée, elle aurait au contraire l'impression d'arriver au stade où elle pouvait être elle-même, et personne d'autre. Elle n'aurait plus à être la mère, ni la grand-mère de qui que ce soit. Elle n'aurait plus à incarner « la vraie femme » pour aucun homme. Après la ménopause, si un homme éprouvait une attirance particulière pour elle, elle aurait la certitude d'être aimée pour elle-même et non pour les fruits éventuels qu'il pourrait espérer de son corps.

Au cours du mois de mars, Cate s'était tellement bien préparée à aborder le temps de la ménopause qu'elle fut plusieurs fois surprise de découvrir son reflet dans une glace ou une vitrine. Qui était cette jeune femme blonde en jean qui avançait d'un pas résolu, menton pointé contre le vent ? Où donc était la dame mûre, toute douceur et sagesse qui avait survécu aux trahisons de son corps et que l'on aimait et admirait pour elle-même ? Elle était presque déçue que lui échappât cette rassurante identité future.

Qui sait ? Peut-être que pendant toutes ces années, elle avait investi dans la contraception un argent durement gagné alors qu'elle était stérile. Peut-être que « l'équipement » dûment vérifié par le docteur « presse-ovaires » des Forces aériennes avait un vice caché.

Lorsque, pour la seconde fois consécutive, ses règles ne vinrent pas, Cate s'affola. Elle erra un moment dans une pharmacie libre service, du côté des rayons où étaient installés les tests de grossesse. Dès que le pharmacien avait le dos tourné, elle prenait une des boîtes pour lire le mode d'emploi. Si le résultat était positif, il

211

lui faudrait consulter un médecin, de toute façon ; s'il était négatif... mais comment en être sûre ? Il existait toujours un risque d'erreur. Elle rentra chez elle et consulta l'annuaire du téléphone pour prendre rendez-vous chez un gynécologue. Elle jeta son dévolu sur le Dr Eric Chance dont le nom lui semblait de bon augure. Mais après qu'il l'eut auscultée et lui eut annoncé la nouvelle, il devint patent que leurs conceptions respectives du bonheur ne coïncideraient jamais. Tout en s'efforçant d'observer une neutralité professionnelle, il s'arrangea pour lui glisser qu'il était catholique et père de six enfants. Puis il lui conseilla de s'adresser à un service de planning familial : il regrettait, mais ne pouvait rien de plus pour elle. « Vous feriez bien de ne pas traîner trop, dit-il. Il a déjà un électro-encéphalogramme actif, vous savez. »

« Quel immonde sadique ! Il faut être débile pour tenir des propos pareils ! *Le cochon !* » vitupéra Ann, la seule amitié féminine trouvée par Cate dans l'Etat de l'Iowa. Les narines dilatées par la colère, elle en rougissait presque d'indignation, ce qui n'était pas négligeable compte tenu du flegme remarquable d'Ann.

« C'était le seul argument qui risquait de faire mouche sur moi, dit Cate. Il a dû me jauger du regard et conclure : Une intellectuelle. Je vais lui servir du cérébral. Une allusion aux charmantes menottes la laisserait sans doute de marbre.

— Je suis contente que tu aies eu la bonne idée de passer par ici. Je peux te tirer d'affaire en trente secondes. Tu n'auras même pas besoin de feuilleter les pages jaunes de l'annuaire. Je connais une excellente clinique à Chicago. Juste à côté de Palmer House. J'y suis allée deux fois. Tu te rends compte que je me suis laissée prendre deux fois en une seule année ! Encore que ma responsabilité n'ait pas été complète dans l'un des cas. Mon ex-mari a fait du sabotage. Avec l'espoir malsain de sauver notre mariage.

— C'est très cher ? demanda Cate.

— Raisonnable. Deux cent cinquante. A New York, on te fait ça au Eastern Women's Center pour cent dollars. Enfin, c'était comme ça il y a quatre ans. Mais New York est loin. Le prix du billet d'avion mangerait l'économie réalisée. Alors si tu veux un conseil, on te prend un rendez-vous dans la clinique de Chicago pour le congé de Pâques. Tu descends à Palmer House et tu te laisses dorloter un peu...

— Mais le congé de Pâques est dans quinze jours, Ann. J'en suis déjà à huit semaines.

— J'ai entendu parler d'avortements à dix-huit semaines. Et même à vingt-quatre, ce qui est de la dernière stupidité. Dans ton cas, cela fera dix semaines, et dix semaines ce n'est rien du tout. Moi, la première fois, j'étais à seize. Mais cela remonte à la pré-histoire ; il fallait d'abord dénicher un charcutier et lui donner mille dollars, de la main à la main. J'étais terrorisée. Si j'ai laissé traîner si longtemps, c'est parce que j'espérais que ça allait se régler tout seul.

— Je sais, dit Cate. Moi, j'ai même eu espoir en pensant qu'il s'agissait de la ménopause. De cette façon au moins, je serais res-tée en harmonie avec la nature.

— Ne commence pas à te ronger les sangs pour cette histoire, intervint Ann. Tu n'en ferais pas tant pour un curetage, si ? Bon, eh bien, il ne s'agit même pas d'un curetage. Jusqu'à douze semaines, on peut opérer par simple aspiration. Ce n'est rien du tout.

— J'aurais préféré qu'il ne fasse pas allusion à son électro-encéphalogramme, dit Cate. Si le cerveau est actif, cela veut bien dire que l'enfant pense, non ? Quel genre de pensées peut-il avoir ? »

Ann proféra une série de jurons bien sentis. « Pour moi, ce docteur a commis un acte bien plus immoral en te tenant de tels propos qu'il ne l'aurait fait en te débarrassant de cette petite excroissance que tu portes en toi et qui ne doit pas être plus grosse qu' un grain de raisin. Les ravages de l'intoxication ! Tu as parlé de "l'enfant". Tu le sais, au moins, qui est le père ? Le distributeur de sperme devrais-je dire. Autant rester dans le vague. Oublie ma question. » Et de faire un gracieux mouvement de main, comme pour chasser une mouche importune. « Ça ne me regarde pas.

— C'est Roger Jernigan », lui dit Cate sans l'ombre d'une hési-tation. Il fallait toujours attiser la curiosité de Ann. « Et si le doc-teur ne s'est pas trompé dans ses calculs, la performance mérite d'être saluée. La première fois que nous avons couché ensemble ! » Cate se mit à rire. Elle ne contrôlait plus très bien ses réactions. « C'est bien dans son style. L'énergie à l'état pur. On fonce bille en tête. » Elle préférait l'humour : « Peut-être qu'il a pris des leçons auprès de ces petites bêtes qu'il n'arrive plus à exterminer. A la suite d'une espèce de mutation, elles ont réussi à développer une immunité contre les produits chimiques qu'il pulvérise, tu sais. Alors, on peut imaginer que ses sperma-tozoïdes ont été assez malins pour se renseigner auprès de ces petites bestioles qui leur auront enseigné l'art de résister à ma gelée spermicide.

— Si nous buvions une goutte de Rémy Martin, proposa Ann qui, en dépit de son absence totale de curiosité et d'intérêt pour les autres, témoignait cependant une compassion active aux rares personnes qu'elle avait en affection. Ensuite, j'appellerai la clinique de Chicago. Je suis sûre qu'ils se souviennent encore de moi. Et puis nous te réserverons une chambre au Palmer House.

— Le Palmer House est au-dessus de mes moyens. » Cate avait cessé de rire et s'était mise à trembler.

« Tu as une carte de crédit, non ? Tu n'auras qu'à régler avec et lorsque la facture arrivera, je te prêterai l'argent. Ce n'est pas le Pérou. Crois-moi, Cate, dans ce genre d'aventure, le plus important est de se protéger contre le sordide. Tu vas dans une clinique impeccable. La grande classe : on met *Vogue* et *The New Yorker* dans la salle d'attente. On va te faire un examen médical ; tu rentres ensuite à ton hôtel et tu te fais monter une bouteille de vin, à moins que tu ne sortes dîner au Trader Vic's ; le lendemain matin, tu retournes à la clinique, tu t'allonges sur une table, comme pour une banale visite de routine ; on te fera peut-être une anesthésie locale, puis on dilate l'utérus, on introduit un petit tube et — Pft ! — comme si on actionnait un aspirateur.

— Oh là là ! » dit Cate le visage enfoui dans ses mains.

Cate replaça le diaphragme dans son coffret de plastique bleu jaspé. Elle se demanda quand elle en aurait à nouveau besoin. Peut-être pas avant longtemps. Tout appétit sexuel l'avait quittée. Elle était absolument consternée que les quelques instants de plaisir et d'affectueuse tendresse qu'elle avait vécus auprès de Jernigan l'aient laissée dans cet épouvantable marasme. Aujourd'hui était samedi, l'une des premières journées correctes depuis le début du printemps. Le congé de Pâques ne commençait pas avant jeudi prochain. Son avortement aurait donc lieu seulement le mardi de Pâques. Ce qui lui laissait encore dix jours, aujourd'hui compris. La désinvolture avec laquelle elle avait organisé tout cela ne la laissait pas sans arrière-pensées : « Prendre rendez-vous », en toute sérénité, comme s'il s'agissait d'aller se faire couper les cheveux, et tant pis s'il fallait attendre un peu, du moment qu'il s'agissait d'une bonne maison où l'on mettait *Vogue* et *The New Yorker* dans la salle d'attente. Bien sûr, la véritable raison de ce délai était qu'il lui permettrait d'avoir une semaine entière pour se remettre : les cours ne reprendraient que le lundi suivant. Et puis dix semaines, ce n'était « rien », de nos jours. Ann le lui avait affirmé ; et la femme qui lui avait demandé quelques renseignements médicaux la concernant lui avait assuré la même chose. C'était ça, le modernisme. Une technologie médicale, une législation plus souple, des vols fréquents et les avantages d'un bon hôtel tout proche permettaient à une femme consciencieuse de coincer son avortement du premier trimestre entre deux cycles de cours, tout en disposant d'une semaine entière pour se dorloter afin d'éviter les complications, et de s'arranger avec ses remords éventuels.

Restait que la période à vivre en attendant le mardi de Pâques tenait de l'enfer. Cate avait l'impression de dissimuler quelque chose à son propre corps. Il était là, heureux et content, pensant se préparer pour le bébé à venir. Et elle n'avait aucun moyen de le prévenir qu'il se fatiguait à perte. Mais il y avait encore autre chose. Son corps semblait tellement bien s'adapter à son nouvel état ! Pendant tout le deuxième mois qu'elle passa sans voir venir ses règles, elle n'avait jamais soupçonné ce début de grossesse, entre autres raisons parce qu'elle ne souffrait d'aucun des symptômes dont elle avait entendu les autres femmes se plaindre. Pour Leo, Lydia avait rejeté tout ce qu'elle avalait pendant trois mois ; quant à sa seconde expérience, elle avait commencé par une insurmontable lassitude, doublée du besoin d'aller aux toilettes tous les quarts d'heure. Or Cate ne ressentait rien d'autre qu'une sorte de bien-être, plus une hypersensibilité au niveau de la poitrine, symptôme qu'elle observait au demeurant toujours avant la venue de ses règles. Cette belle santé lui parut relever de l'arrogance. Elle, mener une grossesse modèle...

Pourtant, ce samedi-là, lorsqu'elle se mit à compter les dix jours qui la séparaient encore de l'échéance fixée, elle décida que la meilleure solution, pour tout le monde (elle-même, son corps mystifié et cette petite chose à peine plus grosse qu'un grain de raisin, mais douée d'une activité cérébrale), serait de s'investir totalement dans une activité aussi machinale que possible. Elle rassembla donc méthodiquement tous les vêtements susceptibles de passer à la machine, puis elle se prépara un pique-nique et embarqua le tout dans sa voiture. Le menton plus que jamais pointé en avant, elle fredonna en même temps que son auto-radio tandis qu'elle affrontait cette matinée printanière en Iowa.

Plier et empiler soigneusement des douzaines d'effets personnels sentant bon le linge propre constituait à la fois une saine thérapie et un épanouissement pour la ménagère qui sommeillait en elle. Jeans et chemisiers aux teintes passées et à l'usure confortable d'avoir été beaucoup portés, chemises de nuit de flanelle brodée, collection de slips de toutes les couleurs. Aujourd'hui, même ses vieilles serviettes-éponges Fieldcriest lui plaisaient, avec les lettres blanches à son chiffre CPS qui tranchaient sur le bleu roi. La belle résistance de ces serviettes, qui faisaient partie de son premier trousseau, lui donna le sentiment très concret d'être capable de survivre à son propre passé. Voire de l'emporter avec elle dans son avenir — la part du moins susceptible de lui être utile.

Elle déjeuna au soleil dans son parc préféré. A l'extrémité des branches des arbres à feuilles caduques, les bourgeons étaient encore rouges et il leur faudrait quelques semaines pour parvenir à éclosion. C'est à cette époque de l'année que le Sud lui manquait le plus ; à cause de son printemps précoce. Quelques enfants jouaient tout près de leurs parents. Cate cligna les yeux pour mieux les observer, prête à ressentir le déclic qui la ferait se précipiter dans la cabine téléphonique la plus proche afin d'annuler son rendez-vous à la clinique de Chicago. Mais aucun de ces enfants ne sut l'émouvoir. Pas son genre, tout simplement. Dieu merci. Elle put donc offrir son visage au soleil et mordre dans son sandwich au poulet, tout en faisant l'inventaire de ses atouts. Car elle en possédait encore un certain nombre. Santé, intelligence, liberté ; et elle n'était même pas vieille. Combien de personnes au monde aujourd'hui pouvaient se vanter d'en posséder autant ?

Ses pensées allèrent ensuite à Roger Jernigan. C'était un homme occupé mais, depuis la fameuse première nuit, il la tenait informée de tous ses déplacements. « Je vais passer six jours à Vail avec Sunny ! Je pars à Los Angeles où j'ai plusieurs personnes à rencontrer. Je suppose que je déjeunerai une fois avec qui tu sais. Elle a invité Jody pour les vacances de Pâques. » « Je monte à Ames pour vérifier quelques trucs à l'Institut des Recherches agricoles. C'est là que j'ai fait mes études, tu sais. Je n'ose espérer que la promenade te tente. Ah zut, c'est vrai. C'est ton jour de théâtre. Eh bien, je me consolerai en pensant que Jody au moins pourra profiter de ta présence. »

Pour l'instant, il était à Washington où il devait voir ses vieux ennemis de l'Agence pour la Protection de l'Environnement. (« Le progrès donne naissance à d'étranges alliances. Mais une chose est sûre. Ce foutu monde devra bien continuer à manger. Alors je suppose qu'il faudra bien qu'on arrive à un accord. »)

Cate lui plaisait. Il appréciait son intelligence. Allongé à côté d'elle, au lit, il aimait susciter ses réactions à divers problèmes. Plus elle faisait preuve d'indépendance d'esprit et d'assurance dans ses opinions plus il paraissait content. Certaines de ses idées étaient étranges et irréalistes, disait-il, mais elles avaient le mérite de lui donner à voir qu'il existait d'autres mondes que le sien. Ce qui lui plaisait. Il lui disait qu'elle avait de la « classe ». Un jour, en même temps que son corps nu recouvrait le sien, il lui demanda : « Que fais-tu avec un vieux péquenot comme moi ? » Mais la joyeuse assurance qui pétillait dans ses yeux verts transmettait un message qui contredisait radicalement cette profession de modestie.

Sans être son genre d'homme, Roger Jernigan avait une présence physique qui ne la laissait pas indifférente. Elle était incapable d'objectivité esthétique à son sujet, lorsqu'il la regardait ou la touchait. La seule énergie qui émanait de sa personne suffisait à l'émouvoir. Et qu'un homme aussi occupé qu'il l'était dans son domaine (que bien des hommes auraient considéré comme le seul et unique domaine imaginable) la prît tellement au sérieux l'impressionnait beaucoup. Elle s'en aimait davantage, et lui avec. Chaque fois qu'il était venu dans son appartement, situé dans une rue dont il était déjà le propriétaire, il avait fait preuve d'une respectueuse délicatesse. Il s'intéressait à tout, voulait connaître la place de chaque chose, l'interrogeait sur sa façon de vivre. Elle comprit qu'il cherchait à la situer dans le monde qui lui était propre, et que son mode de vie différent à la fois le déroutait et le séduisait. « C'est joli. J'aime bien, disait-il en prenant les trilobites fossilisés qui lui servaient de presse-papiers. C'est toi qui les as trouvés ? Où ça ? » « Il est beau, ce tableau — il désignait l'une de ses gravures de Georgia O'Keeffe : *The Lawrence Tree* —, je le mettrais volontiers sur l'un de mes murs. » « C'est ta mère qui t'a fait ce coussin ? Toi ? Tu as brodé toutes ces petites fleurettes ? » « Combien te demandent-ils pour cet appartement ? Hum. C'est correct. Ils auraient pu te mettre une plus grande télé. Tu la regardes beaucoup ? Où est-ce que tu t'installes pour corriger tes copies ? Tu lis tous les livres qui se trouvent sur cette table ? » « Est-ce que tu te fais de la cuisine quand tu es seule ? » « Est-ce que tu reçois des visites de ta famille ici ? »

Il s'était installé un lit dans les locaux de l'usine afin de dormir sur place quant il avait un rendez-vous très matinal, ce qui lui évitait les soixante kilomètres aller-retour pour rentrer au

217

château. « Le château », disait-il avec autant de naturel que s'il avait parlé de « la maison ». Du point de vue strictement architectural, il s'agissait incontestablement d'un château. Il avait passé plusieurs fois la nuit chez elle au cours du mois de février, pendant qu'on installait le système de filtrage sur ses usines. Mais il partait toujours très tôt, avant l'aube. « Je ne tiens pas à tomber sur ton propriétaire. » « C'est le dernier de mes soucis, disait Cate, qui ne le pensait pas vraiment. D'ailleurs, dans un sens, tu es son propriétaire maintenant. » « Raison de plus », marmonnait Jernigan avec une moue désapprobatrice à l'endroit de la chaussette qu'il enfilait pour la seconde journée consécutive.

Inutile de tourner autour du pot. Roger Jernigan était quelqu'un de bien. Mais l'aimait-elle vraiment ? Il avait fait irruption dans sa vie à un moment où son amour-propre était au plus bas et ses défenses singulièrement réduites. Elle s'était sentie en sécurité, appréciée pour elle-même. D'ailleurs, elle était pratiquement sûre que lui non plus n'était pas amoureux ; il aimait la sortir au restaurant, parler avec elle ; il partageait volontiers sa couche, dans son étrange repaire, à la fois austère et féminin. Peut-être était-il aussi vaguement flatté de l'intérêt que lui portait une « intellectuelle ». Mais il ne l'avait jamais invitée chez lui — au château, par exemple. Après leur premier dîner ensemble, il n'avait plus jamais parlé de lui faire rencontrer le mystérieux Sunny. Probablement devait-il faire partie de ces hommes qui tracent une frontière hermétique entre le territoire de leur maîtresse et celui de la vie familiale.

« Leur maîtresse. » Quel mot idiot ! Et impropre, qui plus est. Restait que, quoi qu'elle représentât pour lui, elle avait résolu de garder sa grossesse secrète. Lui n'en saurait jamais rien. Elle pensait le connaître suffisamment pour savoir qu'il en ressentirait de la tristesse ; il avait eu son compte de problèmes avec les enfants. Il ne fallait pas qu'il soit au courant. Et puis elle devrait observer une période de chasteté après l'avortement, ce qui signifierait sans doute la fin de leur histoire commune : il croirait qu'elle ne voulait plus faire l'amour avec lui. Dommage ! Bien que les circonstances présentes eussent tempéré ses ardeurs, elle avait effectivement aimé céder à sa force chaleureuse. « Je tiens à remettre à plus tard l'échéance inéluctable », lui avait-il dit, au cours de leur première nuit. Il parlait du froid. Et ils avaient traversé l'hiver ensemble. Aujourd'hui se présentait une autre échéance inéluctable qu'il n'était pas en son pouvoir de repousser.

Ni l'argent, ni la chaleur humaine ne pouvaient lui éviter de prendre la décision qu'elle venait de prendre, seule.

En bonne citoyenne, Cate ramassa les détritus de son festin solitaire pour les remettre dans le sac, avant de quitter le parc. L'après-midi n'était pas encore très avancé mais le soleil était moins chaud qu'il n'y paraissait. Dieu sait comment elle arriverait au terme du week-end. La seule certitude qu'elle avait était que, d'une façon ou d'une autre, elle en verrait le bout, dût-elle pour cela se réfugier dans le sommeil. Deux choses la consolaient. Bien que, pour reprendre l'expression de Jernigan, les deux ne fassent pas une paire bien assortie. Elle était aussi fière de la décision stoïque qu'elle avait prise de cacher son état à l'homme qui en était partiellement responsable, qu'elle l'était de sa grossesse saine et sans effets secondaires.

Elle se débrouilla pour dormir le reste de l'après-midi. Puis elle regarda le journal télévisé. Les conséquences terrifiantes de l'accident de Three Mile Island continuaient de se multiplier. Tout le monde savait à présent à quoi ressemblait l'intérieur d'un réacteur nucléaire et comment il pouvait se détraquer. Encore avait-il fallu frôler la catastrophe — à supposer qu'il ne s'agisse pas d'une catastrophe à retardement dont les effets seraient longs à venir — pour que les gens y prêtent attention.

Et s'il était déjà trop tard pour tout le monde... Dans leur hâte irresponsable, peut-être avaient-ils mis en route trop de processus susceptibles de se retourner contre eux en boomerang et peut-être qu'en ce moment même, le mécanisme du retour fatal était enclenché — à l'instar de ces morceaux de Skylab dont on attendait la chute pour cet été — sans rémission possible.

Comment un monde pouvait-il savoir s'il lui restait une dernière chance ou s'il avait atteint le point de non-retour ?

Comment un individu l'aurait-il su ?

Elle décida de se soûler et déboucha une bouteille de vin. Projet qu'elle abandonna dès les premières gorgées. Ces derniers temps, le vin avait perdu toute saveur pour elle. Pourquoi ? Une protection imaginée par la nature au bénéfice de qui était d'ores et déjà condamné ?

Elle eut envie d'appeler Ann, pour trouver un peu de réconfort. Mais elle connaissait d'avance les conseils qu'elle lui prodiguerait. (« Ne donne pas dans le sordide. Chasse les scrupules. Et surtout, évite à tout prix la philosophie. L'un de nos droits les plus fondamentaux, en tant que femmes, est celui d'accepter ou non la maternité. Alors cesse de te torturer à la pensée du petit

Einstein qui développe sa terrible activité cérébrale en ton sein. Si seulement je pouvais lui envoyer anonymement une lettre au vitriol à ce docteur Chance. Lui n'a jamais eu à décider s'il garderait ou pas un bébé. »)

Lorsque le téléphone sonna, Cate faillit ne pas répondre de peur de tomber sur Ann. Elle avait atteint le stade où l'on préfère vivre seule sa propre souffrance que d'écouter les assurances stériles d'une personne qui n'a manifestement pas subi la même épreuve. La curiosité finit par l'emporter : Cate décrocha. C'était Nell.

Mais plus la conversation avançait, plus elle prenait le tour d'une mauvaise plaisanterie. Son père n'était pas mort depuis quatre mois, une nappe de krypton recouvrait imperceptiblement l'Amérique, et sa mère avait l'inconscience de se soucier sottement du Club de Lecture de Mountain City. Elle, Cate, sa fille, était sur le point de se faire avorter, et Nell ne trouvait rien de mieux à lui raconter que ses spéculations sur l'avenir de la gamine de sept livres et demie dont Wickie Lee avait accouché en moins de trois heures. Cate était évidemment injuste et ne l'ignorait pas : sa mère ne savait même pas qu'elle était enceinte. Mais elle n'était pas d'humeur à être objective. Elle n'avait d'autre envie que celle d'éclater en sanglots, comme une petite fille, et de soulager son cœur en racontant tout à Nell. « Oh maman ! Qu'est-ce que je vais faire *maintenant* ? »

Aussi, lorsque Nell lui dit : « Amuse-toi bien à Chicago », Cate eut-elle l'impression que sa tête allait éclater. Elle était à peine capable de parler et s'entendit imiter la voix d'une fille qui n'était pas elle pour articuler : « Bonsoir, maman ! » Que sa mère ne remarquât apparemment pas la différence conforta Cate dans le soupçon qu'elle avait toujours nourri : Nell aurait souhaité une fille différente de ce qu'elle était.

Cate raccrocha et attendit la folie. Qui lui aurait été un soulagement. L'abdication totale. S'en remettre totalement aux autres. Elle se souvint du jour où, après avoir perdu l'équilibre, elle était tombée dans les bras de Roger Jernigan. La tentation qu'elle avait eue de ne pas résister à la chute. Renoncer à son équilibre têtu et épuisant. Sombrer. Simplement.

Faisait-elle le bonheur de qui que ce soit en voulant à tout prix être elle-même ? Faisait-elle seulement son propre bonheur ?

Pourtant, précisément parce qu'elle était elle-même, elle ne pouvait cesser d'avoir foi en son avenir, même dans un moment comme celui-ci. Cette fois, elle la conserverait sans doute encore à l'instant où on la porterait en terre. Fiévreux et secs, ses yeux scrutèrent la pièce en quête d'un élément susceptible de ratifier son existence et de jeter un peu de lumière sur ce qui l'attendait. Avec un cri de soulagement, elle bondit de son lit lorsqu'elle aperçut, abandonné sur une planche de sa bibliothèque, son fidèle *Yi King*. Comment avait-elle pu négliger si longtemps ce mystérieux potentiel d'enseignement ? Elle l'emporta dans son lit comme un compagnon tendrement chéri. Le livre était plein de signets et marque-pages, plus quelques enveloppes où avaient été notés certains hexagrammes. Tiens, celui-ci était à Jake ! *Kuei-Mei*, Pour une Jeune Mariée. Il était daté : le 21 mars 1967. Oui, elle se souvenait parfaitement des circonstances. Peu de temps après leur mariage, Jake avait jeté les pièces pour savoir s'il devait se lancer avec un copain dans une histoire de voiture étrangère (Jake soumettait toujours des problèmes extrêmement triviaux au vieil oracle chinois) et ils s'étaient disputés quand il avait sorti un Six au sommet, plein d'images de violence et d'échecs. Cate avait essayé de le convaincre qu'il s'agissait d'un langage symbolique et non littéral. Malheureusement, les mots lui avaient donné tort. La dernière phrase du Six au sommet disait : « Cette attitude irrévérencieuse et impie ne présage rien de bon pour un mariage. »

Cate sortit trois piécettes de son porte-monnaie et lissa le drap de son lit. Quand Jake posait des questions triviales, il s'offrait le luxe de le faire en jetant d'authentiques vieilles pièces chinoises achetées chez un antiquaire de San Francisco. Bien qu'elle ne disposât que de monnaie occidentale, Cate formula son interrogation dans l'esprit des philosophes de la Chine antique. Elle avait l'impression que la réponse lui serait ainsi plus favorable. Les sages chinois avaient recours au livre pour connaître la vérité d'un moment donné et trouver le comportement qui serait en harmonie avec la totalité des éléments qui composaient cet instant. Aussi ne posa-t-elle pas une question aussi directe que : « Quelle décision dois-je prendre pour Chicago ? » Elle ferma les yeux, agita les pièces avec conviction et demanda : « Quelle est ma situation en ce moment ? »

Les piécettes tombèrent avec un bruit amorti par le drap. Quand elle les eut jetées à six reprises, elle obtint le *Ku* : Travail sur ce qui a été gâté (idée de décadence). La lecture de cette réponse lui brisa le cœur. *Ku* était le caractère chinois représentant une coupe dans le contenu de laquelle prospèrent des vers. Cependant, la poursuite de sa lecture la réconforta un peu. Le

Yi King ne laisse jamais sans espoir. Sa situation était mauvaise mais point irrémédiable. Il lui fallait travailler sur ce qui avait été gâté. Mon Dieu, les anciens la soutiendraient-ils dans sa décision d'aller à Chicago ? Non, elle devait bien se garder d'une interprétation littérale. Le *Yi King* ne pouvait donner d'information que sur la vérité du moment. Elle lut encore qu'elle n'avait pas à blâmer le destin de ce présent état de corruption, mais plutôt les abus de la liberté humaine.

Elle en était à son Neuf en Troisième Position, quand le téléphone sonna. Le Neuf en Troisième Position signifiait « Remise en ordre de ce qui a été gâté par le père ! » Il y aurait donc un petit remords, mais pas de lourds reproches. Merci, oracle, pour les petits cadeaux de consolation.

Jernigan appelait de l'aéroport. « Je rentre tôt. Nous n'avons abouti à rien de concret. Pendant tout le retour, j'ai pensé à toi, à ton petit havre de paix. Je n'ose pas te demander la permission de passer... A moins que tu ne sois déjà au lit ?

— Je suis effectivement dans mon lit avec un livre. Mais tout habillée. Comme tu le sais, le lit est le seul endroit confortable de ce havre. » Elle se méfia de l'ironie désinvolte qu'elle percevait dans sa propre voix. Pourquoi diable l'incitait-elle à croire qu'elle était dans sa forme habituelle ? Elle avait l'impression qu'elle ne devrait pas avoir envie de le voir. D'un autre côté, il était apparemment la seule personne qui l'admirait pour ce qu'elle était vraiment.

« J'ai besoin de casser une petite croûte. Je pourrais peut-être apporter quelque chose pour nous deux ?

— J'ai une idée. J'ai très envie d'une pizza ! » Cette envie d'une pizza devenait soudainement plus importante que tout le reste. Chicago et les coupes grouillantes de vers lui paraissaient surmontables, pourvu qu'on lui apporte une pizza. « Avec des piments, de la saucisse, des anchois et des poivrons verts, si ce n'est pas trop demander. »

Rire de Roger Jernigan. « Tu n'imagines pas, après tous les discours à mots couverts et autres faux-fuyants que je viens de subir à Washington, le plaisir que j'ai à entendre une personne capable d'exprimer clairement ce dont elle a envie. Ce sera tout ? Tu ne veux pas de champignons ?

— Oh si, fais mettre des champignons en plus.

— Parfait. J'adore les champignons. Tu m'attends dans une demi-heure, trois quarts d'heure. »

Elle se fit couler un bain, hésita sur l'encens qu'elle ferait

222

brûler pendant qu'elle tremperait. Les parfums à brûler faisaient partie de ses péchés mignons ; elle avait le choix entre « Lumière », « Chant du Bengale », « Pureté du Jasmin », « Dévotion de Radha » et « Musc de Krishna ». La raison lui dictait d'opter pour « Lumière » tandis que l'humeur du moment la faisait pencher pour « Pureté du Jasmin ».

Elle alluma donc un bâton de « Pureté du Jasmin », avant de se laisser glisser dans la baignoire avec un soupir satisfait. Plus de coupes de vers pour aujourd'hui. Elle allait maintenant déguster une pizza et goûter les délices d'être la prêtresse intelligente et doucement parfumée dont la haute sagesse ferait oublier à Jernigan les tracasseries de la bureaucratie washingtonienne. Rien dans son visage ne trahirait son secret. Excellent exercice de modestie en perspective.

Elle enfila un jean tout propre et s'aperçut qu'elle ne pouvait plus monter la fermeture Eclair jusqu'en haut. Déjà ! Elle rentra le ventre et s'observa de profil dans la glace installée derrière la porte. Un peu gonflée, mais rien de franchement visible encore. Elle remit son vieux jean sur lequel elle passa une chemise de satin blanc qu'elle laissa sortie, comme une tunique. La jeep arrivait discrètement dans la rue désertée. Plus le temps de remonter ses cheveux en chignon.

Elle ouvrit la porte et le regarda grimper péniblement l'escalier grinçant dans ses chaussures noires et bien cirées. Il faisait très notable dans son costume de ville. Il portait une grande boîte plate en carton d'où émanaient d'irrésistibles effluves. Bien que son visage fût dans l'obscurité, elle devinait son sourire. Et elle se rendit compte alors qu'elle l'enviait. Elle aurait bien voulu être ce Jernigan qui montait la voir, avec pour seul souci des problèmes que l'on peut laisser sur le pas de la porte.

« Madame a commandé une grande pizza avec un assortiment de tout », bredouilla-t-il en s'efforçant d'imiter un garçon de courses. La mâchoire trahissait la fatigue d'une journée et le costume était sombre, avec une fine rayure tennis. Il avait courbé l'échine, singeant l'obséquiosité qui sied à un livreur, mais l'homme épuisé ne parvenait pas à cacher totalement le patron habitué à commander. Il n'était pas plus capable de passer pour un garçon de courses que pour l'homme de peine avec lequel elle l'avait confondu la première fois qu'il était entré dans son bureau, en vêtements de travail.

Il lui tendit la pizza en la gratifiant d'un petit baiser très conjugal. « Enfin la paix et une atmosphère saine, dit-il. Tu es jolie avec les cheveux libres. Je ne les avais jamais vus ainsi. Volontairement défaits, je veux dire. » Une lueur espiègle dans son regard lui rappela leurs ébats intimes.

« Je n'avais encore jamais vu ce costume », dit-elle. Il allait y avoir un problème de fin de soirée. Il s'attendait à faire l'amour. Mais puisque leur rupture était consommée dans sa tête à elle, ne serait-il pas malhonnête, pour eux deux, de continuer à avoir des relations sexuelles ? D'un autre côté, elle ne pouvait lui dire qu'elle l'avait quitté. Ni lui expliquer pourquoi.

« C'est ma tenue de travail pour la Côte Est, dit-il en pénétrant dans son sanctuaire. Si je me mets à la lumière, tu verras même que j'ai le cou tout rouge, serré dans ce costume. Mais maintenant que tu m'as vu en monsieur bien... »

Il retira son veston et sa cravate qu'il suspendit au portemanteau fixé derrière la porte. Les mains aux hanches, cet homme robuste et trapu en pantalon sombre et chemise bleue Oxford scruta le plafond et les murs de la maison, avec l'œil d'une personne harassée qui pénètre dans une cathédrale. « Zut ! Si nous changions de rôle pendant un mois tous les deux. Je reste ici à lire tes livres pendant que tu vas là-bas prendre les décisions à ma place. Je m'inclinerai quelles que soient les options que tu choisiras. Tu n'auras qu'à revenir au bout d'un mois en disant : "Roger, j'ai décidé de bazarder la nouvelle formule Tru-Gro parce qu'avec la nouvelle législation, l'expérimentation coûtera trop cher. En revanche, je veux continuer la formule virale, bien qu'on ne puisse escompter de rentabilité avant 1985, échéance à laquelle tu risques de n'être plus de ce monde." Au fait, à propos de ton fils et héritier, j'ai résolu d'autoriser Jody à se faire percer les oreilles ! Qu'en dis-tu ? Tu acceptes d'inverser les rôles pendant un mois ? »

Cate le regarda. La boîte en carton dont le fond était très chaud se trouvait toujours entre ses mains. Elle-même était le siège de réactions contradictoires ; elle lui en voulait de croire qu'elle planait allégrement dans les hautes sphères, mais elle l'enviait de pouvoir peser le pour et le contre dans ses choix fondamentaux, sans être impliqué personnellement. Dans le même temps, le simple fait qu'il ait essayé d'imaginer sa vie lui allait droit au cœur, comme sa façon d'accepter la tyrannie des caprices absurdes de son fils cadet. Elle avait également ressenti un pincement de cœur inattendu quand il avait plaisanté sur sa propre mort. Quelle conclusion en tirer ? Elle préféra ne pas approfondir la question, pour le moment du moins.

« Tu pourrais avoir une mauvaise surprise avec certaines décisions que j'ai à prendre », dit-elle. La remarque qu'elle voulait
légèrement ironique prit un ton acerbe et accusateur. Où était la
bonne humeur qui devait présider à leur soirée ? Qu'avait-elle
fait de son impeccable sang-froid ? « Je colle ça quelques minutes
au four et ce sera parfait », ajouta-t-elle avec un joyeux optimisme style « tout va très bien Madame la Marquise » qui lui
rappela soudain les variations d'humeur de sa mère, capable de
passer sans transition de l'ironie désabusée à l'autoritarisme
féroce quand elle était seule avec ses filles, pour se transformer en
maîtresse de maison douce et irréprochable dès que leur père
franchissait le seuil de la porte.

Elle entra dans la cuisine et alluma le four pour faire réchauffer la pizza. Puis elle sortit l'argenterie, des serviettes et, bien
qu'elle sentît sa présence dans l'encoignure de la porte d'où il la
contemplait calmement, les bras croisés, elle fit mine de s'intéresser surtout à une trace de détergent sur l'un des verres à vin.
Tenant le verre dans la lumière, elle frotta la tache avec un torchon. Ainsi tenait-elle Jernigan à distance, dans l'ordre de ses
préoccupations, pour se protéger de la reddition qu'elle venait de
frôler dans la pièce voisine. Pour s'endurcir, elle se remémora le
coup de téléphone de sa mère. Il était franchement drôle que sa
voix de parfaite « maîtresse de maison », quelques instants auparavant, eût été l'exacte réplique de l'intonation maternelle,
d'autant que elle, Cate, n'était pas sincère. A moins que, à l'époque, sa mère ne l'ait pas été davantage... Toutes les deux avaient
joué la scène vieille comme le monde de la gentille ménagère qui
épargne les turpitudes domestiques à son mari qui rentre fourbu
par les vicissitudes du monde extérieur. Mais petites filles, Lydia
et elle comprenaient mal pourquoi leur mère devenait subitement
si gentille et si douce à l'arrivée de leur père. Cate réagissait à ce
soudain changement dans l'équilibre des forces assurant la cohésion de la cellule familiale, en reprenant à son compte la part dis-
parue de la maman sévère tandis que Lydia, la cadette, se retranchait dans son cocon douillet. Ce qui lui permettait non seulement de se faire oublier (et par conséquent d'éviter les punitions)
mais aussi de devenir la copie conforme de la gentille maman
« docile ». Mais à l'époque, Cate était incapable de faire une telle
analyse.

Quel était l'intérêt d'accéder à cette belle lucidité avec des
années de retard ? La cellule familiale était dissoute à présent.
Sans doute qu'à quatre-vingt-seize ans, Cate se réveillerait un

matin pour trouver que l'ambiguïté des forces en œuvre entre elle-même et les personnes qui comptaient le plus dans sa vie était résolue, comme un puzzle reconstitué. Alors, du haut de sa solitude, elle aurait tout loisir de contempler un paysage sans secret et pourrait s'abandonner à la joie de la sagesse stérile que confère une perspicacité à postériori.

« Et pourquoi pas ? demanda Jernigan en s'adossant contre le chambranle de la porte, les bras toujours croisés sur la poitrine. Pourquoi est-ce que j'aurais une mauvaise surprise s'il fallait que je prenne certaines décisions à ta place ?

— Une idée comme ça, rien de plus. » Cette fois, non seulement elle avait réussi à éviter le petit ton amer, mais elle avait accompagné la remarque d'un haussement d'épaules désinvolte.

« Eh bien, essayons, insista-t-il, sourire aux lèvres. Il se peut que je me débrouille parfaitement de tes problèmes, tout comme tu pourrais te révéler excellente pour résoudre les miens. Baraka du débutant, intuition, et autres choses du genre. A moins que tu ne sois plongée dans un ésotérisme tel que tu n'aies pas foi en mes capacités. » Il dressa ses sourcils broussailleux sans cesser de sourire. Le jeu qu'ils avaient commencé — que lui avait commencé — l'amusait manifestement beaucoup. Il y voyait une plaisante façon de faire le lien entre leurs existences distinctes et l'intimité qu'ils connaîtraient peut-être tout à l'heure, grâce à un repas pris ensemble ou un lit partagé. Elle tenait pour évident qu'il n'avait perçu ni son amertume sous-jacente, ni la distance qui venait de s'installer entre eux. Jake ne s'y serait jamais trompé, lui qui avait si souvent retourné contre elle ce genre de détail ; le Poète Résident non plus, qui saisissait de telles nuances sur son visage, quand il ne les lisait pas dans l'air ambiant. Manquait-il à Jernigan le radar infaillible qui permet de détecter le moindre changement d'humeur ou la nuance infinitésimale qui signe subtilement le gros mensonge ? En dépit de sa curiosité et du désir qu'il avait de se faire une idée de sa vie, existait-il en lui une sorte d'épaisseur grâce à laquelle elle pourrait toujours lui dissimuler ce qu'il appelait son « ésotérisme » ?

Une telle idée la décevait. Toutefois, la tâche serait moins difficile pour elle si elle lui trouvait un défaut rédhibitoire. Un défaut qui la confirmerait dans la décision qu'elle avait prise pour Chicago. Forte de cette « preuve » de son insuffisance, elle ressentit pour lui une étrange tendresse, comme s'il lui appartenait désormais à elle de lui cacher cette terrible déficience.

« Il n'y a rien d'ésotérique, dit-elle avec bonne humeur. Ce sont des problèmes très pratiques. A tel point qu'ils sont ennuyeux. » S'il insistait vraiment, elle pourrait toujours ressortir d'autres décisions qu'elle avait à prendre dans un avenir assez proche : des choses ennuyeuses certes, mais dont elle savait qu'elle pourrait les régler en faisant appel à sa seule intelligence.

« Alors, mets-moi à l'épreuve, persista-t-il.

— Oh ! Je me demande si je ne devrais pas essayer de trouver un autre appartement puisque celui-ci doit être rasé, à supposer que j'aie encore un poste ici à la rentrée prochaine. Le président reste très évasif. Il dispense beaucoup de bonnes paroles mais ne signe pas de contrat. Nous sommes plusieurs à être allés le voir. J'envisage aussi de bazarder tout ce qui ne rentre pas dans ma voiture d'ici fin mai, de façon à filer dès que je serai quitte avec les examens. Dans ce cas, irai-je vers l'est ou vers l'ouest ? Et de quelle hospitalité vais-je abuser, le temps de trouver une ouverture dans une autre université s'apprêtant à mettre la clé sous le paillasson ? » Elle avait retrouvé son ironie habituelle, et son humeur s'améliorait au fur et à mesure qu'elle parlait. Une gracieuse flexion des genoux lui permit de sortir la pizza du four pour la déposer sur un grand plat rond en céramique. Elle lui servit un plein verre de vin et emplit le sien à moitié pour qu'il ne remarque pas qu'elle avait cessé de boire. Puis elle l'invita gentiment à s'asseoir. « Tu vois bien ? — elle lui servit une première part de pizza — Les décisions que j'ai à prendre sont moins exaltantes que tes affaires de haute finance ; elles n'ont même pas le goût du neuf, comme les boucles d'oreilles de Jody. Au fait, il veut se faire percer les deux oreilles ou une seule ? C'est qu'il y a une différence, tu sais.

— Il a dit les deux. Du moins je le crois. Mais il fera ce qu'il voudra. Quand il sera chez sa mère en Californie la semaine prochaine, elle l'encouragera certainement dans cette voie. Je suis sûr qu'il ne m'a demandé que pour la forme. Ou pour me faire enrager. Il sait parfaitement que je ne pourrai pas reboucher les trous. » Puis après un regard songeur à ses couverts, il étala consciencieusement la serviette sur ses genoux et entreprit de se couper un morceau de pizza à l'aide de sa fourchette et de son couteau. « Qu'est-ce que c'est, ton histoire de différence ?

— Oh, il s'agit apparemment d'un code assez complexe. Selon que l'on porte deux boucles ou une seule, à droite ou à gauche, on est censé indiquer sa, ou ses préférences sexuelles. »

Grognement de Jernigan. « Eh bien, j'ai l'impression que j'aurai la surprise. » Lorsqu'il la vit manger sa pizza avec les doigts, il reposa son couteau et sa fourchette. « Je crois que je vais t'imiter.

— C'est la meilleure façon non ? »

Tous deux mangèrent silencieusement, non sans une certaine gourmandise. Elle lui servit du vin dès que son verre fut vide. « Tu ne bois pas ton vin, remarqua-t-il.

— Mais si. » Et de prendre son verre pour avaler ostensiblement une gorgée. « Na, voilà. Je bois mon vin. » L'amertume, à nouveau. Elle sentit monter en elle une vague sourde de sombre rancœur. Elle avait hâte qu'il s'en aille.

Il finit enfin par s'essuyer la bouche sur sa serviette avant de repousser son assiette. « A ta place, je ne tablerais pas sur un poste à Melanchton pour la rentrée prochaine, dit-il sans la regarder. Cette information est strictement confidentielle et ne doit pas sortir de cette pièce. Mais nous sommes amis tous les deux, et j'ai pensé que tu devrais être au courant.

— Eh bien, merci. Voilà deux problèmes réglés d'un coup. Pas de poste à la fac, pas besoin de chercher un autre appartement. La fac ferme ses portes, si je comprends bien. »

Hochement de tête affirmatif. « N'oublie pas, ceci doit rester entre nous.

— D'accord, mais je suis tout de même contrariée. Qu'est-ce qui empêchait le président de nous mettre au courant ? Bon sang, nous sommes au mois d'avril. Il faut du temps pour faire des lettres de demande d'emploi.

— Tu peux t'estimer heureuse de n'avoir pas été virée en décembre.

— Ah ! oui ? Et à qui dois-je l'honneur ? »

Il prit sa serviette pour la plier, mais changea d'avis et la chiffonna avant de la rejeter sur la table. « Bôf, à moi, tiens ! Le dernier semestre de Jody à Melanchton College va me coûter la bagatelle de trois cent mille dollars.

— Je me doutais un peu que tu faisais partie des... bailleurs de fonds, fit sèchement Cate. Mais je ne vois toujours pas pour quelle raison on ne nous a pas mis au courant, nous qui allons devoir trouver un autre emploi pour l'année prochaine, que l'établissement fermait. Le président nous a menti. Il nous a laissés croire qu'il restait encore une chance.

— Je suis partiellement responsable. Je lui avais dit que j'étais prêt à maintenir une aide financière l'année prochaine, pourvu que de son côté, il trouve d'autres sources de financement. Il avait cinq mois pour chercher. Je me demande ce qu'il fout de ses

228

journées... Apparemment, il vit dans les nuages, avec le petit Jésus. Peut-être que Jésus se manifestera. Mais moi je ne vais pas jouer tout seul les bons samaritains une année de plus. Je tiens à ce que Jody décroche son diplôme et je souhaite que lui et ses camarades passent leurs examens en toute quiétude. Sans avoir l'impression d'être embarqués sur un navire qui prend l'eau. Je veux que cet établissement fonctionne normalement tant que mon fils n'aura pas son diplôme en poche. Si je passe pour égoïste ou "retors", eh bien tant pis. Je suis navré mais, comme je te l'ai déjà dit, je m'efforce d'agir au mieux pour les miens.

— En d'autres termes, tu n'as pas prévenu le président que tu ne renouvelais pas ta subvention l'année prochaine ?

— Non. Je le mettrai au courant le lendemain du jour où Jody aura son diplôme en poche. Si je le lui dis maintenant, il va commencer à rogner sur les dépenses. Et probablement supprimer certains enseignements, le cours de diction par exemple. Si je finance l'opération jusqu'à la fin mai, j'entends bien le faire sur mes bases à moi.

— Je vois, dit Cate qui ajouta avec un petit rire sarcastique : Je préfère m'abstenir de tout commentaire, puisque vous êtes celui qui paye mon salaire, monsieur ! »

Tiens, elle l'avait blessé. Il lui adressa un regard surpris. « Je croyais que nous étions sur la même longueur d'onde, Catie. Il me semble que nous avons déjà eu une altercation sur un sujet semblable à propos de M. Terry et, après mes explications, j'avais l'impression que tu partageais mon point de vue. Apparemment je me suis trompé.

— Nous ne serons jamais sur la même longueur d'onde, répliqua Cate avec humeur. Et depuis quand est-ce que tu m'appelles Catie ? Personne ne s'est jamais permis de m'appeler Catie. Tu n'as aucun droit sur moi. Je ne suis pas ta chose, même si c'est toi qui payes mon salaire. »

L'amertume se lisait jusque dans son regard. Autant pour ses velléités de bonne humeur et de sang-froid. Elle prit son verre et le vida d'un trait. Le vin eut à peine le temps d'atteindre l'estomac qu'elle était obligée de bondir de sa chaise. Elle arriva juste à temps à la salle de bains.

Elle eut l'impression de vomir des litres entiers de tomates, fromage, pâte à pain, poivrons, saucisses et champignons non digérés. Autant pour la fille qui voulait tout et était capable d'exprimer clairement ce qu'elle voulait. Autant pour celle qui entendait mordre dans la vie à belles dents. Tout se paye. Il faut toujours régler l'addition en fin de circuit. Affaiblie par les spasmes, elle eut bien du mal à se relever avant de tirer la chasse. Puis elle se passa de l'eau sur le visage et se rinça la bouche au dentifrice. Elle écouta ; n'entendit rien. Seigneur, pria-t-elle, faites qu'il soit parti. Je lui ai donné toutes les raisons du monde de partir sans dire adieu.

Elle le trouva assis sur le bord de son lit lorsqu'elle sortit de la salle de bains. Il avait l'épaule basse et son visage paraissait vieilli. Quand il n'était pas sûr de lui, dans son élément, il avait la joue flasque, avachie. Elle vit comment, si la vie avait tourné différemment pour lui et s'il n'avait pas eu foi en sa destinée, il aurait effectivement pu ressembler à un homme de peine. Et elle éprouva soudain pour lui pitié et répulsion. Il aurait mieux fait de s'en aller que de se montrer à elle sous ce visage.

« Qu'est-ce qui se passe, Cate ? » demanda-t-il. Sa voix était à la fois distante et lasse. « Ton comportement est bizarre depuis l'instant où j'ai franchi le seuil de la porte. Si tu n'avais pas envie de me voir, pourquoi ne pas me l'avoir dit au téléphone ? Tu avais l'air contente au contraire et, quand j'arrive, tu déclenches aussitôt les hostilités. Absolument. Avant même qu'il soit question de la fac. Je suis peut-être un peu simplet, mais pas à ce point. Il te manque quelque chose. Tu n'es plus la même. Auras-tu la bonté de m'expliquer ce qui ne va pas ?

— J'ai été malade », dit-elle, comme pour se défendre de la dureté impersonnelle de sa voix. Elle eut peur de lui et de la curiosité qu'elle lut dans le regard accablé qu'il posait sur elle. Il voulait seulement tirer l'affaire au clair avant de rentrer chez lui. « J'ai été malade dans la salle de bains.

— Ça, je sais. J'ai des oreilles. Mais pourquoi ? C'est moi qui te rends malade ? » Il n'avait pu s'empêcher de revenir au ton badin de leurs relations habituelles. Et elle craqua.

« Non ; c'est parce que je ne supporte plus le vin », dit-elle lentement. Elle articula la suite avec la lenteur mesurée d'une marche funèbre. « Je ne supporte plus le vin parce que, contrairement à ce que tu pensais en prétendant qu'il me manquait quelque chose, j'ai quelque chose en plus. Effectivement, je ne suis plus la même. Je suis enceinte. »

Il se leva d'un bond. Les yeux plus brillants, il la détailla comme s'il espérait radiographier son ventre. « Je sais bien que je ne suis pas censé poser la question, mais est-ce que...

— Oui, dit Cate. Je suis vieux jeu. Je n'ai qu'un amant à la fois.

— Mais nom de Dieu, comment... Je veux dire, tu mets toujours tout ton bazar, non ?

— Moi non plus, je ne comprends pas. Cela n'aurait jamais dû arriver. » Elle réédita la plaisanterie qu'elle avait servie à Ann sur les spermatozoïdes qui auraient développé une immunité contre la gelée spermicide ; puis elle regretta cette obscénité qui venait sans doute de rompre la solennité avec laquelle elle avait annoncé la nouvelle.

Il eut un rire sec et sans conviction. « Rien n'est impossible. J'ai cessé depuis longtemps de croire que je pouvais maîtriser la nature. On peut la prendre par surprise, ou la détourner de temps en temps, mais elle nous réserve toujours des surprises de son cru.

— Oui », dit Cate. Ils étaient debout à un mètre l'un de l'autre, les bras ballants, comme deux combattants qui auraient épuisé l'envie de s'affronter.

« Qu'allons-nous faire ?

— Ce que je vais faire, moi, c'est aller dans une clinique la semaine prochaine. A Chicago. Pendant les vacances de printemps. Simple formalité, m'a-t-on dit. Je suis sûre que je reviendrai en pleine forme pour finir le semestre, sans préjudice pour mes étudiants. » Elle ne put résister au plaisir de lancer cette petite pique.

« C'est donc ce que tu souhaites ? » Perçut-elle un léger soulagement ? Elle aurait eu plus de certitude si elle avait pu croiser son regard, ce qui n'arriva pas.

« Oui, dit-elle.

— Je suis sincèrement désolé. Pour rien au monde, je n'aurais souhaité ce qui arrive.

— Eh bien c'est arrivé tout de même. Cela dit, je suis aussi responsable. C'est une chose qu'on a faite à deux, tu sais.

— L'épisode Chicago, combien va-t-il te coûter ? » L'espace d'une épouvantable seconde, elle craignit de le voir mettre la main à sa poche revolver pour en sortir son portefeuille. Mais il voulait seulement se soulager les reins. Cette fois, elle observa effectivement son visage. Il paraissait mortellement fatigué. Lui qui était venu dans son sanctuaire de lumière et de vérité avec l'espoir d'y trouver l'oubli de ses soucis quotidiens. La condition humaine lui parut soudainement bien désespérée. Elle n'avait d'autre envie que celle de clore dignement ce chapitre.

« J'aimerais autant que tu ne t'inquiètes pas de cet aspect du problème. Ils pratiquent des prix raisonnables. » Elle eut un rire désabusé. « Ils n'ont pas le choix, s'ils veulent se mettre à la portée de la bourse d'une salariée. Je n'irai pas jusqu'à dire qu'il s'agit d'une somme dérisoire pour moi, mais je tiens à payer. Comme je te l'ai dit, je suis très vieux jeu, à ma façon. Payer soulagera un peu ma conscience. Alors, s'il te plaît, ne parlons plus de cette affaire.

— Je me sens responsable. Et ma conscience à moi ? Je vais la soulager comment ?

— Tu veux dire que libre comme tu es, c'est la première fois que ce genre de mésaventure t'arrive ?

— Pour autant que je sache, cela ne s'est produit que deux fois. Et à cette heure, ils dorment tous les deux à la maison. » Le ton de cette dernière remarque, vaguement moralisateur, mit Cate hors d'elle.

« Dans ces conditions, tu ferais peut-être aussi bien de vite rentrer les border. Prends soin des tiens, comme tu dis. Et laisse-moi tranquille... que je m'occupe de ce qui est à moi. »

Leurs regards se croisèrent, atterrés par les paroles qu'elle venait de prononcer. Elle était consternée par sa propre brutalité. Au bord des larmes.

Pendant une minute, il parut sur le point de traverser la pièce pour la serrer dans ses bras et lui offrir suffisamment de tendresse pour les absoudre tous les deux. Mais elle avait peut-être confondu son désir profond avec la réalité, à moins qu'il n'eût finalement estimé ses réserves de tendresse insuffisantes pour la situation.

« Bon, je ferais sans doute aussi bien de regagner ma vallée, dit-il après un coup d'œil à sa montre. On ne m'attend pas avant demain, mais je comprends aisément que je t'ai causé suffisamment d'ennuis. » Et il alla récupérer sa cravate et son veston sur le portemanteau.

« Il n'y a pas eu que des ennuis ! » Elle avait envie d'écarter les bras pour lui barrer la porte et l'empêcher de la laisser seule avec ses pensées. Ce qui accentua sa raideur tandis que, lui tournant partiellement le dos, elle surveillait du coin de l'œil ses manœuvres de départ. « Nous nous sommes tenu chaud au plus froid de l'hiver.

— Comme tu dis », ironisa-t-il en enfilant son manteau. Puis il attrapa la cravate d'un geste sec et, après lui avoir jeté un regard rageur, il en fit une boule qu'il fourra dans sa poche.

« Essaie de te souvenir des bons moments, dit-elle stupidement tandis qu'il tournait le verrou Yale pour sortir.

— Je t'appelle dans quelques jours, dit-il. Nous allons nous faire du mal si nous insistons ce soir.

— Merci pour la pizza. » Elle pleurait maintenant et espérait qu'il percevrait son désarroi au son de sa voix, malgré la fierté qui lui interdisait de bouger. Il n'était pas trop tard. Il pouvait encore faire demi-tour et venir la consoler.

« Ce n'est rien. Je regrette que tu n'en aies pas davantage profité. Bonne nuit, Cate. »

Il disparut de son champ visuel. Elle entendit la porte se refermer doucement. Le bruit de ses pas qui s'éloignaient rapidement de son sanctuaire. Elle se laissa tomber en travers de son lit et enfouit sa tête sous un oreiller, ce qui ne l'empêcha pas d'entendre encore le moteur de sa jeep qui descendit la petite rue silencieuse et condamnée.

Elle demeura là, en jean et blouse de satin, trop déprimée pour se lever et se déshabiller. Ses tempes battaient. Immobile, étendue en travers du lit, elle essaya d'imaginer une voie de sortie qui n'existait pas. Il lui fallait trouver un moyen de libérer le terrain qui la bloquait, intérieurement et physiquement.

Elle se souvint alors d'une méthode qu'elle utilisait pendant ces derniers mois de vie commune avec Jake, à l'époque où il devenait fou et tentait de l'entraîner dans sa folie. Il s'agissait d'un petit exercice mental inventé spontanément, un soir que, seule dans le lit de leur appartement de Greenwich Village, elle attendait une prochaine attaque de Jake contre son intégrité. Il avait déjà construit son espèce d'estrade au milieu du salon, où il se retranchait sur une pile de coussins et de couvertures, à l'abri des tapisseries râpées et autres cotonnades indiennes qu'il avait suspendues tout autour pour qu'elle ne puisse pas « l'espionner » dans « sa maison ». Lorsqu'elle rentrait après une journée d'enseignement à l'école de filles de l'Upper East Side, elle le trouvait sur son estrade, derrière ses rideaux. Il avait également cessé de lui adresser directement la parole mais, dès qu'elle franchissait le seuil de la porte, elle l'entendait brancher son magnétophone, et commençait alors la harangue quotidienne et démente de la voix enregistrée de son mari, dressant la liste de ses péchés ; il l'insultait abondamment et l'accusait, elle et son éducation petite-bourgeoise, de freiner son accession au divin.

Elle préparait le dîner et lui laissait un plateau sur la table de la cuisine. Elle-même emportait son repas dans sa chambre où elle s'enfermait avec des copies à corriger, ou son mémoire à avancer, le tout sur fond de bandes magnétiques. Dès que l'une était terminée, il en installait une autre. Les stocks paraissaient inépuisables. Il avait dû passer l'essentiel de sa journée à les enregistrer. Tant d'efforts et d'énergie consacrés à la folie ! Le pire était que, malgré toutes les drogues qu'il prenait pour détruire sa raison, certaines de ses accusations étaient terriblement perspicaces et imaginatives. Il la connaissait bien et savait mettre dans le mille pour la blesser. Au bout d'un certain temps, elle l'entendait filer discrètement vers la cuisine où, avec la prudence d'un animal sauvage, il s'emparait de son dîner. Elle savait qu'il se droguait. Mais elle ignorait où il se procurait la drogue et avec quel argent il la payait.

A cette époque, elle se souciait énormément de sa propre santé mentale et cette préoccupation dut être à l'origine du petit exercice. Si elle réussissait à tenir le coup le temps d'achever la rédaction de sa thèse et partir d'ici — Jake se portait beaucoup mieux lorsqu'il disposait de plus d'espace vital, encore qu'elle eût pris ce poste parce qu'il avait manifesté le désir « d'essayer New York » — elle pourrait l'aider à sortir de cette mauvaise passe. Peu lui importait d'être l'élément fort du couple, celui qui donne le plus. Elle l'avait épousé pour le meilleur et pour le pire et entendait ne pas se dérober au pire. Un mariage raté constituait une erreur regrettable, un second naufrage pourrait bien signifier qu'elle n'était pas étrangère à cet échec. A ce moment-là, elle ne se résolvait pas encore à envisager un second divorce et préférait se cramponner à l'espoir de plus en plus ténu qu'elle réussirait peut-être à sauver Jake. Ensemble ils iraient s'installer dans le Vermont ou le New Hampshire où elle pourrait enseigner dans l'une des nombreuses petites universités locales, tandis qu'il s'occuperait d'agriculture ou de menuiserie, ce qui serait plus honorable que de l'attendre dans un appartement en ville. Lui avait le sentiment d'avoir été laissé pour compte par son époque. Il avait abandonné ses études pour préparer une révolution qui ne semblait pas vouloir venir et maintenant il s'effondrait parce qu'il voyait bien que l'avenir allait lui échapper alors même qu'il lui avait fait don de son intelligence et de sa jeunesse. Il régressait maintenant au stade de l'enfant colérique, tout en demeurant capable d'utiliser son intelligence d'adulte pour inventer de nouvelles façons de mettre à l'épreuve sa loyauté et son attachement. Le fait de vivre sur son salaire ne faisait que redoubler la violence des efforts qu'il déployait pour la contraindre à reconnaître que l'argent était méprisable. Les contradictions se multipliaient. Il désirait compter sur elle comme un petit enfant dépend de sa maman, mais voulait également lui prouver qu'elle avait l'esprit trop « bourgeois » pour être d'essence divine, comme lui.

Un matin, alors qu'elle était dans la salle de bains, elle entendit sa voix enregistrée l'inviter à venir assister immédiatement à une « manifestation artistique » sur son estrade. Avec le bel optimisme des imbéciles qui la caractérisait, elle y alla. Il s'était éclipsé discrètement. Les murs contre lesquels était appuyée l'estrade étaient barbouillés de dessins enfantins. Et de merde.

Mais elle vécut pire encore. Ce jour-là, elle lessiva les murs à l'ammoniaque. Comme il s'y attendait. Une maman nettoie bien les saletés de son bébé, non ? Un autre jour de novembre 1969, rentrée de bonne heure dans l'après-midi, elle le trouva gentiment installé, en pleine forme et parfaitement souriant, au milieu de ses clients. Des petits paquets étaient posés sur la table basse, à côté d'une pile de billets de banque. Jake était le dealer local. Alors seulement, elle le flanqua dehors. Son « esprit bourgeois » lui permit de percevoir la nécessité d'une telle mesure.

Mais avant l'épisode des petits paquets sur la table, elle s'enfermait tous les soirs dans sa chambre et mettait un point d'honneur dérisoire à assurer malgré tout la bonne marche de la maison. Quand elle avait fini son travail, elle éteignait la lumière et s'efforçait de faire le vide dans sa tête. L'une des plaisanteries favorites de Jake consistait à attendre qu'elle se soit endormie pour remettre une nouvelle bande. Elle ne savait jamais trop quels propos sur son compte allaient la réveiller. Un soir qu'elle était ainsi allongée sur son lit dans une obscurité pleine d'incertitudes, à se demander s'il était endormi ou pas et, dans cette dernière hypothèse, quand allait démarrer la bande suivante, elle s'était sentie craquer. Pour la première fois, elle avait perçu une menace directe sur son propre équilibre mental.

C'est alors que lui était venue l'idée du petit exercice. Tout se passait comme si elle se trouvait au centre d'un cercle constitué par ses pensées, et que, munie d'un balai, elle devait repousser toute mauvaise pensée menaçant de franchir la ligne de démarcation de ce cercle. Tant qu'elle aurait la force de ne pas lâcher son petit balai, elle pourrait tenir à distance ces pensées destructrices. D'ailleurs elle les voyait : des espèces de magmas sombres et informes assez semblables aux taches qu'elle avait lessivées sur le mur de Jake. Et son petit balai de s'affairer sans relâche, et les ombres de reculer.

Elle savait qu'à condition de maintenir le cercle suffisamment longtemps pour permettre à ses énergies de se reconstituer, elle survivrait. Car le cercle avait besoin de temps pour se cicatriser.

Le petit exercice fut une telle réussite qu'elle devint capable de balayer dès que l'une des bandes commençait. Les mots n'avaient plus prise sur elle. Elle finissait par accéder au sommeil grâce à ses coups de balai et se réveiller prête à affronter la suite. Même pendant son sommeil, son système d'autodéfense continuait à fonctionner, prêt à repousser le premier attaquant de l'ombre à coups de balai.

Ainsi donc, après le départ de Jernigan, Cate s'allongea-t-elle, raide et calme ; les paupières solidement verrouillées, elle monta la garde avec son balai, au centre du cercle. Rien ne devait pénétrer. Ni le futur (quel qu'il soit, où qu'il soit), ni Chicago, ni le visage de Jernigan — autoritaire et sûr de lui ou avachi et épuisé — comme si elle avait réussi à l'abattre... non. Dehors, pas de pensées. Balayer, balayer le cercle. Dehors les assiettes sales sur la table de la cuisine, celles qui vont attirer les souris et les cafards. Même elles, dehors. Elle balaya, balaya, inlassablement, jusqu'au moment où, sa vigilance étant devenue quasi automatique, elle trouva une forme de sommeil.

Plus tard, un rêve parvint à se faufiler, mais ce rêve était inoffensif, ni réparateur ni carrément atroce. Elle aurait pu craindre pis. Elle rêva qu'elle pliait bagage et remplissait méthodiquement le coffre de sa voiture. Livres, vêtements, ustensiles de cuisine, une grande plante verte exotique qui ne ressemblait à rien de connu pour elle, tout rentrait parfaitement à la place qui lui était impartie. Les feuilles vertes remuèrent avec intelligence, comme pour exprimer les pensées de la plante, et Cate se réjouissait du brio avec lequel elle avait mené ce déménagement, heureuse de l'agréable compagnie que serait cette plante pendant le voyage. Puis une grosse femme noire fit son apparition. Elle ressemblait à l'Azalea de Theodora, tout en étant, assez bizarrement, l'amie et la domestique de Cate. Elle tenait un balluchon entre les bras ; un paquet que Cate avait dû oublier. C'était un bébé. L'espace d'un instant, Cate en fut contrariée. Où allait-elle le mettre ? Mais elle lui trouva une place, juste à côté de la chère plante verte. Elle prit donc le bébé des bras de la matrone noire qui disparut prestement. Puis, en regardant mieux, Cate vit que le paquet qui ressemblait à un bébé emmailloté contenait en fait un ours en peluche qui lui avait appartenu quand elle était petite.

Elle se réveilla, emberlificotée dans ses vêtements qui la

comprimaient. Un moteur s'arrêta dans la rue, sous sa fenêtre. Suivit un bruit de pas qui montèrent rapidement l'escalier et l'on frappa à la porte. A travers les persiennes, elle vit qu'il faisait déjà grand jour.

C'était Jernigan, rasé de frais et vêtu de sa tenue habituelle, pantalon et chemise écossaise.

« Quelle heure est-il ? fut la seule chose qu'elle trouva à dire.

— Un peu plus de sept heures. J'ai passé la nuit à l'usine.

— Tu veux dire que tu n'es pas rentré chez toi ?

— Non. J'ai travaillé un peu. J'ai lu quelques rapports. Puis j'ai pris une douche et j'ai essayé de dormir. » Il regarda ses vêtements froissés. « Apparemment, tu n'as pas dû dormir beaucoup, toi non plus.

— Un peu, répondit Cate avec son incurable franchise.

— Je t'invite à prendre un petit déjeuner dehors. Je connais un endroit ouvert le dimanche. Je crois que nous avons des choses à nous dire. » Sa voix était basse et sérieuse, sa mine plutôt sombre. Elle remarqua des poches sous ses yeux, ridées et livides.

« Il faut que je change de chemisier », dit-elle.

Il la regarda encore et acquiesça : « Effectivement. »

Cate passa un maximum de temps dans la salle de bains, où elle se brossa et se récura minutieusement les dents ; elle se débarbouilla et se maquilla légèrement. Puis elle démêla ses cheveux qu'elle releva un peu en chignon. Cate avait sa fierté. Quel besoin avait-il eu d'abonder dans son sens quand elle avait parlé d'aller se rafraîchir un peu ? Elle retira le chemisier froissé, savonna soigneusement ses aisselles avant de les rincer à l'eau chaude. Puis elle enfila le chemisier qu'elle avait boudé la veille.

Aucun des deux ne fut très bavard pendant le trajet en voiture. Il n'y avait pas grand monde dans les rues à cette heure de la matinée. Pourtant, lorsque la Jeep passa devant une église, Cate aperçut deux hommes occupés à décharger des rameaux d'une camionnette de fleuriste. C'était le dimanche des Rameaux. Elle en fit la remarque à Jernigan, histoire de briser un peu le silence.

« Eh oui, dit-il. Il y a des années que je ne fréquente plus les églises. Hilda assiste à l'office tous les dimanches. Quant il était petit, Jody l'accompagnait parfois. Mais il a cessé, lui aussi. » Il eut un soupir. « C'est bien de croire en Dieu. Je m'en souviens encore, de l'époque où j'étais gosse.

— Moi, j'ai éprouvé un net soulagement le jour où j'ai perdu la foi, dit Cate. J'en avais assez d'être constamment espionnée par

Dieu. J'ai été ravie de me rendre compte que ma destinée reposait entre mes mains et non entre les siennes. »

Il lui adressa un drôle de regard. « Tu avais quel âge ?

— Oh, ça n'a été une affaire définitivement réglée que lorsque je suis arrivée en faculté. Mais je commençais déjà à douter quand j'étais dans cette école religieuse que nous fréquentions, ma sœur et moi. Je passais mon temps en longues arguties avec les sœurs, et il arrivait toujours un moment où elles se dérobaient. Un jour, il s'en trouva une — parmi les plus intelligentes, il est vrai — pour m'écouter jusqu'au bout et, à un moment donné, je l'ai vue blêmir. A cause de moi, le doute l'avait effleurée. Je m'en suis voulu. Après tout, elle avait sacrifié sa vie à sa foi. Néanmoins, c'est à l'université que j'ai acquis la certitude que mon avenir ne dépendait que de moi : j'étais totalement responsable. L'angoisse terrible exprimée par Kierkegaard n'a rien de surprenant. Une telle liberté, avec la responsabilité qui en découlait ! J'en fus moi-même épouvantée jusqu'au jour où j'ai associé ma nouvelle foi — ou plutôt mon absence de foi — avec le socialisme. Les choses devenaient plus exaltantes. Je ferais ma part et, si chacun faisait la sienne, ensemble nous serions tous les architectes de la conscience du monde. Ce qui, étrangement, est une façon de revenir à Dieu. Chaque individu participe de Dieu. Ou de ce que nous avons pris l'habitude de nommer Dieu. »

Ils avaient quitté la grand-route et traversaient les champs fraîchement labourés. Cate se sentait mieux. Cette profession de foi intelligente lui redonnait des ailes : sa vie avait un sens qu'elle pouvait traduire en mots. « Et toi, quand as-tu cessé de croire ? demanda-t-elle gaiement.

— A l'armée, je crois. J'étais en Italie. C'était aux alentours de quarante-trois et les Alliés bombardaient des villages un peu partout. Je me trouvais avec un petit détachement d'hommes chargés d'aller en éclaireurs dans un village. Nous devions voir si l'ennemi était arrivé jusque-là. L'endroit était désert. Même compte tenu des bombardements, il était évident que le village n'avait jamais été bien important. C'est alors que l'un des hommes de notre détachement est devenu fou furieux. A cause d'un poulet. Sorti d'une maison. Il a attrapé l'animal sur lequel il s'est acharné violemment. Je veux dire qu'il ne s'est pas contenté de lui tordre le cou. J'ai été élevé dans une ferme. Je sais comment on tue une volaille proprement. Lui s'est livré à un véritable carnage. Au même moment, j'ai aperçu une vieille dame vêtue de noir. Elle nous regardait par la fenêtre de ce qui fut sa maison et dont il ne subsistait qu'un mur. Et tout s'est mis à tourner dans ma tête. J'ai compris que pour elle, nous étions l'ennemi. C'est nous qui avions bombardé sa maison. A présent, nous envahissions son village et l'un de nous taillait son poulet en pièces en le faisant piailler. Nous étions l'ennemi, nous, et pas ceux dont nous étions venus la sauver. J'avais dix-neuf ans. Jamais encore je n'avais eu de doute sur la juste cause que nous défendions. Nous étions les gentils et Dieu était avec nous. Ne te méprends pas sur le sens de mes paroles. Je pense que dans cette guerre, nous étions effectivement du bon côté. Mais avec cet incident, j'ai perdu l'innocence de ma foi. Je croyais encore en une espèce de force sans trop savoir de quel côté elle se trouvait. Comme toi, je me suis senti plus seul. Plus livré à moi-même. Cela dit, je n'ai jamais été tenté par le socialisme. Ce n'est pas mon truc.

— Je sais, toi, tu t'occupes de protéger les tiens. » Cate était à nouveau exaspérée. Comment pouvait-il faire preuve d'une intelligence brillante pour sombrer délibérément et sans transition dans l'ignorance la plus crassement provinciale l'instant suivant ?

« Exact », dit-il gentiment. Avec un regard qui la laissa dans un vibrant désarroi : d'un côté, l'envie de s'appuyer contre son épaule et de s'en remettre totalement à lui. De l'autre, celui d'ouvrir la portière et de sauter de la Jeep. Elle serra les poings sur ses genoux, redressa le menton et cligna les yeux pour contempler les sombres champs fertiles qui s'étendaient des deux côtés de la route.

A la fin du petit déjeuner, il dit : « J'aimerais que nous parlions encore une fois de cette histoire. Tu vas quand à Chicago ?

— Le lundi de Pâques. Pour commencer, je subis un examen complet, puis je passe la nuit à l'hôtel et, le lendemain matin, j'y retourne pour... l'opération. Je passe une seconde nuit à l'hôtel et je prends l'avion. Ce qui me laisse presque une semaine pour me remettre. Ensuite, je reprends mon poste à Melanchton avant le naufrage. Je fais partie des privilégiées. La plupart des femmes doivent reprendre le collier dès le lendemain. »

Il eut un mouvement d'impatience. « Je me moque de la plupart des femmes. Tu es enceinte de combien ?

— J'en suis à la neuvième semaine. Ce qui n'est pas beaucoup, m'a-t-on dit. Des amies qui sont passées par là avant moi.

— Et tu n'étais vraiment jamais tombée enceinte ? »

Hochement de tête négatif de Cate.

« Stupéfiant ! Rien, pendant toutes ces années, et maintenant, ça marche en dépit des précautions prises. Il y a de quoi être sidéré, non ! » Mais sa voix trahissait une pointe de mâle orgueil qu'il rectifia immédiatement en ajoutant modestement : « Je suis vraiment navré de te flanquer dans cette situation. Tu es une femme super, Catie — pardon, je veux dire Cate. Excuse-moi aussi pour cette gaffe.

— J'ai été bêtement désagréable hier soir. Mais je suis susceptible sur mon prénom. Je n'ai jamais aimé "Catherine" qui était le prénom de ma grand-mère paternelle. Je ne l'ai pas vraiment connue — elle était morte et enterrée avant mes six ans. Mais la seule façon dont les autres prononçaient son nom avait un côté sinistre et larmoyant. J'étais bien décidée à ne pas devenir une "Catherine". » Et Cate de lever les yeux au ciel en articulant son nom de baptême avec emphase. « Je me suis bagarrée dur pour qu'on m'appelle Cate. C'est la seule version qui me convienne. Je ne voulais ni de Catherine l'épouse martyre, ni de Cathy l'espiègle ou autre Kitty et Catie-à-sa-maman. Ma sœur cadette a eu plus de chance. D'abord elle n'a hérité du prénom de personne. Papa et maman ont choisi le prénom de Lydia en feuilletant un dictionnaire. Il signifie "douce et tendre". Je suppose qu'ils avaient déjà compris que je leur donnerais suffisamment de fil à retordre. Et puis on ne peut pas découper "Lydia" en diminutifs débiles. Lydia est Lydia, point final.

— Et Cate est Cate, dit-il, manifestement enchanté par sa petite diatribe. Ecoute-moi, Cate, je voudrais que tu fasses une chose pour moi. Pour soulager ma conscience. »

Elle dressa un sourcil.

« Je mets Jody dans l'avion de Chicago vendredi après-midi. Il prendra ensuite la correspondance pour Los Angeles où il doit passer les vacances de Pâques chez sa mère. J'ai donné congé à Hilda pour lui permettre de passer les fêtes de Pâques dans sa famille à Waterloo. Sunny et moi allons avoir le château à nous seuls. Mais maintenant, j'aimerais que tu te joignes à nous. Viens donc passer le week-end à Rollingstone. J'ai vu comme tu vivais. Je voudrais te montrer ce qu'est ma vie à moi. Cela ne t'intéresse pas ? Tu n'as pas envie de voir comment vit Monsieur Poison sur sa montagne ?

— Je ne sais pas... » Froncement de sourcils. L'invitation la prenait au dépourvu. Ce qui n'enlevait rien aux séductions d'un tel projet. Ce serait une jolie façon de mettre le point final à leur aventure commune. D'une certaine façon, elle se devait bien cela : le voir dans ses meubles lui donnerait peut-être une vision

240

utile de ce qui resterait un épisode difficile de sa vie. Il fallait savoir tirer la leçon de ses erreurs.

— Je pourrais passer te prendre chez toi vendredi, poursuivit-il, après avoir laissé Jody à l'aéroport. Ensuite, soit je te raccompagne chez toi, soit je t'emmène directement à l'aéroport pour ton avion de lundi. Laisse-moi au moins te tenir compagnie jusqu'au dernier moment, puisque tu ne veux pas que ma participation aille au-delà. »

Cate s'accorda un temps de réflexion. L'idée d'être coincée sur son territoire à lui, sans sa voiture, ne lui plaisait pas beaucoup. « Je sais, dit-elle. C'est moi qui viendrai avec ma voiture. Je serai là vendredi dans l'après-midi et je repartirai lundi matin de bonne heure. Il me faudra seulement un plan. C'est d'accord ?

— Ai-je le choix ? répliqua-t-il en l'observant avec un regard amusé. Parfait. Autant faire avec ce que j'ai. » Il sortit un stylo-bille de la poche poitrine de sa chemise, prit une serviette en papier sur la table et, avec un plaisir non dissimulé, il traça à grands traits assurés la route qui longeait le Mississippi jusqu'à Rollingstone.

Cate n'ignorait pas tout des châteaux. Lorsqu'elle vivait à Ruislip avec Pringle, ils avaient passé plus d'un week-end à visiter les châteaux anglais. Pendant leur séjour en Islande, ils avaient pris une fois l'avion pour Copenhague où ils avaient loué une voiture pour remonter la côte jusqu'à Elseneur et elle avait cassé l'un de ses talons en escaladant les donjons du château de Hamlet. Dans sa ville natale se trouvaient deux châteaux dignes de ce nom. Les deux étaient perchés sur la montagne qui dominait la ville. L'un était une sinistre forteresse de pierre grise, entourée d'une clôture hérissée de pointes à l'intérieur de laquelle, selon la rumeur publique, des espions allemands qui se faisaient passer pour les invités du maître des lieux avaient installé un centre de renseignement pendant la seconde guerre mondiale. Le propriétaire actuel était une ancienne ballerine qui avait transformé l'ensemble en un restaurant de luxe spécialisé exclusivement dans les banquets. L'autre château était une plaisante bâtisse de brique jaunie, baignée de soleil. Elle n'en possédait pas moins le nombre requis de créneaux, tourelles et autres douves. Pendant toute l'adolescence de Cate, après la mort de l'homme d'affaires qui avait construit ce château dont il était également propriétaire, l'endroit abandonné était devenu *le* lieu des rendez-vous galants. Cate et ses flirts montaient là-haut et, après avoir franchi le pont-levis bringuebalant, ils rangeaient leur voiture à côté des autres, sur le vaste parvis de gravier, pour se bécoter gentiment dans ce cadre romantique, juste au-dessus des lumières de la ville. Aujourd'hui le château abritait une école de gestion.

C'est pourquoi, le Vendredi saint, en remontant sur la route qui longeait le fleuve avec le croquis de Jernigan posé à côté d'elle sur la banquette de la voiture (encore que, jusqu'à présent, elle n'ait eu qu'à suivre la vallée), elle ne s'attendait pas à être surprise outre mesure par la demeure de son amant. Elle se faisait une idée relativement précise des lieux, à une tourelle, quelques douves ou quelques créneaux près. La particularité des châteaux américains était d'être, par nature, un peu canularesques. Ils étaient les héritiers inoffensifs et décoratifs d'une institution rendue nécessaire par de cruelles réalités. Les gens qui, les premiers, avaient imaginé de s'enfermer dans les véritables châteaux, avaient eu cette idée parce qu'ils savaient qu'à l'extérieur, d'autres personnes étaient prêtes à les égorger pour s'emparer de leurs terres et de leurs biens durement acquis. Et ces gens, barricadés dans leurs forteresses, le savaient d'autant mieux que, il n'y avait pas si longtemps, eux-mêmes faisaient partie du lot de ceux qui aiguisaient leurs couteaux pour trancher la gorge d'autres personnes dont ils voulaient conquérir les possessions durement acquises. Comme sa mère l'avait souvent souligné : « C'était quoi, l'aristocratie, sinon des barbares arrivés sur les lieux les premiers ? » Elle faisait parfois preuve de clairvoyance.

Cate traversa la vieille ville de Clinton. Elle avait déjà eu l'occasion de s'aventurer jusque-là pour escalader les pentes particulièrement escarpées menant à un jardin public d'où l'on découvrait une merveilleuse vue panoramique sur le Mississippi. A cet endroit, le fleuve avait plus de trois kilomètres de large. Le rocher devenait à la fois plus abrupt et plus clair : d'énormes falaises de pierre à chaux, aussi verticales que si elles avaient été coulées dans le béton. Dire qu'à une certaine époque, l'eau arrivait au sommet de ses véritables murailles. Cette pensée eut curieusement un effet rassurant. L'idée que ces immenses falaises muettes survivraient de nombreux siècles à sa mortelle carcasse désamorça sensiblement ses petites angoisses personnelles. A condition toutefois qu'aucun imbécile en service commandé n'aille appuyer sur le bouton. Enfin, dans l'un comme dans l'autre cas, sa disparition personnelle demeurait une certitude.

S'étant ainsi rayée de la carte grâce aux majestueuses falaises environnantes, Cate s'avisa qu'elle était impatiente de découvrir le château de Roger Jernigan.

Elle y fut sans avoir eu le temps de s'en rendre compte. « Juste après le pont à péage, avait-il dit. Tu tournes à gauche devant le vieil entrepôt en pierre. Puis tu montes, tu montes, tu montes, presque jusqu'au sommet, et tu prends encore à gauche. Une route privée. C'est chez nous. » Sur la serviette, il avait dessiné deux tournants rapprochés, ce qui ne l'avait pas empêchée de s'attendre à une distance réelle un peu plus grande. Quelques minutes après avoir quitté la route longeant le fleuve pour engager sa voiture dans une pente qui lui imposa de rétrograder sérieusement, au point qu'elle n'aurait pas osé se lancer dans une telle ascension avec de la neige ou du verglas, Cate bifurquait encore pour emprunter une allée de graviers qui se termina brutalement sur un mur de soutènement, dans lequel était aménagé un garage à deux places. Un escalier voûté traversait le mur pour donner accès au niveau supérieur. De sa voiture, Cate aperçut un bout de pelouse encore mal remise de l'hiver et, encore au-dessus, le château.

Si les proportions étaient un peu décevantes — le volume global était sensiblement celui d'une maison de deux étages —, l'architecture était bien celle d'un château. Il y avait quatre tours carrées — deux devant, deux derrière — et le sommet du bâtiment était entièrement crénelé. A l'exception de deux grandes fenêtres de conception moderne — manifestement le résultat de rénovations récentes — ainsi que d'un balcon qui rejoignait les deux pièces du premier étage des tours, l'ensemble ressemblait tout à fait à un dessin d'enfant.

Jernigan, en jean et pull rouge, apparut au-dessus du mur de soutènement. « Ah, te voilà, fit-il d'un ton bourru. Regarde le beau temps que tu nous amènes. Inhabituel en cette saison. » Mais il paraissait mal à l'aise et sur ses gardes. Avait-il, entre-temps, regretté son invitation ?

« Il fait un temps splendide, admit Cate en claquant la portière de la Volkswagen, mais la seule chose dont je puisse me vanter est d'être venue, moi, sans armes ni bagages. » Elle ne se voulait pas si manifestement réticente. Elle aussi devait être tendue. Le fait d'être sur le territoire de l'autre n'arrangeait rien.

« Eh bien, j'espère que tu as tout de même pris un petit sac de voyage, non ? » Il semblait contrarié. Peut-être craignait-il qu'*elle* ait changé d'avis et reparte après dîner.

« Bien sûr. » Elle rouvrit sa portière et plongea sur la

243

banquette arrière pour ressortir avec sa bonne vieille valise anglaise, la même que celle de Lydia.

Il descendit l'escalier en une seconde. « Donne-moi ça », ordonna-t-il. Son empressement était relativement comique et lui rappela pour la première fois depuis une heure au moins qu'elle était enceinte.

Il pensait visiblement à la même chose, car il la détailla d'un regard tendrement interrogatif. « Bienvenue à Rollingstone, dit-il. Mon plan était-il correct ?

— Je ne me suis pas perdue une seule fois. » Elle le suivit dans l'escalier de pierre. « C'est une promenade très agréable. Avec quelques vues superbes sur les blocs rocheux. » Les murs de pierre lui renvoyèrent l'écho de cet enthousiasme de bon aloi.

Ils refirent surface sur la pelouse qui descendait doucement vers la gauche, jusqu'à une somptueuse vue panoramique sur le fleuve qu'enjambait le pont qu'elle avait passé quelques minutes auparavant. A une dizaine de mètres d'eux, un garçon blond, solide comme un roc, préparait un barbecue. Ses vêtements étaient l'exacte réplique de ceux de Jernigan : jean Levi's et pull rouge. Il leur tournait le dos.

« Je vais d'abord te présenter Sunny, dit Jernigan. Ensuite je te montrerai ta chambre. »

Finalement, elle s'attendait plutôt à partager la même chambre que lui.

Le jeune homme blond entendit la voix de son père et se retourna. Sans être beau comme l'était Jody, il avait des traits agréables et assez finement dessinés. Ses yeux étaient verts, comme ceux de Jernigan, mais plus ronds et moins vifs. On avait peine à lui donner ses trente-trois ans. Son allure générale possédait encore la douceur mal finie de l'enfance. A part une certaine sécheresse au niveau des pommettes et de la double ride qui creusait un profond sillon entre les arcades sourcilières, rien sur son visage ne trahissait le moindre vieillissement. Son corps était dur et musclé comme celui d'un haltérophile. Il regarda Cate s'avancer, avec la totale absence de gêne d'un petit enfant.

« Je te présente Sunny, mon fils aîné, dit Jernigan. Sunny, je te présente Cate, qui est le professeur de Jody.

— Bonjour, Cate ! répondit immédiatement Sunny avec un enthousiasme presque trop grand pour être spontané.

— Je suis très heureuse de faire enfin votre connaissance, dit Cate en tendant une main que Sunny ignora.

— Tu te rappelles le soir où Jody a répété sa chanson sur le pauvre petit parasite ? dit Jernigan. Eh bien c'était pour le cours de Cate, à la fac. » Il parlait avec une patience que Cate ne lui avait encore jamais vue dans ses relations avec qui que ce soit.

« Oui, je m'en souviens, dit Sunny, qui se retourna vers le barbecue. Roger, les braises sont prêtes. Elles sont blanches des deux côtés.

— Bravo, mon fils. Je conduis Cate à sa chambre. Elle a peut-être envie de se rafraîchir ou de défaire ses bagages. Ensuite, je reviens m'occuper des grillades avec toi.

— Elle va dormir dans la chambre de Jody, dit Sunny dont le regard passa de son père à Cate.

— Exact, répondit Jernigan, qui s'adressa ensuite à Cate. C'est la pièce qui a la plus belle vue, et possède le plus de tapis et de miroirs. Jody l'a préparée pour toi ce matin, avant de partir.

— Moi aussi, je veux venir, dit Sunny en sautant sur la pointe des pieds. Je peux ?

— Bien sûr que oui, dit Jernigan. Tiens, prends son sac et cours jusque chez Hilda. Tu nous attendras là-bas. »

Avec le visage radieux de quelqu'un à qui l'on vient de faire une grande faveur, Sunny prit la valise marron des mains de son père et partit comme un bolide en direction du château. Sa course avait un côté désordonné comme si quelque distraction tendait à le détourner constamment de son chemin.

« Il est énervé aujourd'hui, commenta Jernigan en prenant le bras de Cate. Je n'ai pas souvent d'invités ici. Mais je lui ai expliqué qui tu es. Je l'ai préparé à ta visite. Il est habitué à une certaine routine. C'est ce qui lui permet de fonctionner. Tant qu'il sait ce qui va se passer et ce qu'on attend de lui, il est très bien. Il se rend même utile. Il aide Hilda à faire le gros ménage ; c'est lui qui s'occupe entièrement du jardinage. Il était formidable quand Jody était petit. Il lui laçait ses chaussures et l'habillait ; avant de lui apprendre à le faire tout seul. Il passait son temps à le trimbaler partout sur son dos, au point que l'on avait l'impression d'avoir affaire à un seul animal à deux têtes. Question esprit... disons qu'il a une vision personnelle des choses. Un moment, il peut être totalement étranger à ce qui se passe autour de lui. L'instant d'après, eh bien, il va se mettre à raconter dans le détail des choses que l'on avait totalement oubliées, des événements remontant à plusieurs années. Dans cinq ans, si tu as la patience d'attendre, il sera capable de te rappeler des éléments de cette journée que toi-même avais à peine remarqués. »

Cate ressentit une grande tristesse. Pour deux raisons.

D'abord, elle comprenait à présent le secret qui entourait Sunny. Ensuite, non seulement elle ignorait totalement où elle serait dans cinq ans, mais elle doutait fort de jamais retrouver un homme aussi solide et digne de confiance.

« C'est un être très attachant, se crut-elle obligée de dire. Il dégage une telle... euh... une telle *énergie*.

— C'est le moins que l'on puisse dire en effet, soupira Jernigan. Il est constamment sous médicaments, sinon il exploserait littéralement comme une fusée. Mais c'est effectivement un garçon attachant, affectueux. Et agréable à regarder, finalement. Je veux dire qu'il n'est pas... il aurait pu être pire. Encore que ma première réaction ait été bien différente lorsque nous avons appris. Car nous n'avons rien remarqué d'anormal jusqu'à ce qu'il ait trois ans. Nous le trouvions seulement un peu lent. Puis il y a eu ce petit garçon du même âge qui est venu habiter la maison voisine de la nôtre ; alors la différence que nous observions entre Sunny et lui a commencé de nous alarmer. Nous avons fait pratiquer des examens. Et le diagnostic est tombé. Ma femme s'est effondrée. Elle se sentait responsable parce qu'un des spécialistes avait dit que ces troubles étaient peut-être le résultat d'une expulsion trop rapide au moment de l'accouchement. L'oxygénation se fait mal, tu comprends. La pauvre Selma a beaucoup souffert. Pendant une période, son état était même plus inquiétant que celui de Sunny. Mais on finit par accepter progressivement ce genre de choses. » Il eut un rire un peu forcé. « On n'a pas le choix de toute façon. Vient ensuite le temps des spéculations réconfortantes. Le pire moment, à certains égards. "Peut-être que ce ne sera pas trop grave." "Peut-être qu'il va s'en sortir." Et les docteurs ne savent pas tout, eux non plus. Alors ils prêchent pour un certain "attentisme". Surtout lorsqu'il s'agit d'un cas limite, comme Sunny. Quand on a les moyens, on peut faire le tour des spécialistes et choisir celui qui vend la théorie la plus séduisante. J'ai eu la chance d'avoir une situation déjà bien assise quand Sunny a eu besoin de fréquenter une école. Nous avons pu lui offrir la meilleure. Il a donc été interne un certain temps. Une excellente école, qui fonctionnait comme une minicommunauté. Les grands s'occupent des petits et les... moins atteints prennent en charge ceux qui sont plus lourdement handicapés. Mais Sunny est plus heureux à la maison. J'ai pris la décision de le reprendre quand Jody avait deux ans, et je ne l'ai jamais regretté. Jody aime son frère plus que quiconque au monde. Et Sunny est très fier de Jody. Il joue au garde du corps, prend la moindre de ses paroles pour pain bénit et passe son temps à le surprendre par de petits cadeaux. Sunny a fait de Jody un être meilleur. Et de moi aussi. »

Jernigan se tourna vers Cate avant de poursuivre : « Il aura toujours le niveau intellectuel d'un gosse. Mais je vais te dire une chose. Une chose que j'aurais été incapable de dire il y a trente ans, mais que je peux avouer aujourd'hui. Si j'étais placé devant l'alternative suivante : pas de Sunny du tout, ou Sunny exactement tel qu'il est maintenant, je choisirais sans hésiter la seconde proposition. Tu comprends ça ?

— Oui, je comprends, dit Cate.

— Bon. » Il l'enlaça furtivement et ils reprirent leur chemin vers le château. « Changeons de sujet. J'ai envie que tu profites de ton week-end. Fais comme chez toi. Au fait, il faut que je te prévienne, Jody t'a préparé une petite surprise.

— Pourquoi faut-il que tu me préviennes ?

— Parce que. Il entend bien te faire peur. Pour s'amuser, bien sûr, mais... — il eut un coup d'œil sans ambiguïté pour son ventre — ce n'est pas le moment de te causer des frayeurs.

— Je ne me frappe pas facilement », répliqua Cate avec bonne humeur avant d'ajouter, sans prendre le temps de mesurer la portée de sa remarque : « D'ailleurs, quelle importance ? Je risque seulement de faire l'économie d'un voyage à Chicago. »

Jernigan accusa le coup. « De toute façon, dit-il plus sèchement, tu verras bien quand tu ouvriras la porte de sa chambre.

— Je suis surprise que tu l'aies mis au courant de ma visite », dit-elle, consciente de sa soudaine froideur. Certes, sa remarque n'était pas du meilleur goût et elle aurait préféré ne pas l'avoir faite, mais de quel droit était-il offusqué ? Y voyait-il une attaque contre « ce qui était sien » quand ils savaient l'un comme l'autre qu'elle allait s'en débarrasser dès lundi ?

« Il l'aurait appris par Sunny. Je m'efforce de pratiquer une franchise sans faille avec Jody. Dans l'espoir qu'il en usera de même avec moi. »

Ils trouvèrent Sunny en train de faire les cent pas dans le « salon » de Hilda, qui était proprement affreux. Il rappelait à Cate certaines des salles les plus tristement conventionnelles du palais des Habsbourg qu'elle avait consciencieusement visité en compagnie de Pringle, alors que tous les deux étaient à demi morts à la suite d'une intoxication alimentaire, mais ne voulaient à aucun prix manquer l'un des hauts lieux de la splendeur

247

viennoise. Sa gorge se noua et son cœur se mit à battre la chamade ; sa vieille claustrophobie la reprenait, comme chaque fois qu'elle se sentait coincée dans un endroit sans porte de sortie. Supporterait-elle l'épreuve d'une simple nuit entre ces murs ? Les choses avaient déjà pris un tour rien moins qu'idéal grâce à sa remarque irréfléchie. Mais si jamais elle s'en allait, est-ce que Jernigan n'interpréterait pas son départ comme une fuite devant Sunny ? Ce pauvre Sunny qui, en ce moment même, dressait fièrement l'inventaire des abominables meubles de Hilda. Jernigan avait raison : Sunny avait une mémoire prodigieuse des détails. Il se rappelait quelle pièce avait été achetée à quelle vente, et il semblait avoir particulièrement à cœur de lui faire savoir quelles choses ils avaient apportées de leur précédente maison, celle où ils vivaient avant que Roger — ainsi que Sunny appelait toujours son père — n'achetât le château. Il était à la fois triste et symptomatique que son cerveau, pour atrophié qu'il soit, retienne ces réseaux bien particuliers par lesquels des images et des informations appartenant au passé circulaient efficacement — sans subir les altérations causées par les abstractions et rationalisations diverses auxquelles se plaisent les intelligences normales. Sunny aurait été incapable de se tenir ce type de raisonnement, par exemple.

Ainsi Cate prit-elle sur elle et inspira-t-elle profondément avant de dire : « Oh *oui* ! » lorsque Sunny proposa de « visiter » la chambre de Hilda ; et elle poussa les exclamations de rigueur devant le monstrueux lit à baldaquin, agrémenté de tentures de satin rose passé. Avec des glands.

« Hilda y trouve son bonheur », commenta placidement Jernigan. Il avait observé Cate. En ouvrant la marche pour monter l'escalier, il se retourna vers Sunny. « Nous tenons beaucoup au bonheur de Hilda, n'est-ce pas, mon fils ? Nous serions dans un sacré pétrin sans elle, non ?

— Nous serions dans un sacré pétrin », répondit Sunny, hilare.

Cate, qui avait oublié la mise en garde de Jernigan concernant la « surprise » de Jody, poussa un hurlement en entrant dans la chambre du jeune homme, qui devait être la sienne pour la nuit. Accrochée au plafond, pendait l'ample cape de Dracula qui avait servi à la représentation. Des mains en carton peint, avec de grands ongles verts et crochus, avaient été fixées sur le devant de la cape. Elles tenaient une pancarte où était inscrit, en lettres gothiques :

BIENVENUE AU DOCTEUR GALITSKY
(HE ! HE !)
DANS LA CHAMBRE DE DRACULA

Ce cri enchanta Sunny dont le rire franc et massif contamina Jernigan qui abandonna enfin, pour la première fois depuis l'épisode de la pelouse, sa mine renfrognée et soucieuse. Sunny voulut ensuite faire le récit complet de l'histoire de cette cape : où et quand Hilda avait acheté les huit mètres de velours noir et les sept mètres et demi de satin violet ; comment, en piquant la cape, elle avait cousu ensemble plusieurs épaisseurs de satin, ce qui l'avait fait pleurer pendant une heure entière. « Tiens, vous voulez voir à quel endroit ? demanda-t-il en commençant à tripoter la cape.

— Allez, mon fils, dit Jernigan. Cate a besoin d'être seule. Nous avons à faire tous les deux, en bas. » Pour Cate il ajouta : « Est-ce que tu auras assez chaud si nous dînons dehors ? Il aime ça. Ce sera la première fois, ce printemps. Cela dit, si tu as peur d'avoir froid, tu n'as qu'un mot à dire.

— Bien sûr que je n'aurai pas froid. D'ailleurs, j'ai pris mon gros pull. C'est beaucoup plus amusant de manger dans le jardin.

— Parfait. Tu as tout ce qu'il te faut ? Tu ne croules pas trop sous les coussins et les peluches ? » Il eut un regard indulgent pour la chambre de son fils cadet.

« J'ai un faible pour les coussins et les peluches. A petite dose. »

Leurs regards se croisèrent. La bonne humeur s'installait à nouveau dans leurs relations.

« Prends tout ton temps, dit-il en lui effleurant doucement le bras. Nous nous occupons de tout en bas. »

Restée seule, Cate défit un peu ses bagages. Elle n'avait aucune raison de s'apitoyer sur le sort de Jernigan. Comme il le lui avait fort bien expliqué, les choses auraient pu être pires. Le plaindre était donc un luxe qu'elle s'offrait. Sa situation était suffisamment confortable et pittoresque pour susciter une pitié sans risques, style : « Contemplez la déchéance des puissants... » Château avec vue panoramique sur le fleuve ; visage heureux et avenant de la victime ; grillades en train de cuire. Si Jernigan avait fait partie des pauvres, s'il avait par exemple été l'homme de peine pour lequel elle l'avait pris lors de leur première rencontre, et qu'il soit entré un jour dans son bureau accompagné de son fils attardé mental, un garçon éventuellement moins agréable à regarder que Sunny, elle aurait éprouvé de la vraie pitié, celle qui est douloureuse au point que l'on a envie de la rejeter.

La chambre de Jody croulait sous la peluche et les coussins. Mais elle possédait une sorte de richesse sensuelle, entre la moquette blanche honteusement épaisse et une note d'humour vaguement homosexuel. Elle alla vérifier que l'ouverture de la fenêtre fonctionnait. Ce qui était le cas. En bas, les deux hommes, vêtus comme des jumeaux, transportaient une table. Qui ressemblait à une table de salle à manger. Elle recula un peu pour se mettre à l'abri des regards et les écouta discuter de la meilleure place pour dresser le couvert. « Tu crois que Cate aura envie de regarder dans mon télescope ? » entendit-elle Sunny demander à son père. Sa voix, un peu aiguë pour un homme, lui parvenait grâce à une légère brise de fin d'après-midi. Plus loin, derrière eux, le fleuve dessinait une boucle. Elle se sentait un peu dans la peau d'une princesse du Moyen Age qui contemplerait, depuis le haut de sa tour, le charmant paysage lointain de l'Illinois qui, d'ici, se fondait dans un camaïeu de bleus délicats. Puis elle se rappela qu'elle n'était pas cette princesse et n'avait aucune envie de l'être et que, lorsque lundi serait venu, elle traverserait ce fleuve pour aller accomplir une chose excessivement moderne en cet Etat.

La salle de bains de Jody était moquettée de violet foncé. Tandis qu'elle se débarbouillait, se recoiffait et s'acquittait d'autres fonctions très naturelles, Cate fut assez déconcertée par son incapacité à se détendre un peu. Assise sur la cuvette, elle évitait pudiquement de regarder son reflet en cette position sur le mur opposé, ce qui lui laissa le loisir de compter quarante-trois miroirs, depuis le grand qu'elle s'efforçait d'oublier, jusqu'aux petits qui avaient tout juste la taille d'une loupe. Certains étaient somptueusement encadrés, d'autres avaient la forme de cœurs. Elle préféra penser que Jody y voyait partiellement une parodie de sa propre beauté. Cher Jody. Après avoir accepté la charge du cours de théâtre, elle avait réussi à se convaincre qu'elle en tirerait au moins une nouvelle expérience. Ce qui avait été le cas.

Ils dînèrent en pull-over, dans l'une des dernières flaques de soleil, autour d'une table d'acajou qui aurait pu accueillir dix convives. Les pieds massifs s'enfoncèrent progressivement dans le sol quand ils coupèrent la viande. Le menu se composait d'une copieuse salade de pommes de terre (un peu trop copieuse), avec du pain de campagne, et une génoise au chocolat — le tout préparé à l'avance par la fidèle Hilda, avant son départ pour Waterloo. Cate fut obligée de défaire discrètement le bouton de son jean avant la fin du repas.

Chaque fois qu'une péniche ou tout autre bateau passait sur le fleuve, Sunny bondissait de son siège pour suivre sa progression à travers un télescope apparemment coûteux, installé sur un trépied. Il invitait Cate et son père à venir regarder, à leur tour, ce qu'ils firent les premières fois.

« Il ne se lasse pas du trafic fluvial, dit Jernigan. Et cela fait près de six ans que nous habitons ici. Tu ne prends pas froid, surtout ?

— Je vais très bien. » Elle lui sourit. « Très bien. Je me sens parfaitement détendue et calme. »

Il lui prit une main qu'il caressa tendrement entre les deux siennes. « Bon. C'est exactement ce que je voulais. »

Et elle fut prise d'une soudaine tristesse à l'idée que cette douce sécurité s'achèverait lundi.

« Cate ?

— Oui ? » Bon sang, elle avait vraiment de l'affection pour cet homme-là.

« Penses-tu pouvoir regarder un film ? » Il effleura successivement chacun de ses doigts, comme pour en apprendre le dessin par cœur. « Il regarde toujours un film le vendredi soir. C'est une sorte de tradition.

— Allons-y pour le film, alors. Quel est le programme ?

— *Les sept mercenaires*. C'est un de ses préférés. Mais dis-moi, tu es bien sûre ? Un western ? Je ne m'offusquerai pas si tu préfères aller lire dans ta chambre. Je pourrais te rejoindre après.

— Non, j'ai envie de voir *Les sept mercenaires*. Je me souviens que ce film m'avait bien plu. Est-ce que nous pourrons nous tenir la main dans le noir ? »

Il croisa ses doigts dans les siens et leva leurs deux mains enlacées, comme le font l'arbitre et le vainqueur à la fin d'un match de boxe. « On peut bien se donner la main devant la terre entière, dit-il, sourire aux lèvres, avant de la libérer pour se lever. Sunny, je descends installer le projecteur, cria-t-il à son fils rivé au télescope. Tu peux débarrasser le couvert avec Cate, mais surtout, n'essayez pas de déplacer la table à vous deux. Elle est beaucoup trop lourde pour Cate. »

Sunny indiqua à Cate où se rangeait chaque chose dans la cuisine de Hilda, une pièce aussi superbe que ses appartements avaient été atroces. Cate ne put s'empêcher de songer que Lydia aurait adoré une telle cuisine. Elle était équipée d'une vaste gazinière digne d'un restaurant, d'un gigantesque billot de boucher, d'un râtelier où était rangée une coutellerie étincelante que n'aurait pas dédaignée une bande de gangsters. Porcelaine et argenterie étaient reluisantes ; les étagères croulaient sous les réserves. Le moindre centimètre carré était dans un ordre impeccable. Cate sentit le regard jaloux de la gouvernante absente par-dessus son épaule, tandis qu'elle remettait le reste de salade de pommes de terre dans le récipient transparent étiqueté : SALADE A SERVIR AVEC LES GRILLADES. Toutes les boîtes contenues dans le réfrigérateur portaient une étiquette où figuraient des directives précises : CHAUFFER 30 MN ; THERMOSTAT 6. (APRES AVOIR FAIT PRECHAUFFER LE FOUR ! ou bien SALADE A SERVIR AVEC LE POULET FROID.) Il était évident que Hilda ne leur faisait pas une confiance aveugle pour se débrouiller sans elle. Jernigan lui avait-il dit qu'il aurait une invitée pour le week-end de Pâques ? Hilda ferait-elle la grimace à son retour en décelant l'intervention d'une main étrangère dans la façon dont était froissé le papier alu qui enveloppait les restes de la génoise ?

Pendant le film, il y eut deux appels téléphoniques pour Jernigan. Il prit le premier avec décontraction dans son confortable fauteuil, à côté de Cate. « Mais je suis en train de regarder un film dans la salle de gym, avec mon fils et une amie. » Il enchaîna en évoquant amicalement la résistance de certaine vermine, les « zones d'insensibilité » et les « taux de rentabilité ». Après avoir raccroché, il était encore d'excellente humeur et reprit la main de Cate pour la poser sur le bras du fauteuil et s'en amuser tendrement. Elle avait envie de lui, et il était dans les mêmes dispositions. Mais il ne fallait pas priver Sunny de son film, bien qu'il ne fût pas exactement rivé à son siège devant l'écran. En effet, à intervalles réguliers, il ne tenait plus en place et se levait pour se livrer à quelques exercices de musculation avec le matériel prévu à cet effet, ou bien se suspendre à l'espalier et regarder le film dans cette position quelque temps. Au second coup de téléphone, Jernigan grommela quelques monosyllabes sibyllins dans le récepteur avant de dire : « Je vais vous prendre ailleurs. » Puis il pria Cate de raccrocher dès qu'elle entendrait le déclic de l'autre récepteur et il sortit de la pièce avec un soupir excédé. « D'accord Kevin, je vous expose mon point de vue une fois encore », l'entendit-elle dire en reprenant la ligne. Elle raccrocha.

Sunny devait prendre un sédatif tous les soirs, pour l'aider à « déconnecter » comme disait son père. Jernigan monta dans les appartements de Sunny au troisième étage, pendant que Cate se déshabillait lentement dans la chambre de Dracula. En revenant de son coup de téléphone avec « Kevin », Jernigan lui avait glissé un message noté sur du papier à en-tête des *Sunny Enterprises.*

Nous assurons vos récoltes/Herbicides insecticides, pulvérisations, lisait-on sous le soleil aimable qui servait de sigle à la maison.

Vêtue de sa chemise de nuit, Cate s'assit sur le lit de Jody et, les orteils douillettement enfoncés dans l'épaisse moquette blanche, elle relut le gribouillage pressé de Jernigan.

Monsieur occupant la Tour Nord propose rendez-vous galant à Dame de la Tour Sud. Si proposition agréée, répondre aux trois petits coups frappés discrètement à la porte du balcon de la Dame.

Elle ne lui prêtait pas ce genre de romantisme. Mais elle ne s'attendait pas davantage à sentir s'éveiller en elle un tel désir de sensualité. Elle demeura donc au milieu des fanfreluches *fin de siècle* éclairées par un désordre de lampes de harem, parmi les fleurs de soie et autres plumes d'autruche, sans oublier l'affiche du chevalier Tannhäuser (qui ressemblait tant à Jody avec sa cape et ses cheveux fous) dessinée par Beardsley, et elle essaya de comprendre. Pourquoi ce désir ? Pourquoi maintenant et ici ? Son corps serait-il en train de lui mijoter un piège ? Ou bien était-ce ce décor qui réveillait en elle la femme éternelle rêvant de recevoir de son amant le baiser de Dracula qui lui permettrait de demeurer à jamais sous la protection des murs de ce château ?

« Oh, ça va, Cate, dit-elle, assez de pinaillage intellectuel. Laisse-toi un peu aller à ta sensualité et au décorum ambiant. Prends ce week-end pour ce qu'il est : il fait de son mieux, et dans les règles de l'art, pour soulager sa conscience en te témoignant son affection, avant de t'expédier faire seule ce que tu as à faire lundi. »

Lorsque résonnèrent les « trois petits coups frappés discrètement à la porte du balcon », elle alla donc lui ouvrir, prête à
poursuivre le petit jeu amorcé par le billet doux.

Sauf qu'elle se retrouva écrasée contre la poitrine d'un homme
en pyjama rayé fraîchement repassé.

« J'ai attendu toute la soirée, lui murmura-t-il avec colère dans
le creux de l'épaule. Zut alors, on a bien le droit à un peu de bonheur, nous aussi. »

Elle se laissa serrer, envelopper. Il se pressa contre elle comme
s'il voulait disparaître en elle. Sa hâte fut contagieuse. Elle aussi
avait envie. Elle était fatiguée de se montrer lucide, spirituelle et
responsable. Elle avait besoin d'un retour aux sources : prendre
et être prise. Ce qui ne l'empêcha pas d'être étonnée par ses propres grognements.

« Allons dans ma chambre, haleta-t-il. Les plumes de Jody me
flanquent le rhume des foins. »

Et de l'entraîner dehors, sur le balcon qui reliait les deux
chambres. Une lune pleine éclairait les remous du fleuve et la
terre au-dessous d'eux. L'air vif lui donna la chair de poule sous
sa chemise de nuit. Si seulement nous vivions au XIIIe siècle,
songea-t-elle ! Je n'aurais qu'à obtempérer aux décisions prises
par d'autres.

Dans l'obscurité de sa chambre, sous le seul clair de lune, il ne
lui fut que trop facile de s'abandonner. Elle était sa femme, il
était son homme. Ils s'enlacèrent avec une sorte de rage à trouver
une fusion totale, n'être plus qu'un. Ils étaient unis par leur commune volonté ; à quoi s'ajoutait un autre élément. Déjà, en elle,
respirait le minuscule souffle de vie qu'ils avaient créé ensemble.
Qu'avaient-ils besoin de plus ? A quoi diable pouvait bien rimer
tout le reste ? Pourquoi ne pas s'en tenir là, résolument, et jeter
aux orties le moi anxieux et inquiet ?

Et si, à cet instant précis, quelqu'un lui avait tendu un document (« Renoncez-vous, par la présente signature, à tous vos
droits contraignants et discutables à un avenir aussi trouble
qu'incertain ? En portant votre paraphe sur l'espace laissé en
pointillés, vous vous engagez à aimer cet être de sexe masculin
qui vous réduit à votre essentielle féminitude et vous laisser aimer
de lui »), elle aurait signé sans hésiter.

Et son sens de l'honneur lui aurait fait tenir cet engagement,
malgré son identité retrouvée, tantôt féminine, tantôt androgyne,
mais toujours rationnelle, raisonneuse, pinailleuse.

Oui, elle aurait signé. Et tenu parole. Enfin, probablement.

Elle devait se poser plus tard cette question : s'il lui avait demandé, là, dans la chambre, au clair de lune, après qu'ils eurent essayé et presque (presque seulement) réussi à effacer leur identité moderne ; s'il s'était fait violence pour replonger dans l'univers verbal, le temps seulement de lui demander... ce qu'il allait lui demander le lendemain après-midi, n'aurait-elle pas dit oui et scellé du même coup son destin de femme heureuse ?

Mais ils s'endormirent, encore unis charnellement dans l'oubli de tout ce qui leur était extérieur. Elle avait rejeté bien loin tout son passé, Chicago, et l'après-Chicago, quel qu'il soit. Lui, lové contre la vie qu'il avait contribué à engendrer en son sein, était pour le moment hors de portée des culpabilités et responsabilités qu'il avait mises en branle et dont beaucoup constituaient des bombes à retardement, susceptibles d'exploser chacune en leur temps, dans le futur.

Le lendemain, qui fut une journée anormalement belle pour la saison, ils montèrent tous les trois en voiture jusqu'à Bellevue où se trouvait un parc national, perché sur un promontoire rocheux dominant le fleuve. A l'instigation de Sunny, ils chantèrent la chanson du « pauvre petit parasite » écrite par Jody, et Sunny rayonna de bonheur chaque fois qu'il eut à souffler une rime. Il connaissait les paroles par cœur.

Ils firent un sort au somptueux pique-nique préparé (et dûment étiqueté) par Hilda, mais il leur fallut lester d'une grosse pierre tout ce qu'ils posaient sur le sol, à cause du vent. Après déjeuner, Sunny partit explorer des chemins qu'il connaissait de précédents pique-niques et les « adultes » se reposèrent contre un gros rocher confortable qui leur permit de se repaître des rayons du soleil et de la vue sur le fleuve.

« Est-ce qu'il arrive à Sunny d'avoir... des petites amies ? demanda Cate.

— Quel est le sens exact de ta question ? » Jernigan était sur la défensive.

« Est-ce qu'il lui arrive d'avoir des invitées ? » Elle se souvenait des commérages rapportés par son amie Ann, à qui Jody aurait dit ne pas avoir pu réviser son examen parce qu'il était allé chercher une fille à l'aéroport, pour son frère.

« Amusant que tu poses cette question. Il a effectivement eu une amie qu'il avait connue à son internat. Elle venait ici de temps en temps. Melanie aurait trente-quatre ans maintenant. Je me demande ce qu'elle fait, à cette heure. » Il ferma les yeux

255

avant de rejeter la tête en arrière pour offrir son visage au soleil. « Les choses n'ont pas tourné exactement comme tout le monde l'espérait, mais, que diable, on ne peut pas accoupler les humains comme des animaux. Ces deux jeunes ont senti qu'on essayait de les manipuler et qu'ils n'avaient pas beaucoup de marge de liberté. Tu sais, les êtres comme Sunny et Melanie sont qualifiés d'"attardés", mais il est des circonstances où je les crois infiniment plus perspicaces que nous, comme s'ils étaient doués d'un sixième sens.

— Que s'est-il passé ?

— Eh bien, j'ai rencontré les parents à l'occasion d'un week-end portes ouvertes de l'établissement. A l'époque, Sunny et Melanie n'étaient que des enfants. Melanie était la fille adoptive de ce couple. Ils ne pouvaient pas avoir d'enfant à eux. Il y a des gens qui ont vraiment la guigne, non ? Cependant, lorsqu'ils se sont rendu compte de l'état de Melanie, tardivement — comme nous, ils ne se sont doutés de rien pendant plusieurs années —, ils ont décidé de faire tout ce qui était en leur pouvoir pour elle. Comme moi, ils avaient les moyens de payer la meilleure école et les mille et une consultations auprès des "spécialistes". Nous n'avons été que trop heureux de constater la bonne entente entre nos deux petits. Et nous les avons encouragés à rester en contact après avoir quitté l'école. J'aidais Sunny à écrire à Melanie et je suis sûr que les lettres de Melanie à Sunny étaient rédigées par sa mère. » Il prit la main de Cate qu'il caressa spontanément, avec le plus grand naturel, tout en continuant son récit. « Sunny était invité chez Melanie et Melanie venait rendre visite à Sunny. Cela dura quinze ans. Ils jouaient comme deux enfants et formaient un spectacle touchant, bien qu'ils soient physiquement sortis de l'enfance. Et puis, l'automne dernier, le père de Melanie m'a contacté pour me faire une proposition. Lui et sa femme n'étaient plus tout jeunes et il craignait que, s'il leur arrivait malheur, Melanie se retrouve sans personne pour lui donner les soins et l'affection auxquels elle était habituée. Sa femme était allée en Suède visiter une sorte de communauté installée là-bas. Les Suédois sont diablement intelligents. Chez eux, des êtres comme Sunny et Melanie peuvent se marier, et vivre dans cette communauté. L'ennui est qu'elle se trouvait en Suède. Le père de Melanie voulait monter une opération semblable ici, pour nos enfants. Il proposait donc de constituer au nom de sa fille une bonne vieille "dot" dont ils me confieraient officiellement la gestion. Melanie et Sunny pourraient alors se marier et vivre au château.

Hilda pourrait enseigner à Melanie les choses qu'elle avait toujours faites pour Sunny et j'aurais moi-même une fille douce et attentionnée pour veiller sur mes vieux jours. Bref, sans être spécialement enthousiasmé par ce dernier aspect du programme, j'ai consulté Sunny sur l'idée du mariage. Et le père de Melanie a fait de même pour sa fille. Ensuite, elle est venue pour les "fiançailles", comme on dit, et ce fut la catastrophe. La liberté qui faisait le charme de leurs relations avait disparu. Ils étaient nerveux et gênés. Melanie faisait des crises de nerfs et nous avons dû la remettre dans l'avion. Ce fut la fin de l'histoire.

— Bon sang ! » dit Cate, avant de lui avouer l'idée qu'elle s'était faite de Sunny en espèce de play-boy riche et trop gâté qui faisait venir les femmes pour son plaisir.

Il eut un rire amer. « Je sais que les gens se font des idées bizarres. Je n'essaie pas de les détromper. D'abord, ça ne les regarde pas. Ensuite, Jody est très protecteur avec Sunny. Il aime autant laisser planer une sorte de mystère.

— Mais est-ce que Sunny et Melanie... non, je ne devrais pas poser cette question.

— Je devine ce que tu vas demander. Honnêtement, je n'en sais rien moi-même. Je ne suis pas allé les espionner. Autant pour eux s'ils l'ont fait, mais je pense qu'ils ont surtout flirté. Sunny est assez peu porté sur le sexe. Il aime les travaux de plein air, skie relativement bien, mais s'intéresse peu aux femmes. C'est souvent le cas, tu sais. Cela dit, ils n'auraient fait de mal à personne. Melanie avait été opérée. Des gars de la ville avaient failli profiter d'elle un jour, et il n'en avait pas fallu davantage à son père.

— Seigneur. Pourquoi faut-il qu'il y ait tant de misère en ce monde ? » Elle se blottit contre lui et ferma les yeux, comme pour chasser tant de malheurs.

Il l'enlaça. Lui embrassa le front, le nez, les deux joues.

« Tout n'est pas misère. Tu es malheureuse, là, en ce moment ? Et la nuit dernière ? Quand nous étions ensemble ?

— Non. » Elle lui rendit ses baisers, ponctuellement. Le front, le nez et les joues. « J'ai eu un entracte agréable, voilà tout.

— Ecoute, Cate. Regarde-moi. Tu ne sais pas pourquoi je t'ai demandé de venir pendant ce week-end ? »

Elle le regarda. Bien sûr qu'elle savait. Une fois de plus, elle se sentit tiraillée en sa présence. Une part d'elle voulait s'enfuir à toutes jambes, l'autre rêvait de se faire toute petite dans sa poche.

« Tu sais bien, n'est-ce pas ? » Elle se sentait aiguillonnée par le regard vert et aigu.

Cate baissa le nez, comme une jeune fille timide.

« Alors écoute-moi. Laisse-moi finir sans m'interrompre. J'ai cinquante-cinq ans. Je suis en assez bonne forme. Tu as vu que j'ai des responsabilités envers Sunny. Mais, jusqu'à présent, j'ai toujours pu faire face à mes responsabilités. A moins que toutes les catastrophes ne s'abattent sur moi en même temps il n'y a pas de raison que cela cesse. Même si je dois laisser quelques plumes dans une série de procès. Kevin, ce pilote qui m'a appelé hier soir, essaie de m'extorquer un arrangement amiable. Ils viennent d'avoir un second bébé qui est normal et il voudrait partir refaire sa vie ailleurs. Il me demande quinze mille dollars pour l'aider à démarrer et régler son avocat. Je lui ai dit que c'était impossible. Je n'ai pas le choix. Alors, pour moi, la meilleure solution serait que tu téléphones à cette clinique de Chicago, lundi matin, à la première heure, pour annuler ton rendez-vous. Je voudrais t'épouser.

— Oh Roger, c'est gentil de me le proposer. Vraiment.

— Attends un peu. Tu ne me prends pas au sérieux ? Ce n'est pas une demande en l'air, histoire de me montrer courtois. J'ai longuement réfléchi. Plus sérieusement que pour mes précédents mariages, en fait. J'avoue qu'il n'entrait pas dans mes projets de me remarier. J'ai une vie bien organisée dont les différents domaines n'interfèrent jamais. Mon travail à l'usine, qui me plaît beaucoup — soit dit en passant, et en dépit de toutes les restrictions imposées par la législation. Je n'ai pas honte d'être dans la toxicologie. C'est une science, pas un crime. Et puis j'ai les garçons et Hilda, ici. Quelques aventures féminines, de temps à autre. J'apprécie la compagnie des femmes. Lorsque tu m'as annoncé la nouvelle, samedi dernier, je n'étais pas préparé, et puis je suis allé jusqu'à l'usine et j'ai beaucoup réfléchi. Plus j'y pensais, plus l'idée me séduisait. Nous ne sommes plus des gamins, ni l'un ni l'autre. Mais nous ne sommes pas des vieux non plus, tant s'en faut. Nous pourrions prendre un peu de bon temps ensemble. Je sais que tu me ferais du bien. Tu as des connaissances que je n'ai pas. Je sais des choses que tu ignores. J'ai la faiblesse de croire que je te ferais du bien.

— C'est sûr. Je le sais, mais...

— Mais quoi ? Tu ne serais pas nécessairement coincée dans ce château, si c'est cela qui te chagrine. Je sais que tu tiens à ton indépendance. Nous pourrions engager une nourrice pour le

bébé. Bon sang, à quoi sert mon argent ? Et puis il y aurait
Hilda. Sunny est merveilleux avec les petits. Il l'a déjà prouvé
avec Jody. Tu pourrais m'accompagner dans mes voyages. Je
serais ravi. Je suis obligé de me déplacer constamment. Surtout
maintenant, avec l'évolution de la professsion. En juin, j'ai un
grand congrès sur les produits pesticides en Suisse. Tu n'es
jamais allée en Suisse ? Nous pourrions en faire une sorte de
voyage de noces.

— Tu me prends au dépourvu, Roger. » Cate commençait à
s'inquiéter. A l'entendre, il avait tout réglé, le problème pouvait
être considéré comme résolu.

« Alors ? Je te mets au courant justement. Sauf que nous
n'avons pas intérêt à trop traîner, vu les... circonstances. » Coup
d'œil en direction de son ventre.

« J'aurai quarante ans au mois de juin. A mon âge, une femme
a plus de chances d'avoir un enfant qui n'est pas...

— J'y ai déjà pensé. Tu peux faire les examens d'ici un mois.
Même si tu avais vingt ans, je te demanderais de le faire. Après
ce que j'ai vécu avec Sunny... S'il y a le moindre problème avec le
bébé, nous prendrons un autre rendez-vous. Mais pas dans ta
foutue clinique inconnue.

— Et tu te retrouverais coincé avec moi ! plaisanta-t-elle.

— C'est ce qui pourrait m'arriver de mieux. C'est vrai,
Catie... Cate. Tu as été heureuse hier soir, non ? Tu as même
aimé Sunny. C'est une chose dont il fallait que je sois sûr.

— Oh Sunny est adorable...

— Mais ? » Il sembla contrarié. Il venait de lui offrir tout ce
qu'il possédait. Que pouvait-elle désirer de plus ?

Que désirait-elle de plus, effectivement ? Elle regarda loin derrière lui, la boucle du fleuve, les arbres, les fermes, les maisons
sur le versant de l'Illinois. C'était bien le problème. Elle était
incapable de savoir ce qu'elle voulait de plus ; elle était seulement
capable de déterminer ce qu'elle ne voulait pas. Mais comment
expliquer à un homme comme Roger Jernigan que, malgré
l'incontestable médiocrité de sa vie actuelle, elle savait que son
bonheur futur dépendait de l'absolue liberté d'accueillir des
espoirs ou des desseins potentiels dont elle ne savait rien jusqu'à
l'instant de leur réalisation. Elle devinait aisément la réaction
d'un homme tel que lui à des propos de ce genre.

« Ce serait une échappatoire, essaya-t-elle néanmoins de lui
expliquer. Une échappatoire séduisante, certes, mais je refuse de

me dérober à mon histoire. » Elle s'entendit avec ses oreilles à lui : des paroles mesurées, un rien prétentieuses.

« Je ne vois pas en quoi le fait de m'épouser pourrait altérer le cours de ton histoire, dit-il sans humour. Elle se situe dans le passé, non ?

— Je parle de mon histoire à venir, autant que de mon passé, précisa-t-elle piteusement. Ma vie prise globalement, telle qu'elle me définit. Ce que je suis et ce que je veux être. Le problème est que je sais bien que je serais heureuse avec toi, mais... » Elle aperçut la tête de Sunny émergeant du promontoire ; il les rejoignait après son expédition. Comment dire à cet homme combien sa proposition la touchait, la tentait, l'honorait, tout en lui laissant entrevoir, sans faire de roman, pourquoi elle était vouée à l'échec. « J'aurais l'impression de me retirer de la lutte avant d'avoir vraiment livré combat. »

Deux autres têtes apparurent. Sunny s'était trouvé deux camarades. Des adolescents.

« Zut, je ne suis pas en train de t'offrir une sinécure à l'abri des luttes. Je ne possède pas moi-même ce genre d'immunité. Je t'assure que nous aurons notre part de bagarres. A moins que tu ne fasses allusion à je ne sais quel mystère ésotérique que je suis trop bête pour comprendre. » Lui aussi avait vu Sunny et les deux jeunes garçons. Il se leva d'un coup et brossa le fond de son pantalon. « Enfin, réfléchis un peu à la question. Tu as encore jusqu'à lundi matin. Est-ce que tu peux encore faire ça pour moi ? »

Elle le lui devait bien. « J'y penserai, promis, mais... »

Brutalement, il écarta d'un geste tout commentaire supplémentaire et se dirigea vers Sunny et ses nouveaux compagnons. Suivit une scène étrange et désagréable pour tous. Le même scénario s'était déjà reproduit un certain nombre de fois à en juger par l'attitude prudemment affable de Jernigan à l'égard des deux adolescents : Sunny avait souvent sympathisé avec des garçons beaucoup plus jeunes que lui qui avaient commencé par être flattés de son amitié ; puis, après avoir fréquenté Sunny un certain temps, ils commençaient à se rendre compte que cet homme costaud, chaleureux et sympathique qui prétendait être leur égal, non seulement ne l'était pas, mais leur était inférieur. Les nouveaux amis ne tardaient pas à devenir de plus en plus paternalistes avant de se lasser et de chercher la façon la plus simple de se dérober.

Les derniers camarades en date de Sunny devaient en être à ce stade précis quand il les avait persuadés de venir voir son père. Jernigan leur demanda où ils habitaient et, lorsqu'il apprit qu'ils vivaient en ville, il les interrogea sur ce que faisait leur père. L'un travaillait à la douane, l'autre habitait « ailleurs ». Jernigan leur demanda alors combien coûtait une glace maintenant. Ils répondirent et, dans les secondes qui suivirent, tous deux disparaissaient, avec trente-cinq cents en poche.

Sur la route du retour, Sunny voulut savoir, une fois de plus, quand rentrerait Jody, exactement. Puis il demanda à son père s'il pouvait s'engager dans les douanes. Jernigan lui répondit : « Non, mon fils. Nous avons trop besoin de toi au château. » Sunny hocha la tête, comme s'il attendait cette réponse. Puis il voulut que tout le monde chante en chœur la chanson du pauvre parasite.

> *J'suis qu'un pauvre p'tit parasite*
> *Et j'fais mon p'tit boulot*
> *Mais dans le ciel Monsieur Poison*
> *Ne m'oublie pas, ne m'oublie pas...*

chantèrent-ils, Sunny allégrement sur la banquette arrière, Jernigan songeusement au volant de la Jeep et Cate avec un enthousiasme résolu tout en regardant par la vitre et en imaginant ce que serait sa vie de Mme Jernigan. Elle se voyait en train de faire la grasse matinée, avant de circuler vêtue d'une coûteuse robe de grossesse (choisie pour elle par Jody) et de descendre à la cuisine prier Hilda (avec tact) de mettre un peu moins de crème dans la salade de pommes de terre ; elle ressortirait sa broderie et travaillerait à la tapisserie qu'elle avait jadis décidé d'entreprendre, à l'époque où Pringle et elle affrontaient le long et sombre hiver d'Islande. Il s'agissait d'un ouvrage au petit point, représentant tout le cycle de la vie biologique, depuis les simples poissons colorés jusqu'à une brochette de joyeuses et gracieuses silhouettes blakiennes qui pourraient être des hommes et des femmes. Elle se voyait en juin visiblement enceinte, après que le liquide amniotique aurait été déclaré sain par le docteur sélectionné par Jernigan, et accompagnant son mari, via la Swissair, à un congrès de fabricants de pesticides.

> *Pendant que vous trôniez du haut de votre montagne,*
> *A compter vos sous*
> *Et légiférer sur ce que nous pouvons faire ou pas*
> *Nous autres, en bas, tous les lépidoptères,*
> *Nous organisions la riposte.*

261

Ce soir-là, pour la première fois, Jernigan connut un fiasco avec elle. Ils discutèrent dans l'obscurité de ses démêlés juridiques. « Le problème, avec ce goût de la chicane, c'est que si je m'amuse à indemniser Kevin, n'importe quel citoyen ayant travaillé pour moi, n'importe quel pilote ayant pulvérisé sous mon égide pourraient m'incriminer au premier incident survenant dans sa vie — fausse couche de sa femme, verrue ou éruption cutanée sur lui, etc. Je n'ai rien contre Kevin, mais il n'a aucune preuve contre moi. Sincèrement, j'ignore moi-même si les produits chimiques entrant dans la composition de mes pulvérisations sont responsables ou pas du trou dans le cœur de son premier-né. Je ne demanderais pas mieux que d'aider Kevin financièrement si seulement il ne m'avait pas traîné en justice. Tu penses que je devrais lui verser ses quinze mille dollars ? Je suppose que la réponse est oui. »

Il parut un peu déçu d'entendre Cate lui dire que non, que si rien n'avait été prouvé, il lui intenterait probablement d'autres procès.

Ils marquèrent un temps de silence. Cate imagina comment, en tant qu'épouse, elle devrait assumer le poids qu'il avait sur la conscience. Sa propre conscience l'occupait déjà à plein temps. Ils pourraient rester ainsi étendus (dans une autre chambre qui serait la sienne et qu'elle pourrait décorer à son goût — avec, à n'en pas douter, les conseils éclairés de Jody) et ils passeraient les soirées où ils ne feraient pas l'amour à discuter calmement des embûches morales qui minaient le terrain de la toxicologie.

Le soir du dimanche de Pâques, elle fit une crise de larmes entre ses bras. Il lui offrit un paternel réconfort. Puis il abandonna et se risqua à faire de l'humour. « C'est tout de même le comble, Cate, que tu me demandes à moi de te consoler parce que tu me quittes. » Elle cessa vite de pleurer après cette remarque et ils firent l'amour, sans passion, mais avec une bonne volonté évidente de part et d'autre. Il laissa même la lampe de chevet allumée. La décoration de sa chambre était la plus rudimentaire de tout le château. Allongée à côté de lui, après l'acte, elle appréciait la sobriété des lieux tandis qu'il lui caressait la tête. Elle ferma les yeux de plaisir, si bien qu'il dut en conclure qu'elle s'était endormie car, au bout d'un moment, il mit ses lunettes et feuilleta le dernier numéro du *Journal of Economic Entomology*. Elle lui jeta plusieurs fois un coup d'œil furtif, avec l'impression de le voir continuer sa vie, après son départ à elle.

Le lendemain matin, ils prirent leur petit déjeuner ensemble, pendant que Sunny s'activait à l'étage en dessous. Ils mangèrent en silence, attentifs aux divers cliquetis des instruments de culturisme dont Sunny se servait pour sa gymnastique quotidienne.

Son avion pour Chicago s'envolait un peu après neuf heures.

« Tu n'es pas obligée de redescendre par la vallée, dit-il. Tiens, puisque tu as un faible pour les cartes, je vais te faire un plan de l'itinéraire le plus rapide pour rejoindre l'aéroport. Il faut que tu prennes la Soixante-quatre qui part du pont, et ensuite tu files vers le sud par la Soixante et une, à Maquo Kita. Dommage que tu n'aies pas le temps de visiter le musée archéologique de la ville ! De toute façon, il doit être fermé le lundi de Pâques. Les Indiens du coin enterraient leurs morts au milieu des arbres et l'on peut voir un orme avec un os de bras humain incrusté dans le tronc. La Soixante et une rejoint directement la Quatre-vingts qui mène à l'aéroport.

— Merci pour le week-end, dit-elle en prenant le plan qu'elle fourra dans son sac. Je n'oublierai jamais.

— Moi non plus, je crois. Tu sais que tu peux toujours m'appeler en cas de besoin, n'est-ce pas ?

— Oui, je sais. » Ils n'ignoraient ni l'un ni l'autre qu'elle n'appellerait pas.

« Enfin, Jody sera déçu.

— Tu veux dire que tu l'as mis au courant.

— Je lui ai simplement dit que je songeais à te demander de m'épouser. Rien de plus. Le reste était entre nous, jusqu'à ce que tu me donnes le feu vert. L'idée lui a paru fantastique. Il t'aime beaucoup.

— Je suis désolée d'avoir suscité de faux espoirs.

— Aucun mal. Cela lui a permis de rêver. Et puis, il devait se dire que ce mariage me rendrait son départ moins pénible. Il s'en ira bientôt. Il faut qu'il vole de ses propres ailes.

— Oui... » Il était temps de partir. Cette séance devenait douloureuse pour eux deux.

« Alors que vas-tu faire, après juin ? » Il l'observa avec un intérêt qu'elle trouva moins personnel que scientifique : Qu'est-ce qu'une créature entêtée et mystérieuse comme elle allait bien pouvoir trouver ?

« Je vais chercher un autre boulot, je suppose. Je ferai... avec ce qui se présentera.

— Dans ces conditions, tu es sûre de trouver. J'espère que tu

263

seras heureuse. » Il posa sa main sur chacune de ses épaules, la regarda droit dans les yeux et l'embrassa franchement sur les lèvres. « Adieu, Cate.

— Adieu, Roger. » Elle ne retint ses larmes qu'au prix d'une grimace.

« Allons, dit-il. Fais un sourire, pour Sunny. Nous allons descendre lui dire au revoir. S'il te demande quand tu reviendras, est-ce que tu pourrais lui répondre que tu espères le revoir un de ces jours, ou quelque chose du même genre ? Il ne comprendrait pas que tu lui dises jamais. Il est très malheureux quand des gens font irruption dans sa vie et disparaissent ensuite.

— Moi aussi, je suis malheureuse.

— C'est toi qui l'as voulu, chérie. »

Sur le chemin que Jernigan lui avait indiqué pour reprendre l'aéroport, Cate compta trois panneaux publicitaires pour la société qu'il dirigeait. Trois fois elle passa devant la représentation simple et tranquille de l'Amérique rurale au petit matin : ciel plus bleu que nature, épis de blé parfaitement alignés et, dans chaque petite ferme, on imaginait une famille finissant le premier repas du matin avant de sortir moissonner les bienfaits de la journée. Au-dessus de cette idyllique certitude, dansaient les lettres jaunes et dodues des SUNNY ENTERPRISES. (La maison avait été fondée et ainsi baptisée par Jernigan quelques mois seulement après leur décision d'aller consulter le premier des « mille et un » spécialistes au sujet des progrès anormalement lents de leur fils aîné.)

Cate se demanda s'il l'avait fait exprès. Pour l'obliger à passer devant ses panneaux qui, telles des sentinelles silencieuses, lui rappelleraient solennellement qu'elle sortait du royaume qu'il lui avait offert de partager avec elle. Non que ce royaume possédât la simplicité promise par les panneaux ; lui-même reconnaîtrait volontiers qu'une telle simplicité n'avait jamais existé. Même à l'époque héroïque de l'Amérique « pure et libre », des tragédies se nouaient dans les fermes et le mildiou attaquait déjà les récoltes. (Plus que maintenant d'ailleurs. Il ne s'agissait pas de nier les progrès accomplis grâce à la science.) Comme il le lui avait dit, il n'entrait pas dans ses intentions de lui faire quitter la lutte. Le monde qu'il lui avait demandé de partager avec lui n'était pas exempt d'incertitudes et de chagrins, elle avait eu l'occasion de le constater. Mais elle y aurait également trouvé confort, sécurité, raison d'être... et passion : et ces aspects-là non plus ne lui avaient pas échappé.

Quelle espèce de monstre mutant était-elle donc, pour déchirer une telle proposition ? Quelle sorte de royaume s'attendait-elle, envers et contre tout, à découvrir derrière ces montagnes ?

Elle commençait à douter de ses propres motivations. De leur bien-fondé, à supposer qu'elles fussent fondées sur quoi que ce soit.

VIII
L'image de marque

Un jour, à l'occasion d'une dispute d'adolescentes, Cate avait vertement reproché à Lydia de « toujours s'occuper de l'opinion des autres ». L'espace d'un instant, Lydia fut piquée au vif. Etait-ce là l'image d'elle qu'elle donnait aux gens, celle d'une fille sans personnalité qui passait son temps à « s'occuper de l'opinion des autres » ? Mais Lydia avait trop d'amour-propre pour ne pas réagir. Elle savait que la meilleure défense contre la langue terriblement bien pendue de sa sœur était la contre-attaque immédiate, et que la repartie ne serait jamais trop cinglante. Lydia prit à peine le temps de formuler sa pensée avant de répliquer : « Bien sûr que je m'occupe de l'opinion des autres ! Comme tout le monde d'ailleurs. Et ceux qui prétendent le contraire cherchent seulement à persuader autrui de leur soi-disant différence. Ce qui est encore bien pire. Au moins moi, je suis honnête avec moi-même. »

La riposte avait eu un impact inespéré. Lydia avait vu Cate accuser le coup et prendre la mine perplexe qu'elle arborait parfois quand elle doutait : faisait-elle partie de ces personnes qui prétendent ne pas s'occuper de l'opinion des autres uniquement « pour persuader autrui de leur soi-disant différence » ? Etait-elle moins honnête que Lydia ? Lydia était capable de lire dans les pensées de Cate. On finit par apprendre quelques ruses à force de cohabiter avec son tyran.

Ayant admis que son amour-propre était lié à l'image d'elle qu'elle donnait aux autres, Lydia mit désormais toute son attention à soigner cette image et à l'améliorer en la personnalisant de son mieux. Car toute sa vie, Lydia avait eu tendance à se faire une haute opinion d'elle-même, aidée en cela par cette faculté particulière qu'elle possédait de savoir tourner toutes les critiques à son avantage. Si le fait de « s'occuper de l'opinion des autres » était un trait dominant de son caractère, il ne pouvait s'agir que d'une qualité. Surtout si elle avait l'honnêteté de l'assumer pleinement.

Ainsi donc, après sa dispute avec Cate, Lydia avait-elle pris l'habitude d'affirmer haut et fort : « Eh oui, je suis quelqu'un de conformiste », avec la même assurance que d'autres mettent à dire : « Eh oui, je suis une artiste ».

« Je suppose qu'on pourrait m'accuser de trop m'attacher aux conventions, disait Lydia. Mais sincèrement, cela me laisse beaucoup plus de temps pour le reste. »

« Il est des choses que la vie attend de vous, expliqua Lydia à ses fils dès qu'ils furent en âge de lui servir de public attentif, et il est aussi des choses que vous êtes en droit d'attendre de la vie. L'important est de savoir faire la part de ces choses. Et de s'organiser en conséquence. »

Dans l'ensemble, le système de Lydia lui avait été plutôt bénéfique. Elle organisait sa vie en compartiments nets et distincts dont elle s'occupait successivement en leur temps et lieu. Elle prit l'habitude de s'entendre féliciter de son efficacité. « Lydia sait canaliser ses énergies à merveille », disait souvent sa mère. « La façon dont tu te débrouilles toujours pour tout faire tient du miracle », répétaient ses amies. (Même à l'époque des « petites siestes », elle mettait son point d'honneur à s'être acquittée des autres compartiments avant de s'abandonner à son oreiller ; après tout, la sieste pouvait être considérée comme un compartiment particulier. Elle avait donc sa place et son heure, et lorsque Lydia s'y consacrait, elle le faisait bien.)

Jusqu'à la fin du printemps de sa trente-sixième année, le système de Lydia n'avait connu aucune défaillance. Il n'avait même pas subi la moindre menace sérieuse.

Pendant ses années de lycée, Lydia était une bonne élève les jours de semaine et une compagne agréable pendant le week-end. C'est du reste la raison pour laquelle elle avait choisi de rester à l'école des sœurs plutôt que de dissiper son énergie, à l'instar de Cate après son passage dans l'enseignement public où l'on se savait regardée par les garçons, même quand on essayait de travailler.

Le premier semestre à Chapell Hil avait été un peu délicat.

Trop d'espérances entraient en compétition avec trop de tentations. Trouver une place et un temps pour chaque chose fut une tâche épuisante, relevant de la gageure. Mais Max était arrivé à point nommé avec sa demande en mariage qui semblait concilier à merveille ce que la vie attendait d'elle et ce qu'elle pouvait en espérer.

Pendant son mariage, le système des compartiments lui avait bien réussi. Ils structuraient sa vie. Si elle leur avait attribué une étiquette, elle aurait sans doute inscrit de sa belle écriture : MÈRE. CUISINIÈRE. HÔTESSE. ÉPOUSE ZÉLÉE. (C'est quoi exactement un contrat, Max ?) CLIENTE ÉLÉGANTE. PARTENAIRE AGRÉABLE. S'il lui arrivait fréquemment de soupirer ou de se dire mentalement : « Bon, une bonne chose de faite », au moment de passer d'un compartiment à un autre, cela ne signifiait nullement qu'elle avait bâclé la tâche dont elle se réjouissait de voir le terme.

Et lorsqu'elle eut le sentiment de ne plus pouvoir être l'épouse de Max avec l'enthousiasme souhaitable, elle boucla ses valises. Compartiment fermé. Il suffisait de revoir les étiquettes. MÈRE (elle veillait scrupuleusement à ce que Leo vienne dîner au moins une fois par semaine chez elle, pour qu'il n'ait pas l'impression d'avoir été abandonné). ÉTUDIANTE. AMIE RESPECTÉE DE MAX. MAÎTRESSE SECRÈTE DE STANLEY. NÉANMOINS BELLE DAME.

Pourtant, au moment précis où elle se félicitait du brio avec lequel elle faisait face à tout et parait aux besoins de chacun, y compris les siens, son système la trahissait. Ou plutôt, des circonstances (indépendantes de sa volonté ? — ce point restait sans doute sujet à caution) menaçaient gravement son système. D'abord, il y avait communication entre certains compartiments, ce qui à la fois la surprenait et la mettait dans l'embarras. Ensuite, pendant qu'elle réfléchissait au meilleur moyen de renforcer l'étanchéité des cloisons et de réparer les dégâts, un autre compartiment — le plus sacré aux yeux de Lydia — était mis sur la sellette et attaqué par des étrangers.

Avec le sacro-saint système s'écroulait le fondement de son image de marque — ce que les autres pensaient d'elle, ou ce qu'elle croyait qu'ils pensaient. Son amour-propre serait donc mis à mal tant qu'elle n'aurait pas réussi à reconstituer une organisation sans faille.

Dans l'immédiat, elle était assise sur la banquette de son appartement et le climatiseur ronflait et faisait voler les feuilles du bloc de papier jaune posé sur ses genoux. Elle s'efforçait avec panache de faire le brouillon du mémoire trimestriel qu'elle devait remettre à Renee, malgré le souci que lui donnait le reste de sa vie. « Chaque chose en son temps et lieu », expliquait-elle à ses fils, et elle avait d'ores et déjà réservé les soirées de cette semaine à la rédaction de sa composition trimestrielle (« Eros : ennemi, ou ami ? ») avant que le ciel ne lui tombe sur la tête.

Max avait emmené Dickie et Leo voir *Rencontres du troisième type* et elle comptait bien rédiger un premier brouillon avant le retour de Dickie. Est-ce que Max entrerait ? Elle éprouvait encore une certaine gêne à l'idée de le voir après cette rencontre... d'un type malencontreux. Seigneur, que pensait-il d'elle ? Quel idiot, ce Stanley ! Comment un amant aussi sensible pouvait-il commettre de telles bévues ? A moins que la sensibilité ne soit précisément le moteur de ce genre de bêtises.

Max entrerait probablement. Ils étaient convenus de maintenir la notion de « famille » le plus souvent possible, et ce dans l'intérêt de Leo. Leo ne fréquentait pas l'école en ce moment. Depuis « l'épisode Cookie Cunningham », pour reprendre l'expression utilisée maintenant par Max et elle, il refusait d'aller en cours. Sa fierté avait été durement mise à mal. Son système à lui l'avait trahi. Cependant, s'il ne retournait pas rapidement en classe, il perdrait le bénéfice de tout un semestre de travail — tout cela à cause du chantage de cette enfant gâtée de Cookie. Max et Lydia avaient été convoqués à tour de rôle par la psychologue scolaire, un certain Dr Karin Small, sans que rien ne sorte de ces entretiens. Pour Max, le Dr Small manquait d'humour et il l'avait trouvée un peu pitoyable (elle avait beaucoup de grains de beauté sur les bras et le visage), mais il avait su l'enjôler, comme il avait l'habitude de le faire avec les clients de la banque dont les possibilités d'investissement dépassaient largement les charmes personnels ou intellectuels. Max savait se montrer d'autant plus courtois et poli qu'il considérait ses interlocuteurs comme des êtres inférieurs. En revanche, Lydia avait nourri une antipathie immédiate pour ce Dr Small dont les yeux de fouine, gourmands de secrets intimes, la rebutaient autant que le jargon déplorable qu'elle utilisait. Elle avait indisposé Lydia d'emblée en expliquant que son but était de « trianguariser la situation de Leo ». Par quoi elle signifiait qu'elle désirait entendre Leo *et* Max *et* Lydia, ce qui pouvait se formuler aussi bêtement. Lydia n'avait pu s'empêcher de rétorquer : « Et pourquoi ne pas la "quadranguariser", cette situation ? Nous sommes quatre dans la famille.

J'ai un fils plus jeune, Dickie ! » « Je sais tout de Dickie, avait alors répondu le Dr Small avec dédain, mais sans la moindre trace d'humour. Leo et moi nous sommes déjà entretenus de Dickie. Vous avez emmené Dickie avec vous, pour vivre à l'autre bout de la ville, n'est-ce pas ? Et vous avez laissé Leo chez son père lorsque vous et M. Mansfield vous êtes séparés ? »

Lydia avait senti un net parti pris dans la façon dont cette femme percevait leur « situation ». Elle se vit à travers les yeux d'Œil de Fouine : l'épouse infidèle qui s'en va dans un froissement de dessous affriolants, tenant sa valise dans une main et la main potelée de l'enfant préféré dans l'autre ; et les voilà partis dans la voiture de cette mère au cœur sec, laissant derrière eux un père charmant et courtois (qui avait fait preuve d'une telle amabilité envers le Dr Small) et l'aîné sombre et amer, désormais condamné à avoir recours à une « technique captatrice d'attention ».

Dickie était-il vraiment son préféré ? Les gens pensaient-ils qu'elle privilégiait Dickie par rapport à Leo ? Mais c'était faux ! Totalement faux.

Lydia frissonna au souvenir de la gifle que lui avait été cette accusation imméritée, alors que quelques secondes auparavant, elle étouffait malgré le climatiseur inefficace compris dans le loyer de l'appartement. Elle se leva et tourna le bouton. Parce qu'en plus, il était bruyant. Au moins, à la maison, Max et Leo avaient une climatisation intégrée. Et la télévision couleurs, et tous les beaux meubles et autres éléments de confort courants. Ils disposaient d'espace. Franchement, en dépit de tout ce qu'Œil de Fouine pouvait penser, Lydia avait fait les choses très correctement à ce niveau. Elle avait laissé la maison à Max parce qu'il en avait plus besoin qu'elle-même. (Lydia avait toujours eu envie de vivre dans un appartement. Elle avait l'impression que ce serait le luxe absolu. Tandis que l'enfance de Max s'était écoulée entre un internat et le petit meublé dont sa mère veuve devait partager la cuisine avec une autre femme. Le fait de vivre dans sa maison à lui comptait donc énormément pour Max.)

Certes, elle ne pouvait s'attendre à ce que tout un chacun apprécie à leur juste valeur les arrangements qu'elle avait pris pour ne léser personne lorsqu'elle en était arrivée à la conclusion qu'elle ne pouvait plus vivre avec Max ; mais il était injuste et cruel d'insinuer qu'elle avait abandonné Leo pour Dickie. Parce que c'était faux. Leo avait exprimé le désir de rester, de ne pas quitter la maison, qui se trouvait à deux pas de son école. Lui et ses deux meilleurs amis formaient une petite équipe. Pour une raison inconnue, ils s'étaient baptisés « les Vampires » et aimaient se retrouver chez Leo pour faire quelques paniers de basket ou une partie de billard américain. Leur mère passait ensuite les prendre en voiture. Elle savait que Leo serait heureux. Il avait ses petites habitudes, rangeait sa chambre lui-même ; c'était un garçon autonome. Déjà, tout petit, il savait s'occuper tout seul. Tandis que Dickie... Oui, ce cher Dickie était une vraie calamité. Si l'on n'était pas constamment sur son dos, il laissait ses devoirs et se vautrait sur un tas de vêtements sales et autres affaires en désordre pour jouer de la clarinette, ou écouter de la musique les yeux fermés, en se goinfrant de sucreries. Dickie avait davantage besoin qu'on s'occupe de lui.

Mais quand, à contrecœur, Lydia avait expliqué ceci au Dr Karen Small — à contrecœur parce que, pour qui se prenait-elle, cette jeunette, plus jeune qu'elle en tout cas, qui n'avait pas d'enfant, n'était pas mariée et n'était pas près de l'être ? — quand Lydia avait donc commencé à lui expliquer que Leo avait toujours été un « enfant sage » dont les gens disaient volontiers qu'il était un « petit homme » alors qu'il n'était encore qu'un gamin, le Dr Small avait fixé ses petis yeux perçants dans ceux de Lydia, comme pour y lire Dieu sait quel non-dit — en jargon sans doute — et lorsque Lydia eut fini de lui exposer les différences entre ses deux fils, elle avait demandé de but en blanc, sans le moindre tact ni la moindre délicatesse : « L'idée vous a-t-elle jamais effleurée, Mme Mansfield, que Leo avait l'impression que vous le punissiez d'être sage ? »

Lydia était resté un moment le souffle court. L'antipathie qui la submergeait lui ôtait toute lucidité. Avoir affaire à une telle... une telle salope... Et puis d'où venait-elle, d'abord ? Elle n'avait l'accent de nulle part. Peut-être qu'on vous fait perdre tout accent à... bref l'endroit où était allée cette Miss Small pour passer des examens de psychologie... et qu'on vous y inculquait ce jargon à la place. (Lydia avait louché sur le diplôme visiblement encadré derrière le bureau de son antagoniste... Rutgers University... C'était où, ça, Rutgers ?)

« Voilà la plus belle ânerie qu'il m'ait été donné d'entendre », avait finalement explosé Lydia quand la voix lui était revenue.

« *La plus belle ânerie qu'il m'ait été donné d'entendre* », répétait-elle à présent, à voix haute et avec colère, dans son appartement où l'on recommençait à étouffer. Elle choisit de transpirer plutôt que de subir le ronflement. Il fallait qu'elle se remette au travail. « Eros : ami ou ennemi ? » Ou *idiot* ? Non, ce n'était vraiment pas le moment de penser à Stanley. Des deux problèmes, Leo était le plus crucial et elle devait aussi le chasser de ses pensées. Il était en parfaite sécurité, au cinéma, avec son père et son frère, et elle avait décidé de consacrer ce moment à son mémoire. Chaque chose en son temps et lieu...

Tout de même... punir un enfant parce qu'il est sage ! Une devise qui la séduisait beaucoup, quand elle était en terminale, revint à l'esprit de Lydia. Elle était alors la déléguée de sa classe et avait réussi à persuader ses compagnes d'en faire la devise de la classe. Mais Sœur Delaney avait protesté ; elle avait même failli en pleurer. « Vous ne pouvez pas prendre cette phrase pour devise mes enfants. C'est inconvenant. — C'est pourtant bien vrai, avait insisté Lydia. Cette phrase ne dit que la stricte vérité, ma sœur. — Je sais bien, mon enfant, mais... cette vérité n'est pas très jolie. Elle n'est pas optimiste. Elle est même cynique. » La religieuse avait fini par avoir gain de cause. Elles votèrent pour : « Accroche ton wagon à une étoile » au lieu de : « C'est la roue qui grince le plus fort que l'on graisse en priorité ».

Ce qui n'avait pas empêché la phrase censurée d'aller droit au cœur de lycéenne de Lydia. Car elle parlait vrai. Les gens qui faisaient un maximum d'histoires et créaient le plus de difficultés finissaient par recevoir plus d'attention que les autres. Combien de fois avait-elle entendu ses parents dire : « Lydia est très bien, pas besoin de se faire de souci pour elle — *qu'allons-nous faire de Cate* ? » Une demi-minute de discussion consacrée à Lydia, suivie d'heures entières passées à parler de Cate qui, alors qu'elle était censée leur causer bien du chagrin, n'en suscitait pas moins dans leur voix d'étranges trémolos manifestement fascinés : quelle serait la prochaine invention de Cate ? Tandis que Lydia était totalement prévisible. Sans surprise.

Bon, assez, songea Lydia qui avait maintenant trente-six ans. Le moment est mal venu pour ce genre de considérations, car je ne passerai jamais à Eros.

« Nous avons été élevées dans l'idée qu'il était possible de trouver toutes les qualités réunies dans le même homme, écrivit Lydia de sa belle écriture nette sur la page jaune. Les filles de ma génération devenaient femmes en étant certaines que, pourvu qu'elles soient dotées d'un physique agréable, qu'elles soient chastes, bien habillées et bien élevées, le Prince Charmant viendrait les épouser et satisfaire tous leurs désirs. Il reprendrait les fonctions paternelles en les aimant et les protégeant : il leur serait intellectuellement égal (ou supérieur) ; il serait un amant parfait. »

Elle relut ce qu'elle avait écrit. C'était plaisamment tourné, mais peut-être un peu vieux jeu. Ne tombait-elle pas un peu trop facilement dans l'ornière classique des récriminations ? (« Voyez dans quel embarras nous sommes parce que l'on nous a raconté trop de mensonges. ») Quelle autre introduction inventer ? Elle consulta sa montre et constata qu'elle avait perdu presque une heure à la rédaction des premières lignes. Et elle fut prise de panique, comme autrefois, il y a bien longtemps, quand elle devait rédiger un compte rendu de lecture sur un livre. Un soir, elle avait fait une véritable crise de larmes parce qu'elle ne trouvait pas la première phrase pour son devoir. Son père l'avait emmenée au rez-de-chaussée, dans son bureau, où il l'avait fait asseoir sur le canapé de cuir avec un crayon noir bien taillé dans une main et l'un de ses blocs tout neufs dans l'autre. « La seule chose que tu aies à faire, c'est de m'écrire une vérité à propos de ce livre, dit-il. Moi, je ne l'ai pas lu, si bien que tout ce que tu pourras me dire représentera un intérêt certain. Oublie ce que ton professeur souhaite te voir écrire ou ce que toi tu penses devoir écrire. Note seulement une vérité à propos de ce livre. »

Depuis cette nuit-là, Lydia avait toujours utilisé un crayon noir à la mine grasse et soigneusement taillée ainsi que des blocs de papier jaune, chaque fois qu'elle avait eu un travail de rédaction à accomplir.

Les lignes qu'elle venait d'écrire constituaient-elles une vérité ? Euh, oui et non. Elle n'avait pas vraiment été « élevée » dans ce genre d'idées qui, néanmoins, correspondaient bien à ce qu'elle attendait de la vie. Et pendant les premières années de son mariage, si quelqu'un lui avait demandé : « Avez-vous réussi à épouser un exemplaire réunissant tous les attributs de la virilité ? » elle aurait répondu affirmativement sans l'ombre d'une hésitation.

Elle relut plusieurs fois son paragraphe, dans l'espoir de pouvoir enchaîner avec la suite sur sa lancée.

« ... il serait un amant parfait ».

Pour son anniversaire, en novembre dernier, Max l'avait emmenée à La Nouvelle-Orléans aux commandes de son Piper Archer. Ce voyage faisait partie de leurs projets depuis des années. Pour Lydia, La Nouvelle-Orléans avait toujours représenté un amalgame de races, de cuisines et de plaisirs agréablement décadents. C'est là que Rhett Butler avait amené Scarlett en voyage de noces. C'est là qu'il fallait aller avec un homme capable de vous défendre ; manger en tête à tête plusieurs plats de riche cuisine française, boire de l'absinthe au fond d'un petit bar sombre et louche à souhait, déambuler dans l'anonymat rassurant d'une foule de touristes en goguette, jusqu'à ce qu'un saxophoniste noir vous sorte de votre petite civilisation étriquée et qu'en compagnie de votre partenaire, vous rameniez les rythmes effrénés de la jungle jusque dans votre chambre d'hôtel.

Pendant trois jours consécutifs, Lydia et Max firent se succéder les repas trop copieux dont la digestion pénible les ramenait systématiquement à l'hôtel pour s'allonger un peu et récupérer la force d'ingurgiter le suivant. Après le dîner, ils arpentaient consciencieusement Bourbon Street où une musique qui ne devait pas grand-chose à Count Basie et une odeur qu'ils identifièrent aussitôt comme celle de la marijuana agressèrent leurs sens de presque quadragénaires. Le commerce de l'absinthe était illégal depuis bien longtemps. Ils consommèrent donc un Pernod à l'Absinthe Bar, mais ce n'était pas la même chose. A vrai dire, le Pernod après la cuisine française trop riche en sauce ne réussit guère à Lydia. Lorsque, vers dix heures et demie du soir, ils se tournèrent l'un vers l'autre pour sceller comme il se doit ces vacances conjugales, pas une seule vibration de tambours de la jungle ne résonnait dans leurs veines. Mais chacun s'était épuisé à respecter l'image de marque de l'autre. Leurs corps fatigués et repus se firent violence pour perpétuer l'illusion d'une lune de miel à retardement. D'ailleurs, Clark Gable était mort et, il y a déjà plusieurs années, quand Vivien Leigh était descendue de l'avion pour assister à la reprise d'*Autant en emporte le vent*, un journaliste était venu lui demander : « Vous aviez quel rôle ? »

Le matin du départ, Lydia entra dans une boutique de la rue Royale où elle acheta deux boîtes de coûteuses cartes de Noël « Noël dans le vieux quartier français » : des dessins à la plume retraçant le Vieux Carré et exécutés par un artiste local. Elle se félicita d'avoir pensé à prendre son carnet d'adresses. Pendant le vol de retour, elle accorda à peine un regard aux villages qu'ils survolaient, ni aux jeux de lumière. Ils se congratulèrent plusieurs fois de l'excellent séjour qu'ils avaient fait, bien que La Nouvelle-Orléans ne soit plus ce qu'elle était, manifestement. Mais n'en allait-il pas de même pour tout ? *Max et Lydia Mansfield*, signa-t-elle sur les cartes.

Elle attendit la fin novembre pour les expédier, parce que des cartes de Noël qui arrivaient en novembre étaient aussi incongrues que des chaussures blanches portées après le premier septembre.

Elle était partie la première semaine de décembre, le lendemain de l'anniversaire de Leo.

Mais on ne pouvait pas écrire ça sur un mémoire trimestriel. Encore que, indirectement, c'eût été une excellente toile de fond pour Eros.

Lydia choisit un autre crayon noir dans sa réserve. « Eros, écrivit-elle, non sans marquer l'alinéa et le nouveau paragraphe, est ce que nous désignons par la passion physique, ou l'amour romantique. » Les propos de Renee pendant son premier cours magistral lui revinrent alors en mémoire et elle ajouta : « Mais Eros peut aussi se concevoir comme la *tentative pour combler un manque*, même si notre époque le met plus volontiers en équation avec un désir sexuel difficile à satisfaire. » Renee apprécierait. Les professeurs adorent s'entendre citer par leurs disciples.

La sueur perlait sur la lèvre supérieure de Lydia. Elle consulta les notes prises à la bibliothèque. Faute d'inspiration, elle se contenta de développer une de ses fiches. « Les Grecs personnifiaient ce genre de désir (ou de besoin) sous les traits d'un dieu. A qui ils prêtaient parfois des ailes. (Signifiant ainsi la précarité d'Eros ?) En Béotie, province de la Grèce antique habitée par des rustres, Eros était révéré sous la forme d'un énorme phallus. Dans l'art antique et sur les anciennes pierres tombales, il est souvent représenté en angelot bandant son arc, quand il n'est pas sadiquement occupé à brûler les ailes d'un papillon. Eros est presque toujours montré sous les traits d'un jeune garçon. »

L'image de Leo, allongé sur Cookie Cunningham, vint s'immiscer dans les préoccupations de Lydia. Pure spéculation certes, mais qui lui serra le cœur de jalousie. Les hanches de Leo... ce petit derrière parfaitement sculpté qu'elle avait essuyé et talqué... et, jadis, à Londres, couvert de baisers dans un élan d'extase maternelle, avant de refréner sa fougue, pour ne pas en faire un homosexuel ou Dieu sait quoi. Elle en était malade de cette histoire entre Leo et Cookie Cunningham. Non que Lydia contestât à son fils le droit d'être normal, mais elle aurait préféré que son initiation sexuelle ne passât pas par cette dominatrice en herbe. Cookie était encore un exemple de ces « roues qui grincent fort pour être graissées avant les autres ».

Lydia en frémit de colère. Mais l'heure n'était pas à la colère. Elle appartenait à Eros.

« Aucune source connue, commença-t-elle sur une page neuve, ne nous conduit à croire réellement à le permanence d'Eros, pas plus qu'à la paix et aux satisfactions d'amour-propre qu'il pourrait nous apporter. » N'était-ce pas aller trop loin ? Autant ne pas approfondir tout de suite. Lydia avait une manie : chaque fois qu'elle faisait une correction, serait-ce sur un mot, il fallait qu'elle recommence toute la page. « Eros n'a cure des liens familiaux ni des classes sociales. Il se moque royalement de la notion de propriété. Il est susceptible de surgir vêtu d'oripeaux, d'un goût incertain, ou bien il peut s'exprimer avec un accent étranger, voire inhabituel. Pourtant, toute personne touchée par l'une de ses flèches se consume d'un désir qui paraît souvent totalement extérieur au reste de sa vie. »

Le seul fait d'écrire les mots « se consume d'un désir » produisit un effet physique sur Lydia. En dépit des remous qu'il avait provoqués, elle subissait encore l'envoûtement physique de Stanley.

Mais qu'allait-elle faire de lui ?

Dès les premières visites de Lydia chez lui, Stanley avait commencé à élaborer des tas de projets précis sur ce qu'il aimerait faire avec elle. Il voulait l'emmener passer un week-end en montagne, à l'ouest (« Ta mère habite à la montagne, je crois ? ») ; il envisageait de prendre des leçons d'équitation dans un manège en ville : peut-être pourraient-ils faire des randonnées ensemble, en emportant leur pique-nique derrière la selle pour faire étape dans des clairières inondées de soleil où ils mangeraient après avoir attaché leurs deux chevaux à un arbre.

Tandis que les idées de Stanley tendaient à affirmer leur image de couple, Lydia voyait le revers de la médaille. Elle recensait la bonne douzaine de couples qu'elle connaissait par Max et sur lesquels elle était certaine de tomber dans n'importe quel nouveau restaurant de la ville. Elle les imaginait tous les deux, Stanley et elle, un peu gênés, pour des raisons différentes, montant vers le portail de la maison de sa mère à Lake Hills ; et Nell, avec ce petit sourire inquiétant qu'elle savait parfaitement arborer face à une situation qu'une part d'elle-même trouvait comique tandis que l'autre lui soufflait de faire bonne figure, leur servirait le thé, ou l'apéritif. (« Eh bien, dirait-elle après avoir installé tout le monde dans le salon, quelle belle surprise ! Il fait un temps idéal pour se promener dans les montagnes. Je suis tellement contente que vous soyez venus me voir. J'espère que vous restez dîner. Stanley, Lydia me dit que vous êtes originaire de New York ? Que pensez-vous de notre façon de vivre, par ici ? Non, franche-ment. Dites-moi ce que vous pensez de nous, jusqu'à maintenant. ») Oh, Nell s'en sortirait très bien. Le côté inattendu de la situation la réjouirait probablement. Mais que penserait-elle de sa fille ? (« Enfin, différent de ce que j'aurais attendu de la part de Lydia, mais pourquoi pas ? Il est très gentil. Avec ses longs cils... Et un physique très séduisant. Je suppose qu'ils sont très amoureux... ») A ce stade, Lydia était morte de honte. Pour-quoi ? C'était la vérité. Ils étaient effectivement très amoureux l'un de l'autre. Nell n'y verrait d'ailleurs probablement aucun inconvénient. C'est Lydia qui ne supportait pas l'idée que sa mère pût la croire amoureuse de cette façon.

Quant au pique-nique à dos de cheval, il n'en était pas ques-tion : suer et se taper les fesses sur deux bourriques de louage poussiéreuses qu'il faudrait cravacher pour les empêcher de brou-ter tout le long du chemin ! Des montures qui éternueraient et remueraient la queue, si elles ne faisaient pas pire pendant le pique-nique. Stanley avait une vision bucolique des choses, digne des gravures anglaises du siècle dernier, et Lydia considérait de son devoir de le protéger de son propre romantisme.

C'était un homme vraiment touchant, d'une sensibilité surpre-nante, capable de diverses gentillesses et attentions qui ne sem-blaient pas mettre en cause sa virilité. Il ne manquait jamais de l'étonner par des gestes tendres ou des aveux de faiblesse qui l'effrayaient presque par leur absence de fard et leur originalité. Un jour qu'il s'étaient allongés côte à côte, il l'ébranla en lui avouant son désir d'avoir un bébé. Sur la défensive, Lydia avait instinctivement remonté les draps sous son menton avant de répondre que, si elle adorait ses deux fils, elle ne pensait pas avoir envie de refaire un enfant. « Non, ce n'est pas ce que j'avais en tête, précisa-t-il songeusement. Je voulais seulement dire que j'aurais aimé pouvoir faire un enfant, moi. Un petit bébé qui sor-tirait de mon ventre et serait totalement à moi. » Etrange décla-ration que Lydia avait trouvée choquante. Ou, plus exactement, elle s'était sentie obligée d'être choquée. Mais, une fois rentrée chez elle, elle y avait réfléchi et l'idée avait fait son chemin. C'était une très belle idée, séduisante et érotique : imaginer Stan-ley, si beau, si mince, si différent, en mère au masculin. Cette étrange vision aida momentanément Lydia à réinventer le monde : douces mamans de sexe masculin berçant de petits enfants dans leurs longs bras bruns ; ces mères dont le pénis sain pendait librement sous le pagne, tandis qu'elles mettaient leur force virile au service d'une petite créature à protéger. Mais faute d'avoir l'expérience de la transformation d'une vision en symbole, Lydia retomba dans les platitudes de la littéralité et l'idée de Stanley lui parut grotesque, pour ne pas dire obscène. Par où le bébé viendrait-il au monde ? Pourrait-il continuer à posséder un pénis ? Et la poitrine ? Elle se rappelait l'histoire rapportée par le journal, d'un homme demeuré seul avec son bébé affamé. Les seins de cet homme s'étaient mis à sécréter du lait.

D'une certaine manière, l'expérience qu'elle partageait avec Stanley ressemblait à cette vision. Tant qu'elle demeurait assez vague et floue, avec de nombreuses zones d'ombre et de secret, leur histoire était viable. Mais exposée en pleine lumière, livrée à des regards inopportuns, elle risquait de se désintégrer.

Lydia raconta donc un mensonge à Stanley, pour protéger aussi longtemps que possible leur beau secret. Elle lui dit que Max, son ex-mari, avait beau se conduire en être civilisé la plupart du temps, il était d'une extrême jalousie ; de plus, il jouissait de relations puissantes à l'intérieur de la ville et si jamais elle éveillait ses soupçons avant que leur divorce soit prononcé, il risquerait de la priver de la garde de ses enfants. « Nous avons engagé une procédure de divorce par consentement mutuel, expliqua-t-elle à Stanley. (Ce qui était vrai.) Les deux époux doivent vivre séparément pendant un an et la décision est automatique. Sans griefs ignobles. Il faut donc que j'attende décembre avant de pouvoir sortir librement. »

L'argument parut convaincre Stanley. « Tu peux tout de même venir visiter mon cabinet », dit-il. Elle se laissa donc emmener pendant son jour de congé et il lui montra tout le matériel dont il était très fier (acheté avec l'argent emprunté au Broadbelt Commercial Trust) : tables d'examens, fauteuils inclinables équipés de grands repose-pieds, appareils radiographiques, plus quelques très belles planches (semblables à celles qui ornaient la salle de bains de son appartement) représentant les os et les muscles des pieds. « Un de mes amis de New York, qui est peintre, les a trouvées à Rome pour moi, dit-il. Ces dessins sont l'œuvre d'un artiste italien du XVe siècle. Tu sais que les peintres étaient obligés de se lever la nuit pour aller profaner des sépultures afin d'apprendre l'anatomie du squelette humain. » Lydia était presque amoureuse de ce Stanley qui lui faisait visiter les pièces où il travaillait, fier de lui expliquer tout dans les moindres détails, avec cette voix douce aux intonations entièrement nouvelles pour elle. Elle l'imaginait à New York, sa ville natale, entouré de son réseau d'amis qui lui rapportaient des choses de Rome. Il lui avait fallu du courage pour venir s'installer ici, repartir à zéro, se refaire d'autres amis. Plus tard, cet après-midi-là, alors qu'ils reposaient nus et moites après leurs ébats amoureux, elle confia à Stanley que, dernièrement — depuis qu'elle avait repris ses études et depuis qu'elle l'avait rencontré — elle avait le sentiment de prendre enfin son départ dans la vie et d'avoir un avenir très intéressant devant elle. « J'ignore encore ce qu'il sera, lui dit-elle, je sais seulement que ma vie sera plus riche et active qu'elle ne l'a jamais été. Je mènerai une existence où ce que je fais aura de l'importance. Je choisirai une activité qui m'intéresse et dans laquelle je réussirai. » Il hocha la tête en lui serrant fort les mains. « C'est exactement ce que j'ai l'impression d'avoir réussi à faire, dit-il, avant de confier à Lydia une autre de ses surprenantes visions. Vois-tu, j'ai l'impression qu'il est de mon devoir de convaincre un maximum de personnes de prendre soin de leurs pieds. » (Lydia retint difficilement un petit ricanement qui n'échappa pas à Stanley et le chagrina un peu.) « Non, écoute, insista-t-il, c'est important. Les gens ne prennent pas suffisamment soin de leurs pieds. Tu n'imagines pas comme je souffre chaque fois qu'un client me montre une paire de pieds définitivement abîmés. Pas seulement pour des raisons esthétiques, mais parce que... parce que c'est une façon de signer son propre arrêt de mort. Ces gens-là peuvent à peine marcher. Et je ne parle pas seulement de personnes âgées. Il y a des jeunes qui viennent me consulter avec une voûte plantaire complètement affaissée, des orteils encastrés les uns dans les autres et les os du métatarse déjà déformés. J'en ai le cœur brisé. Je fais ce que je peux, mais j'ai envie de leur crier : vous ne savez donc pas que nous allons devoir courir ? Je ne peux pas leur dire ça, ils me prendraient pour un cinglé ; pourtant je crois sincèrement que nous avons tous intérêt à être en forme d'ici à quelques années. Je pense que notre salut dépendra de notre aptitude à la course à pied. Ceux qui se traînent ou s'essoufflent seront éliminés.

— Il faudra courir *où* ? demanda Lydia. Pourquoi ?

— Je ne peux pas te le dire. Je ne suis pas prophète. C'est un pressentiment que j'ai. Et je ne suis pas le seul. Pourquoi tant de gros se préoccupent-ils soudain de leur forme physique ? Ils sentent quelque chose. Je ne saurais te dire quoi. D'ailleurs, je n'ai

280

pas plus de certitude sur ce que je ressens. La seule chose que je sais, c'est que je veux être prêt. Et aider les autres à se préparer.

— Mais tu envisages une *guerre* ? insista Lydia, ou quoi ?

— Je ne peux pas te le dire, c'est une sorte d'instinct animal. Je sens seulement que nous risquons tous de devoir décamper en vitesse et qu'il faut soigner notre forme. Moi, j'essaie de courir tous les matins, sauf les jours où je vais nager. Tiens, montre-moi un peu tes pieds.

— Non, protesta Lydia en les cachant sous les draps, je n'ai pas envie de te montrer ma corne. »

Mais il se pencha et se débrouilla pour lui attraper un pied. « Question corne, ce n'est rien. Elle partira dès que tu marcheras en sandales cet été. Mais tu n'aurais jamais dû porter les chaussures qui t'ont fait ça. » D'un pouce professionnel, il frotta l'oignon qui décorait le gros orteil droit de Lydia. « En revanche, tu as une voûte plantaire encore superbe. C'est bien. »

Cette façon de jouer gentiment au docteur avec elle eut un effet particulier sur Lydia. Elle se pencha à son tour et ils ne tardèrent pas, après avoir exécuté chacun une espèce de pirouette, à ne faire plus qu'un corps. Lydia s'abandonna aux voluptés de visions ardentes où tout motif de cacher Stanley était balayé par un cataclysme. Si le monde se transformait subitement en un endroit où les gens valaient par leur qualité de coureur à pied, la résistance de leurs poumons et la gentillesse de leurs intentions, elle ne pouvait souhaiter meilleur compagnon que Stanley. Elle s'accrocha donc à lui, effaçant de sa mémoire ce monde où il fallait toujours se vêtir en fonction de l'image de soi que l'on voulait donner aux autres, et elle imagina leurs deux corps minces et bronzés (elle aurait perdu quelques kilos et acquis un hâle seyant) courant, courant, agiles comme des animaux, portés par de belles voûtes plantaires parfaitement saines, courant vers un havre de sécurité où ils pourraient commencer à bâtir une nouvelle civilisation qui n'aurait pas oublié certains rythmes de la jungle.

Une dizaine de jours plus tard, Stanley avait annoncé : « Cette semaine, nous allons au cinéma. La prochaine fois que Dickie passe la soirée chez un camarade, nous irons tous les deux voir *Le syndrome chinois* au cinéma qui se trouve à côté de chez moi. Il faut que tu fasses un peu plus confiance à ton Stanley. Cette histoire de divorce t'angoisse beaucoup trop. » Il arborait une telle assurance et paraissait si mystérieusement content de lui que Lydia s'était laissé convaincre. Quel mal pouvait-il y avoir à se rendre dans un cinéma de quartier et rester assise dans le noir à côté de son amant ? Sortir avec quelqu'un après avoir été mariée de longues années constituait, comme elle l'avait expliqué à Renee, un pas important, mais celui-ci ne prêtait pas vraiment à conséquence. Ce n'est pas comme si elle allait publier des bans avec Stanley à la porte de l'église.

C'est ainsi qu'ils allèrent voir *Le syndrome chinois* à la première séance de la soirée, dès que Lydia eut convaincu Dickie de se trouver un camarade. Et elle dut user de persuasion parce que, dans l'immédiat, Dickie était parfaitement heureux de rester à la maison tout seul avec elle ; ils essayaient de tenir leur régime, filaient faire leurs devoirs après dîner et se retrouvaient pour un petit « en-cas » sur le coup de dix heures.

Malgré certaines réticences au sujet de Jane Fonda (encore une de ces roues qui grincent le plus fort possible... pour des motifs qui n'ont rien à voir avec le métier d'acteur), Lydia apprécia le film. Se retrouver assise à côté de Stanley dans un lieu public constituait une sorte d'expérience érotique à rebours comparable à celle qu'elle avait déjà vécue en le découvrant habillé après avoir fait sa connaissance pratiquement nu dans la piscine. De plus, le scénario du film — une catastrophe nucléaire évitée de justesse — prenait une résonance particulière du fait que la fiction avait bien failli devenir réalité un mois plus tôt à Harrisburg, en Pennsylvanie. Peut-être que ce fameux monde des champions de course à pied n'était plus bien loin.

Lydia clignait les yeux en sortant de la salle obscure en compagnie de Stanley. Elle était encore sous l'emprise du film et de la mort de ce pauvre Jack Lemmon. Et puis elle entendit que Stanley parlait amicalement avec quelqu'un qui faisait la queue pour la séance de neuf heures. Ce quelqu'un, c'était Max.

« Bonjour, comment allez-vous ? » répondait courtoisement Max. Pour Lydia, il se contenta d'un simple « Bon-jour », articulé sur un ton qui en disait long. Il était accompagné d'une fille mince et sportive, vêtue d'un jean moulant, et d'un t-shirt qui laissait voir des bras sveltes et musclés. Son visage lui était vaguement familier ; elle portait des baskets.

« Bonjour, dit-elle en découvrant une rangée de dents qui ne portaient plus les griffes métalliques d'un appareil orthodontique. Je crois bien que nous ne nous étions pas revues depuis l'époque de mes treize ans. »

C'était Lizzie Broadbelt. Lydia avait entendu dire qu'elle était revenue de Londres après ses études à la London School of

Economics et une déception amoureuse avec un Arabe rencontré en Angleterre. Mais dans l'esprit de Lydia, Lizzie était restée la gamine joufflue aux dents alourdies de métal argenté (auquel s'accrochaient généralement des restes de nourriture), qui geignait près du fauteuil de son grand-père, au cours des interminables dîners de circonstance chez les Broadbelt. Max avait informé Lydia qu'il « montrait les ficelles de la maison » à Lizzie, mais Lydia n'avait prêté qu'une oreille distraite à la nouvelle. Elle ne s'attendait pas à rencontrer cette jeune femme racée, souriante et sûre d'elle qui paraissait si désireuse de sympathiser avec elle.

« Bonjour Lizzie », répondit Lydia, abasourdie. A part elle, tout le monde semblait souriant, décontracté et parfaitement à l'aise. Elle se sentit victime d'une espèce de conspiration. « Alors, tu te plais à la banque ?

— Tu sais, c'est un métier comme un autre », dit Lizzie, avec un coup d'œil en direction de Max, qui eut le rire approbateur qu'on attendait de lui.

Lydia ne savait plus très bien où elle en était, mais ne manqua pas pour autant aux règles du savoir-vivre. « Je vous présente Stanley Edelman, dit-elle à Max et Lizzie. Stanley, je te présente...

— Nous nous connaissons déjà, dit Stanley, manifestement content de lui.

— Le Dr Edelman est l'un de nos distingués clients, précisa Max en saluant Stanley d'un hochement de tête cordial.

— Nous nous sommes également rencontrés, dit Lizzie à Stanley. J'étais présente dans le bureau de Max, en position d'élève, lors de votre visite. »

Ils restèrent tous à échanger des sourires et Lydia eut l'impression qu'elle allait craquer lorsque la file de Max et Lizzie se mit fort opportunément à avancer.

« Eh bien, amusez-vous bien, dit Lydia, encore que le terme convienne mal à ce film. » Puis elle consulta ostensiblement la jolie montre à quartz offerte par Max pour son dernier anniversaire. « Mon Dieu, je ferais bien de ne pas traîner si je veux prendre Dickie à neuf heures et demie chez les Robert. » Une façon de mettre les points sur les « i ». A Max elle demanda : « Leo va bien ? »

Les véritables priorités reprenaient leurs droits, avec éclat, tout en fournissant à Lydia une sortie honorable pour se tirer d'une situation embarrassante.

« Je l'ai laissé au téléphone, avec une amie, répondit Max, et je pense le trouver au même endroit quand je rentrerai. »

Et tous de rire poliment, avant que les deux couples repartent chacun dans leur direction. « On se voit pour déjeuner, un de ces jours, dit encore Lizzie Broadbelt avant que Lydia n'ait définitivement tourné les talons. On pourra confronter nos souvenirs ! » Puis elle gratifia Stanley d'un large sourire, faisant ainsi l'hommage de ses joyaux orthodontiques à la beauté brune et athlétique du jeune docteur. Et Lydia remarqua combien ils étaient proches physiquement, comme frère et sœur.

Encore ivre de rage et de honte rentrées, elle suivit Stanley jusqu'au parc de stationnement où étaient rangées leurs deux voitures, roues contre roues, comme si elles aussi avaient eu un rendez-vous galant. Trop bouleversée et humiliée pour avoir une pensée claire, Lydia essayait de faire le bilan de cette rencontre inattendue lorsque Stanley roucoula joyeusement : « Alors, je t'avais bien dit de faire confiance à ton Stanley. La glace est maintenant rompue, sans dommage pour personne.

— Est-ce que tu serais en train de me dire, demanda Lydia, brisée dans son élan, que c'est toi... toi qui as monté ce coup de toutes pièces ?

— Tu parles de ce soir ? Maintenant ? Non, ça c'est un pur hasard. Mais je pense pouvoir admettre que j'ai préparé le terrain. Je suis allé le voir la semaine dernière. Rien de plus simple à organiser. J'avais à faire là-bas, de toute façon, et je me suis contenté de demander si M. Mansfield n'aurait pas un moment de libre, ce qui était le cas. On m'a donc fait entrer directement dans son bureau. Il était en train d'étudier des dossiers ou je ne sais quoi, avec elle justement — c'est la petite-fille du grand patron, hein ? — mais elle s'est retirée pendant notre entretien.

— Un entretien... à quel sujet ?

— Oh, j'avais prévu mon coup. Je lui ai dit que j'envisageais de faire certains placements et que je souhaitais prendre son conseil.

— Et... il t'a conseillé quoi ? demanda Lydia, la gorge tellement nouée qu'elle avait peine à respirer.

— Eh bien, il m'a demandé à combien se montaient approximativement mes possibilités d'investissement. Ensuite — il est très modeste — il m'a dit qu'il traitait surtout des affaires de la banque en général plutôt que des cas individuels, si bien qu'un de ses assistants serait sans doute plus compétent pour répondre à mes questions particulières. Néanmoins, a-t-il ajouté, je ne risquais rien en commençant par acheter quelques actions. Ce sont...

— Je sais, coupa Lydia d'une voix rude. Je connais le principe des actions. » Ce pauvre Stanley s'était fait proprement éconduire et il mettait cela sur le compte de la « modestie » de Max. Elle ne savait plus qui était le plus à plaindre : Stanley ou elle. A présent que Max les avait vus ensemble et en avait tiré les conclusions qui s'imposaient, il devait les prendre pour deux imbéciles. Stanley à cause de la légèreté avec laquelle il s'adressait aux sommités de la banque pour un motif aussi futile ; elle parce qu'elle sortait avec ce genre de citoyen. Quand à Lizzie Broadbelt, que devait-elle penser ? Assise au cinéma à côté de Max, elle devait rire sous cape de la chute de l'irréprochable Mme Mansfield qui lui battait tellement froid à l'époque où elle n'était qu'une gamine laide toujours pendue aux basques de son grand-père. A moins que Max et Lizzie n'en soient à « discuter » de cette rencontre inattendue — pur hasard, comme disait Stanley — et supputer ses possibles ramifications. Pour la première fois, l'idée vint à Lydia que Max couchait avec Lizzie. Il fallait bien s'y attendre ; Max était normalement constitué, ils étaient ensemble toute la journée. Bref... il s'agissait sans doute d'une passade. Coucher avec quelqu'un est une chose... mais si Max était capable de tomber amoureux de Lizzie Broadbelt si peu de temps après l'avoir aimée, elle, cela ne remettrait-il pas en cause les dix-huit années de dévotion que Max avait professée à son égard ?

« Aurais-tu l'obligeance de m'expliquer ce que tu espérais en allant... à son bureau ? » demanda Lydia lorsqu'ils furent dans le parc de stationnement. Elle avait failli dire « au bureau de mon mari ».

« Je te l'ai dit, répondit Stanley qui commençait tout juste à entrevoir que Lydia n'était pas aussi ravie que prévu de voir la glace enfin rompue. Je voulais me trouver face à face avec lui. Juger par moi-même. J'ai beaucoup d'intuition avec les gens. J'avais envie de me faire une idée de ce que nous pouvions craindre de lui...

— Craindre ? » Dans la confusion créée par ces révélations en chaîne, Lydia avait momentanément oublié son mensonge : la petite histoire qu'elle avait montée sur la prétendue jalousie de Max.

« Oui. Mais j'ai vu immédiatement que nous avions affaire à quelqu'un de raisonnable. J'ai confiance dans mon intuition et elle me dit que nous n'avons rien à redouter de Max. » Il prononçait ce nom comme si lui et Max « se connaissaient depuis la maternelle ». Attirant Lydia contre lui, il ajouta : « Je pensais que tu serais plus contente ! Et ce soir ! Peux-tu me dire ce qui pouvait se passer de mieux ? Maintenant, tout est révélé au grand jour.

— Oui. Tout est au grand jour, répéta lentement Lydia comme pour peser la portée de chaque mot au fur et à mesure qu'elle le prononçait.

— Tu sors avec moi, dit Stanley en l'embrassant dans le cou, et il est au courant. De son côté, il se console avec Mlle Broadbelt, et nous le savons. Alors personne ne va te retirer tes enfants. Dorénavant, nous n'aurons plus besoin de nous cacher comme des voleurs. Je pourrai m'afficher avec toi sans honte. » Elle sentit son souffle chaud contre sa nuque. « D'ailleurs, je suis très fier. »

Lydia resta la tête penchée pour lui laisser accumuler de tendres baisers au creux de son cou. Elle était submergée par les récents événements qui brouillaient le tracé de sa nouvelle vie sur laquelle elle voulait justement garder un contrôle absolu. Avec ces nouveaux développements, elle avait perdu toute vision claire des choses et ne retrouverait certainement pas sa lucidité tant que Stanley l'anéantirait de baisers. Il la mettait dans un état d'exquise déliquescence. « C'est trop », dit-elle d'une voix qui se brisa. Il la fit pivoter pour l'embrasser de plus belle, car il crut qu'elle soupirait de soulagement.

« Viens chez moi. Rien qu'un petit moment.

— Je ne peux pas. Il faut que je passe prendre Dickie. Je suis déjà en retard. » Et elle en pleura de frustration. On lui demandait trop, c'était au-dessus de ses forces. Pourquoi la vie n'était-elle pas moins compliquée ? Elle ne demandait finalement rien d'autre qu'un peu d'espace où elle puisse être elle-même, le droit de vivre une passion simple et innocente avec un homme comme Stanley, le respect des autres. « Il se passe trop de choses à la fois, accusa-t-elle à travers ses larmes. Tout le monde attend trop de moi. J'ai besoin de rentrer pour reprendre mes esprits. »

Il était encore sous le coup de ses larmes qui représentaient pour lui une relative nouveauté. Après confirmation de leur rendez-vous habituel du jeudi, c'est à contrecœur qu'il la laissa prendre le volant de sa voiture. Entre deux sanglots, elle s'éloigna. Elle aperçut la silhouette romantique et désemparée de Stanley dans son rétroviseur. Dans la lumière bleutée du parc de stationnement, il se tenait debout à côté de sa BMW, dans l'espace laissé libre par la Volvo, le preux chevalier parti pour elle affronter le dragon en haut de l'escalier lambrissé de la Broadbelt Bank. Où l'attendait seulement un modeste citoyen qui condescendit à lui conseiller l'achat de quelques actions au porteur. Il n'a pas envie de prendre sa voiture pour rejoindre une maison où je ne serai pas, songea Lydia ; il redoute de se coucher dans un lit où...

Et de pleurer de plus belle.

Mais le temps d'arriver chez les Robert, elle avait retrouvé le contrôle d'elle-même. Dickie sortit en courant, sauta dans sa voiture et ne remarqua rien.

L'heure de vérité vient de sonner, s'était-elle dit lorsque Max l'avait appelée un matin, plusieurs jours après cette soirée. « Il faut que je te parle, avait-il annoncé d'une voix sans passion. Est-ce que tu peux déjeuner avec moi, assez tôt ? » Le hasard voulut qu'il s'agisse d'un jeudi, le jour de Stanley. C'est de sa faute, il l'a bien cherché, songea Lydia qui ne put réprimer une sorte de satisfaction perverse en formant le numéro de Stanley après avoir accepté le rendez-vous de Max. Il voulait que tout soit révélé au grand jour, n'est-ce pas ? Eh bien, il lui faudrait sacrifier partiellement un de leurs petits jeudis (leur « piscine plus », comme ils disaient à présent, puisqu'ils continuaient à nager côte à côte comme à l'époque où ils n'avaient pas encore échangé une seule parole, sauf qu'ils connaissaient tous les deux la suite du programme). Stanley fut un peu déçu qu'elle manque leur séance de natation, mais il espérait qu'elle pourrait le rejoindre en début d'après-midi : « Autant mettre les choses au point maintenant », dit-il apparemment satisfait, faute de sembler bien réveillé, au téléphone. Elle l'avait sorti du sommeil ; Stanley dormait tard les matins où il ne travaillait pas. Mais il allait se retourner et rêver d'elle pendant qu'elle se préparait pour son déjeuner de « mise au point » avec Max. Lydia eut le sentiment d'avoir été entraînée contre son gré dans le registre du mélo.

Max l'attendait à leur table habituelle, dans leur ancien petit restaurant, à côté de la banque. Le maître d'hôtel parut absolument ravi de la revoir. Tout de même ! Cet endroit avait été jadis le théâtre des meilleurs moments de sa vie : Mme Max Mansfield se mettait alors sur son trente et un pour venir déjeuner en ville. Sauf qu'à l'époque, elle passait prendre Max à la banque. Et qu'elle se faisait un plaisir de défiler devant les caissiers dont elle acceptait les hommages successifs avant de tourner à droite, après les cages de verre où officiaient les fondés de pouvoir, pour emprunter l'escalier moquetté qui menait dans les étages sombres et lambrissés — domaine où Stanley s'était récemment fort intrépidement aventuré —, là où les plaques de cuivre fixées aux portes annonçaient des titres de plus en plus respectés, au fur et à mesure que l'on avançait. Et le bureau de Max était l'avant-dernier du couloir ; juste avant celui de M. Broadbelt, qui avait cessé de venir tous les jours.

Max se leva, embrassa Lydia respectueusement, et aida le maître d'hôtel à lui avancer une chaise. « Tu as l'air en pleine forme », dit-il.

Lydia sentit qu'elle rougissait comme une enfant prise en défaut. « Toi aussi. Tu as maigri, non ?

— Merci de l'avoir remarqué. Je fais un effort en ce moment ! »

Mais elle fut contrariée de l'entendre commander un Perrier-citron, alors qu'elle-même avait demandé un daïquiri, comme au bon vieux temps : « Pas de Martini ? s'étonna-t-elle.

— Non, pas aujourd'hui. Il faut que je rédige mon intervention pour un séminaire sur les investissements et j'ai besoin d'avoir les idées claires. De plus, comme je viens de te le dire, j'essaie de perdre cette brioche. » Et de tapoter, non sans satisfaction, le devant de son veston léger.

Sûr qu'il couche avec elle, se dit Lydia. Ou cela ne saurait tarder. Elle se souvint avec agacement des nombreuses tentatives qu'elle avait faites pour le convaincre de perdre un peu de poids. Sans succès. Malgré ses protestations d'amour éternel. « Jamais je n'aimerai une autre femme comme je t'aurai aimée, toi », avait-il déclaré juste avant qu'elle parte avec ses valises. Ce qui ne l'empêchait pas de boire du Perrier pour les beaux yeux de Lizzie Broadbelt.

« Comment va Dickie ? demanda Max. Est-ce qu'il perd quelques kilos, lui ?

— Chacun de nous fait ce qu'il peut », répliqua Lydia en s'intéressant au menu qu'elle connaissait par cœur. La carte n'avait pas changé depuis dix ans. « Une salade de crevettes, pour ne pas rompre avec les habitudes, dit-elle.

— Je vais t'imiter. » Max commanda donc deux salades de crevettes en rendant les cartes au serveur. Pendant toutes les années de leur vie commune, jamais Max n'avait déjeuné d'une salade. Les choses devaient être plus sérieuses qu'elle ne l'avait imaginé.

« Et Leo ? demanda-t-elle en avalant une gorgée de daïquiri, pour faire diversion.

— C'est précisément ce sujet que je voulais aborder. C'est à cause de lui que j'avais besoin de te voir.

— A cause de *Leo* ? » La surprise perça dans sa voix. Et elle vit que Max le remarquait, qu'il notait par la même occasion le sujet qu'elle lui prêtait l'intention d'aborder, et qu'il détournait le regard, embarrassé qu'elle ait pu nourrir une telle idée. L'habitude de lire sur le visage d'une personne à qui l'on a été marié pendant dix-huit ans donne parfois une redoutable perspicacité. Car Max était gêné pour elle, gêné qu'elle puisse le soupçonner de vouloir sombrer dans la stratégie du mélodrame.

« Ce matin, juste avant que je t'appelle, j'ai eu un coup de téléphone de Marshall Cunningham.

— Le psychiatre ?

— Qui se trouve être également le père de Cookie Cunningham avec qui Leo sort depuis quelque temps. La barbe ! Je crois bien que je vais me laisser tenter. » Max fit signe au garçon. « Un martini-vodka, s'il vous plaît.

— Bon sang, tu ne vas pas m'annoncer qu'elle est enceinte ou un truc du genre », s'exclama Lydia dont le moral remonta néanmoins sensiblement lorsque Max commanda son martini. Elle retrouvait la sécurité du bon vieux temps, lorsqu'elle savait encore où elle en était avec lui.

« Ce serait trop simple, soupira Max. Cookie a tenté de se tuer avant-hier soir. Elle a avalé la presque totalité d'un flacon de tranquillisants fortement dosés que Marshall tient en réserve pour ses cas d'urgence. Elle avait laissé un mot pour expliquer son suicide. Il semble que Leo en soit la cause !

— Que Leo en soit la cause ? »

Le martini commandé par Max arriva. Il en but une grande rasade. « Marshall dit qu'ils se sont disputés et que Leo ne voulait plus la voir et refusait de l'accompagner au bal du Cotillon Club.

— Voyez-vous cela, grinça Lydia, déjà prête à prendre fait et cause pour Leo. De mon temps, on n'avalait pas des petites pilules ; on allait au bal avec un autre cavalier. » Elle mordit avec rage dans une branche de céleri de sa petite assiette de crudités. Mal épluchée : l'établissement baissait.

« Fort heureusement, continua Max à voix plus basse, la mère de Cookie est passée par la chambre de sa fille pour lui dire bonsoir avant d'aller se coucher. Les Cunningham avaient passé la soirée dehors. S'ils n'étaient pas rentrés à temps, Cookie serait peut-être morte à l'heure qu'il est.

— Oh, pour l'amour du Ciel, je refuse d'y croire. » Lydia accompagna cette protestation d'un violent hochement de tête. Puis elle se raidit en apercevant le garçon qui les observait à la dérobée. Il devait conclure à une dispute. « Enfin, nous sommes là à parler de mort alors que le seul tort de Leo est d'avoir refusé de l'accompagner à un bal ?

— Il l'avait déjà invitée officiellement, d'après Marshall, mais après leur fameuse dispute, Leo aurait rompu sans même accepter d'entendre ses explications. Cunningham a insinué que nous lui avions donné une éducation trop rigide, ce que je n'ai guère apprécié. Mais le motif de son appel était le suivant : Cookie refuse de retourner en classe tant que Leo ne sera pas allé la voir.

— Je ne comprends pas bien sa démarche. Pourquoi Marshall Cunningham tiendrait-il tellement à ce que sa fille voit un monstre comme Leo ?

— Je viens de te le dire. Elle refuse de retourner en classe tant que...

— Oh, zut à la fin ! Marshall Cunningham est-il donc incapable de l'expédier à l'école ? Si Leo "refusait" de retourner en classe, je suis bien certaine que nous ne céderions pas. Il est vrai que, selon Marshall Cunningham, nous sommes des parents "rigides". » Lydia était tellement furieuse contre les Cunningham qu'elle ne put s'empêcher d'ajouter : « Je te parie ce que tu veux que cette fille a attendu d'entendre la voiture de ses parents pour avaler les pilules. Et puis drôle de docteur, qui laisse traîner ce genre de produits à la portée de ses enfants pour qu'ils puissent en avaler une ration chaque fois que quelque chose se met en travers de leur chemin ! » Pour ne pas passer pour une personne sans cœur, elle ajouta : « Je suis désolée pour la petite, bien sûr. Il fallait qu'elle soit très malheureuse, même pour simuler un suicide. »

Max termina son Martini. Elle le vit hésiter à en commander un second et résister à la tentation en se remettant au Perrier. « Il y a une autre complication. Leo ne veut pas aller voir Cookie. Il s'y refuse catégoriquement. Je lui ai parlé juste avant son départ pour l'école. Après le coup de fil de Cunningham. Il s'est montré inflexible. Il en fait une question de principe. Sa décision a été prise après leur querelle et, en ce qui le concerne, il s'agit d'une affaire classée.

— Seigneur ! Et ils se sont disputés pourquoi ? » La première réaction de Lydia fut d'être un peu choquée par la dureté de son fils. Mais les principes sont les principes. Ne lui avait-elle pas elle-même rebattu les oreilles de cette vérité ? Elle n'allait pas le lâcher si facilement. D'ailleurs, n'avait-elle pas été la première à juger durement Cookie ? Lydia ne pouvait chasser de son esprit l'image de la fausse « héroïne » qui guette ses parents par la fenêtre avant de se suicider.

« Nous n'avons pas eu beaucoup de temps pour entrer dans les détails. Leo dit que "Cookie a fait son choix" et qu' "elle n'a qu'à l'assumer". Sur quoi il a filé à son cours. Il déteste arriver en retard. La journée commence par les sciences sociales et tous les gosses adorent cette matière. Très malin de leur part de placer ce cours en première heure. Il n'a même pas fini de se sécher les cheveux. C'est d'ailleurs un autre aspect du problème : la conversation n'était pas rendue facile par le bruit du sèche-cheveux.

— J'arriverai peut-être à le faire parler. Encore que... tu sais à quel point il peut se montrer taciturne ! Même tout petit, il se retranchait dans son monde à lui sans que l'on puisse lui extorquer le moindre mot. » Ce que, au demeurant, Lydia avait toujours admiré chez Leo ; son extrême retenue lui conférait une aura mystérieuse. Leo pratiquait à la perfection l'art de laisser croire, par un silence astucieux, qu'il en savait peut-être davantage qu'on ne le supposait, à juste titre éventuellement.

« J'espérais cette réaction de ta part. » Max parut soulagé. Les salades arrivèrent. Lydia compta les crevettes. Neuf. Il y en avait douze autrefois. Décidément, ce restaurant était bel et bien en train de tomber. « Penses-tu pouvoir aller le chercher à la sortie de ses cours aujourd'hui ? Il faudrait le prendre avant qu'il ne reparte avec ses amis. Si tu avais la possibilité de passer l'après-midi avec lui, il te dirait peut-être quelque chose. Je pourrais le récupérer vers huit heures ce soir. Soit dit entre nous, j'ai l'impression que les choses seraient plus simples pour tout le monde s'il acceptait une simple visite chez cette fille. Je sais bien que les Cunningham ne nous vouent pas une sympathie particulière, mais peut-être serait-ce faire preuve de gentillesse, finalement. Je n'aimerais pas qu'ils interprètent l'attitude de Leo comme un refus de leur fille, télécommandé par nous. »

Typique de Max. Toujours à se mettre en quatre pour éviter que des gens auxquels il ne tient même pas puissent penser qu'il se croyait supérieur à eux.

« Il faut que je retraverse la ville pour passer chez moi, laisser un mot à Dickie et lui déposer les clés dans le pot de fleurs », dit

Lydia. Elle mangea une crevette en songeant : Décidément, Stanley, ce n'est pas notre jour. Et elle ne pourrait même pas lui téléphoner jusqu'à ce qu'il rentre de son déjeuner à lui. Même qu'il l'attendrait et serait doublement déçu. En plus, si Leo restait dîner, il faudrait qu'elle rachète du steak haché.

« Tu as toujours su le raisonner, dit Max. Dans ce domaine, tu réussis mieux que moi. Tu sauras bien lui faire entendre raison. Bien sûr, je ne veux le forcer à rien. Nous ne sommes pas rigides. Je dois dire que cette insinuation de Cunningham m'a tout à fait déplu.

— Pour commencer, dit Lydia avec flamme, il n'a aucun droit de s'ériger lui-même en arbitre moral. Merde. Les pilules, elles étaient quand même à lui. D'autre part, je suis bien placée pour savoir qu'à l'époque où j'étais encore à la maison, Cookie harcelait Leo au téléphone. Elle l'a pratiquement forcé à sortir avec elle. Je ne vois vraiment pas en quoi nous serions redevables à ces Cunningham. »

Pour la première fois de la journée, Max eut pour Lydia les yeux « d'autrefois ». « Tu deviens une véritable tigresse, dit-il, dès qu'il s'agit de défendre tes petits. Mais essaie d'analyser un peu la situation. Pour le bien de Leo. »

Il continua néanmoins à la regarder avec des yeux admiratifs, et elle sentit qu'elle avait regagné une partie du terrain perdu au niveau de sa fierté, à la suite de l'épisode du cinéma, l'autre soir. Quoi qu'il advienne de leur couple, il était important pour Lydia de conserver l'estime de Max.

C'est alors que Max fit dévier la conversation vers d'autres sujets. Il parla de son intention de réactualiser le portefeuille de Lydia. Liquider du General Motors pour acheter plus de Texas Instrument. Les pétroles allaient flamber à court terme et, à plus long terme, on verrait une hausse des chemins de fer, du charbon et des microprocesseurs. « Je tiens à ce que ta situation soit aussi favorable que possible, lui expliqua-t-il.

— Tu parles comme si tu envisageais de mourir, s'inquiéta-t-elle aussitôt.

— Mais non. Je souhaite seulement mettre tes affaires en ordre avant que le divorce soit prononcé. Non que tu ne puisses continuer de compter sur moi, mais il vaut mieux régler ce genre d'affaire trop tôt que trop tard. »

Lydia ne se souvenait pas de l'avoir jamais entendu prononcer la phrase « quand le divorce sera prononcé ». Jusqu'à présent, il avait toujours dit « si nous décidions de divorcer ».

292

Si bien que Lydia ne put s'empêcher d'aborder « le sujet » à l'heure du café. « Comment ça se passe avec Lizzie Broadbelt, au bureau ? » Après tout, ce ne serait pas la première fois qu'ils parlaient d'elle ; sauf que Lydia avait encore en mémoire la fillette sans grâce avec son appareil dentaire toujours sale, et qu'elle ne s'était pas inquiétée outre mesure.

« Elle ne se débrouille pas mal. Broadbelt veut la former pour le secteur étranger — que nous développons de plus en plus ; elle sera un atout majeur, d'autant qu'elle parle l'arabe, ce qui ne saurait être un défaut par les temps qui courent. Mais elle est encore jeune. Elle a quelques idées un peu excentriques. Pas stupides au demeurant, mais on ne change pas le système du jour au lendemain.

— Des idées de quel genre ? demanda Lydia subitement très intéressée.

— Oh, elle prêche pour une monnaie internationale, par exemple. » Rire de Max. « Je lui ai dit : "Lizzie, vous allez signer notre perte à tous si vous vous amusez à mettre en pratique les beaux principes que l'on vous a enseignés à la London School of Economics". »

Lydia inscrivit dans ses tablettes de demander à son professeur d'économie comment, exactement, une monnaie internationale scellerait notre perte à tous. « Je suppose qu'elle a appris l'arabe avec ce fameux Arabe avec qui elle a eu une aventure. »

Max accusa le coup, moins cependant que ne l'attendait Lydia. « Cela ne fait aucun doute. Le vieux Broadbelt m'a dit qu'il était typique de Lizzie d'aller tomber amoureuse d'un Arabe citoyen du seul pays du Golfe à voir ses réserves de pétrole baisser sensiblement. Mais lui était personnellement à l'abri des problèmes. Sa famille possède l'une des plus grosses banques de Bahrein. C'est le contexte culturel et familial qui les a séparés. Lizzie est tout de même allée là-bas. Elle a été présentée à la famille. Mais elle était un peu trop moderne pour eux. Lizzie est une femme de demain, dans tous les sens du terme. »

Lydia se souvint alors qu'à l'époque où il lui faisait la cour, Max lui avait expliqué combien il était fier qu'elle soit encore vierge. « Je suppose que je suis vieux jeu, avait-il dit, mais je veux être celui qui t'initiera. » Il se moquait bien en revanche de sa totale ignorance des questions financières. Combien de fois avait-il ri tendrement de ses pires bêtises, allant même jusqu'à ébouriffer amoureusement ses boucles brunes en lui recommandant de « ne pas tourmenter sa jolie tête ».

« Il reste une question que je voulais régler, dit Max.

— Oui ? » *Nous y voilà*, songea-t-elle, croyant avoir deviné le sujet qu'il allait aborder maintenant.

« Je crois avoir péché par négligence. J'ai promis à ta mère de faire un saut jusqu'à Outer Banks, au cours du printemps, pour m'occuper de la villa. Le printemps touche à sa fin et je ne pense pas être en mesure d'effectuer ce déplacement. En tout cas, pas ce mois-ci. J'avais pourtant bien l'intention d'y aller. Pas seulement pour tenir ma promesse, mais parce qu'un jour, cette villa appartiendra aux garçons. Ton père aurait aimé qu'elle soit entretenue correctement, pour eux, et pour leurs enfants. Mon projet était de mettre en location — en sélectionnant soigneusement les locataires bien sûr ; je pensais trouver des gens qui louent pour tout l'été par exemple. Il existe des avantages fiscaux pour les propriétés mises en location. Néanmoins, ce genre d'affaire se traite plus facilement sur place, directement, que par téléphone. J'espérais donc que tu pourrais peut-être trouver un week-end pour faire l'aller et retour en voiture. Je t'expliquerai exactement la marche à suivre.

— C'est que mes cours ne finissent que fin mai, dit Lydia. Après cette date, j'imagine que je pourrai m'arranger. Sauf que les garçons ne seront pas en vacances avant la mi-juin. J'imagine que tu voulais que je les emmène avec moi. » Dans le langage codé de leurs dix-huit ans de vie commune, Lydia disait en fait : *Je suis capable d'assumer tout ce que tu me demanderas de faire, parce que je suis une femme organisée, mais je tiens à te préciser que tu pousses le bouchon un peu loin.*

« Je pourrais garder les garçons », répliqua Max qui avait parfaitement reçu le message. Il avait probablement espéré se dégager totalement mais, mis au pied du mur, il se montrait généralement beau joueur. « Tu n'as qu'à partir quand tu voudras. Cela te fera de petites vacances. »

Ah non, pas de ça, se dit Lydia. Ils retombaient en plein dans le petit cirque conjugal qui consiste à s'ériger en martyr de la cause. En plus, Max s'imagine sans doute que je vais y aller avec Stanley, songea-t-elle. Il croit que je vais emmener Stanley dans la villa de papa et que nous allons nous offrir un week-end d'amoureux pendant que lui restera à la maison avec les enfants. Alors qu'il avait sûrement l'intention de rester tranquillement à la maison avec Lizzie pendant que je serais partie avec les garçons. Lydia s'accorda un instant de réflexion. « Je sais, dit-elle. J'ai trouvé la solution idéale. J'irai avec maman. Aussitôt après la fin

294

de mes cours. Je peux partir pour Outer Banks avec maman, et je réglerai tout. Il faut que nous retirions nos affaires si nous décidons de louer la villa. Et puis cela fera du bien à maman. Une sorte de pèlerinage sentimental. Nous pourrons dire un dernier adieu à papa dans ce pays qu'il aimait entre tous. »

Les yeux de Lydia s'embuèrent. Elle ouvrit son sac — la pochette de cuir gris finement tressé que Max lui avait offerte pour Noël — et sortit un mouchoir propre brodé à ses initiales.

« Chérie », dit Max, visiblement désolé. Il posa sa main sur les siennes après qu'elle eut fini de se moucher et de ranger son mouchoir. Lydia surprit le regard du serveur. Il croit probablement que nous avons renoncé à divorcer, se dit-elle.

Elle se redressa. Autant partir tant qu'elle était en situation de force. « Bon, dit-elle, en consultant sa montre à quartz. Je crois que je ferais bien de ne pas traîner si je veux réussir à faire tout ce que j'ai à faire. Je passerai prendre Leo à la sortie de ses cours. Je t'attends vers huit heures. Essaie de ne pas être en retard, parce que j'ai beaucoup de travail pour mes cours de demain.

— Tu es merveilleuse », dit-il. Il se leva en même temps, régla l'addition, et ils se quittèrent sur le trottoir.

Pas un mot n'avait été prononcé au sujet de Stanley.

Garée devant l'école de Leo, avant que ne retentisse la sonnerie, Lydia s'était dit : Oui, c'est ainsi que procèdent « les gens comme nous », nous tenons les problèmes à distance en les taisant, tout simplement. Tant qu'ils demeurent informulés, ils n'ont pas d'existence dans notre univers. Et comment seraient-ils une menace pour nous, s'ils n'existent pas ? Donc, au terme de notre conversation de ce midi, « notre » univers comprend Leo et Dickie, maman, les Broadbelt ; il inclut également l'Arabe de Lizzie ; ainsi que les Cunningham qui ne nous vouent guère plus d'affection que nous ne leur en portons, mais dont la fille au romantisme mélodramatique a modifié le programme de ma journée. Je m'excuse, mais je ne crois pas une minute que cette fille ait réellement voulu se tuer. Dureté de ma part ? Peut-être que je n'ai pas de cœur. Mais je protège farouchement les miens... ceux qui me sont les plus proches et les plus chers... Max m'a traitée de tigresse. C'est une façon d'avoir du cœur, non ? Renee avait dit quelque chose au sujet d'Eros... Eros comme tentative pour combler un manque... Serais-je attirée par Stanley parce que lui possède la sensibilité qui me fait défaut ? Mais si ce que j'éprouve pour lui ne prouve pas que j'ai du cœur, alors, c'est quoi, avoir du cœur ? J'aimerais bien le savoir. Il n'y a pas que l'attrait sexuel. Quand je l'ai appelé pour lui annoncer que je ne pourrais pas venir cet après-midi, et qu'il a demandé : « Qu'a dit Max, pendant le déjeuner ? » j'ai répondu : « Nous avons surtout parlé de notre fils Leo. Une gamine a avalé un tube de médicaments parce que Leo ne voulait plus la voir. » Ce n'était pas un mensonge, nous avons effectivement beaucoup parlé de Leo ; mais je ne supportais pas l'idée de lui avouer qu'à aucun moment il n'avait été question de lui — même pas pour demander : « Qu'avez-vous pensé du film, l'autre soir, Stanley et toi ? » Je cherchais à le protéger, lui aussi... Mon orgueil souffrait de la blessure infligée au sien ; si cela n'est pas une marque de sensibilité, alors je ne comprends plus rien. Et puis il a dit : « Ton fils possède manifestement le charme fatal de sa mère. » Ce qui voulait dire quoi ? Stanley avalerait-il des pilules si jamais je refusais de le revoir ? Non, je ne crois pas, d'ailleurs je ne le voudrais pas. Pourtant, j'ai bien senti qu'il était sincèrement déçu que je ne puisse pas venir. Bizarre : habituellement, c'est la femme qui attend à la maison l'appel du monsieur qui lui annoncera s'il a réussi à se libérer des obligations de son emploi du temps surchargé pour s'offrir une heure d'amours clandestines ! Sauf que notre amour n'est plus exactement un secret. Ce qui m'agace, c'est que si Max épousait Lizzie Broadbelt, qui a vingt-trois ans de moins que lui, les gens n'y trouveraient absolument rien à redire. Ils considéreraient que les deux parties font un « bon mariage ». Tandis que si je convolais avec Stanley, ce dont je n'ai pas la moindre intention — je ne suis pas certaine d'avoir un jour envie de retomber dans ce cirque — les gens parleraient pour moi de mésalliance. « Oh, elle a épousé un homme plus jeune qu'elle, dirait-on. Un New-Yorkais. Beau garçon au demeurant. On voit bien qu'elle est très éprise de lui physiquement... » Or Stanley n'a que cinq ans de moins que moi. Cate avait quatre ans de plus que Jake Galitsky. Mais Cate se moquait royalement de ce genre de détails. Pourquoi est-ce que je m'en occupe, d'ailleurs ? Je m'en moque, mais j'enrage d'être jugée par d'autres. Des gens comme... comme ces Cunningham... qui ne m'intéressent même pas. Pour quelle raison ai-je bien pu passer tant d'heures de ma vie à me soucier de mon image de marque auprès de gens qui m'indiffèrent ? Parce que je ne veux pas leur donner l'occasion de me mal juger. Si je fais mine de me couler dans leur moule, je maintiens la distance et je garde le contrôle de l'opinion qu'ils se font de moi. Mais pourquoi devrais-je me soucier de ce qu'ils pensent de moi ?

Lydia tourna le problème dans tous les sens avant de se reposer les méninges grâce à une image plus séduisante : cette catastrophe gigantesque et floue (pour éviter d'avoir à imaginer la laideur et la souffrance physique) à laquelle Stanley, elle et quelques autres personnes alertes, résistantes et animées de sentiments équanimes pourraient échapper en courant sur des pieds sains vers un monde meilleur, moins critique. En pensée, elle réduisait en poussière des lieux tels que le Plantation Club et autres endroits chics ; elle en était à la Broadbelt Bank sur laquelle son arme mortelle hésita un instant (Et Max ? Fallait-il lui accorder une chance de salut ? Et Lizzie ? Elle ne détestait pas positivement Lizzie, seulement pourquoi, dès lors que l'on ne voulait plus de quelqu'un, refusait-on l'idée que ce quelqu'un puisse appartenir à une autre ? Et les enfants ? Qu'allait-elle faire de Leo et de Dickie dans son cataclysme ? Leo pourrait courir, mais il faudrait que Dickie maigrisse un peu s'il voulait avoir une chance d'accéder au Monde Nouveau...) Lydia était confrontée à ces alternatives complexes lorsque, grand et beau, flanqué de ses habituels compères, les Vampires, Leo sortit des bâtiments modernes de son école.

Il la repéra immédiatement, comme s'il s'attendait à la trouver à la sortie de ses cours, et il indiqua sa présence à ses camarades. Les trois garçons se dirigèrent vers la voiture avec la désinvolture étudiée des très jeunes gens.

Il est vraiment mignon, se dit Lydia dont la poitrine gonfla d'orgueil maternel. Mais il est vrai qu'il émane de sa personne une sorte de froideur insurmontable. Mon Dieu, qu'aurais-je fait si j'étais tombée amoureuse d'un garçon comme Leo lorsque j'avais quinze ans ? Sans doute aurais-je rongé mon frein désespérément. Je suis sûre en tout cas que j'aurais préféré mourir plutôt que de décrocher le téléphone pour le relancer. Et elle éprouva un peu de sympathie pour Cookie Cunningham. Réaction qui ne fut pas pour lui déplaire, car elle signifiait qu'elle n'était pas dépourvue de cœur. Mais quels pouvaient bien être les sentiments de Leo ? Sous son apparente réserve, il devait bien éprouver quelque chose. Enfin, c'était la raison de sa présence ici : découvrir ce quelque chose.

Leo s'accouda à la vitre baissée. « Quel bon vent t'amène ? » demanda-t-il innocemment. Ses deux camarades la saluèrent poliment, avant de se retirer, à portée de voix, pour assister à la suite des événements. Lydia sentit que le motif de sa venue n'était un secret pour personne. Ils avaient déjà abondamment discuté du problème, comme l'auraient fait des filles entre elles. Lydia se dit qu'en effet, si un garçon avait voulu mourir pour elle quand elle avait quinze ans, eh bien oui, elle se serait empressée de raconter toute l'histoire à ses copines d'école, avec une discrétion ostentatoire ; car après tout, on était en plein drame.

« Je me disais que tu aurais peut-être envie de passer la fin de l'après-midi en ma compagnie », dit-elle à Leo de façon que ses camarades entendent également. Elle fit un peu de charme à son propre fils, parce qu'elle savait qu'elle pouvait se le permettre ; elle comptait parmi les mères « jeunes » qui représentaient encore pour ces garçons l'image de la femme séduisante autant que celle de la « mère ». Et elle ne voulait pas faire honte à Leo devant ses camarades ; il ne lui pardonnerait d'ailleurs pas de sitôt. Leo était capable de faire preuve d'une rancune aussi tenace que la sienne au même âge. (Il lui était ainsi arrivé de ne pas adresser la parole à Cate de toute une semaine, la fois où elle avait rapporté à leur père son « reniement » de l'oncle Osgood pendant la foire artisanale. Elle cochait chaque jour sur son petit calendrier en priant Dieu « d'endurcir son cœur » comme celui d'un pharaon jusqu'à la fin de la semaine ; car Lydia était sûre d'avoir Dieu à son côté.)

« Nous avions l'intention d'aller jusqu'à la maison tirer quelques buts, dit Leo en la regardant ; mais la remarque s'adressait à ses camarades restés à l'arrière-plan.

— Excellente idée », dit Lydia, qui inclut les deux compères dans son regard approbateur comme pour dire : *Avec les amis que tu as, l'idée ne peut être qu'excellente.* « Mais aujourd'hui, j'avais le secret espoir que nous pourrions nous éclipser tous les deux, en tête à tête. J'ai à te parler. »

Leo haussa les épaules. Lydia vit qu'elle avait gagné la partie.

« Dans ces conditions, je n'ai plus le choix, dit Leo en contournant la voiture pour venir s'installer côté passager. A plus tard, les gars ! »

Et les amis de saluer d'un geste de main décontracté. « Salut, Leo ! Au revoir, Mme Mansfield. »

Parfait. Chacun y retrouvait son compte.

Lydia conduisit jusqu'à Tanglewood, vaste parc de plus de cinq cents hectares aménagé sur le terrain légué à la ville « pour l'agrément de tous » par les héritiers de Richard Joshua Reynolds lequel, en 1875, avait, à l'âge de vingt-cinq ans, monté une petite usine produisant du tabac à chiquer. Lydia y amenait déjà ses enfants à l'époque où Dickie était encore dans sa poussette. Il y avait une quarantaine de kilomètres à faire, mais elle aimait cet endroit pour l'espace qu'il offrait. Avec un peu de chance, elle pouvait parcourir des zones entières du parc en ne percevant d'autre présence que celle des oiseaux, des petits animaux, et de Dickie, Leo et elle. Elle préférait la solitude d'un parc immense au banc partagé avec d'autres mères, dans un jardin public où ses enfants se retrouvaient isolés au sein d'une meute hurlante. A Tanglewood, Lydia avait inventé un jeu pour elle et ses fils. Il s'appelait « Philanthropie » — bien que Dickie ait longtemps dit « Philandropie ». Ce jeu était né le jour où l'un des enfants avait demandé pourquoi deux personnes mortes, William et Kate Reynolds, avaient légué ce parc gigantesque — qui à l'échelle de deux petits enfants devenait aussi grand que le monde — rien que pour permettre aux gens de s'y amuser. « Eh bien, dit Lydia en réfléchissant sur le tas, ainsi qu'elle était souvent amenée à le faire, les gens riches — enfin certaines personnes riches — arrivent au stade où elles ont tout ce qu'elles désirent. Alors elles décident d'utiliser l'argent qu'elles ont de reste pour faire le bonheur des autres. On appelle ça la philanthropie. Bien sûr, une autre raison d'agir de la sorte est qu'en se sentant vieillir, elles ont envie qu'on se souvienne d'elles après leur mort. »

Depuis ce jour-là, à chaque promenade au parc, tous les trois cherchaient ce qu'ils « laisseraient aux autres » quand eux-mêmes posséderaient tout ce qu'ils voulaient.

Lydia souriait à présent, tandis qu'elle marchait dans le parc avec Leo qui ne tarderait pas à être plus grand qu'elle. « Tu te souviens quand Dickie voulait léguer aux autres un immense zoo à ciel ouvert où les animaux pourraient circuler librement ? Toi, tu lui as dit : "Mais Dickie, si on les laisse se promener en liberté, les gens ne pourront pas y aller et, qui plus est, les animaux se dévoreront entre eux." »

Leo eut le petit rire silencieux qui le caractérisait. « Oui, même que Dickie a pleuré.

— Mon Dieu, c'est pourtant vrai. » Et, malgré toutes les années de recul, le cœur de Lydia se brisa encore au souvenir de ce pauvre gosse dont le rêve était mis en pièces par la réalité.

Mais aujourd'hui, c'est de Leo qu'il était question. « Toi, tu voulais léguer un terrain de base-ball. Un autre jour, Dickie et toi étiez prêts à céder votre argent de poche à tous les enfants qui n'avaient pas de quoi se payer ce dont ils avaient envie. »

Ils rirent ensemble. Cette fois, Leo rit même franchement. « Toi, tu disais que tu léguerais une grande maison très calme avec des chambres où les mamans pourraient aller faire la sieste pendant que leurs enfants se trouveraient dans une maison voisine, à regarder des films et s'amuser.

— Seigneur ! Je me trahissais donc à ce point ? Quelle horreur ! Qu'avez-vous pensé quand j'ai dit cela !

— Tu étais terriblement fatiguée, dit Leo, avant d'ajouter poliment : Enfin, pas en permanence.

— Elever de jeunes enfants correspond à une période étrange, dit Lydia. J'ai vécu des moments de parfaite hébétude. Ce qui, en un sens, est nécessaire si l'on ne veut pas se laisser submerger par la terrifiante responsabilité qui vous incombe. C'est une chose que tu peux comprendre, ou pas ?

— Je crois que oui, dit Leo dont la voix exprimait une évidente bonne volonté à défaut de véritable compréhension.

— Bien sûr, les choses ont changé maintenant », continua Lydia. Elle ne perdait pas de vue le but de cette promenade : amener Leo à ouvrir son cœur était une opération comparable à celle qui consistait à manger un homard ou un pigeonneau. Il fallait déployer une grande quantité d'efforts pour un résultat modeste. « Vous arrivez à un âge où nos problèmes se recoupent. Surtout toi. Tu seras bientôt confronté aux décisions que je dois prendre en ce moment. Le choix d'un métier. D'un mode de vie. Celui des... amis dont on souhaite s'entourer. J'ai l'impression que nous avons beaucoup de choses à nous dire maintenant. Fini pour moi le temps de l'hébétude. Depuis que j'ai repris mes études, je sens le monde s'ouvrir devant moi. Je ne vis plus dans la terreur quotidienne pour vous deux. Enfin, moins. Bien sûr, je me fais encore du souci. Mais au lieu d'avoir peur que vous ne tombiez d'une balançoire ou enfiliez un canif dans une prise électrique, je m'inquiète maintenant... bref, j'ai les mêmes peurs que pour moi.

— Quoi par exemple ?

— Eh bien, je viens de te le dire. Le choix d'un métier. Trouver un mode de vie valorisant qui permette de se lever le matin avec d'autres projets en tête que celui d'attendre le soir pour retourner se coucher. Choisir les gens avec qui l'on a envie de... partager sa vie. Tiens, si on s'asseyait. » Ils s'installèrent sur un banc de bois dans une charmille dont le printemps exaltait les douces senteurs. Il me voit venir, se dit Lydia, et m'en voudrait de tourner longtemps autour du pot. Autant aller droit au but.

« Je suis contente d'être avec toi. C'est la première fois que nous nous trouvons tout seuls, tous les deux, dans ce parc. Au risque de passer pour un monstre et sans vouloir sous-estimer le chagrin de Cookie Cunningham, je dois bien avouer que je lui suis reconnaissante d'avoir provoqué ce tête-à-tête. Sauf que, dorénavant, nous devrions prendre les choses en main et organiser nous-mêmes des petites rencontres de ce genre sans y être acculés par une urgence extérieure. Tu crois que ce sera possible ? »

Leo esquissa un hochement de tête qui pouvait signifier oui, peut-être, ou je ne sais pas.

Après avoir commencé de mettre en pièces la feuille qu'elle venait d'arracher à un arbuste, Lydia demanda : « Leo, tu crois qu'elle a vraiment voulu se tuer ?

— Probablement pas.

— C'est drôle, moi non plus je n'y ai pas cru. Sans raison précise, d'ailleurs, et toi ?

— Elle m'a appelé pour me prévenir qu'elle allait le faire, dit Leo sans cesser de regarder droit devant lui, comme si on projetait un film dans les azalées qui bordaient l'autre côté du chemin. J'ai cru que c'était seulement une façon de m'obliger à venir. Elle m'a dit que si je n'étais pas à sa porte dans le quart d'heure qui suivait, elle avalerait les comprimés. Le verre d'eau était déjà prêt, a-t-elle précisé.

— Mais tu ne pouvais matériellement pas faire le trajet en quinze minutes ! C'est impossible, à moins d'avoir une voiture et tu n'as pas encore l'âge de conduire. Sauf si ton père était à la maison !

— Non, il avait emmené Lizzie voir *Le syndrome chinois*. Cookie m'a dit que je pouvais appeler un taxi. »

Lydia s'efforça de ne pas trahir la surprise provoquée par cette information. Ainsi donc, Lizzie faisait déjà partie des meubles. Au temps pour les serments de fidélité de Max à « la seule femme qu'il ait jamais aimée ». A moins qu'il veuille seulement sauver la face ou souffre de solitude. Lydia ne pouvait pas encore trancher, faute de détails plus probants sur l'état de leurs relations.

Le drame de Leo et de Cookie s'était donc joué au moment précis où leur petit quatuor d'adultes jouait le sien devant le cinéma. Max avait bien dit qu'il avait laissé Leo au téléphone avec une demoiselle... et qu'ils seraient probablement encore en train de bavarder à son retour. Même qu'ils avaient tous ri de conserve. Au moment précis, peut-être, où Cookie avalait ses comprimés.

« Pour commencer, aucun taxi ne serait venu te prendre à la

maison en moins de quinze minutes », fit remarquer Lydia, l'esprit toujours pratique. Puis elle ajouta finalement : « Tu t'étais disputé avec Cookie ou quoi ? »

Au terme de trois quarts d'heure de savantes manœuvres effectuées par Lydia, Leo avait fini par fournir un scénario assez succinct. Cookie et lui s'étaient effectivement querellés, plusieurs semaines auparavant. Ils se trouvaient à une fête chez l'un des « Vampires », dans le quartier de Leo, lorsque Cookie décréta subitement qu'elle avait la migraine et voulait être raccompagnée par Rodney Bradshaw, le seul garçon de l'assemblée à avoir seize ans révolus et une voiture à lui. Leo conseilla à Cookie de téléphoner à sa mère de venir la chercher (c'est elle qui l'avait amenée en voiture) et lui proposa également de la reconduire en taxi. Mais elle rétorqua qu'elle ne voulait déranger personne et persista dans son projet de rentrer avec Rodney. Leo l'avertit alors que si elle partait avec Rodney, elle n'aurait qu'à continuer de suivre Rodney où bon lui semblerait mais qu'elle ne devrait pas s'attendre à aller où que ce soit avec lui. Entêtée et habituée à agir à sa guise, Cookie parla de chantage et partit — un peu guillerettement pour quelqu'un souffrant d'une atroce migraine — avec Rodney, et dans sa voiture.

Seulement, Leo ne faisait pas de chantage gratuit. Pour lui, le chapitre était définitivement clos. C'est ainsi qu'il avait été élevé ; il faut toujours tenir parole si l'on veut que ses ultimatums soient encore pris au sérieux. Mais Cookie refusa de croire à la rupture. Son seul tort, disait-elle, était de s'être fait raccompagner chez elle parce qu'elle avait la migraine. (Pour quelque mystérieuse raison, la brève idylle entre Cookie et Rodney n'avait pas survécu à ce trajet en voiture ; peut-être Cookie avait-elle trop hésité entre Leo et son nouveau béguin, si bien que Rodney avait déclaré forfait tout de suite ; à moins que la migraine de Cookie ait bel et bien existé ; de toute façon, précisa Leo, cette migraine n'était pas la seule raison, et il était las de cette histoire. D'ailleurs, c'est Cookie qui lui avait couru après.)

Mais Cookie avait téléphoné, gémi, insisté. Elle avait envoyé ses amies en ambassadrices auprès de Leo, pour lui demander de ne pas être si « rigide ». « Tu ne vas pas jouer les phallocrates de choc, tout de même ? lui demandèrent-elles. — Là n'est pas le problème », répliqua Leo sans vouloir en démordre. « Cookie a seulement voulu affirmer son indépendance, répliquèrent encore les amies. — Eh bien elle l'a, maintenant, son indépendance », fut la réponse de Leo.

« Il faut que tu m'accompagnes au bal du Cotillon Club ! pleurnicha Cookie. C'était prévu depuis février. — Tu n'as qu'à y aller avec Rodney Bradshaw, rétorqua Leo. — Mais il a déjà une cavalière. Et puis... et puis... J'aime mieux y aller avec toi. — Je te remercie, mais c'est non merci, dit Leo. — Enfin ! on ne rompt pas ses engagements pour le Cotillon Club ! C'est une chose qui ne se fait pas. — Eh bien, moi, je le fais », répliqua l'intransigeant Leo.

Cookie n'avait plus d'autre arme dans son arsenal que le chantage au suicide : « Si tu n'es pas sur le pas de ma porte dans les quinze minutes... »

Leo lui avait dit que sa vie lui appartenait. Au même titre que son indépendance.

Après avoir extorqué ce récit à Leo, Lydia cueillit une autre feuille, qu'elle ne déchiqueta pas, cette fois. Elle s'en caressa simplement la joue, doucement. « Ecoute, dit-elle, ma question est purement hypothétique, mais qu'aurais-tu fait si Cookie s'était vraiment tuée ?

— Elle ne l'aurait pas fait. C'était de la comédie ! D'ailleurs, elle passe son temps à jouer la comédie. Elle est tout flamme pour un type, mais là encore, elle joue. En fait, elle n'est amoureuse que d'elle-même ! » Pour la première fois depuis le début de la conversation, il sortait un peu de ses gonds. Lydia commençait à comprendre.

« Je t'ai dit qu'il s'agissait uniquement d'une hypothèse. Je voulais savoir ce que tu aurais ressenti en apprenant la nouvelle.

— Je suppose que je me serais senti responsable.

— Ce qui aurait été un poids atroce à porter pendant le reste de ta vie, dit Lydia, subitement furieuse contre cette Cookie imaginaire qui avait gâché la vie de Leo en se donnant la mort. Eh bien, je suis bien contente qu'elle ne se soit pas tuée.

— Moi aussi, dit Leo. Mais maintenant, je ne veux plus en entendre parler. »

Lydia perçut le malaise dans la voix de son fils. Elle pouvait sans problème imaginer le reste. Il subsistait quelques détails qu'elle aurait aimé connaître tels que : Est-ce que Cookie l'avait séduit ? Comment s'y était-elle prise ? (Car, dans son esprit, l'initiative revenait évidemment à Cookie.) Enhardie par ses premières victoires, une autre mère se serait peut-être risquée à s'enquérir plus avant. Mais Lydia était trop prude pour s'aventurer sur ce terrain. Elle-même ne parlait jamais de sa vie sexuelle avec qui que ce soit et Leo lui ressemblait suffisamment pour partager sa répugnance à traduire certaines choses par des mots : il fallait bien soustraire quelques secrets de ce monde excessivement verbal.

« Papa dit que le Dr Cunningham demande que... ou plutôt, Cookie désire que tu ailles lui rendre visite, dit Lydia. Nous avons déjeuné ensemble aujourd'hui. Le fin mot de l'histoire est que Cookie ne retournera pas en classe tant que tu ne seras pas allé la voir.

— Et quel est l'avis de papa ?

— Il n'a rien dit de formel, mais il pense que les choses seraient plus simples si tu t'exécutais.

— Et ton avis à toi ? demanda Leo en se tournant pour la regarder.

— Mon avis à moi ? Seigneur, quel est mon avis ? » Lydia resta songeuse, la feuille posée contre son menton. Leo avait raison au niveau du principe ; cependant, elle avait le net sentiment qu'il risquait fort de se voir rejeté par les autres s'il n'acceptait pas un compromis, ne serait-ce qu'en apparence. Ses pairs allaient lui faire payer son intransigeance par une vie d'enfer, puisqu'ils l'accusaient déjà d'être « rigide ». Pour satisfaire leur propre goût du mélodrame, ils exigeront de lui qu'il joue le jeu jusqu'au bout. Qu'il aille chez Cookie et assiste solennellement, dans les dentelles de sa chambre, à la petite crise de larmes qui permettra à l'héroïne de jouir totalement des désagréments qu'elle aura occasionnés à tout le monde.

Mais comment pourrait-elle conseiller à son propre fils, qui lui ressemblait tant, de passer par-dessus ses principes dans le seul but de complaire à la meute lubrique et romanesque ?

« Leo chéri, je crois que la solution de facilité serait d'y aller. Tu pourrais le faire sans l'esprit de *noblesse oblige** — tu te rappelles ce que grand-père disait de *noblesse oblige* ? Cette fille a manifestement des problèmes et elle a plus à perdre que toi dans l'affaire. Si tu pouvais classer l'histoire en t'exécutant dans cet esprit, je ne pense pas que tu ferais de véritable entorse à tes principes. »

Si je feins de me couler dans le moule officiel, je retire aux autres toute raison de me mal juger. Ce qui me permettra de continuer à être moi-même : le credo tacite de sa vie d'écolière.

« Sauf que l'histoire ne serait pas classée ! protesta Leo. Elle en conclurait que je ne parlais pas sérieusement. Elle voudrait

* En français dans le texte *(NdT)*.

304

que nous recommencions. Ce serait lui donner la victoire. Non je ne peux pas, c'est impossible. »

Il est peut-être plus fort que je ne l'étais, songea Lydia. Moi, je connaissais mes limites et je savais me construire des défenses. Mais s'il est plus fort, pourquoi devrais-je le dissuader d'éprouver sa force, justement ?

« Ecoute Leo », dit-elle en lâchant la feuille qui, toujours intacte, voltigea avec la légèreté d'un faible courant d'air chaud avant d'effectuer une soudaine volte-face qui la fit chuter inopinément sur son pied. Elle se baissa pour ramasser la feuille. « Je te soutiendrai, quelle que soit la décision que tu prendras. Et je suis sûre que papa fera de même. Nous faisons tous les deux confiance à ton bon sens.

— J'apprécie », fit Leo, laconique.

A l'instigation de Lydia, ils quittèrent le banc pour se diriger vers le parc de stationnement. Lydia feignit un intérêt plus grand que nature pour l'écorce des arbres et les frondaisons printanières. Elle voulait surtout éviter de regarder Leo, parce qu'elle savait qu'il luttait pour retenir ses larmes.

Le même soir, après que Max fut venu chercher un Leo plus résolu que jamais pour le ramener à la maison, Lydia avait ressenti une immense fierté. Elle avait su faire face à toutes les épreuves de cette rude journée : soutenir moralement son fils et redorer son image de « femme merveilleuse » aux yeux de Max. L'étendue de ses compétences l'empêchait même de se replonger dans ses études. Elle appela donc sa mère pour lancer l'idée d'un voyage jusqu'à la villa au mois de juin. Bien que distraite, Nell ne parut pas hostile à ce projet. Apparemment, là-bas, les choses ne s'arrangeaient pas entre Theodora et Wickie Lee. A l'hôpital, Wickie Lee avait fait la connaissance d'une jeune femme, prénommée Rita, qui vivait de l'aide publique. Or Theodora avait informé Wickie Lee que cette Rita devrait cesser ses visites à Edgerton Road, parce qu'elle était « ordinaire » et que son influence était néfaste. Et Wickie Lee menaçait maintenant de quitter Theodora pour aller s'installer chez Rita et ses enfants, tout simplement.

Décidément, tout le monde fait dans le mélodrame ! songea Lydia. Néanmoins, elle venait de marquer un point : sa mère approuvait totalement l'idée de mettre la villa en location. Elles iraient à Outer Banks en voiture au début du mois de juin, ce qui leur donnerait l'occasion d'évoquer le bon vieux temps et de resserrer les liens qui les unissaient. *De même que Leo et moi nous sommes beaucoup rapprochés aujourd'hui, de même maman et moi nous retrouverons début juin*, avait songé Lydia.

Et une autre réflexion vint s'ajouter à ce constat : *Leo et moi, nous sommes les enfants « sages » de la famille.*

Aussi, lorsque le téléphone sonna très peu de temps après (Lydia décrochant au premier coup parce que Dickie dormait) et que la voix de Stanley, basse et teintée de ses intonations venues d'ailleurs, annonça qu'il se trouvait dans une cabine téléphonique à moins de cinquante mètres de chez elle parce qu'il ne supportait pas l'idée de passer la journée sans la voir — alors que cette journée était censée être la leur — elle se dit : Zut, j'ai bien droit à une petite récompense après tout ce que j'ai fait aujourd'hui. Et elle s'éclipsa, prenant bien soin de fermer la porte derrière elle, pour filer dans la douceur de la nuit retrouver l'étreinte bien méritée de son amant importun. En grimpant dans sa voiture, judicieusement garée dans l'ombre la plus absolue pour assurer un maximum d'intimité à leurs ébats tout en gardant une vue complète sur son appartement, au cas où un incendie s'y déclarerait, Lydia se sentit l'âme d'un agent secret accompli ; elle évoluait avec une égale aisance dans tous les territoires qu'elle devait contrôler tout en y vivant. Territoires qui, en raison d'intérêts divergents, devaient impérativement demeurer séparés.

Sa juste fierté fut de courte durée. Fidèle à ses principes, Leo avait tenu bon dans son refus d'aller voir Cookie. Et Cookie, dont l'image d'héroïne tragique prenait plus de corps au fil des jours, refusait de retourner en classe.

L'impasse demeura complète pendant une semaine. Cookie restait chez elle, Leo suivait normalement ses cours. Puis, au début de la seconde semaine, la situation évolua. Les clans se scindèrent ; la pression s'accentua. Pression exercée par les amis de Leo en plus des tractations en sous-main que Lydia et Max crurent détecter (œuvre de ce bon Dr Cunningham qui comptait parmi ses patients un bon quart de parents des condisciples de Leo) ; les filles cessèrent d'adresser la parole à Leo ou bien, lorsqu'elles le croisaient au détour d'un couloir, elles scandaient entre leurs dents : « Sale phallo, sale phallo ». Puis le professeur préféré de Leo, Mme Epting, chargée de ce fameux cours de sociologie qui remportait un vif succès en fonctionnant comme un vaste forum où les gosses discutaient du mariage, de la famille, de la sexualité adolescente, de la violence dans le monde contemporain et de la solitude du troisième âge, Mme Epting donc avait retenu Leo à la fin d'un cours pour le prier « d'avoir un peu de cœur ». « L'homme ne vit pas sur une île déserte, plaida-t-elle : Nous sommes tous autant de rouages de la vaste communauté humaine. » Jusqu'à ce jour, Leo avait compté Mme Epting, forte femme accorte et bien mariée, à la dentition légèrement protubérante, parmi ses amies. Mais lorsque Leo exposa ses principes à son amie, Mme Epting répondit que les principes étaient une chose mais qu'elle était déçue par le manque d'humanité dont il faisait preuve.

Ce furent ensuite les Vampires qui désertèrent Leo. Sans grandes déclarations, mais il sembla y avoir une soudaine épidémie de rendez-vous chez le docteur ou le dentiste après les cours. Les petites amies des Vampires étaient dans le clan de Cookie.

Abandonné à ses beaux principes, Leo continua d'errer dans les couloirs comme un paria pendant deux jours. Le matin du troisième jour, quand Max entra dans la chambre de Leo pour le réveiller, celui-ci, en pyjama, serrait son vieux chien Fritz à demi aveugle dans ses bras et annonça à son père qu'il ne remettrait plus les pieds dans cette école. « Mais tu vas perdre le bénéfice de tout un semestre, dit Max, invoquant l'argument pratique auquel Leo se montrait généralement sensible.

— Je peux m'inscrire à un cours de vacances, dit Leo. Sans amis, je n'aurai rien de mieux à faire. Et peut-être qu'à l'automne prochain tu pourrais me mettre dans un établissement privé. De toute façon, je pense que je travaillerai avec plus de concentration dans le privé. »

Leo resta dans sa chambre, à écouter sans se lasser la même plage de son album *I Robot*. Le deuxième jour, quand Lydia annula tous ses cours à l'université de Greensboro pour venir lui tenir compagnie, il écoutait encore le même disque. Elle mit une quiche aux épinards dans le four — ô la joie de retrouver un four encastré à porte panoramique ! — et revint dans sa chambre où, assise sur le lit parfaitement fait, elle écouta la musique avec lui. C'était une composition d'Alan Parsons Project dont la musique cosmique lui avait tenu compagnie la nuit de la mort de son père, pendant qu'elle roulait sur la I 40 pour rejoindre sa mère. Sauf que cette chanson-là était nettement plus sentimentale que la production habituelle d'Alan Parsons. Bon Dieu, si elle avait écouté ce morceau la nuit où son père était mort, le chagrin lui aurait fait perdre le contrôle de son véhicule. Cette chanson entretenait la tristesse. Exactement le contraire de ce qu'il fallait à Leo en la circonstance. Jusqu'aux paroles qui, sur fond de chœurs, semblaient écrites sur mesure pour la douloureuse situation où se trouvait Leo.

Chaque jour qui passe est plus dur à encaisser
Mais ne le montre pas, ne le montre pas.
Et si les mots se font de plus en plus durs à entendre
Laisse courir, laisse courir.

Au troisième ou quatrième vers, Lydia était presque en larmes. Mais elle continua d'écouter béatement avec Leo et, à la fin du couplet, les choses s'arrangeaient sensiblement. Le martyre du chanteur-paria se transformait brutalement quand, sur fond de rock rapide, il se mettait à clamer sa singularité, avec une provocatrice jubilation.

Même si tu crois n'avoir rien à cacher
Garde-le pour toi.
Ne cède pas
Ne leur dis rien
Tiens bon et
Ne le montre pas.

Et la chanson de se fondre triomphalement dans la musique instrumentale qui se tut à son tour. Adieu communauté humaine. Bon vent au monde.

Parfait pour le jeune Anglais qui avait enregistré cet album et était sûrement millionnaire à présent, mais Leo ? Leo dont la souffrance et la confusion étaient réelles, avec ou sans accompagnement musical. Leo pour qui les études étaient une nécessité.

Après plusieurs jours d'absence de Leo, après un entretien de Max, puis de Lydia, avec le Dr Karen Small qui vint également à domicile pour avoir une « conversation en tête à tête » avec Leo, Cookie Cunningham jugea décent de s'extirper du lit tragique pour retourner à l'école. Et tout le monde, professeur compris, de s'attendrir sur le « courage » de la petite.

Une fois de plus, la roue qui grinçait le plus fort avait décroché le gros lot. Lydia vécut ce dénouement comme un double échec : celui de Leo et de ses principes ; et le sien en tant que mère car, après tout, qui les lui avait inculqués, ces principes ? Plus grave encore — et c'est ce qui la mettait le plus en colère (pas étonnant qu'elle ait du mal à se concentrer sur le mémoire sur *Eros*...) — elle avait le sentiment d'assister à la défaite de l'Individu qui tente de choisir sa propre ligne de conduite. Une fois de plus, ceux qui fonctionnaient sur un « sentimentalisme » informe et primaire l'emportaient sur la force tranquille de ceux qui s'en remettaient aux lumières de la « raison », ce qui n'impliquait pas qu'ils fussent dépourvus de sentiments ; mais ils les gardaient généralement pour eux. Cookie Cunningham avait monté de toutes pièces un mélodrame de bas étage, à commencer par le coup de la migraine, parce qu'elle avait envie d'« essayer » un autre garçon sans perdre Leo, et elle terminait en beauté par le retour à l'école de l'héroïne. Elle serait récompensée. Pendant que Leo était puni. Le même schéma se répétait à l'échelle de la société entière ; plus on faisait de gâchis, et avec un maximum de bruit, plus on avait de chances d'obtenir des « subventions » gouvernementales pour aller semer davantage de pagaille ailleurs. Et qui finançait une telle générosité « à buts humanitaires » permettant ainsi au gouvernement de soutenir les fauteurs de troubles ? Les gens calmes et raisonnables qui faisaient leur devoir et gagnaient leur vie : les rouages moteurs de la vaste communauté humaine à laquelle faisait allusion Mme Epting.

Et pour ajouter l'insulte au dommage, le point de vue auquel souscrivait Lydia était précisément qualifié de démodé et d'inhumain. Elle entendait parfaitement, par exemple, la diatribe par laquelle Cate répondrait à sa juste protestation. Les « libéraux » s'étaient contentés de pervertir le vieux précepte de « noblesse oblige » pour en faire un triste devoir de bon aloi. Le principe du « noblesse oblige » ne pouvait s'édicter ni sous forme de devoir, ni sous forme de loi : c'était le priver de sa dimension charitable. La charité authentique, pas celle qui se compte en écus trébuchants. Le tout était de conserver la liberté de dire : Seigneur ! Ce pauvre mendiant est bien méritant, je vais lui porter secours parce qu'il est moins fortuné que moi, et parce que je ne m'en aimerai que davantage si je lui viens en aide. Mais quand d'indignes trublions forcent votre porte la main tendue (lorsqu'ils ne rient pas sous cape de savoir si bien exploiter le système), où se trouvent la charité, la dignité, l'égalité, ou que sais-je encore ?

Lydia écumait. Bon sang, si seulement je disposais d'un peu de pouvoir en ce monde ! Comment accéder au pouvoir qui me permettrait de contraindre les gens à écouter la voix de la raison !

Max ramena Dickie après *Rencontres du troisième type*. « Je ne peux pas rester, dit-il. Leo attend dans la voiture. Il n'est pas en grande forme et veut aller se coucher. Je pensais que le film lui remonterait le moral. Mais il n'en a rien été.

— Ce n'est pas le genre de film à remonter le moral à quelqu'un », lança Dickie qui était immédiatement allé chercher

Gregory et revenait avec le jeune chat roux hissé sur son épaule. Le matou se laissait pendre nonchalamment en ronronnant de plaisir. « C'est un film *sérieux* qui envisage ce qui pourrait arriver. Tu aurais dû rester, p'pa. Ce n'était pas rien le moment où les petites créatures sortent du vaisseau spatial. »

Max eut un regard assassin en direction de Dickie. « J'étais incapable de me concentrer sur un film », dit-il à Lydia en lissant le devant de sa chemisette Lacoste de la paume de la main. Ce geste était nouveau, comme s'il voulait se modeler une silhouette en attendant que le Perrier fasse son effet. « J'avais trop de soucis en tête. J'ai préféré redescendre un peu au bureau.

— Nous sommes tous très occupés, approuva Lydia avec un regard pour ses copies abandonnées. J'avais l'intention de terminer ce travail, mais j'ai eu tellement de soucis, de mon côté... » Elle se demanda s'il était avec Lizzie.

Ayant décoché sa flèche empoisonnée, Dickie avait battu en retraite dans la cuisine où il nourrissait Gregory pour la cinquième ou sixième fois de la journée. On l'entendit verser des Friskies dans le bol du chat : « Mon pauvre Greg, tiens, les bonnes croquettes, bêtifia Dickie de sa voix enfantine, tu es mort de faim. »

Déjà sur le pas de la porte, Max dit encore : « L'enseignement privé ne serait pas une si mauvaise solution pour Leo, s'il en a envie. J'ai jeté un coup d'œil à son livre d'histoire. Quel choc ! On aurait dit un numéro spécial de *Look* ou de n'importe quelle revue de vulgarisation historique. Pour un manuel d'histoire de terminale ! Tu te rappelles ton livre d'histoire de terminale ? Moi je me souviens du mien : il y avait du texte ; des colonnes entières de texte, sans illustrations.

— S'il veut y aller l'année prochaine et que tu acceptes de payer, je n'ai aucune objection particulière, dit Lydia. Je sais que mes résultats étaient nettement meilleurs dans l'enseignement privé. Bien sûr, tous les établissements sont mixtes, maintenant. Mais je tiens à ce qu'il retourne à son école actuelle pour finir le semestre. Autrement, on aurait l'impression qu'il en a été exclu. Et puis, il perdrait tout le semestre.

— Il se dit prêt à suivre des cours de vacances. Cependant, je suis de ton avis, il devrait retourner en classe et braver l'opinion générale. Mais c'est plus facile à dire qu'à faire pour un garçon de quinze ans. Pour lui, une journée dure encore très longtemps. Et nous sommes en train de parler d'un mois entier. De plus, il n'est pas sûr qu'il réussisse à se concentrer sur son travail.

Jusqu'à présent, il n'a pas pu ouvrir un livre à la maison, alors que personne ne lui bat froid.

— Et puis zut, dit Lydia.

— Je suis d'accord, dit Max. Il fait chaud ici ; tu as l'air d'avoir chaud.

— J'ai effectivement chaud. Ce climatiseur *date de Mathusalem*.

— Justement, dit Max, je voulais t'en parler. Si Leo suit des cours de vacances, j'aimerais que tu reviennes t'installer à la maison. Je voudrais que tu sois présente pour lui. Je pourrais habiter ici, ou dans un autre appartement du même genre.

— Tu ne tiendrais pas une semaine dans un endroit comme celui-ci. Tu aimes trop tes aises et ton confort.

— Allons donc ! Je ne suis tout de même pas une petite nature ! Enfin, réfléchis. Je crois que ce serait la meilleure solution.

— D'accord, je vais y penser. Mais j'aimerais que tu te trouves une autre maison.

— Eh bien, j'y songerai. »

Lydia se leva et repoussa une bonne dizaine de feuilles jaunes froissées en boule. « Je vais te raccompagner jusqu'à la voiture. Si Leo est trop fatigué pour venir me dire bonsoir, c'est moi que me déplacerai pour aller l'embrasser. » Un curieux sentiment d'abandon l'étreignit soudain. Elle aurait aimé discuter autour d'un verre. C'est un des aspects de la vie mariée qui lui manquaient le plus : pouvoir bavarder à l'heure des repas ou de l'apéritif. Passer au crible la vie des autres ; se repaître de leurs problèmes qui vous permettaient d'oublier un peu les vôtres.

Après le départ de Max et de Leo, une fois Dickie endormi avec Gregory, Lydia composa le numéro de Renee à Greensboro. Elle avait eu la tentation d'appeler Stanley, mais avait résisté pour ne pas lui donner de faux espoirs en lui laissant croire qu'elle avait besoin de lui. Ce serait malhonnête de sa part. Elle n'avait pas encore décidé, à long terme, de la place qu'elle donnerait à Stanley dans sa vie.

Renee répondit immédiatement, d'une voix douce et lointaine.

« Mon Dieu, je t'ai réveillée, dit Lydia.

— Tu plaisantes ou quoi ? Il n'est que neuf heures et demie. Non, j'étais en train de taper un article à envoyer à *Southern Studies*.

— Ah bon ? Sur quel sujet ? » Lydia avait le cœur battant. Le fait d'appeler Renee l'intimidait encore un peu. L'attrait du neuf faisait encore partie de leur amitié et leurs relations se situaient encore au niveau du manège de la séduction — ce qui se produit même entre femmes — chacune testant discrètement les limites de l'autre, tout en s'efforçant de paraître sous son meilleur jour. La première réaction de Lydia, par exemple, quand Renee lui annonça qu'elle travaillait à la rédaction d'un article fut : Tiens, quelle coïncidence ! Moi, j'étais justement en train de rédiger ce fameux papier pour toi ! Mais Renee aurait pu prendre cette remarque, si elle l'avait effectivement prononcée, comme une interférence entre le domaine professionnel et celui de l'amitié.

« Oh, ce n'est jamais qu'une note de ma thèse. Mais le rédacteur en chef des *Southern Studies* a trouvé ce point intéressant et m'a demandé de le développer. En fait, il s'agit d'un aspect mineur du snobisme noir.

— Le snobisme noir ? !

— Exactement. Tu comprends, les Noirs qui descendent d'esclaves ayant travaillé dans les plantations de Virginie et de Caroline se croient trois coudées au-dessus de ceux qui travaillèrent plus au Sud, en Géorgie et au Mississippi, entre autres.

— Ah bon ? Et pourquoi ?

— Eh bien — le ton de Renee se fit plus mystérieux, comme lorsqu'elle s'apprêtait, pendant un cours, à faire une révélation propre à susciter l'intérêt de son auditoire — il faut remonter à l'époque où les esclaves originaires d'Afrique ou des Antilles étaient débarqués dans les principaux ports de la traite des Noirs, tels que Charleston ou Newport News. Les planteurs de Virginie et des Carolines choisissaient les premiers, alors, naturellement, ils sélectionnaient les plus forts, les plus intelligents et les plus beaux. Les autres villes du Sud devaient se contenter du reste.

— Mon Dieu, Renee, c'est vrai ?

— Il s'agit d'une réalité qui ne figure pas dans les livres d'histoire. Je me souviens encore de ma grand-tante disant d'une de ses amies : "Maybelle fait bien la fière pour quelqu'un qui ne descend jamais que des négros de Géorgie." »

Elles rirent ensemble, Lydia un peu trop fort, pour conjurer son embarras. Elle éprouvait une certaine gêne à entendre Renee parler de « négros ».

« Tu sais, j'ai beaucoup réfléchi sur... disons sur le snobisme, confia Lydia à son amie. Le seul fait d'admettre que j'ai pu y réfléchir me pose d'ailleurs problème. Pour reprendre ton expression, il s'agit d'une réalité de fait sur laquelle on ne glose pas, mais à laquelle tout le monde pense. Je le sais. Personne n'a envie d'être regardé de haut, mais tout le monde aime avoir quelqu'un à mépriser. Je voudrais bien savoir pourquoi. Pourquoi faut-il que nous prêtions tant attention à l'opinion des autres, alors que le plus élémentaire bon sens suffirait à nous convaincre qu'eux-mêmes vivent dans la hantise du jugement que nous portons sur eux ? Nous, ou d'autres. Je me demande qui fut le précurseur du snobisme.

— Je peux te dire pourquoi nous nous soucions tant de l'opinion publique, dit Renee, mais je peux aussi te renseigner sur le premier snob, si cela peut t'être de quelque utilité.

— Vraiment ?

— Bien sûr. C'était un apprenti cordonnier écossais. Le mot vient de là. Cet Ecossais se vit attribuer un nom emprunté au lexique vieux norrois et signifiant "balourd", parce que, en tant qu'apprenti, il était censé faire des tas de bêtises.

— Non ! Ce n'est pas vrai ! s'exclama joyeusement Lydia.

— Si, tu peux me croire. Ou vérifie dans un bon dictionnaire. Plus tard le mot "snob" servit à désigner toute personne de la basse société...

— La plaisanterie est excellente pour tous les snobs de notre époque. Dire qu'ils baladent leur snobisme sans savoir...

— Ouais, j'étais ravie le jour où j'ai fait cette découverte, dit Renee. Et puis, au fil des ans, le terme a fini par désigner... exactement ce que tu viens de dire : les gens qui baladent leur snobisme un peu partout.

— Renee, tu es merveilleuse.

— Non, instruite, seulement, rectifia l'intéressée. Ou plus exactement, je m'efforce de le devenir. » Et de changer poliment de sujet. « Comment va Leo ? Il reste toujours chez lui ? »

Lydia mit Renee au courant des derniers développements qui ne couvraient que les dernières quarante-huit heures, puisque sa dernière conversation avec son amie ne remontait qu'à deux jours. « Je l'ai vu ce soir. Max avait emmené ses deux fils au cinéma. Il avait l'air franchement déprimé et voulait rentrer se coucher. Leo qui n'a jamais été un gros dormeur réclamait son lit à neuf heures du soir !

— C'est très fatigant de camper sur ses positions pour prouver que l'on a raison, dit Renee. Quand j'étais au lycée, je suis restée enfermée dans ma chambre pendant trois jours pour vaincre la résistance de mes parents. Le seul cérémonial qui préside à ce genre de manifestation peut suffire à épuiser celui qui s'y risque. D'abord, on s'aperçoit que l'on a besoin de choses qui ne se

313

trouvent pas dans la chambre ; puis il y a le problème des repas — je veux dire, jusqu'à quel point doit-on s'affamer lorsque l'on prétend avoir l'appétit coupé ? Et puis l'ennui qui s'installe, surtout si l'on est jeune. Je parie que Leo s'ennuie à mourir. C'est ça qui le fatigue.

— Mais il n'essaie pas de vaincre notre résistance à nous. Nous sommes déjà acquis à son point de vue. L'objet de sa protestation s'adresse au monde, parce qu'il est injuste.

— Dans ce cas, il ferait mieux de s'y faire, parce que notre monde ne brille pas souvent par sa justice, dit Renee.

— Cela fait deux semaines, dit Lydia. Deux semaines demain qu'il refuse de retourner en classe. Et je le crois sincèrement capable de tenir jusqu'au bout. Il a hérité de mon entêtement. Mais pas de mon opportunisme. Moi, je n'aurais pas accepté de perdre un semestre pour les autres. Je me serais probablement pliée à leurs exigences en les méprisant tranquillement. Leo est plus honnête.

— Allez, ne commence pas à te dénigrer. Cela n'a jamais mené nulle part. En revanche, tu ferais bien de le tirer de cette chambre. Pourquoi est-ce que tu ne l'amènes pas au cours demain ?

— Tu veux dire l'amener à mes cours à moi ?

— Pourquoi pas ? Cela lui changerait les idées. S'il s'ennuie, cet ennui aura du moins l'attrait de la nouveauté. Plus il sera soumis à des influences extérieures, mieux ce sera. S'il accepte de venir.

— Oh, je saurai le convaincre. Ce n'est pas un problème. Renee, tu regorges de bonnes idées. Mais quel était le motif de cette guerre d'usure avec tes parents ? Tu as gagné ?

— Je suppose qu'on peut parler de match nul. Je voulais me fiancer avec ce Navarro. J'étais folle amoureuse de lui. Le champion de basket ! Eux ne le trouvaient pas suffisamment bien pour moi. Bref, j'ai fini par sortir de ma chambre, au bout de trois jours. Comme toi, je n'avais pas envie de compromettre mes études. Mais j'ai continué de sortir avec Navarro et, juste au moment où je me rendais compte que mes parents avaient vu juste à son sujet, je suis tombée enceinte de Camilla. L'histoire s'est soldée par la perte de deux semestres, et ma vie n'en a pas été gâchée pour autant. Voilà qui devrait t'inciter à prendre les choses plus sereinement avec Leo.

— Mon Dieu. Et... et qu'est devenu Navarro ?

— Oh, il est toujours dans le secteur. Entre deux séjours en prison. Navarro est un homme d'action. Tout allait bien tant qu'il pouvait dépenser son énergie sur un terrain de basket mais, après le lycée, il lui a fallu trouver d'autres défis à relever. Alors il a tâté de l'escroquerie, s'est essayé au vol à main armée... Jusqu'à présent, Dieu merci, il n'a tué personne. Je n'aimerais pas que le père de Camilla soit un assassin.

— Est-ce que Camilla le voit parfois ? » Comment trouverait-on la vie ennuyeuse avec des personnes comme Renee pour vous aider à en comprendre le sens ?

Renee soupira. « Elle l'a vu. Il a la manie de venir rôder dans le secteur. C'est une des raisons pour lesquelles elle fait ses études en Angleterre. Elle peut se passer de le trouver à la sortie de l'école ou de le voir verser des larmes de crocodile derrière les grilles du terrain de sport. Non qu'il risque de lui faire du mal. Mais il a le goût des grandes scènes. Tiens, pourquoi est-ce que tu ne viendrais pas déjeuner chez moi avec Leo demain, si tu peux le décider à venir ? Je serais ravie de faire sa connaissance.

— Je lui téléphone immédiatement, dit Lydia. S'il dort, je demanderai à Max de le réveiller.

— S'il ne veut pas venir demain, on déjeune ensemble de toute façon, dit Renee.

— Avec plaisir. Mais dans l'un ou l'autre cas, j'apporte un repas froid. Je prépare tout ce soir et je le mets dans ma glacière de pique-nique. » Dans les deux cas, avec ou sans Leo, la compagnie de Renee serait un plaisir. Si Leo ne venait pas, elles pourraient parler plus longuement de Navarro ; et peut-être un peu de Stanley ; en liant le tout à ce vieil Eros. « Ami ou ennemi », fou ou félon. Mais, malgré l'admiration sans restriction qu'elle vouait à Renee, Lydia devait absolument se protéger des étranges salades combinées concoctées par son amie. Le mélange de thon, vinaigre, pois chiches la première fois, suivi de haricots verts-mangues la seconde. A la suite de quoi Lydia avait ménagé son estomac, et l'orgueil de Renee, grâce à un petit mensonge. Lydia expliqua qu'elle avait mauvaise conscience à accepter les invitations de Renee alors qu'elle habitait trop loin pour les lui rendre. Elle se sentirait moins gênée si elles pouvaient s'organiser de petits pique-niques préparés par ses soins. Simple question d'équité.

Leo ne dormait pas encore quand Lydia appela. En dépit du ton de voix nonchalamment monocorde, il était clair que la perspective d'échapper à cette journée supplémentaire d'ennuyeux tête-à-tête avec ses principes lui était un soulagement.

A peine avait-elle raccroché que son téléphone sonnait. *Mon gentil Stanley adoré. Ma récompense après cette série de problèmes à résoudre.*

C'était encore Renee. « Il vient ?

— Oui, il vient, dit Lydia.

— Dans ces conditions, j'ai du nouveau pour demain. Je viens de parler avec Calvin. Il nous propose de venir le rejoindre à la télévision vers trois heures ; il fera visiter les studios à Leo et, à quatre heures, ils enregistrent une partie de l'émission de Mary McGregor Turnbull. Tu as déjà eu l'occasion de regarder *Cuisines sudistes* ? Les autres types de la télé parlent de *popote sudiste*, mais Calvin a un faible pour la vieille demoiselle. Est-ce que Leo a déjà eu l'occasion d'assister à un tournage ? Calvin s'est dit que cela pouvait l'intéresser.

— Absolument. Il a raison ; du reste, je n'ai moi non plus jamais vu de plateau de télé. J'ai dû voir quelques émissions de *Cuisines sudistes*, mais cela remonte à plusieurs années. Cette Mary McGregor Turnbull ne doit pas être une jeunesse. J'ai toujours eu un faible pour les programmes culinaires. Mais, dans son émission, curieusement, on ne voit jamais la recette achevée. »

Rire de Renee. « Ça, ma chérie, c'est parce qu'elles ratent régulièrement. D'ailleurs le programme a failli être sucré, mais Calvin a volé à son secours. Il a donné un grand coup d'air frais à tout ça et, surtout, il a résolu le problème auquel tu faisais allusion. A présent les recettes marchent toujours. » Nouveau petit rire. « Tu verras.

— J'ai hâte d'être à demain », dit Lydia. Elle était un peu déçue d'avoir eu Renee plutôt que Stanley, mais il ne fallait pas trop demander le même jour. « J'ai senti à l'intonation de Leo, qui se voulait pourtant placide, qu'il ne demandait qu'à sortir de ses murs.

— Nous allons élargir un peu ses horizons, promit Renee. Au moins ne passera-t-il pas une journée de printemps de plus à ressasser le même disque. »

« La belle journée de printemps » ne fut pas au rendez-vous mais, tandis qu'elle conduisait sous la pluie battante, avec ses essuie-glaces à la vitesse maxima, Lydia demeurait bien résolue à faire de ce jour une expérience mémorable. La pluie les ralentit et ils furent en retard au cours de psychologie générale.

Le professeur faisait un exposé sur William James et le volontarisme. Il n'y avait plus de places assises côte à côte et, avant que Lydia ait pu l'en empêcher, Leo s'était installé discrètement dans les derniers rangs. Elle fut donc obligée d'aller s'asseoir devant, ce qui l'empêcha de surveiller les réactions de Leo. Circonstance que Lydia regretta d'autant plus que l'enseignant — un jeune homme sérieux, plus jeune qu'elle, et qui arrivait souvent avec les croûtes du sommeil encore collées aux cils — traitait son sujet avec un enthousiasme inhabituel. « Plus que tout autre philosophe américain de renom, James glorifia la volonté humaine », dit-il. Et son regard se posait constamment sur un endroit précis, au fond de la salle. Celui où se trouvait Leo, songea Lydia sans l'ombre d'un doute. Ce cours regroupant beaucoup de monde, il devait se demander si Leo était un étudiant dont la présence lui aurait échappée depuis le début du semestre.

« James croit que bon nombre de nos désirs peuvent être satisfaits, au moins partiellement, par le simple fait qu'ils sont désirés. Toutefois il lutta toute sa vie contre son propre pessimisme, allant même jusqu'à en faire une doctrine. "Vivre *in extremis*" était l'une de ses expressions favorites. Il se décrivait comme une personne acceptant volontiers certaines tensions — ou, pour reprendre ses propres termes — une "douleur aiguë dans le plexus solaire". »

« *Vivre in extremis* », nota rapidement Lydia dans son carnet. « Désirs accomplis parce que désirés. » « *Douleur aiguë dans le plexus solaire.* » Jusqu'à présent, elle avait mention très bien pour ce cours.

L'heure suivante était consacrée à l'histoire de la conscience féminine. Faute d'avoir été informée de sa répugnance à être tiré de l'anonymat, Renee présenta Leo à tout le monde, à la suite de quoi il devint immédiatement le point de mire de tout le cours. Un tel succès s'expliquait en partie par la composition démographique de l'assemblée (féminine à plus de quatre-vingt-dix pour cent, et formée pour une large part des vieilles dames de la ville qui venaient parfois en auditeurs libres, toutes assez âgées pour être la mère, voire la grand-mère, de Leo), en partie par le sujet traité : prêtres et prêtresses de la lune dans les cultures antiques. Toutes ces vieilles dames lorgnèrent Leo avec angoisse, comme si elles craignaient pour son âme lorsque furent évoqués les rites *hieros gamos* de la prostitution sacrée ; la petite minorité masculine du cours se mit à loucher avec un ensemble touchant en direction du jeune Leo lorsqu'il fut question des rites phrygiens réglant le choix de nouveaux prêtres pour Cybèle. Jusqu'à Lydia qui frémit à l'évocation de ces jeunes garçons s'émasculant au comble de l'euphorie orgiaque, avant de courir par les rues de la ville pour jeter les organes ainsi tranchés contre les maisons. Tout foyer touché se devait de fournir au nouvel eunuque les vêtements féminins qu'il porterait dans l'enceinte du temple. Lydia regarda Leo dont les joues roses n'avaient rien d'inhabituel, mais dont le visage était un modèle d'impassibilité. Il ferait un bon diplomate, se dit-elle, ou un joueur hors pair ; mais, dans le même temps, elle souffrait à la pensée de cette virilité tellement vulnérable qui aurait désormais sa vie propre et ses exigences particulières dont il aurait tant à souffrir.

« Pas spécialement distrayant, Leo, dit Renee lorsqu'ils se retrouvèrent tous les trois chez elle — quatre en comptant Judge — autour du repas froid préparé par Lydia. J'espère que ce n'était pas trop ennuyeux.

— Non, c'était même intéressant, dit Leo qui mangeait d'une main et caressait le front argenté de Judge de l'autre. Tout le monde est tellement sage pendant le cours.

— Sage ? demanda Lydia.

— Oui. Chacun écoute le professeur. Personne n'interrompt celui qui essaie de parler. »

Le regard de Lydia croisa celui de Renee. « Parce que nous avons envie d'apprendre. Surtout les vieux comme moi qui ont déjà perdu suffisamment de temps. » Leo venait de prononcer la condamnation de son école sans même s'en rendre compte.

Renee s'éloigna et revint avec une enveloppe. « Je viens de recevoir de nouvelles photos de Camilla. Elles ne sont pas mauvaises. C'est sa compagne de chambre iranienne qui les a faites avec un appareil hyperperfectionné. Ma fille Camilla a exactement votre âge, Leo ; elle fait ses études en Angleterre.

— Maman me l'a dit. »

Tout le monde regarda les photos. Plusieurs clichés montraient Camilla en train de sauter à cheval, sa lourde tresse de cheveux flottant en l'air, sous la bombe noire. Les lèvres serrées dessinaient un petit sourire confiant mais les yeux étaient écarquillés par l'excitation du moment où venait se mêler un brin de terreur.

« Quelle élégance, Renee ! dit Lydia. Regarde la façon dont elle monte son cheval.

— Ouais, mais je vais te dire une chose. La pauvre gosse dit qu'elle claque des dents de peur pendant toute l'heure qui précède la leçon d'équitation. Puis elle enfonce la bombe sur son crâne et c'est parti. »

Leo regarda attentivement chaque photo, mais ne fit pas de

commentaire. Trop de choses s'abattent sur lui le même jour, songea Lydia. J'espère que nous ne lui en demandons pas trop. Vivre *in extremis* avec William James, les jeunes garçons qui jettent leurs organes amputés contre la maison des gens, et, à présent, cette jeune Noire habillée en princesse Anne, qui fait du saut d'obstacles. Quand j'y réfléchis, c'est sans doute la première fois que Leo a l'occasion de rencontrer une personne de race noire comme Renee, c'est-à-dire noire et néanmoins « des nôtres ».

Leo, cependant, avait dû trouver quelques charmes à Renee puisque, lorsqu'il eut à choisir entre accompagner sa mère au cours d'Introduction à la littérature de la Renaissance, ou rester avec Judge, il choisit la seconde solution. Lydia affronta donc l'averse pour courir au cours du professeur Spruill, un peu déçue tout de même dans la mesure où elle aurait tant aimé présenter son Leo au vieil homme : le professeur Spruill aurait été sensible à la beauté grave de Leo. Enfin la journée était consacrée à Leo ! Elle sécherait le cours d'économie pour aller visiter les studios de la télévision, mais elle ne pouvait décemment pas laisser tomber le vieux professeur. Les effectifs avaient dangereusement fondu depuis qu'ils avaient entamé l'étude de *The Faerie Queene**. Toute le monde fuyait ces cours ennuyeux, truffés d'allusions ecclésiastiques et de références à la fin de la dynastie Tudor. Mais, comme l'avait dit le professeur, *The Faerie Queene* était l'adieu historique à tout un empire et Lydia tenait à rendre son hommage — comme l'on assiste à l'enterrement d'un personnage célèbre ayant influencé l'histoire. Elle n'oublierait jamais qu'elle avait eu l'honneur d'être à Londres au moment de la mort de Churchill. Max s'était arrangé pour qu'ils puissent assister à la procession funèbre depuis les fenêtres du bureau de son conseiller juridique à Piccadilly. Elle gardait encore le souvenir du maréchal Montgomery, âgé de soixante-seize ans, marchant très lentement (ce qui, d'après Max, était épuisant même pour des jambes jeunes) derrière la dépouille mortelle de Churchill, depuis Westminster jusqu'à la cathédrale Saint-Paul.

Calvin Edwards, le Calvin de Renee qu'elle avait un jour défini à Lydia comme un compagnon d'ascension sociale, les attendait à la réception des studios de télévision. C'était un grand Noir — nettement plus foncé que Renee — au visage rond. Un être peu

---

* L'un des fleurons de la littérature anglaise de la Renaissance, chef-d'œuvre du poète Edmund Spenser (1590) *(NdT)*.

avare de gestes expansifs et avenants, à la limite du dégingandé. Pourtant ses yeux, extrêmement observateurs, avaient un côté machiavélique. Il était difficile de lui donner un âge, mais Lydia savait qu'ils avaient le même. Calvin se dépensa en manifestations protectrices ; il voulait à tout prix être sûr que personne n'avait été trop mouillé par l'averse ; sa belle voix de basse enveloppa tendrement Renee (« Ça va, ma belle ? ») avant de dire à Lydia et Leo qu'ils se ressemblaient énormément, ce qui était manifestement censé être un compliment pour l'un comme pour l'autre. Il portait un pantalon kaki impeccable, une chemise à petits carreaux rouges et blancs qu'il ne rentrait pas à la ceinture pour dissimuler son estomac rebondi, des baskets bleus qui lui donnaient une démarche souple et feutrée et un léger coupe-vent bleu avec CAROLINA FOOTBALL imprimé en travers du dos. Bref, sa tenue vestimentaire décontractée et confortable était en harmonie avec son comportement. Ce qui n'empêchait pas ses yeux de scruter attentivement leur petit groupe qu'il jaugeait, jugeait, voire sondait, puisque, apparemment, il avait détecté d'emblée un léger embarras chez Lydia (ses cheveux décoiffés par le vent au cours du trajet sous le parapluie, entre la voiture et les studios, l'empêchaient de se sentir à l'aise) et proposé : « Dites donc, vous tous, si quelqu'un a besoin de faire un tour aux toilettes, je suggère d'en profiter tout de suite, parce que les lavabos du rez-de-chaussée, juste après la réception pour les visiteurs, sont mieux aménagés que ceux de l'étage.

— Je crois que je vais suivre votre conseil... » dit Lydia avec reconnaissance, avant de disparaître pour mettre un peu d'ordre dans sa tenue. La voyant s'éloigner, Leo s'avisa qu'il avait également besoin de faire un tour du côté des messieurs. Sa timidité l'empêchait de lier conversation avec des adultes qu'il connaissait à peine.

A leur retour, Calvin et Renee attendaient dans un silence plutôt complice. Renee arborait son habituelle et ostensible insouciance et Calvin sa parfaite décontraction. Les deux formaient un couple, c'était une évidence criante, mais Lydia se prit à les soupçonner de ne s'être guère plus amusés, pendant le voyage à La Nouvelle-Orléans, qu'elle et Max dans les mêmes circonstances.

D'un large geste du bras, Calvin les dirigea vers l'ascenseur. « Nous allons passer par mon bureau où je vous offrirai une tasse de thé, fait à ma façon, pour réchauffer tout le monde. On n'imagine pas à quel point la pluie de mai peut être glaciale ! » Certaines de ses voyelles étaient prononcées avec une ouverture typiquement yankee, tandis que les finales en « g » prenaient un relief très accentué, mais le rythme et l'intonation des phrases conservaient un écho définitivement sudiste. Et puis, ses yeux noirs constamment aux aguets ne perdaient rien de ce qui se passait dans leur petit groupe. *A croire*, songea Lydia, *qu'il lui faut surveiller la moindre de nos pensées.*

Tandis qu'il les pilotait dans un long couloir éclairé au néon, il fut interrompu par une voix d'homme depuis une pièce où régnait l'obscurité. « Hé, Calvin, c'est une visite à combien que tu fais ?

— Comme j'ai affaire à des hôtes de marque, j'innove un programme spécial, Ernie, et la visite commence par toi. Entrez tous que je vous présente Ernie. » Et Calvin de pousser son petit monde à l'intérieur de la pièce obscure où trois hommes étaient installés, parfaitement décontractés, derrière le tableau de contrôle. Le dénommé Ernie sirotait un Pepsi diététique en boîte ; les deux autres fumaient. Sur les écrans de contrôle qu'ils étaient censés surveiller, passaient un feuilleton en cours de tournage, une publicité pour un gâteau prêt à cuire et quelques mètres de pellicule en noir et blanc d'une vente de tabac ; le tout muet. Les autres écrans étaient vierges.

Calvin fit des présentations en règle. Son regard se fit encore plus mobile, puisqu'il avait maintenant trois personnes supplémentaires à couvrir. Pourtant, à voir superficiellement, on avait l'impression d'assister à un jeu. « Officiellement, mesdames et messieurs, dit Calvin à l'intention de ses hôtes, vous êtes dans la salle de contrôle où se monte le bulletin d'informations régionales du soir. Ces messieurs préparent tout — films, bandes-son, cartes et graphiques, autant de choses qui semblent relever du direct, mais peuvent se programmer à l'avance. En fait, dans la réalité, ils passent leur temps à regarder les feuilletons. Ernie, par exemple, n'a pas manqué un seul épisode de *General Hospital*, depuis des années. C'est du reste ce qui défile actuellement sur l'écran de contrôle principal. Je préciserai simplement que, chaque année, pendant les vacances, il a le droit de mettre le son. Je tiens l'information de sa femme. »

Tout le monde de rire. Le dénommé Ernie jeta sa boîte de Pepsi dans la corbeille. « Tu es bien renseigné, Calvin », plaisanta-t-il.

Dans le petit bureau sans fenêtres dont Calvin s'était débrouillé pour faire un salon agréable, il leur expliqua l'importance du « glandage » pour les gens de la télé. « Ces types ont l'air plutôt relax, n'est-ce pas, Leo ? » (Coup d'œil rapide en direction de

Lydia pour dire : voyez comme je donne la vedette à votre fils, je suis au courant de ses problèmes.)

« Apparemment, oui, admit Leo.

— Eh bien, dit Calvin en mettant cinq cuillerées de thé dans une théière ornée de dragons, retrouvez-les dans la même salle d'ici deux heures, le spectacle ne sera plus le même. Vous verrez une équipe technique parfaitement au point, actionnant des manettes, communiquant en langage codé et dont le moindre geste est programmé à la fraction de seconde près. Plus le temps de plaisanter. Pas de place pour les erreurs. » A Lydia, il dit : « L'eau ne va pas tarder à bouillir. » L'eau en question se trouvait dans un véritable samovar. Pas l'une de ces pâles imitations que l'on branche à une prise de courant. Lydia nota que son admiration pour l'authenticité de l'appareil n'était pas passée inaperçue de Calvin. « L'homme que je vous ai présenté, ce Ernie, continua Calvin en s'adressant ostensiblement à Leo, il est l'un des gars les mieux payés de la station. On le paye cher parce qu'il ne commet pas d'erreurs. En contrepartie, c'est le pire des glandeurs quand il n'est pas sur la sellette. Il a besoin de ça pour décompresser. Ernie est l'un des réalisateurs les plus doués de l'Etat, au niveau de l'information ; s'il le fallait, il serait capable de monter tout un bulletin sur la mort d'un hanneton. » Calvin referma soigneusement son paquet de thé qu'il replaça sur une petite desserte ; l'étiquette était placée de telle sorte que Lydia put remarquer que Calvin se fournissait chez McNalty à New York.

« Que se passe-t-il quand on commet une erreur? interrogea Leo.

— Eh bien, au bout de deux ou trois fois, vous n'avez plus qu'à trouver un autre métier ; aller vendre des aspirateurs par exemple. Les erreurs coûtent très cher dans cette profession. Vous connaissez le feuilleton *General Hospital*, celui qui m'a permis de me moquer de Ernie tout à l'heure ! La réalisation d'un seul épisode d'une série telle que celle-ci coûte la bagatelle de soixante mille dollars. » L'eau bouillait dans le samovar. Calvin ouvrit le robinet de cuivre et l'eau bouillante coula dans la théière. S'adressant à Lydia, Calvin dit : « Renee m'a dit que vous avez habité à Londres quelques années. En avez-vous ramené l'habitude de mettre du lait dans votre thé ? Auquel cas, j'irai vous en chercher dans le réfrigérateur de la communauté.

— Non merci, dit Lydia. Je le prends nature.

— Leo ?

— Pareil », dit Leo qui détestait le thé. Il boirait celui-ci par simple politesse envers son hôte.

Sur le mur, à côté d'un petit diplôme du RCA Institute, Lydia repéra une affiche de la troupe Carolina Playmakers pour la pièce tirée de *Look Homeward Angel** de Thomas Wolfe, mise en scène par Calvin Edward en 1968. « Tiens, vous êtes allé à Chapel Hill, dit-elle.

— J'ai passé ma maîtrise là-bas, dit Calvin de sa grosse voix de basse. Mais j'ai commencé mes études ici. Je suis un ancien de Greensboro. » Coup d'œil rapide à sa montre Accution. « Tiens, je vais servir le thé, bien qu'il n'infuse que depuis trois minutes. Vous n'irez pas me dénoncer à la Reine, Lydia ? »

Et Calvin de remplir de fines tasses de porcelaine qu'il tendit à ses invités.

« Quel genre de bêtise faudrait-il faire ? demanda Leo en revenant à la charge, pour se retrouver vendeur d'aspirateurs ?

— Oh, dit Calvin, il y a les erreurs d'ordre technique, par exemple. Mais celles-ci sont surtout le fait de débutants et, vu leur niveau de responsabilités, les dégâts ne sont pas trop importants. Ensuite, il y a les grosses bêtises. La plus grosse étant de produire une émission dont personne ne veut. Celle que vous allez me voir enregistrer, partiellement du moins, d'ici une demi-heure, était sur le point d'entrer dans cette catégorie lorsque je l'ai reprise.

— Calvin a sauvé l'émission de Mary McGregor Turnbull », intervint Renee qui s'en était tenue à une attitude de stricte réserve pour permettre à ses nouveaux amis de faire connaissance avec son vieil ami.

« Disons que j'ai su en évaluer les potentialités, rectifia modestement Calvin en dégustant son thé. Il existe un créneau pour une émission comme celle de Miss Mary mais mon prédécesseur n'avait pas su "cibler" exactement le public. Lui était plutôt un homme de radio. Il gâchait les potentialités de Miss Mary en l'obligeant à donner ce qu'elle n'avait pas.

— Votre thé est merveilleux », dit Lydia. Ce qui était exact : goûteux et corsé à la fois. « Quelles étaient ses potentialités, et quels étaient ses manques ? Soit dit en passant, j'ai regardé cette émission une fois, il y a plusieurs années, ainsi que je le racontais à Renee ; Mary McGregor Turnbull réalisait un sabayon, mais

* Roman écrit en 1929 et publié en français sous le titre : *Que l'Ange regarde de ce côté (NdT)*.

323

on ne le voyait jamais prendre. C'était avant votre époque, j'imagine. Renee prétend que vous avez une méthode où le succès est garanti, maintenant.

— Exact. Je travaille avec un traiteur. Il nous livre la recette concoctée par Miss Mary, réalisée dans un plat identique, et elle n'a plus qu'à la sortir du four, du frigo, ou que sais-je encore ? Il arrive que les recettes de Miss Mary réussissent, mais nous économisons sur le temps de tournage en ayant recours au traiteur. Me croirez-vous quand je vous dirai que mon prédécesseur attendait que les plats préparés par Miss Mary aient fini de cuire ? "Récréation générale, annonçait-il aux cameramen. Tout le monde sur le plateau dans cinquante-cinq minutes quand la cuisson du gâteau à la banane sera achevée." Qui dit mieux ? Ce type ne possédait absolument pas la mentalité video. En plus, il avait Miss Mary, qui non seulement possède un fabuleux talent de conteuse et constitue à elle seule un livre d'histoires ambulant, mais est en plus capable de pousser la porte de n'importe quelle maison de Caroline du Nord et tout ce qu'il trouve à lui faire faire est de lire la recette de la tarte aux poires de Mme Reynolds Tobacco ou celle des croquettes de saumon de Mme Burlington Mills, alors que le seul titre de l'émission — un titre trouvé par lui — recèle des richesses qui crèvent les yeux. *Cuisines sudistes*, et il oblige Miss Mary à loucher sur un prompteur pour ânonner la recette préférée de Mmes Reynolds Tobacco ou Burlington Mills, alors que les spectateurs brûlent d'envie de pénétrer à l'intérieur de ces cuisines — grâce à Miss Mary et à mes caméras, puisqu'ils n'ont pas d'autre moyen de le faire — pour voir si Mme Burlington Mills utilise une planche à découper ou un billot de boucher pour hacher son céleri et si les casseroles à fond de cuivre de Mme Reynolds Tobacco sont suffisamment bien astiquées pour être exposées sur un présentoir au lieu de rester cachées sous l'évier.

— Tout le monde aime voir à quoi ressemble l'intérieur du voisin, renchérit Lydia. C'est dans la nature humaine.

— Qu'est devenu votre prédécesseur ? demanda Leo à Calvin. Est-ce qu'il vend des aspirateurs ? »

Le gros rire profond et sonore de Calvin ébranla les murs de la petite pièce. Il regarda Lydia d'un air de dire : votre fils n'est pas n'importe qui ! Regard qui n'était pas censé échapper à Leo. « Je n'en sais rien, mais il le mériterait ! » Nouveau coup d'œil à sa montre. « Le tournage auquel vous allez tous assister cet après-midi n'est qu'une partie de l'émission dont nous avons déjà enregistré l'essentiel sur place, à Beaufort. Là-bas, vit un vieil homme fantastique, un ancien garde-pêche qui habite toujours la maison construite par ses ancêtres huguenots dans les années mille sept cents. Miss Mary et moi sommes allés lui rendre visite avec une équipe de tournage, pour recueillir sa recette du soufflé au crabe, qui est absolument divine.

— Et jeter un coup d'œil dans la vieille maison ? demanda Lydia.

— Vous avez tout compris, dit Calvin. Les vieilles maisons de Beaufort valent le déplacement. Vous connaissez Beaufort ?

— Nous avons une villa de vacances de l'autre côté du Pamlico Sound, dit Lydia. Sur l'Ocracoke.

— Hé ! Ce n'est pas là que vivait Blackbeard, le Pirate ? demanda Calvin.

— Il y est même mort, dit Leo. On l'a déniché dans sa propre tanière : Teach's Hole. La villa de mon grand-père se trouve tout près de Teach's Hole.

— Cette villa t'appartiendra un jour, dit Lydia.

— Vous savez, dit Calvin avec un regard circulaire qui se voulait annonciateur d'une grande confidence, nous sommes entre citoyens de Caroline du Nord, alors je peux bien vous dire ceci : je crois que notre Etat est celui de l'Union qui possède le passé le plus intéressant et le futur le plus prometteur. A la fin de mes études au RCA Institute, on m'a proposé un emploi d'assistant réalisateur à la NBC ; eh bien, j'ai dit : non merci, j'ai l'intention de redescendre là où l'air est pur et où je sais où je mets les pieds. J'apprécie l'ouverture culturelle que constitue New York, mais les gens de là-haut sont trop fatigués et trop cyniques ; ils se complaisent trop dans la décadence et la catastrophe. Ils mettent une sorte d'autosatisfaction à clamer qu'ils vivent au cœur même de la pourriture. Après tout, qui souhaite vivre au cœur de la pourriture ? J'aimais autant retourner dans ce bon vieil Etat où l'on dispose encore d'espace pour remuer et où l'*espoir* n'est pas mort. Pas étonnant qu'un million de personnes émigrent chaque année vers le Sud, dont une bonne part en Caroline du Nord. Et entre les nouveaux satellites de communication et la perspective de pouvoir, à court terme, exploiter les possibilités offertes par la télévision par câble, personne n'aura besoin de vivre à New York pour monter son propre réseau.

— Calvin veut monter un réseau à lui, dit Renee avec un regard affectueux, bien que tout platonique, pour son ami.

— Et alors ? Quel serait l'intérêt des rêves, si l'on ne pouvait

325

avoir des rêves de grandeur ? dit Calvin. Je rêve d'un réseau culturel. Il y aurait toujours quelque chose d'intéressant à regarder, comme on trouve toujours quelque chose d'intéressant à lire dans une bonne bibliothèque. Le financement serait assuré par des souscriptions et des dons. » A Lydia, il demanda : « Vous ne croyez pas que, rien qu'à l'intérieur des frontières de cet Etat, avec toutes nos fabriques de meubles, nos manufactures de tabac, nos complexes chimiques et nos industries textiles, on recueillerait suffisamment de fonds pour faire qu'un des boutons du téléviseur offre en permanence un programme de valeur ? Vous ne pensez pas qu'il existe suffisamment de gens, ici, dans le Piémont, capables de discerner ce qui est bon ? » Ses yeux disaient clairement qu'il comptait Lydia parmi ces gens-là.

« Je veux le croire, répondit Lydia. C'est certainement un rêve qui vaut la peine d'être réalisé.

— Merci, dit Calvin, avec un aimable hochement de tête. J'ai besoin de toutes les formes d'encouragement que je pourrai recueillir. A présent, mes amis, descendons au studio retrouver Miss Mary. »

Le studio était petit mais très moderne, leur expliqua Calvin en désignant les coûteuses caméras couleurs informatisées, déjà installées autour d'un décor « cuisine ». Calvin s'adressa ostensiblement à Leo, à qui il dédiait toutes les informations techniques, conformément au style « homme-à-homme », pour lui montrer comment le sol de ce studio était parfaitement lisse afin que la caméra puisse rouler sans la moindre secousse au niveau de l'image.

Il y avait trois caméras, un réseau complexe de spots fixés au plafond, plus dix personnes au moins rivalisant de compétence et de nécessité et, toute seule dans un coin, une petite dame aux cheveux bleus et au visage de mastiff acariâtre ; elle portait une robe-chemisier en coton imprimé, style 1959, et se tenait bien droite dans un canapé Empire tendu de velours — manifestement un décor de récupération. Une boîte d'œufs en carton était ouverte devant elle, sur une table en marbre style bistrot, et elle était en train de casser un œuf après l'autre, tant bien que mal, en essayant, sans grand succès, de séparer le jaune des blancs.

« Calvin, s'écria-t-elle de sa voix revêche et péremptoire, dès qu'elle aperçut le réalisateur qui approchait avec ses amis. A quoi pensez-vous en imposant une recette nécessitant neuf œufs ? Vous savez bien que j'ai des rhumatismes. D'ailleurs, je n'ai jamais été capable de casser un œuf correctement, même du temps de ma splendeur. » Elle prit un air penché pour faire cette allusion à sa jeunesse et, derrière les paupières vieilles et ridées, on vit briller la pupille charmeuse de la séductrice qui n'a pas renoncé à exercer son pouvoir de séduction. Elle remarqua les invités de Calvin, mais ne s'y intéressa pas. « J'ai apporté cette boîte d'œufs de chez moi, dit-elle à Calvin, pour m'entraîner avant l'émission. Je sais dans quelles transes vous met le moindre dépassement de budget. Et je n'ai pas non plus l'intention de gaspiller ces œufs. Je me nourrirai d'œufs brouillés pendant une semaine, voilà tout. »

Des vieilles dames comme Miss Mary, Lydia en avait bien rencontré une douzaine au cours de sa vie. Elles peuvent être vieilles, cinglées, ou parfaitement ravagées dans leur chair, jamais elles ne perdent foi dans leur propre arrogance. Cette arrogance se fondait sur le roc du « qui je fus » et leur permettait de continuer de s'aimer quand toutes les personnes les ayant connues « telles qu'elles furent » étaient mortes et enterrées. Cependant, contrairement à Cate, Lydia savait parfaitement manœuvrer avec cette race d'individus. Lydia avait d'ailleurs souvent amèrement regretté que Theodora Blount n'eût pas été sa marraine à elle — car elle aurait su s'y prendre avec tante Thea. C'est qu'elle avait une certaine admiration pour ces vieux dragons et leur façon d'assumer leurs responsabilités. Et elle partageait leur certitude d'avoir toujours raison. Mieux valait devenir un dragon en vieillissant que de finir comme un mouton tremblotant et pleurnichard ; ainsi pourrait-elle conserver un peu de pouvoir sur autrui, comme Miss Mary gardait une certaine emprise sur Calvin qui la flattait présentement, comme s'il avait affaire à une sémillante star de cinéma. (« Allons, Miss Mary, vous savez aussi bien que moi que personne ici ne songerait à vous imposer quoi que ce soit. Avez-vous pris vos calmants contre les rhumatismes ? »)

Pourtant, songea Lydia, Calvin avait « sauvé » l'émission de ce vieux dragon. Mais elle percevait assez bien ses motivations. Il était gratifiant pour ce Nord-Carolien de voler au secours de l'autre Nord-Carolienne qu'était Miss Mary. Et pour un ambitieux comme lui, Miss Mary pouvait ouvrir certaines portes, dont celles de personnes « capables de discerner ce qui était bon », pour reprendre l'expression utilisée par Calvin.

« Vous connaissez mon amie, Renee Peverell-Watson, dit Calvin à Miss Mary. Permettez-moi de vous présenter également

Lydia Mansfield et son fils Leo Mansfield. Lydia suit le cours de Renee à l'université et Leo est de passage pour la journée. »

Mary McGregor Turnbull salua Renee d'un aimable signe de tête. Puis elle se tourna dans son canapé de velours pour jauger Lydia et Leo d'un seul coup d'œil. Lydia s'avança la main tendue et dit : « Enchantée, Miss Turnbull », avant d'esquisser une demi-révérence. Elle prit grand soin de ne pas broyer la vieille main, d'autant qu'elle était percluse de rhumatismes.

Miss Mary cligna les yeux pour interroger Lydia : « D'où êtes-vous originaire ? demanda-t-elle.

— Eh bien, je vis à Winston-Salem maintenant, mais je viens de Mountain City, dit Lydia.

— Nous montions pour l'été à Mountain City lorsque j'étais enfant, dit la vieille dame. A cause du climat. Mon père n'a jamais véritablement recouvré sa santé après son retour du front. Je parle de la guerre hispano-américaine. Aujourd'hui, il faut préciser de quelle guerre on parle, sinon personne ne s'y retrouve plus. Je suppose que Mansfield est votre nom de femme mariée, si ce charmant jeune homme est votre fils.

— Oui, madame, dit Lydia. Mon nom de jeune fille était Strickland.

— Strickland. » Les yeux de la vieille dame clignèrent davantage dans l'effort de concentration qu'elle faisait. « J'ai connu un George Strickland qui jouait au poker avec mon frère aîné, Royall. Il était avocat, je crois, et fumait un cigare qui empestait atrocement.

— Voilà qui ressemble à mon grand-père, dit Lydia. Il s'appelait George, il était avocat et il fumait des cigares ignobles. Paraît-il. Car il est mort peu de temps après ma naissance.

— Oui, commenta rêveusement Miss Mary. Mon frère Royall est mort, lui aussi. Il était évidemment beaucoup plus âgé que moi. Etes-vous bonne cuisinière ? Moi pas. Toutes les nuits je me réveille, étonnée par le fait que je puisse faire une émission culinaire. Je fais ce genre d'émission depuis quinze ans — alors que je suis à peine capable de faire cuire un œuf. Pourtant j'ai mes fidèles, vous savez. Je reçois du courrier. J'ai des *fans*. Surtout depuis que Calvin a repris l'émission. Alors je suppose que je dois avoir d'autres talents.

— Vous avez une présence, Miss Mary, dit Calvin. Un certain charisme. » Ses yeux venaient d'être mis à rude épreuve pour surveiller en même temps ce qui se passait entre les individus en présence, et les préparatifs techniques au niveau du studio. Il consulta sa montre. « Vous êtes prête à commencer, Miss Mary ? Ne vous faites pas de souci pour les œufs. Je vais vous dire. Faites de votre mieux. Il y en a bien un sur les neuf qui se cassera correctement. Nous monterons la même prise neuf fois.

— Je ne sais pas, Calvin, dit la vieille dame. Nous faisons bien des entorses à l'honnêteté. Je me sens un peu coupable chaque fois que j'ouvre le four pour sortir ce que le chauffeur-livreur du traiteur y a mis une minute plus tôt. » Elle regarda Lydia. « Et vous, vous savez casser un œuf ? Vous qui êtes au temps de votre splendeur ?

— C'est une des rares choses que j'ai apprises au cours de Cordon Bleu que j'ai suivi jadis, dit Lydia. On vous y enseigne à tout nettoyer au fur et à mesure, à dessiner une crête sur les pommes de terre pour qu'elles rôtissent mieux et à casser un œuf d'une seule main. C'étaient les premières leçons. Après, les choses se compliquaient un peu. Cela dit, j'adore faire la cuisine. J'ignore si je suis douée ou pas, mais...

— Venez vous asseoir à côté de moi, fit la vieille dame en désignant une place sur le canapé Empire, et montrez-moi comment vous cassez un œuf d'une seule main. »

Lydia s'assit, non sans lisser sa jupe sous elle, prit un œuf dans le carton de Miss Mary et divisa la coquille en deux d'un simple mouvement du poignet. Elle tint les deux moitiés, encore attachés par une fine membrane, au-dessus du bol dans lequel Miss Mary mettait les blancs. « Vous les voulez séparés, je suppose ? » demanda-t-elle, malgré la quantité impressionnante de jaune dans les blancs de Miss Mary.

« Fascinant ! dit Miss Mary. Réellement fantastique. » Un certain respect perçait dans le ton de sa voix. Elle regarda Calvin et prit un air penché. « Et si vous laissiez cette petite de Mountain City à côté de moi dans le studio pour m'aider à casser les œufs pendant l'émission ? » minauda-t-elle.

Le réalisateur eut peine à masquer totalement son agacement. Il regarda sa montre, ostensiblement cette fois. « Ecoutez, Miss Mary, il est un tout petit peu tard pour remettre en cause la formule de l'émission...

— Taratata, répliqua Mary McGregor Turnbull en ignorant délibérément les réticences de Calvin. Nous avons déjà tourné les trois quarts de l'émission à Beaufort, dans la maison du capitaine La Forgue. Il ne me reste plus qu'à faire semblant de réaliser la recette de soufflé du capitaine. Elle pourrait casser les œufs et je ferais le mélange à base de chair de crabe. Nous bavarderions comme le ferait n'importe qui dans une cuisine. Les êtres civilisés ont le droit de bavarder. »

Lydia était toujours assise, l'œuf à la main. Tous les regards étaient braqués sur elle.

Calvin intervint : « Lydia et son fils Leo sont ici comme invités, Miss Mary.

— Eh bien, répliqua triomphalement la vieille dame. Elle sera mon invitée sur le plateau et lui sera le vôtre dans la salle de contrôle. »

Calvin grogna un peu, symboliquement. Il dit à Lydia : « Estce que vous vous êtes déjà trouvée face à une caméra de télévision ?

— Non, dit Lydia. Mais j'essaierais volontiers. Si je peux être de quelque utilité. » Son cœur se mit à battre, mais elle fut la seule à le sentir.

« Bravo ! s'exclama Mary McGregor Turnbull. Nous allons bien nous amuser », dit-elle à Lydia en tournant résolument le dos à Calvin qui faisait déjà appeler la maquilleuse : « Ce n'est rien du tout », ajouta la vieille dame, à mi-voix. On n'a pas le trac, comme au théâtre. Je veux dire qu'il n'y a personne de l'autre côté, dans la caméra. Pas de public en chair et en os, comme au théâtre. Dans ces conditions, pourquoi faudrait-il se faire de la bile pour un public fantôme ? Voilà ma théorie. A propos, redites-moi donc votre nom de femme mariée. »

C'est ainsi que Lydia se trouva propulsée à la télévision. On fixa un petit micro au col ouvert de sa robe polo en jersey de coton ; elle sentit la chaleur des projecteurs à travers l'épaisse couche de fond de teint (mais elle avait tenu à utiliser son rouge à lèvres personnel qu'elle avait largement estompé). Grâce au Ciel, elle se débrouilla pour casser élégamment chacun des neuf œufs en deux moitiés qui se séparèrent sans que les jaunes ne se mélangent aux blancs. Exploit qu'elle réussissait d'une seule main tout en bavardant avec Miss Mary de choses et d'autres : comment elle, Lydia, avait décidé de suivre les cours de cuisine du Cordon Bleu à Londres parce que, jeune mariée, elle s'ennuyait terriblement pendant que Max était parti toute la journée à la banque, si bien qu'elle s'était dit qu'il serait plus astucieux d'apprendre quelques recettes inhabituelles que de rester à se morfondre entre ses quatre murs ; comment elle venait de reprendre ses études à l'âge de trente-six ans « et sincèrement, je ne regrette pas d'avoir fait les choses dans l'ordre où je les ai faites. J'ai été ravie d'être une jeune maman quand les enfants étaient petits ; c'était beaucoup plus amusant pour nous trois ; et puis j'ai l'impression d'avoir de plus grandes facultés de concentration à l'université aujourd'hui qu'il y a dix-huit ans ». Elle raconta comment elle avait amené son fils visiter la faculté aujourd'hui « pour lui donner un avant-goût de ce que lui réserve l'université dans quelques années », mais elle ne fit aucune allusion, même voilée, au fait qu'elle était séparée de son mari. Ce détail ne regardait personne. Surtout si, comme le disait Miss Mary, il n'y avait personne de l'autre côté. Lydia avait tendance à rejoindre la théorie de Miss Mary. Quand on ne voyait rien d'autre que la lumière aveuglante des spots et l'objectif des grosses caméras, comment pourrait-on « se faire de la bile » pour autre chose que ce que l'on était en train de faire et se soucier de quiconque, hormis soi-même et ce que l'on était en train de dire ? Lydia ne voyait même pas ses amis, ni son propre fils, qui se trouvaient pourtant là-haut, dans la cabine technique.

« Vous savez, dit Mary McGregor Turnbull à son hôte Mme Lydia Mansfield, il existe, à propos de Mountain City, un mystère qui m'intrigue depuis toujours. Puisque cette ville est celle qui vous a vue naître, peut-être allez-vous pouvoir m'éclairer. »

Les jaunes d'œufs avaient été mêlés à la chair de crabe, les blancs battus en neige ferme avec le fouet électrique, et le tout réparti dans seize petits moules individuels que Miss Mary, aidée de son invitée, plaça sur une plaque qu'elle introduisit dans le four préchauffé. A présent venait la période d'« attente » de leur recette — ou plus exactement celle du capitaine La Forgue, qui en avait fait son plat de réception, spécialement mis au point pour les retrouvailles annuelles du clan La Forgue dans la maison du vieux célibataire. Le chef de plateau signala que Miss Mary et Lydia disposaient encore d'une minute et demie. Il y aurait ensuite une coupure pendant laquelle les chauffeurs livreurs du traiteur, qui attendaient déjà derrière la porte, avec seize soufflés identiques, transféreraient les mets fragiles du four de leur camion à celui des studios. Et les caméras n'auraient plus qu'à se remettre à filmer au moment où Miss Mary ouvrirait le four d'où elle sortirait les soufflés qu'elle n'y avait jamais mis.

« Quel est ce mystère ? » demanda Lydia. Elle regretta amèrement que leurs soufflés n'aient aucune chance de monter. Quel gâchis !

« Eh bien, dit Miss Mary. Vous êtes trop jeune pour vous

souvenir du vieil hôtel Battery Park. Il trônait sur cette espèce d'énorme colline que l'on appelait le mont Battery Porter, ou parfois le mont Porter's Battery. Puis le vieil hôtel fut rasé pour en construire un autre, en brique. Mais qu'advint-il de la fameuse colline qui lui servait de siège ? Nous sommes revenus un été et la colline avait complètement disparu. Je n'ai jamais compris comment on avait pu se débarrasser d'elle, et encore moins pourquoi.

— Le hasard fait bien les choses, car je suis en mesure de résoudre pour vous cette énigme », dit Lydia. Elle ne put s'empêcher de sourire. La vieille dame n'était donc pas au courant ? « On a rasé cette hauteur pour deux raisons, la première idée étant de dégager un espace supplémentaire pour le centre de la ville en pleine expansion. La seconde était d'utiliser le matériau déblayé pour combler un grand fossé situé en bordure de ce centre, parce qu'il était à la fois laid et dangereux. Néanmoins, plusieurs années plus tard, la gare routière, dont le nouveau dépôt avait été édifié sur l'emplacement de l'ancien fossé comblé par le remblai de la colline, s'enfonça dans le sol. Mon père, qui défendait les intérêts de la gare routière, gagna le procès contre les architectes. Ma sœur et moi avons même été autorisées à manquer l'école pour aller écouter sa dernière plaidoirie devant le tribunal. Mon père a dit : "Si nous ne pouvons avoir confiance en nos fondations, à quoi pourrons-nous nous fier ?" » Lydia sentit ses yeux briller d'émotion et de fierté mêlées, elle avait totalement oublié qu'elle se trouvait devant une caméra de télévision jusqu'au moment où Miss Mary applaudit en s'exclamant : « Vraiment ! Votre histoire est tout à fait exacte ! Eh bien, chère Mme Mansfield, je suis certaine que nos téléspectateurs seront d'accord avec moi pour dire que vous avez été une invitée absolument charmante... une révélation inattendue. » Miss Mary fixa l'objectif de la caméra la plus proche pour ajouter : « Et merci encore d'avoir éclairci pour moi ce petit mystère. Cette montagne volatilisée m'intriguait depuis des années. »

Oh, la vieille tricheuse, se dit Lydia. Pas un seul instant, elle n'a oublié la présence du public. De façon inexplicable, elle se mit à trembler à l'instant précis où le chef de plateau baissait la main d'un geste rapide et net pour indiquer que c'était terminé.

« Tu as été formidable », dit Leo à sa mère sur la route du retour. C'était l'heure de pointe et il pleuvait encore un peu : les pires conditions de conduite, avec ralentissements intempestifs et changements de file constants. Lydia ressentit une petite douleur à la base de la nuque. Elle appuya sa tête sur le repose-tête sans pour autant quitter la route des yeux.

« Je ne suis pas sûre d'avoir été formidable, dit-elle. Mais au moins, je ne me suis pas ridiculisée. Quelle journée ! J'ai l'esprit à peu près aussi clair que la pièce obscure où nous sommes entrés, avec toutes ces consoles et les écrans de contrôle qui fonctionnaient en même temps. J'étais vraiment bien ?

— Mieux que bien. Calvin a dit que tu semblais avoir fait ce métier toute ta vie. Au début, il était un peu inquiet. Et puis, quand les choses se sont mises à tourner, il demandait plus souvent des plans de toi que d'elle.

— Vraiment ? Comment le sais-tu ?

— Je l'ai entendu parler à son assistant. Les écrans de contrôle correspondant à chaque caméra sont numérotés, et il demandait sans arrêt les numéros où tu étais. En plus, il a dit que tu n'avais pas de mauvais profil. Renee aussi t'a trouvée fantastique.

— Enfin, comme ça, je ne t'aurai pas fait honte, dit Lydia. J'ai vécu un moment terrible — juste après que Miss Mary eut sollicité ma participation à l'émission. J'étais franchement paniquée. Placée dans une alternative où je devais choisir le moindre mal : rester sur le plateau et me ridiculiser devant toi ou bien me dérober et te donner à penser que j'étais lâche. Ma décision a vite été prise.

— Tu t'es souciée de mon opinion à moi ?

— Bien sûr », dit Lydia. Ce qui était vrai, elle avait effectivement commencé par s'interroger sur la réaction de Leo. Celles des autres aussi, mais en second. Leo était tellement perfectionniste ! « Bien sûr que je m'en suis souciée ! Tu ne te soucies peut-être pas de ce que je pense de toi ? »

Leo prit le temps de réfléchir avant de répondre : « Si, je suppose que oui. »

Ils roulèrent un moment en silence. L'un et l'autre étaient épuisés. Lydia s'interrogea sur ce que pouvait faire Stanley en cet instant précis ; vivement qu'elle puisse lui dire qu'elle était passée à la télé. Peut-être qu'ils pourraient regarder l'émission ensemble. Calvin l'avait trouvée télégénique.

Regardant par la vitre, de son côté, Leo demanda : « Pour toi, il est donc pire d'être lâche que de se ridiculiser ?

— Absolument. Supposons que j'aie été ridicule » — son estomac se serra (entre autres parce qu'ils s'étaient tous goinfrés de soufflés au crabe, ceux du traiteur, avant qu'ils ne retombent) en imaginant les différentes façons dont elle aurait pu prêter à rire. « Même dans ce cas, j'aurais au moins eu la consolation de me dire que j'avais eu le cran d'essayer. Alors que si j'avais refusé de prendre le risque, j'aurais passé le reste de mes jours à regretter de n'avoir pas fait l'expérience. Tu sais, comme ces gens qui se plaignent constamment : "Si seulement j'avais fait telle et telle chose, ma vie aurait été complètement différente." Eh bien, je n'ai aucune envie de leur ressembler. Quand on prend l'habitude de ne pas relever les défis, on se prépare un avenir de grincheux aigri. Et quand je serai vieille, je ne veux pas me retrouver coincée entre quatre murs, à ruminer de vieux regrets. »

Elle pensait à ce qu'elle pourrait bien préparer pour le dîner de Dickie afin de compenser toutes ses aventures dont il avait été exclu. Si elle avait passé cette journée avec lui, ils seraient actuellement en grande discussion sur Calvin et Renee, le style « nouvelle Caroline du Nord » qu'il incarnait, et le faire-valoir réciproque que représentaient manifestement ses relations avec Miss Mary. Mais Leo ne donnait guère dans ce genre de commérage. Elle surveillait également la route glissante pour ne pas avoir d'accident. Et puis elle se réjouissait sans arrière-pensée de la tournure qu'avaient prise les événements : les cours, la façon dont ses amis avaient traité Leo, sa « formidable », « fantastique » performance à la télé « comme si elle avait fait ce métier toute sa vie ».

Elle n'avait donc absolument aucune arrière-pensée au moment où elle servit son petit couplet pour dire qu'il valait mieux encourir le mépris des autres que faire preuve de lâcheté. Avec toutes les images de la journée qui se bousculaient sur les écrans de contrôle de son esprit, elle avait, dans l'immédiat, totalement oublié le motif initial de cette sortie mère-fils : le mélodrame Cookie Cunningham était momentanément absent de ses canaux.

Cependant, lorsqu'elle y repensa, ultérieurement, après avoir déposé Leo chez son père, elle se dit que leur petite conversation était parfaitement bienvenue. Puisse Leo l'appliquer à sa vie personnelle et retourner en classe. Néanmoins, on ne choisissait pas, parmi tous les événements d'une journée, celui qui se graverait dans la mémoire d'un enfant au point d'influer sur sa vie, voire d'en altérer le cours. C'était du reste l'un des aspects les plus terrifiants du rôle parental : ne jamais savoir ce que son enfant allait enregistrer, ni comment il le ferait.

Leo passa le week-end à parfaire son bronzage et exécuter un certain nombre de paniers de basket, vigoureux et bien sentis. Le lundi, il prit son petit déjeuner avec son père, passa une heure à se sécher les cheveux et arriva à l'école juste après la fin du cours très informel de Mme Epting. Il fut poli avec Cookie, s'inquiéta de sa santé, lui dit qu'il était désolé qu'elle ait tant souffert, mais il ne sortit plus jamais avec elle. Il ne retourna pas au cours de Mme Epting, la plaçant ainsi dans l'obligation de le recaler, ce qui parut chagriner davantage le professeur que l'élève : cette chère Mme Epting, qui poussait la compassion jusqu'à donner l'examen à quiconque faisait acte de présence au cours et faisait preuve d'« un minimum d'application »... Leo dit à ses parents qu'il rattraperait le cours de sociologie pendant les vacances. Et bien que le trio des Vampires se soit reformé, Leo ne voulut pas démordre de son idée de changer d'école. Pour un établissement non mixte, si possible. Il aimait bien les filles, expliqua-t-il, mais était las de voir les domaines constamment mélangés. Et s'il faisait ses études en Angleterre ? Après tout, il était né en Angleterre.

Lydia s'attribua naturellement le mérite d'avoir envoyé Leo en classe. Mais elle porta une part de ce succès au crédit de Renee et Calvin et le leur dit, ce qui les ravit, malgré cette remarque de Renee : « Il avait seulement besoin de sortir un peu pour prendre conscience que le monde était vaste, c'est tout. Il s'ennuyait à mourir, dans sa chambre. »

Dans les années qui suivirent, Lydia devait se servir des événements de cette journée pour écrire une histoire instructive de sa réussite. Pour peu que vous ayez foi en vous et fassiez ce que vous étiez censé faire à l'instant et au lieu voulus, expliquait-elle, la chance pouvait tourner à votre avantage et la destinée vous faisait signe. Elle faisait allusion à son cas personnel.

Les gens qui admiraient Lydia au point d'en faire un modèle ne se lassaient pas de cette histoire qui contait dans le détail la façon dont les choses avaient commencé pour elle. Ceux qui ne l'admiraient pas, trouvant qu'elle ne méritait pas sa « destinée », jugèrent le livre ennuyeux.

Toutefois, plus elle élargissait sa surface sociale, moins elle se souciait de l'opinion des autres, sans parvenir jamais à une parfaite indépendance d'esprit à ce niveau. Elle avait effectivement réussi et l'admettait volontiers, pour le plus grand plaisir de ses admirateurs. « Quoi que vous fassiez en ce monde, disait-elle, quelque chose d'intéressant s'entend, vous vous ferez toujours des ennemis. »

Troisième Partie

La seule chose à faire à présent,
à présent qu'ont commencé de s'abattre sur nous
les flots de la destruction, est de nous contenir.

Ne pas bouger, et laisser s'accomplir le naufrage
[de nous-mêmes...

D.H. LAWRENCE, *Be Still !*

IX

Fantômes

Nell prit sa voiture pour se rendre dans Meadowland — autrefois Crabtree Meadows, où elle allait pique-niquer avec son école — car elle voulait s'acheter un maillot de bain pour le voyage à Outer Banks. Lydia devait arriver lundi, et elles reprendraient la route de bonne heure le lendemain.

Sauf qu'un changement de dernière minute était venu modifier leurs projets : Cate serait également du voyage. Son université était en rupture de paiement, et Cate rapportait toutes ses affaires qu'elle souhaitait entreposer dans la cave de sa mère le temps de se trouver un nouvel emploi. Nell attendait Cate aux alentours de midi le lendemain.

Cate avait appelé la semaine précédente pour prévenir et demander si elle pouvait s'installer dans la villa d'Ocracoke pour la durée de l'été. Nell l'avait sentie à la fois vindicative et sur la défensive, comme si elle cherchait délibérément un refus maternel. Mais Nell n'avait pas refusé, tant Cate lui avait paru au bord du désespoir. Qui refuserait à sa fille l'usage d'une villa de vacances, si la fille en question n'avait nulle part ailleurs où se poser ? Bien sûr, cela impliquait une remise en cause des projets de location conçus par Lydia, mais dans la mesure où cette dernière (sur le conseil de Max) agissait pour lui éviter des soucis, Nell ne s'attendait certainement pas à une réaction aussi violente de sa fille cadette.

« Je ne vois pas quelle autre solution j'avais, expliqua Nell à Lydia, sinon lui proposer de venir s'installer chez moi, et je ne crois pas que cette disposition aurait été judicieuse, ni pour elle, ni pour moi.

— Non, mais sous prétexte que madame ne fait jamais de projets, elle se croit autorisée à bouleverser ceux des autres quand bon lui semble. Tu vas perdre le bénéfice fiscal de toute une année, si elle habite là-bas. Dès qu'un membre de la famille vit une certaine partie de l'année dans une maison censée être louée pour les vacances, les impôts sont en droit de te refuser tout dégrèvement fiscal. C'est écrit dans le petit fascicule que m'a donné Max.

— Elle pouvait difficilement prévoir la fermeture de son université pour cause de faillite, plaida Nell. Ils n'ont prévenu définitivement le personnel qu'au dernier moment.

— Ecoute, maman ! Elle en parlait déjà en décembre dernier... ici même. Nous nous sommes assises un instant dans le salon avant d'aller te voir à l'hôpital et elle m'a dit qu'ils allaient peut-être fermer boutique, ce qui risquait de la laisser un certain temps sans emploi dans l'enseignement. Elle a même évoqué une possible reconversion. Tiens, qu'est-ce qui te dit qu'elle ne va pas se lancer dans... la pêche au crabe ou que sais-je, moi ? Elle va peut-être y rester des années, dans la villa de papa ! »

Nell jugea que le moment était venu d'insuffler un peu d'humanité dans le cours des choses. Et aussi d'établir nettement un ordre de priorités. Le ton cassant et « directorial » de Lydia la rebutait un peu. « Je crois que Max et toi vous faites trop de souci pour des choses qui n'en valent pas la peine, dit Nell. Je suis plus riche que je ne l'ai jamais été. J'ai plus d'argent que je n'en ai besoin. Je peux donc me permettre sans problèmes de perdre quelques "bénéfices fiscaux", surtout si cela me permet d'offrir un toit à ma fille. Tu disposes d'un logement. Moi aussi. Tu voudrais que ta sœur soit à la rue ? Au demeurant, il s'agit d'une mesure provisoire : le temps de se retourner, m'a-t-elle dit. Apparemment, le printemps a été dur pour elle. D'autre part, je ne pense pas qu'elle tiendra dans cette île plus de quelques mois. Elle a trop la bougeotte. Tu ne te rappelles pas qu'elle était toujours très enthousiaste à l'idée de partir pour Ocracoke, jurant le premier jour qu'elle ne repartirait jamais et était la première, ensuite, à se déclarer prête à plier bagage ? »

Pendant le silence qui suivit, Nell devina les arguments qui venaient à l'esprit de Lydia et qu'elle rejetait au fur et à mesure. Qu'elle soit capable de penser des choses en se retenant de les formuler rassura Nell sur l'absence de méchanceté de Lydia. Elle se dit que, depuis sa séparation d'avec Max et la mort de Leonard, Lydia était devenue plus exigeante et plus autoritaire. (Sa façon de compenser la perte des deux hommes de sa vie en se croyant obligée d'être « l'homme ».) Mais tant que sa délicatesse, sa loyauté et son bon sens fondamental continueraient de l'emporter sur ses tendances à l'autoritarisme, tout irait bien. A maints égards d'ailleurs, les réactions de Lydia concernant Cate recoupaient celles de Nell, mais l'une et l'autre auraient considéré comme une entorse à leurs communs principes de trop s'étendre sur ce sujet. Petite fille, Lydia ne s'était pas privée de critiquer sa sœur, ni de se plaindre d'elle ; mais devenue adulte, elle avait eu le bon goût de renoncer totalement à ce droit. Elle se fit une sorte de point d'honneur — façon de marquer sa supériorité — de refuser toute discussion, au-delà d'un certain stade, sur ce qui, chez Cate, inquiétait et chagrinait tout le monde. Elle alla même jusqu'à prendre sa défense à l'occasion.

« Possible, avait fini par dire Lydia, mais j'imagine qu'elle n'est pas la seule à avoir vécu un printemps difficile. Je pense à toi, qui as bien dû te... te faire à ta nouvelle situation, pour dire les choses brutalement ; et si quelqu'un a eu une vie plus compliquée que moi, ces derniers temps, j'aimerais bien qu'il me fasse signe. Seulement pour ma part, j'ai essayé de faire face aux événements et j'ai la satisfaction de pouvoir annoncer que j'y suis parvenue, pour l'essentiel du moins. J'attendais ce petit voyage avec impatience, je te promets.

— Mais nous partons toujours, n'est-ce pas ?

— Oui, bien sûr... mais... ce n'est plus pareil. » Lydia retrouva le ton pleurnichard de sa petite enfance. « Tu comprends, nous ne sommes jamais allées nulle part, rien que nous deux. Tu te rends compte, maman ? »

Surprise, Nell fit un effort de mémoire. Bon sang, était-ce vrai ? Est-ce qu'il y avait toujours eu une tierce personne entre elles ? Et même... c'est toujours le cas, quand on vit en famille, non ? Lydia était bien placée pour le savoir à présent qu'elle avait fondé sa propre famille. Tout était question d'équilibre, un équilibre sans cesse remis en question : un quart d'heure d'attention porté à l'une, vite, il fallait compenser en s'occupant de l'autre.

Elle répondit donc : « Nous nous ménagerons de petits tête-à-tête, chérie. Tu verras. Et puis Cate et toi devriez bien vous retrouver un peu, également. Je suis sûre que vous vous apprécieriez davantage si vous aviez l'occasion de vivre un peu ensemble. D'ailleurs, je ne suis pas désintéressée en la matière. Si vous deux n'êtes pas amies, il ne restera pas deux personnes pour parler ensemble de moi quand je serai morte. Cate et toi me connaissez mieux que qui que ce soit en ce bas monde. »

Cette dernière remarque avait pour but de détendre un peu l'atmosphère mais, au grand désarroi de Nell, Lydia avait fondu en larmes. Et Nell n'avait pas eu trop du reste de leur conversation téléphonique pour renverser la vapeur en assurant à Lydia, avec conviction et enthousiasme, que oui, elle était en excellente santé, et que son dernier bilan de santé annuel remontait justement à la semaine dernière ; elle n'avait d'ailleurs pas la moindre intention de mourir et comptait bien — là, elle ne put s'empêcher de lâcher la bride à son humour naturel — vivre jusqu'à quatre-vingt-dix ans, au point que tout le monde serait fatigué de la supporter et qu'elle aurait dépensé jusqu'au dernier sou l'argent que lui avait laissé leur père.

« A la bonne heure ! s'était écriée joyeusement Lydia. J'espère que les choses se passeront ainsi ! »

Quel déluge d'émotion, songea Nell, coincée dans les encombrements, à l'entrée du tunnel qui séparait l'ancien centre ville du nouveau centre commercial. D'où venait ce subit accès de sentimentalité, chez Lydia ? Pourquoi ces soudaines et jalouses protestations d'amour filial au moment où ses enfants à elle devenaient grands ?

Lorsque les filles avaient pris le tournant de l'adolescence, se souvint Nell, elle avait eu le sentiment de continuer d'être... aimée, certes, mais d'un amour nettement teinté d'indulgence, de la part des filles s'entend. Et maintenant, les deux revenaient au bercail, avec des exigences intempestives et exclusives. Quelle forme d'attention pouvaient-elles attendre de leur mère ? Cette dernière était-elle censée leur dispenser sa sagesse ? Ses conseils ? Son réconfort ? Son approbation ? Son admiration ? Lui faudrait-il compenser maintenant ce dont elles n'avaient pas voulu autrefois, pendant toutes ces années qu'elle avait passées à rôder dans la maison, toujours prête à offrir ces choses, pourvu qu'on les lui demande, mais déjà consciente du fait qu'il n'est pas meilleur sourd que celui qui ne veut pas entendre ? A l'époque, elle n'avait rien de mieux à faire que de répondre aux demandes de ses filles, si seulement l'une ou l'autre avait daigné l'inviter dans le sanctuaire de sa chambre pour lui dire : « Maman, toi qui as de l'expérience, dis-moi comment organiser ma vie. A ton avis, quelle est la meilleure façon de faire son chemin dans le monde ? Maman, à quoi ressemble-t-il, ce monde ? »

Mais chacune se murait dans son quant-à-soi, avec la parfaite assurance d'être en train de se construire la meilleure des vies, définitivement hermétique à tout conseil ou suggestion susceptible de freiner, infléchir ou remettre en cause un tant soit peu le cours sans faille que leur jeune idéalisme avait tracé pour leur existence.

Ce qui était normal, se dit Nell ; parfaitement dans l'ordre des choses. La file de voitures piétinait maintenant dans le tunnel. L'inévitable imbécile de service actionna son avertisseur pour le seul plaisir d'en entendre l'écho se répercuter, au grand dam de ceux qui détestent être coincés dans un souterrain. Ce tunnel était promis à une prochaine démolition ; les élus de la ville avaient fini par céder aux nécessités du progrès, malgré les protestations des amis de la nature et de tous ceux qui possédaient des terres sur la montagne condamnée à être rasée. D'ici un an ou deux, on accéderait par une voie large, directe et rapide, de la vieille ville à ces nouveaux quartiers modernes, en traversant ce qui, du temps de Nell, avait été des champs, des forêts, voire des terres en friche. D'ici un an ou deux, tout le monde pourrait prendre sa voiture et faire les quinze, trente ou cinquante kilomètres de voie express (un peu plus dans le cas de Nell qui venait de Lake Hills) sans subir le goulot d'étranglement de ce tunnel, pour rejoindre Meadowland Mall.

Enfin, à supposer qu'il reste un peu d'essence. Ce printemps, les Iraniens avaient suspendu leurs livraisons de pétrole et les gens disaient déjà : « Nous aurions mieux fait de garder les boutiques parfaitement achalandées que nous avions dans le centre, desservies par un réseau d'autobus des plus commodes dont les Noirs sont maintenant les seuls bénéficiaires. »

Encore une erreur sur le lieu, se dit Nell qui, sans avoir peur des tunnels, était toujours contente de retrouver la lumière du jour. Il existe un lieu et un temps pour chaque chose, mais cette loi est constamment bafouée même par les gens animés des meilleures intentions du monde.

Ce qui était aussi dans la nature des choses, d'ailleurs. Les gens, les élus locaux et les gouvernements avaient ceci de commun avec les enfants qu'ils n'entendaient que ce qu'ils voulaient bien entendre.

Je vais donc m'acheter un maillot de bain et nous irons à la plage toutes les trois, songea Nell. Lydia voudra s'entendre félicitée d'avoir su aider Leo à surmonter sa crise, complimentée pour ses brillants résultats universitaires et congratulée parce que

Mary McGregor Turnbull lui a demandé de revenir l'assister pendant son émission. Cate aura besoin de paroles de réconfort après cette nouvelle migration forcée (dont pour une fois elle n'était vraiment pas responsable, puisque c'est l'université qui fermait ses portes). Il faudra que je veille à ne pas manifester trop d'admiration à Lydia ; et ne pas trop jouer les mères poules avec Cate... Tiens, à propos de mère poule, moi qui avais tellement envie de voir ces bébés corbeaux apprendre à voler ! Je vais partir juste au mauvais moment.

Encore une erreur, de temps cette fois, mais qu'y pouvait-elle ? On ne pouvait décemment faire passer une famille de corbeaux avant ses propres filles ! ironisa intérieurement Nell en tournant dans le parc de stationnement pour trouver une place près de son magasin. Encore qu'elle eût récemment découvert un plaisir nouveau qu'elle ne soupçonnait pas, dans le seul fait d'être seule. Il existait une sorte de douce béatitude à s'abandonner au soleil, admirer les jeux de la lumière, le vent dans les arbres ou la vie d'une famille d'oiseaux. Quand cessait le combat pour « être soi-même » et « défendre ce qui est sien » — afin de conserver l'affection des êtres dont on se croit incapable de survivre à la perte — on pouvait éprouver un réel plaisir à n'être personne ; ou bien à être enfin soi-même, sans ces vains efforts d'affirmation de soi. Savourer simplement tous les instants de son passé dont une lumière ou une brise particulières rallumaient le souvenir. Nell avait souvent fait cette expérience récemment. Les moments oubliés savent refaire surface chez qui est capable de se laisser aller.

(« Il y aurait long à dire sur le bonheur de *n'être personne* », s'entendit déclarer Nell à ses deux filles adultes, avec pour fond sonore le doux clapotis de l'océan dans le détroit de Pamlico. Elles seraient assises toutes les trois sur la terrasse de la villa, avec un whisky glacé à la menthe, toutes à la félicité d'une compréhension mutuelle enfin trouvée.)

Bien sûr, en sortant de la voiture, force lui fut de rire d'elle-même. Car ni Cate ni Lydia n'étaient près, tant s'en fallait, de se laisser aller à ce bonheur de n'être personne. Si jamais elle prononçait de telles paroles, elles la regarderaient avec une indulgence étonnée, préoccupées qu'elles étaient de leurs urgences du moment, et aucune n'entendrait le message de Nell.

C'est bien moi, songea Nell avec un sourire tandis qu'elle se dirigeait vers la galerie marchande d'architecture futuriste qui étalait sa laideur brune dans un paysage qu'elle revoyait encore couvert de pommiers sauvages, à l'époque où il servait de lieu de pique-nique pour ses camarades d'internat et elle. Oui, c'est bien moi de concocter une façon de reprendre le contrôle de leurs vies, comme si elles n'étaient pas assez grandes pour s'en charger elles-mêmes ! Curieuse façon de n'être personne !

Elle pénétra dans la galerie sans être réellement séduite par la première tentation offerte dans ce complexe commercial géant : un glacier Baskin-Robbins. Venaient ensuite un chenil, une bijouterie, une librairie — appartenant à l'une des grandes chaînes de vente du livre. Le chenil présentait toute une vitrine de chiots esquimaux de Sibérie, tristement assoupis les uns sur les autres, aussi loin que possible d'un tas d'excréments de fraîche date ; la bijouterie étincelait « d'idées cadeaux » en or et en argent, « pour un jeune bachelier » ; quant à la librairie, la vitrine laissait supposer qu'un seul titre était disponible, mais en nombre...

C'est avec un brin de vague à l'âme qu'elle poussa la porte du vaste magasin à entrée libre de la maison Blum's, qui possédait jadis la boutique la plus élégante de la ville. La marchandise avait subi un certain changement qualitatif par le seul fait d'avoir quitté ses vieux quartiers pour s'établir dans ce nouveau complexe. Chez Blum's nouvelle formule, tout était exposé, accessible — et pléthorique. Pourquoi donc, se demanda Nell, fallait-il que cette profusion altérât le toucher et l'odeur du produit exposé ? Etait-ce seulement notre imagination qui nous faisait accorder plus de valeur à une robe, lorsque nous devions expliquer ce que nous désirions à une vendeuse vêtue de noir qui se faisait un plaisir de disparaître dans l'arrière-boutique dont elle revenait avec la robe convoitée ? Non, la qualité était supérieure, j'en suis certaine.

Voilà qu'elle commençait à parler comme Theodora qui avait une sainte horreur de cette galerie marchande où elle était « contrainte de se fournir » puisque toutes les « bonnes » boutiques avaient émigré là-bas ; même qu'elle s'étendait un peu trop longuement sur « la faune que l'on côtoie là-bas ».

Pauvre Theodora ! C'était la prochaine étape de Nell : le Memorial Hospital où Theodora, qui était maintenant sortie du service de soins intensifs, se remettait lentement de son attaque. Personne n'avait réellement élucidé le mystère de ce qui s'était passé. La version de Lucy Bell était que Wickie Lee avait réellement levé la main sur Theodora lorsque cette dernière était allée poursuivre la fugitive et son bébé jusque dans le vieux meublé de

345

Depot Street où Rita vivait de l'aide publique avec ses deux jeunes enfants. Mais Grace Hill, la seule à s'être déplacée pour aller trouver Wickie Lee après l'attaque de Theodora, témoigna à décharge : en dépit de l'irruption pour le moins intempestive de Theodora qui avait proféré « les pires horreurs » à l'égard de Wickie et de son amie Rita, Wickie Lee n'avait rien fait d'autre que de... enfin, elle avait sans doute asséné un certain nombre de vérités bien senties à Theodora. « Il était grand temps que quelqu'un s'en charge », aurait dit Wickie Lee à Grace Hill qui s'était empressée de filer à son journal pour faire part de ses découvertes aux autres personnes du groupe, via le téléphone. Mais elle avait parlé bas, sans vaine forfanterie, comme si elle redoutait plus ou moins de voir Theodora bondir de son lit d'hôpital, malgré son état, et venir — comme par enchantement — tonner contre une Grace terrorisée : « Grace Hill, tu n'as pas honte ! Je ne pourrai donc jamais te faire confiance ? Il faut que tu me trahisses dès que j'ai le dos tourné ! »

« Elle croit pouvoir disposer des gens, avait dit Wickie Lee à Grace Hill. Elle pense, sous prétexte qu'elle les a aidés, qu'ils deviennent sa propriété. Personne n'est la chose de personne. Moi moins que personne. Et mon bébé pas davantage. Je lui ai dit que si elle s'avisait de remettre les pieds ici sans y avoir été invitée, je la ferais expulser par le shérif en personne. »

Le shérif, contre Theodora !

L'incident remontait à dimanche matin, il y aurait demain une semaine. Ce jour-là, sans que l'on sût trop comment, Theodora avait atterri devant chez Azalea. Cette dernière, qui désherbait son bout de colline après l'office dominical, avait aperçu la vieille Buick Special de Theodora garée au pied du raidillon impraticable qui montait chez elle. Et elle avait su immédiatement que quelque chose allait mal, car Miss Blount ne montait jamais en Buick jusque-là, même par les pires intempéries, quand elle raccompagnait Azalea (presque) chez elle. Theodora prétendait que les amortisseurs et le châssis de la Buick n'y résisteraient pas ; sinon, elle n'aurait évidemment pas idée d'imposer un tel trajet à Azalea quand il faisait mauvais.

Sachant déjà qu'un malheur était arrivé, Azalea avait donc couru tout le long de la route réputée impraticable, pour découvrir sa protectrice affalée au soleil, dans une mare de vomissure, un bras replié sous elle et la tête curieusement penchée de côté.

Azalea n'avait pas de téléphone. Elle tira le corps inconscient pour le mettre à l'ombre (et hors du vomi) avant de courir aussi vite que le lui permettaient ses vieilles jambes enflées, jusqu'à la Buick sur le tableau de bord de laquelle elle avait déjà repéré la présence des clés de contact. Puis, sans tenir compte du gémissement des amortisseurs, ni des grincements de protestation du châssis, elle fonça jusqu'au poste de secours le plus proche — mis à part la police qu'Azalea ne serait jamais allée trouver de son propre chef... Elle s'adressa donc au poste de pompiers qui se trouvait juste derrière le palais de justice. Une équipe de secours fut dépêchée sur les lieux et Azalea fit le trajet de retour avec les sauveteurs, pour leur indiquer le chemin.

(Plus tard, tandis qu'elle attendait devant les urgences, Azalea fut prise de tels tremblements qu'on dut lui administrer un sédatif. Il s'avéra que jamais de sa vie elle n'avait touché le volant d'une voiture. « J'ai seulement tourné la clé à droite, comme j'avais vu faire à Miss Thea et j'ai mis le levier sur le "D". Dieu m'a aidée pour le reste, il fallait bien... »)

Theodora avait repris conscience maintenant, mais personne encore ne savait si elle retrouverait la totalité de ses facultés. Latrobe Bell (à qui Theodora avait confié ses intérêts après la mort de Leonard — et dont le fils Buddy était l'héritier officiel de Theodora depuis la disgrâce de Cate) envisageait de faire venir un spécialiste par avion depuis Duke. On parlait d'anévrisme opérable, localisé à une des artères cérébrales.

Heureusement que j'ai mes deux filles, se réjouit intérieurement Nell ; non que Latrobe fasse preuve de la moindre indélicatesse en la matière — il sait que tous les regards sont braqués sur lui — mais je suis bien contente de pouvoir compter sur ce petit luxe que représente la dévotion filiale, au cas où je viendrais à m'écrouler sur le pas de la porte de Dieu sait qui.

Elle explora rapidement la tringle où étaient accrochés les maillots de bain une pièce, taille 42, dans le rayon « vêtements de plage », avant d'être investie par une vendeuse serviable. Mais non, il s'agissait du nouveau « Blum's » et aucune vendeuse ne semblait pressée de lui offrir ses services. Elles se tenaient toutes à l'écart en attendant d'être directement sollicitées. Auquel cas leur réponse la plus fréquente était : « Si ce n'est pas en rayon, nous ne l'avons pas ».

Nell choisit donc quatre maillots de coupe et de coloris en harmonie avec son âge et sa stature, et elle se dirigea vers une cabine d'essayage. Un jeune homme en faction devant la caisse l'arrêta dans son élan. « Excusez-moi, madame, il faut que je vérifie. C'est le nouveau règlement.

— Vérifier quoi ? » s'étonna Nell. Le jeune homme portait un pantalon de cuir moulant et une fine chemise largement ouverte sur un buste bronzé. Il était séduisant, mais pas selon les critères habituellement réservés aux hommes.

« Vous le savez. » Il exécuta quelques gracieux moulinets de poignets. « Nous sommes obligés d'importuner des personnes comme vous, à cause de la fauche systématique pratiquée par les autres.

— Oh ! Vous faites allusion au vol à l'étalage, dit Nell, qui venait de comprendre.

— Nous étions littéralement pillés, dit le jeune homme en levant théâtralement les yeux au ciel. Vous en avez combien ? Mon Dieu, je crois que l'on n'en autorise pas plus de trois à la fois. » Il examina rapidement les maillots, regarda Nell, pencha de côté sa tête bouclée. « Je vais résoudre ce problème en gardant celui-ci. De toute façon, il fait vieux et ne vous plaira pas. Vous êtes trop jeune pour porter cette chose. » Et il débarrassa Nell de celui, précisément, qui ne lui plaisait pas vraiment. « Attendez, que je regarde les autres. Je parie que celui-ci sera formidable sur vous. » Il désigna le noir, très mince, nettement plus échancré dans le dos que les autres. « Vous avez un joli dos très droit. »

Dans la cabine, Nell commença par essayer le maillot sélectionné par le jeune homme. Ils ont l'œil. Elle possédait effectivement un joli dos, lisse et droit. Certaines de ses contemporaines avaient déjà une petite bosse. Je n'ai plus vingt ans, songea Nell en s'observant dans le miroir à trois faces, mais je ne suis pas repoussante. Elle essaya de se voir avec les yeux de ce jeune homme et découvrit une femme robuste, plus grande que la moyenne, aux cheveux blonds grisonnants brossés en arrière, dégageant un visage solidement structuré et agréablement hâlé. Elle n'avait jamais eu besoin de se maquiller, mis à part une touche de rouge à lèvres pour faire une concession à la mode.

Et dire, rêva Nell en enfilant le second maillot dans l'ordre de ses préférences, que c'est justement ce physique fidèle qui me chagrinait tant jadis. Car, jeune fille, elle croyait ressembler au produit du croisement entre un paysan et une Walkyrie ; elle qui aurait tant aimé posséder un petit squelette et une féminité à base de délicate évanescence !

Après la sobriété du maillot noir, les deux autres lui semblèrent grossièrement inélégants. Cette course lui procurait un plaisir inattendu. Elle décida d'en acheter deux, pour avoir toujours un change sec. Elle était impatiente de faire part de son choix au jeune homme mais, lorsqu'elle arriva à la caisse, une femme d'âge mûr occupait son poste.

Nell émergea dans le soleil du parc de stationnement avec ses deux maillots identiques pliés dans leur papier de soie et rangés dans un grand sac brillant, rayé vert et blanc, avec J'AIME BLUM'S imprimé en grandes lettres noires, en diagonale, recto et verso. Autrefois, les sacs Blum's étaient vert uni, avec la griffe Blum's discrètement présente dans un coin. On reconnaissait le vert de chez Blum's.

Mais je ne tiens pas à retomber dans les ornières « du bon vieux temps », songea Nell qui se souvenait de l'époque où ce parc de stationnement était un grand espace vert envahi par les pommiers sauvages ; les filles de son école venaient y pique-niquer au printemps. Là, ou là-bas, à l'endroit où était garée la petite Mercedes, ses amies et elle avaient étendu leur couverture avant de vider le contenu de leur panier garni des sandwiches préparés par l'école. Elle était plus heureuse aujourd'hui, malgré son veuvage, ses soixante-trois ans et le bitume brûlant sous le soleil de midi, que l'adolescente de quinze ans qu'elle était alors. A l'époque, elle vivait dans un état de désespoir quasi permanent. Elle était trop grande, trop maladroite et ses paroles visaient toujours... trop juste. Ni son allure, ni sa voix ne possédaient la musicalité qu'elle admirait chez d'autres filles.

Non, se dit Nell, « les jours anciens » ont eu leur charme, mais aussi leurs peines. Je vis maintenant les temps nouveaux, et mon dos n'a pas cessé d'être droit. Tiens, finalement, je vis ce que les filles d'alors, à l'ombre des pommiers sauvages d'antan, appelaient « les temps futurs ». Eh bien, les filles, j'ai tenu jusqu'aux temps futurs !

Que sont-elles toutes devenues ? se demanda-t-elle en prenant la route de l'hôpital pour aller voir Theodora. Pussy, Lynne-Ann, Merle, Sophie ? Dommage que je ne sois pas restée en relation avec elles. Mais il me tardait tellement de quitter cette école... Je n'avais qu'une hâte : dire au revoir à tout le monde et disparaître dans cette étrange ville de montagne où était venue mourir ma mère et où personne ne me connaissait une fois franchis les murs de l'école. Je voulais devenir infirmière et oublier. Oublier quoi ? Pourquoi ces filles m'ont-elles tant fait souffrir ? Elles étaient animées des meilleures intentions et cherchaient mon amitié plus que je ne souhaitais la leur. Je résistais. Parce que j'avais mal. Mal que Pussy ait ce père merveilleux qui travaillait au département de l'Intérieur et venait constamment la chercher pour l'emmener camper, alors que mon père n'avait même pas voulu que je revienne vivre à la maison après la mort de maman, dans son sanatorium. Mal de voir Lynne-Ann si belle et si intelligente. Et que Merle, l'adorable petite Merle plaise à tous les messieurs, depuis le jardinier de l'école âgé de quatre-vingts ans, jusqu'au grand frère de vingt-trois ans de l'une des élèves. Mal enfin que Sophie soit riche au point de faire venir son cheval d'El Paso, en wagon particulier, pour le mettre en pension à côté de l'école. Elles me trouvaient crâneuse ! Je me souviens du jour où Merle se fit câline pour mieux me reprocher : « Nell, pourquoi est-ce que tu ne nous aimes pas ? » Je les séduisais par ma froideur. Sauf qu'il ne s'agissait pas de froideur, mais de jalousie, purement et simplement. J'étais jalouse à mourir. A quoi bon cette jalousie ? Faut-il être bête pour se murer ainsi dans sa coquille ! J'aurais pu m'épargner bien du tracas si seulement j'avais accepté de partager ce qu'elles étaient prêtes à partager avec moi. Nous avions toutes nos qualités et nos défauts. Il faut de tout pour faire un monde, mais à quinze ans, c'est une chose que l'on ne comprend pas.

Je me demande combien parmi elles ont tenu le coup jusqu'aux « temps futurs » ? Lesquelles ont encore le dos bien droit, un mari vivant, et quelle sagesse peuvent-elles avoir acquise ? J'espère que toutes sont encore de ce monde. Et pas dans n'importe quel état. Pas comme cette pauvre Theodora qui interroge les murs de sa chambre d'hôpital en se demandant où elle est.

Nell rencontra Buddy Bell et sa femme qui sortaient juste de l'ascenseur de l'hôpital. Elle salua Buddy avec la chaleur excessive que peuvent se témoigner deux êtres n'ayant jamais éprouvé l'un pour l'autre que de l'indifférence, tout en se torturant la mémoire pour se souvenir du prénom de son épouse. Car elle n'avait rien contre la jeune femme. Sue ? Sally ? Jo-Anne ?... Elle avait fait partie de sa troupe d'éclaireuses et avait exactement le même âge que Lydia.

Buddy annonça avec importance que, bien qu'il n'y ait eu aucun changement notable dans l'état de sa marraine, cette dernière se maintenait relativement bien. « Papa se trouve justement à son chevet. Il prend sur son heure de déjeuner ; vous devriez le rencontrer. Nell, je vous ai déjà présenté Janet, n'est-ce pas ?

— Bien sûr, dit Nell en serrant la main de la jeune Mme Bell. Janet faisait d'ailleurs partie de ma troupe d'éclaireuses.

— Cela remonte au Déluge », répliqua Janet avec cette espèce d'autodénigrement dont les filles de son rang usaient volontiers pour se lancer dans les mondanités. Sauf que la malheureuse Janet avait poussé le bouchon un peu trop loin ; Nell vit la contrariété plisser le joli front de la jeune femme dès que les mots furent sortis de sa bouche : Mme Strickland n'allait-elle pas prendre pour elle cette allusion au Déluge ?

Nell vola à son secours : « Vous y étiez en même temps que ma seconde fille Lydia.

— Ah oui, Lydia ! s'exclama Janet avec gratitude, trop contente de quitter un terrain par trop glissant. Comment va Lydia ? J'ai toujours eu beaucoup d'admiration pour elle !

— Très bien, répondit Nell. Elle a repris ses études maintenant que ses fils sont presque grands. » Une remarque faite un jour par Lydia à propos des filles comme Janet revint à l'esprit de Nell. « Ces filles constituent le *milieu du panier*, avait déclaré Lydia avec l'assurance de celle qui ne doute pas un seul instant de faire partie du « gratin », et quoi qu'elles fassent ou tentent de faire, ce n'est jamais à elles que l'on pense en premier. »

« Et cette vieille Cate, quelle est sa dernière trouvaille ? » lança Buddy avec une familiarité que Nell jugea un peu déplacée. Le ton de la question l'invitait implicitement à le rejoindre dans la condamnation de cette vieille Cate qui avait toujours des « trouvailles » susceptibles de... susceptibles de lui faire perdre ses droits à certain héritage. A l'âge de quatorze ans, *Buddy Bell* et quelques autres garnements avaient imaginé de fêter Halloween* à leur façon. Ils tiraient les sonnettes, jetaient divers détritus sur le pas de la porte et se cachaient derrière des buissons pour observer, avec l'hilarité que l'on suppose, la réaction du propriétaire des lieux devant les sacs de papier en flammes, bourrés d'ordures... ou d'excréments. Puis Buddy Bell, avec ce sens de l'escalade expérimentale qui devait faire de lui un membre estimé des équipes de recherche sur les missiles, eut la brillante idée de laisser un pétard allumé devant une porte. Qu'allait faire le maître des lieux ? L'homme en question répondit au coup de sonnette, aperçut l'objet destructeur au sifflement menaçant qu'il voulut ramasser pour le jeter plus loin. Et il perdit tous les doigts de la main droite. Que de pleurs et de grincements de dents dans

---

* Halloween : veille de la Toussaint et fête traditionnellement célébrée par les enfants qui vont frapper aux portes pour recevoir des friandises, le tout à grand renfort de pétards et tapages divers *(NdT)*.

la famille Bell ! Lucy Bell n'apparaissait plus qu'en larmes ou au bord des larmes plusieurs semaines après l'événement. Avec la gravité d'un prédicateur, Latrobe évoqua les « énergies mal canalisées de la jeunesse ». On exhiba brièvement un Buddy repentant avant de l'expédier à Atlanta pour qu'il termine son année scolaire chez son frère aîné, marié et employé à l'Institut de Recherche scientifique (le même frère dont la conception avait définitivement altéré la vie de Theodora). Un arrangement amiable fut négocié par les soins de l'un des avocats les plus « en vue » de la ville et, un an plus tard, Buddy Bell était de retour au bercail ; il figurait même dans l'équipe de football du lycée. Tout fut comme avant ; n'étaient cinq doigts en moins sur la planète.

Le même Buddy se tenait maintenant devant elle, prospère, vieilli, le cou épais, avec cette faconde de l'enfant gâté évidente jusque dans le pli de son pantalon écossais à taille basse ; et il se permettait de faire des allusions sur Cate, comme si elle était l'énergumène de leur cénacle à qui l'on doit indulgence et protection.

« Cate vient à la maison, lança gaiement Nell. Je l'attends dans la journée de demain.

— *Vraiment ?* » Les petits yeux bleus du jovial Buddy se rétrécirent jusqu'à devenir impénétrables, mais Nell eut le temps de déceler le gouffre d'inquiétude qu'elle venait d'ouvrir sous ses pieds. « Je sais que vous êtes contente de la voir, parvint-il à articuler avec un enthousiasme forcé. A-t-elle l'intention de faire un long séjour, pour une fois ?

— Je l'espère, dit Nell en retenant la porte de l'ascenseur qui était déjà monté deux fois sans elle. Elle sera la bienvenue un jour... ou... un an. Avec Cate, on ne peut jamais savoir à l'avance ! »

Et de monter dans la cabine avec un petit signe chaleureux de la main pour abandonner Buddy à la triste vision d'une désastreuse réconciliation de dernière minute dont on ne pouvait exclure l'éventualité.

Nell frappa doucement à la porte de la chambre de Theodora. L'infirmière privée de service entrouvrit avec méfiance ; son visage s'éclaircit lorsqu'elle reconnut Nell. C'était Mme Talmadge, qui avait assisté Rachel Stigley jusqu'à la fin. Nell et elle s'étaient relayées au chevet de Rachel pour lui lire *Le parrain*. Consciente jusqu'à la dernière minute, Rachel voulait à tout prix connaître la fin de l'histoire avant de mourir.

4 « Comment va-t-elle ? murmura Nell.

— Elle est réveillée, dit Mme Talmadge. Vous pouvez entrer. M. Bell vient de lui lire les cartes qu'elle reçoit pour lui souhaiter un prompt rétablissement. »

Latrobe était assis le dos à la fenêtre dont le rebord croulait sous les fleurs. Theodora avait été redressée pour maintenir les vingt degrés fatidiques afin d'éviter une seconde hémorragie ; elle était alimentée par voie intraveineuse et reliée à un cathéter. (Nell se dit qu'elle serait furieuse de savoir que le sac de plastique rempli de son urine était visible, juste à côté de son lit.) Elle avait le visage tourné vers Latrobe qui lui lisait une carte, mais salua néanmoins d'un bref signe de tête l'arrivée de Nell. Le tableau était relativement touchant : Latrobe et ses cheveux blancs en train de lire un message de réconfort à sa vieille amie béatement étendue sur son lit.

Si, du temps qu'elle était fiancée à Latrobe, la jeune Theodora avait eu le privilège d'entrevoir par anticipation cet instant particulier de sa vie à venir, songea Nell, *elle aurait eu toutes les raisons de croire qu'ils formaient un couple de vieux mariés, et que Latrobe lui était toujours aussi dévoué et attaché. Et la vision de cette scène l'aurait comblée.*

« ... Celle-ci vient du Révérend Cato Jones et de son épouse, de chez les Baptistes Free Will*, précisait Latrobe à Theodora. Tu vois, Thea, tu as des amis de toutes races, de toutes couleurs, et de toutes croyances. Tu sais qui est le Révérend Jones ? Tu te souviens du Révérend Jones.

— ... Je... crois... oui », fit une petite voix faible et timide. Le riche timbre d'alto de Theodora était là, mais il avait perdu toute sa superbe.

« Comment ça, tu crois ? dit Latrobe dont le regard lancé à Nell et Mme Talmadge semblait dire : C'est comme ça qu'il faut la prendre. Bien sûr que tu connais le prédicateur d'Azalea. Le Révérend Cato Jones est le prédicateur d'Azalea.

— Oui, je sais. » La voix exprimait le désir de faire plaisir.

« Et maintenant, regarde qui est venu te voir. » Et Latrobe de se lever pour saluer Nell « officiellement ». « Venez par ici, ma chère et prenez ma chaise », dit-il, magnanime. Nell vit l'effort de Theodora pour tourner la tête.

---

* Secte protestante d'obédience arménienne, inspirée par le théologien flamand Arminius qui s'opposa à la thèse calviniste de la prédestination *(NdT)*.

« Non, non, mon petit, s'écria Mme Talmadge en se précipitant vers sa malade. Faites attention à cette tête. Quand vous voudrez vous tourner, je viendrai vous aider. Vous ne voulez plus regarder du côté de la fenêtre ? Je peux installer Mme Strickland de ce côté, si vous préférez.

— ... pas vers la fenêtre »... fit la petite voix implorante et enfantine.

Pendant que Mme Talmadge procédait comme il se devait pour permettre à Theodora de se tourner, Latrobe s'adressa à Nell : « Elle va beaucoup mieux, murmura-t-il, soucieux d'occuper le terrain comme l'avait fait Buddy devant l'ascenseur. Watson dit que si son état continue de s'améliorer à ce rythme, nous pourrons faire venir Damrosch, le neurochirurgien de Duke, pour une consultation. Ils pensent pouvoir faire une ligature qui neutraliserait définitivement cette saloperie. Ensuite, nous pourrons entamer le travail de rééducation. Le kinésithérapeute a déjà observé que la main gauche répondait bien. Mais nous n'avons pas encore passé le cap critique. Il convient donc d'être extrêmement prudent. »

Nell vint enfin s'asseoir auprès de Theodora. Cette dernière semblait incontestablement consciente, mais elle devait encore être plongée dans la plus grande confusion. Nell n'était pas sûre du tout que le Révérend Jones représentât qui que ce soit de précis dans son esprit. D'ailleurs, l'avait-elle vraiment reconnue, elle, Nell, ou bien savait-elle seulement qu'il était de son intérêt de faire semblant, comme l'y invitaient ces visages à la fois flous et amicaux ? Malgré le brouillard dans lequel elle se débattait, Theodora sentait bien que son salut était entre les mains de ces gens qui avaient le contrôle de ses veines, de l'angle d'inclinaison de sa tête et de la façon dont elle pouvait se tourner dans son lit.

Nell prit la main gauche de Theodora, celle qui se trouvait justement de son côté. « Comment vous sentez-vous, Theodora ? » demanda-t-elle en serrant doucement cette main entre les siennes.

Elle perçut une légère pression en réponse à la sienne. « Je me porte bien, merci », répondit Theodora avec une politesse enfantine. Celle d'une petite fille bien élevée, selon les critères d'autrefois, interpellée par un adulte. Jusqu'aux mots qui étaient désuets, d'une autre époque.

« Qui est là, à côté de toi, Thea ? questionna Latrobe pardessus l'épaule de Nell. Peux-tu me dire quelle est cette personne assise à ton chevet ?

— S'il vous plaît », dit Nell, contrariée par le jeu de devinette de Latrobe et malheureuse pour Theodora qui avait bien le droit d'émerger du brouillard à son rythme ; il fallait la laisser trouver ses propres clés pour reconstituer le puzzle de sa mémoire disloquée, au lieu de la soumettre à un examen en règle, imposé de l'extérieur. En ce moment, Theodora avait peut-être quatre ans, ou onze, auquel cas Nell, Latrobe et Mme Talmadge n'étaient que des inconnus âgés dont les mimiques de feinte sollicitude ne faisaient qu'ajouter à son trouble. « Aucune importance, dit Nell pour Latrobe, mais en cherchant le regard de Theodora. Je ne suis que... je suis personne. » En l'absence des peu discrètes lunettes cerclées de bleu, les yeux de Theodora étaient beaucoup plus doux et grands ; ils perdaient toute malice. Le choix de ces lunettes avait été une erreur. Elles éteignaient le superbe gris de l'iris et conféraient au visage une sorte de légère amertume entendue. Bizarre, s'étonna Nell, que Theodora, habituellement si soucieuse de son apparence et de son âge, porte depuis plusieurs dizaines d'années des lunettes qui la vieillissent et l'enlaidissent.

Nell sentit une nouvelle pression bien faible, de la main qu'elle tenait toujours dans la sienne. « C'est... personne », dit Theodora avec la docilité d'une bonne élève. Mais Nell aurait juré qu'un éclair d'humour triomphal avait un instant éclairé les grands yeux gris, comme si Theodora lui disait : « Bon, j'ai répondu à sa question, n'est-ce pas ? » Tout en comprenant parfaitement ce que Nell voulait dire en prétendant n'être personne.

Nos connaissances sur le fonctionnement du cerveau étaient encore tellement limitées : comment les maillons se reconstituaient... Quelles articulations étaient irrémédiablement perdues... à la suite d'une attaque. On savait décrire « le syndrome de l'attaque » ; on était capable d'établir un classement en fonction des symptômes observés ; on pouvait même localiser précisément la lésion ou l'artère obstruée (ce que Latrobe nommait « cette saloperie ») et aller y voir, sous microscope, pour couper, ligaturer et déconnecter la partie détériorée du reste du cerveau. Mais chaque attaque était différente, en ce qu'une seule personne au monde savait avec certitude ce qui se passait à l'intérieur de sa tête, quel que soit par ailleurs le niveau de lucidité qu'on pouvait lui prêter en fonction de critères objectifs.

Le rire forcé de Latrobe après le « personne » répondu par Theodora finit par se taire et Nell put rester encore quelques minutes au chevet de Theodora, sans rien dire. Les yeux de Theodora ne quittaient pas le visage de Nell, comme si elle mobilisait toute son énergie à déchiffrer les pages d'un livre dont elle ne comprenait pas vraiment le sens. Pourtant, Nell sentit une sorte de calme s'établir entre elles et elle ne put s'empêcher de penser que Theodora savait qu'elle souhaitait lui laisser toute la latitude dont elle avait besoin et cette Theodora — qu'elle ait actuellement quatre ans ou onze ans — lui faisait confiance.

Vers quels visages se tournerait ma propre confiance si je me trouvais dans sa situation ? se demanda Nell.

Néanmoins, au moment de se lever pour prendre congé, Nell ne put résister à l'envie de tenter une petite expérience pour mesurer le présent état mental de Theodora. « Bon, il faut que je file maintenant, dit-elle en observant attentivement Theodora. J'ai *Cate* qui arrive demain.

— Ah, vraiment ? » demanda Latrobe avec un peu trop d'enthousiasme.

Les paupières de Theodora se fermèrent d'un coup.

« Je crois que nous allons faire un petit somme », dit Mme Talmadge en s'approchant pour taper et lisser l'oreiller, comme il se doit en pareille circonstance.

Latrobe accompagna Nell jusqu'à sa voiture. « Quelle impression vous fait-elle ?

— Je dirais que la situation n'est pas désespérée, dit Nell. Je crois qu'elle sait qui elle est, bien qu'elle ne sache pas encore nommer les gens. Bien sûr, le risque d'une rechute ou d'une nouvelle rupture demeure et, à ce stade, personne ne peut dire exactement quelle sera l'étendue des séquelles.

— Mon Dieu, elle ne serait pas contente d'être handicapée, dit Latrobe qui redoutait encore le mécontentement de son ancienne fiancée. Vous voulez dire qu'elle restera définitivement paralysée ou quoi ?

— Latrobe, je ne me risquerais pas à faire de pronostics. Le Dr Damrosch lui-même, qui vient de Duke, n'en fera aucun. Dans des cas comme celui-ci, il faut prendre les choses au jour le jour.

— Seigneur, supplia Latrobe qui sortit un mouchoir pour éponger la sueur qui perlait sur son visage et sur son front. C'est quand même une foutue responsabilité. Elle m'a confié toutes ses affaires, vous savez. Je veux dire... euh... et puis zut, Nell... vous êtes au courant de notre histoire. Elle aurait pu être ma femme. » Il eut un rire étrange. « D'une certaine façon, c'est comme si elle l'était. Vous savez, dans les pays arabes, ils ont une pelletée de femmes. Dans le tas, il se trouve une sorte de matrone qui dirige tout. Nom de Dieu, si Thea n'a pas joué ce rôle pour moi ! Elle est la marraine de Buddy et, je viens de vous le dire, elle m'a donné procuration pour tout, comme on confie ses affaires à un mari. Je vais peut-être vous choquer, Nell, mais à vous je peux bien le dire : cela me fait quelque chose. Je le dis haut et fort. Celle qui est clouée là-haut sur son lit compte beaucoup pour moi. Et je crève à l'idée qu'une personne aussi fière que Thea soit condamnée à la dépendance des invalides. C'est une honte !

— Ne désespérez pas trop vite, dit Nell. Elle est bien capable de récupérer et de nous étonner tous. » Elle détourna les yeux pour s'intéresser à une rangée de voitures dans le parc de stationnement. Car Latrobe s'était mis à pleurer. Nell vit une petite Datsun orange portant le caducée du corps médical. Juste en dessous, un autre collant proclamait : « J'AIMERAIS MIEUX ALLER JOUER AU GOLF ». Il pousse l'humour un peu loin, songea Nell.

Latrobe se reprit. Il se moucha. « En tout cas, je peux vous dire que je tordrais volontiers le cou de cette sale petite garce. Je suis allé la trouver, d'ailleurs. Dans l'appartement qu'elles occupent dans Depot Street, elle et l'autre pique-assiette. La Rita. Je lui ai dit un certain nombre de vérités que je jugeais bon de leur faire entendre. Je crois avoir réussi à ébranler Wickie, encore que cette Rita... bref, elle est pourrie jusqu'à la moelle. Aussi perverse que le diable en personne. Elle nous a pondu deux petits bâtards, et c'est vous et moi qui allons payer pour les entretenir. C'est l'escroquerie du siècle, cette histoire. Les filles de son espèce n'ont qu'à faire une ribambelle de mômes — on est payé à la pièce — pour pouvoir passer le restant de leurs jours à se tourner les pouces. C'est du vol !

— Enfin, il faut tout de même qu'elles s'occupent des bébés, dit Nell. Et ce n'est pas exactement une sinécure. Mais je vous accorde que ce système présente effectivement quelques lacunes fâcheuses. Comment va-t-elle, Wickie Lee ? Ce qui est arrivé à Theodora a bien dû l'affecter un peu. Apparemment, elles s'entendaient bien, toutes les deux ; il s'était créé des liens entre elles.

— Je vais vous dire sur quoi elle reposait, leur entente, moi. Theodora donnait et Wickie prenait. C'était ça, leurs liens. Ensuite, Wickie a voulu faire venir son amie Rita, et c'est à ce moment-là que Thea a cessé de marcher. Cette Rita est une moins que rien. Vous n'avez jamais eu l'occasion de la voir ?

Non ? Elle a pratiquement campé dans le salon de Thea jusqu'à ce que Wickie s'en aille. Affectée ? Je suppose que Wickie l'est un peu ; elle a même joué les désolées et tout le tralala. Désolée d'avoir tué la poule aux œufs d'or, oui. Thea a offert une garde-robe complète à cette fille, elle a payé toutes les consultations chez le docteur, réglé la note d'hôpital, elle l'a installée dans sa propre chambre de jeune fille et la faisait bénéficier de son esprit distingué et cultivé. Voyez la gratitude qu'elle en a tirée ! Je suppose, à moins que Thea ne soit capable de vous le dire elle-même un jour, que nous ne saurons jamais ce qui s'est passé dimanche dernier ; a-t-elle brisé le cœur de Thea ou l'a-t-elle poussée à bout au point qu'un vaisseau a éclaté dans son cerveau ? Mais il y a une chose dont je vous colle mon billet : cette petite salope n'empochera plus un sou de Theodora Blount. Bien sûr qu'elle a feint le chagrin et tout le cinéma quand elle a appris dans quel état se trouvait Thea ; si on m'avait laissé faire, je lui aurais dit que Thea était morte. Morte et enterrée. Mais Grace Hill, qui n'a jamais été fichue de se mêler de ses affaires, m'a coiffé au poteau. Enfin je pense avoir réussi à leur faire rentrer dans la tête à toutes les deux, la petite garce mal dégrossie et sa salope de copine, que les largesses de Theodora Blount, c'était terminé. Qu'elles pillent à leur aise les caisses du gouvernement — elles ne sont pas les seules à le faire — mais elles feront bien d'y réfléchir à deux fois avant d'aller revendiquer quoi que ce soit du côté de Thea.

— Comment cela, revendiquer ? demanda Nell, intriguée par le terme utilisé.

— Bon Dieu, Nell, vous me posez la question ? Ecoutez, ma chère, je suis avocat depuis quarante-six ans — j'ai eu soixante-dix ans en mars dernier, vous le savez — et je peux vous dire que les gens attaquent en justice avec un dossier beaucoup moins fourni que celui de cette Wickie Lee — à supposer que ce soit son vrai nom, mais peu importe. Saviez-vous que le certificat de naissance de cette enfant naturelle est établi au nom de « Tiffany Blount » ? Foutu prénom à infliger à une môme, naturelle ou pas, mais Thea n'a jamais pu lui faire changer d'avis. C'est à ce moment que les choses ont commencé de se gâter, d'ailleurs. Mais que Thea ait commis la folie de laisser cette fille utiliser son nom me dépasse complètement ! Une de ses lubies... Son arrogance bien connue. Dieu sait que j'aime Theodora, mais sa foutue arrogance lui a toujours joué des tours. Vous savez ce qu'elle a fait d'autre ? Elle a persuadé cette fille d'attribuer la paternité du bébé à « Arthur Dimmesdale ». Je ne suis pas très fort en

358

littérature, mais j'ai regardé le feuilleton intitulé *La lettre écarlate* à la télé avec Lucy, et je sais qui est Arthur Dimmesdale. Thea a dû trouver cette idée très maligne. Elle s'est toujours placée au-dessus des lois. Mais c'est parce qu'elle a toujours eu des gens comme moi, ou votre défunt mari, pour lui éviter des retombées de ses extravagances. Mais nom de Dieu de nom de Dieu ! Nell — excusez-moi, je suis à bout —, Theodora a rempli le certificat de naissance de sa main. C'est son écriture, authentifiable par n'importe qui. Je suis allé au tribunal moi-même pour vérifier la photocopie. Non seulement Thea a fait enregistrer cette fille à l'hôpital comme étant sa « nièce », mais elle a falsifié un document officiel, et de sa main. Alors vous pouvez croire que je me suis surpassé pour inspirer une sainte terreur à cette fille quand je suis allé à Depot Street. Afin de protéger Thea.

— Comment vous y êtes-vous pris ? » Ils étaient arrivés à la voiture de Nell.

« Eh bien, je leur ai fait clairement savoir que si jamais nous entendions encore parler d'elle, moi, en tant que gardien de la loi et ancien député au Congrès des Etats-Unis, je mettrais en branle certains moyens de lever le voile sur ses peu ragoûtantes origines et ferais en sorte de la faire renvoyer d'où elle vient dans les délais les plus brefs.

— Et... qu'a-t-elle dit ? » Nell avait subitement moins de tendresse pour Latrobe, encore qu'elle fût persuadée qu'il se prenait sincèrement pour le Champion de la Justice.

« Elle n'a plus ouvert le bec. Elle est subitement devenue verte. De toute façon, ils ont tous le teint vert, là-haut, dans leurs trous. Entre la malnutrition et la consanguinité... D'ailleurs, je ne serais pas surpris d'apprendre que son bébé est en même temps sa demi-sœur ou un truc de ce genre. Vous vous souvenez de la chanson qui faisait fureur il y a une trentaine d'années ? *J'suis mon propre grand-père !* Non, j'ai rivé le clou. Mais Wickie Lee n'a plus articulé le moindre mot. Son porte-parole, la terrible Rita, a pris la relève. "M. Bell, a-t-elle dit de sa voix grave et diabolique, nous souhaitons être débarrassées de vous encore plus que vous ne souhaitez l'être de nous... pour autant que cela soit possible." Elle ne parle pas comme les gens de la région. Elle parle plutôt comme l'un de ces agitateurs professionnels qui viennent "prendre la température" de la région et semer le désordre. Mais nom de Dieu, elle est méchante et noire comme le péché. Elle aurait du sang indien que ça ne m'étonnerait pas. Ces Indiens qui recommencent à se révolter ! Vous avez vu dans le journal, ceux du Maine — ou un des Etats de Nouvelle-Angleterre — qui veulent récupérer toute leur terre ? »

Nell tendit la main : « Latrobe, il faut absolument que je me sauve maintenant. »

Elle le vit faire un effort de mémoire ; il avait bien failli démarrer en flèche pour l'une de ses habituelles diatribes à la rhétorique immuable : on démarre sur la Sainte Peur, pour embrayer sur l'anathème et la Terrible Colère, avant de revenir à la case départ : la Peur. « Je vous suis reconnaissant de vous être dérangée pour venir voir Thea », dit-il. Puis, pour tempérer un peu l'éventuelle présomption de cette remarque, il ajouta : « Je parle en son nom, bien évidemment, puisqu'elle ne peut le faire elle-même. Enfin, elle parle, mais pas...

— Je vous en prie, dit Nell en ouvrant sa portière. Je comprends, Latrobe. »

Il parut momentanément soulagé. « Vous attendez Cate, donc ? Est-ce un retour au bercail pour se reposer un peu, ou seulement une visite éclair ? »

Assez inexplicablement, Nell n'eut pas le cœur de mettre Latrobe à la torture comme elle l'avait fait avec Buddy. Latrobe lui faisait pitié. Pour quelle raison ? Parce que c'était un gosse de soixante-dix ans qui mourrait avant d'avoir réussi à se connaître lui-même ? Buddy se connaissait-il davantage ? A moins qu'elle n'ait épuisé son capital méchanceté de la journée. « Non, Lydia, elle et moi devons faire un petit voyage jusqu'aux Outer Banks pour voir la vieille villa de Leonard à Ocracoke. Ensuite, je crois que Cate a l'intention de passer là-bas une bonne partie de l'été.

— Ah bon ? » fit Latrobe dont le soulagement était rien moins que visible. Avait-il peur à ce point de Cate ? Ou bien redoutait-il surtout le goût de Theodora pour « les caprices arrogants », même dans l'état de semi-inconscience où elle se trouvait ? « Vous y allez toutes en voiture ?

— Oui.

— Vous avez intérêt à vous arrêter pour faire le plein chaque fois que ce sera possible. On parle de pénurie à Washington. Je ne sais pas si nous serons épargnés par la panique généralisée, mais les Etats du Nord sont déjà touchés. Alors débrouillez-vous pour avoir constamment votre réservoir plein, hein ?

— Merci, Latrobe. » Nell monta dans sa voiture et lui adressa un sourire en mettant le contact.

Elle prit la vieille route. C'était l'itinéraire préféré de Leonard et elle partageait ce point de vue, surtout depuis l'accident. Chaque fois qu'elle devait passer devant l'endroit fatidique, sur la voie express, elle revivait tout le drame qu'elle essayait de minimiser en le confrontant à toutes les circonstances aggravantes possibles et imaginables.

Il me manque terriblement, mais je suis contente qu'il n'ait pas été condamné à une vie végétative... ou avec juste ce qu'il faut de conscience pour mesurer l'étendue du désastre... ou se rendre compte qu'il était une charge, se disait Nell.

On ne savait jamais. On ne pouvait pas prévoir les voies que choisirait la Mort. Qui ne s'adonnait pas de temps à autre à des spéculations stériles sur la mort idéale : rapide et propre, pendant le sommeil. Ou bien un infarctus irréversible après avoir embrassé une dernière fois les êtres chers. Ou encore un moment de totale lucidité avant l'extinction définitive des lumières. Et tout le monde espérait bien que lui seraient épargnés les raffinements atroces que peut receler la mort. A ce niveau, Leonard avait eu de la chance : il était à peu près certain qu'il était décédé avant même que la voiture se retournât.

Mais on ne choisissait pas, quand bien même l'on possédait la richesse et l'obstination de Theodora Blount ; Theodora en personne ne pouvait laisser d'instructions écrites pour commander la mort de son choix. Pas même — Nell sourit — une note rédigée « de sa main », et parfaitement « authentifiable ». Elle avait dû beaucoup s'amuser en inscrivant « Arthur Dimmesdale » sur le registre. La petite aussi. Nell aurait parié qu'elles pouffaient de rire toutes les deux. Elle ne pouvait croire que Wickie Lee fût foncièrement mauvaise encore que, elle, Nell, ait eu certains doutes au tout début. Mais la jeune fille s'était épanouie grâce à l'attention que lui avait portée Theodora. Nell comprenait facilement qu'une jeune personne pourvue du minimum d'indépendance se rebellât un jour ou l'autre contre Theodora, mais elle ne parvenait pas à ranger Wickie Lee dans la catégorie des vulgaires « pique-assiette ». Si tel était le cas, il y subsisterait peu de raisons d'espérer en l'espèce humaine. Nell voulait croire que les bons soins prodigués par Theodora avaient modifié les manières de la petite fille abandonnée. Mais elle avait peut-être une vision romantique des choses.

Elle traversait les quartiers de la ville où ils habitaient avant de faire construire la maison de Lake Hills. La maison des Mc Cord, vide depuis plusieurs années maintenant, avait les volets tirés sur la terrasse où Taggart se vengeait sur le piano de ses frustrations, lors des retours au bercail de l'enfant prodigue qu'elle opérait périodiquement. Mme T.G. Mc Cord vivotait à la maison de retraite de l'Eglise épiscopale. On lui avait dit que Taggart avait succombé à une crise cardiaque. Un panonceau du cabinet de Dexter Everby était accroché sur la grille de devant. Ce qui rappela à Nell qu'elle devait vraiment faire un saut jusqu'à Big Sandy pour rendre visite au vieux cousin de Leonard. Dexter Everby passait son temps à raconter à Nell qu'il venait de passer dire bonjour au vieil Osgood. « Il a demandé de vos nouvelles à toutes les trois. » Ce n'était pas bien. La famille était la famille. Leonard aurait voulu qu'elle ne perdît pas de vue ce pauvre Osgood.

Nell habitait Lake Hills depuis près de trente ans et pourtant, son émerveillement demeurait intact chaque fois qu'elle découvrait le lac étouffé par les centaines de nénuphars qui fleurissaient à sa surface, de ce côté. Et puis elle montait la côte, passait les lotissements de deux ou trois hectares avec leurs maisons rampantes enfouies dans les arbres, ou leurs demeures plus conventionnelles trônant au milieu d'un parc paysager — les gens se trahissaient si facilement, jusque dans l'aspect extérieur de leur maison. Elle devait grimper presque jusqu'au sommet, où se trouvait « leur » maison : car pour elle, c'était toujours *leur* maison.

J'espère que Leonard n'a pas trop regretté la maison de ce vieux capitaine au long cours dans St. Dunstan Forest, celle que nous n'avons pas achetée, songea-t-elle, tandis qu'elle se sentait de plus en plus légère au fur et à mesure qu'elle accédait à la lumière et au soleil ; sincèrement, elle était trop humide, trop sombre et trop prétentieuse. Je suis convaincue qu'il a fini par s'attacher à cette maison. Et puis St. Dunstan Forest aurait influencé les filles. Inévitablement. Lydia n'aurait jamais pu suivre le rythme de ces demoiselles de St. Dunstan Forest qui faisaient venir leur coiffeur par avion de New York quand elles avaient une réception et partaient faire leurs études dans une institution huppée de Suisse. Nous n'avions pas les moyens, et quand bien même nous les aurions eus, j'aime mieux ne pas imaginer les conséquences qu'un tel mode de vie aurait eues sur elle. Quant à Cate, avec son esprit de contestation, tiens, elle aurait immédiatement enfourché le cheval de l'antisémitisme et, en ce moment, elle aurait la citoyenneté israélienne.

Nell sourit intérieurement à la pensée du goût de Cate pour les extrêmes. Ce qui ne l'empêcha pas de mal réprimer sa contrariété lorsque, arrivée au sommet de la côte, elle aperçut la Volkswagen rouge de Cate dans l'allée.

C'était Cate tout craché. Elle s'annonçait pour dimanche et arrivait le samedi à midi. Coucou ! tout le monde, le vent de la liberté a soufflé. Tant pis pour les éventuels projets des autres. Lydia n'avait pas totalement tort.

Nell envisagea sérieusement de passer sans s'arrêter, de tourner en faisant le détour par le golf et de redescendre jusqu'au lac où elle s'arrêterait peut-être quelques minutes, pour se calmer. Son plan initial était de consacrer le reste de la journée à se préparer à accueillir sa fille le lendemain. Certaines épreuves devenaient plus faciles lorsque l'on s'y préparait à l'avance. Mais à présent, Cate avait peut-être déjà vu la voiture ; elle se demanderait ce qui arrivait si elle passait sans s'arrêter et dépassait dans le tournant.

Quelle barbe ! se dit Nell qui se composa néanmoins un visage agréablement surpris pour venir ranger sa voiture derrière celle de Cate. Au cas où Cate la regarderait depuis... depuis l'endroit où elle se trouvait.

Où était-elle, justement ? La petite voiture était pleine comme un œuf, mais Cate ne se trouvait pas à l'intérieur. Et, se souvint Nell, elle ne saurait être à l'intérieur de la maison puisque celle-ci devait être verrouillée depuis que le système d'alarme avait été posé sur le conseil insistant de Max.

Nell fit le tour de la maison et découvrit Cate endormie sur un fauteuil en séquoia. Elle fronçait le sourcil en dormant, probablement parce que l'angle du dossier imposait à son cou une position inconfortable. Pourquoi n'avait-elle pas baissé le dossier avant de s'endormir ? Mais c'était bien Cate, encore une fois.

Elle paraissait agitée, même dans le sommeil. Et usée. Vieillie. A contempler Cate, avec son jean et sa chemise froissés, Nell éprouva un mélange de pitié et de honte qui la mit mal à l'aise. Suivit la colère. Une colère ambivalente, elle aussi. Dirigée contre cette vie qui avait réussi à priver sa fille de sa séduisante vitalité. Mais également dirigée contre Cate qui se laissait entamer à ce point par les vicissitudes de la vie. Elle avait manifestement conduit toute la nuit. Ce qui ne serait pas la première fois. Sauf qu'en l'occurrence elle n'avait aucune raison de conduire toute la nuit, si ce n'est la griserie de fonctionner à pleine vitesse. La vie de Cate ne se résumait-elle pas souvent à ces élans inutiles ? Bouger pour bouger ? Quelle avait été la part de la conviction dans ses motivations ? Et celle de l'action pour l'action — voire de la réaction systématique à l'environnement ?

Nell ressentit alors l'urgence absolue, mais impraticable, de prendre en main la vie de Cate. Elle aurait voulu réparer le gâchis — qu'il fût le fait du monde ou le sien propre ; comme elle avait jadis soigné et nettoyé le bébé qui salissait ses couches ou revenait sale du jardin. Si seulement l'on pouvait nettoyer les adultes d'un coup d'éponge et les rendre propres et nets comme le derrière d'un bébé fraîchement talqué...

Cate s'éveilla et surprit Nell au beau milieu de ses pensées. Comme si elle avait perçu le sens de ces considérations peu flatteuses à son endroit. Elle se redressa et pointa souverainement le menton en avant. « Où étais-tu passée ? » demanda-t-elle avec autant de désinvolture que si elles s'étaient quittées du matin. Ses mains montèrent au secours du chignon qui menaçait de s'écrouler. Elle replaça quelques épingles.

« Je suis allée à la galerie marchande acheter un maillot de bain, dit Nell en se penchant pour embrasser sa fille qui sentait la sueur et la fatigue. Pour être plus précise, j'en ai acheté deux ; mais si je ne grossis pas trop, ils devraient me durer le reste de mes jours. Je suis ensuite passée par l'hôpital pour voir Theodora. Elle a eu une attaque. Tu es là depuis combien de temps ? A en juger sur les apparences, tu as fait le chemin d'une seule traite.

— Oh, je suis arrivée vers onze heures. En fait, mon intention première était de quitter l'Iowa très tôt, ce matin, passer la nuit quelque part dans l'est du Kentucky, de l'autre côté des Appalaches, et arriver tranquillement, dans la journée de demain, mais j'ai craqué à six heures hier soir. J'avais tout mis dans la voiture, à part les draps dans lesquels je devais dormir et, quand le soleil a déserté cet appartement complètement vide, les fantômes ont commencé à surgir de toutes parts. Je savais que je ne pourrais jamais tenir toute la nuit, alors j'ai mis la clé dans la boîte à lettres du propriétaire et j'ai pris le volant. Et puis j'ai conduit comme ça jusqu'au bout. Est-ce que c'est grave pour tante Thea ?

— Elle est consciente. On parle de l'opérer pour neutraliser l'anévrisme central. C'est toujours bon signe quand on peut envisager une chirurgie. Elle a le côté gauche paralysé, mais cela peut s'arranger. Je pense qu'elle se rend compte de ce qui se passe, encore qu'elle ne soit pas capable de nommer et de dater correctement les gens et les choses. »

Nell se rappela la façon dont les paupières de Theodora s'étaient brutalement fermées à la simple mention du nom de

Cate. Avait-elle établi le lien entre le nom de Cate et son image, ou bien son cerveau ébranlé avait-il seulement associé cette simple syllabe avec la notion de « trouble ».

« Je suis navrée, dit Cate non sans méfiance, comme si elle s'attendait à porter le blâme du dommage subi par Theodora. Tu ne crois pas que je devrais lui rendre visite, je pense ?

— Dans l'immédiat, non, répondit Nell. Le danger d'hémorragie n'est pas encore écarté, et... »

Cate gloussa. « ... et tu as peur que je lui flanque l'hémorragie en question. Après tout, ça se pourrait bien. Mais comment s'est déclenchée cette attaque, au fait ? »

Nell s'assit sur le bras du fauteuil de Cate et raconta la série d'événements qui conduisirent à l'écroulement de Theodora devant la porte d'Azalea.

« Je t'avais dit que cette Wickie Lee était le Tiers-Monde, fit Cate. Dire que les impérialistes ne s'attendent jamais aux insurrections. Cela me laisse pantoise. Enfin, c'est dans la logique du système, non ? Quand on nourrit des gens et qu'on les instruit, on leur fournit les armes pour conquérir leur liberté. Enfin, je suis désolée pour cette pauvre tante Thea. Elle ne va pas apprécier du tout d'être paralysée. Pourquoi as-tu verrouillé toute la maison ? J'ai voulu entrer par la fenêtre du bureau de papa, comme il nous arrivait de le faire autrefois quand nous étions en retard à cause d'un amoureux, mais impossible de bouger la fenêtre.

— Il faut que je ferme les fenêtres du rez-de-chaussée à présent. A cause du nouveau système d'alarme. Max a réussi à me convaincre de faire installer un exemplaire de leur nouveau système de sécurité.

— Je reconnais bien Max. On se barricade contre tous les dangers extérieurs. Mais on ne prête pas la moindre attention à ceux qui se développent à l'intérieur. »

Nell se releva. « Et si j'allais nous préparer de quoi déjeuner ? J'ai de la soupe campagnarde et un peu de pain au levain cuit à l'ancienne, acheté chez le boulanger que tu aimais bien. Ensuite, tu devrais faire un vrai somme, dans un vrai lit.

— Je suppose que tu as raison. Il me semble aussi que je devrais commencer à décharger ma voiture. Le problème est que je ne sais pas exactement où je veux mettre les choses. Ni ce que je veux emporter avec moi, à la mer. Si seulement je n'avais pas l'esprit aussi pâteux aujourd'hui !

— Tu viens de faire dix-sept heures de route. » Nell se dirigea vers les pivoines et en cueillit trois roses et deux blanches. Elle voulait placer un grand bouquet de pivoines dans la chambre de Cate avant l'arrivée de sa fille. « Et si tu attendais de t'être reposée pour décider de ce que tu vas faire de tes affaires ! » Elle gonfla ses joues et souffla pour chasser quelques fourmis sur l'une des fleurs.

« Je voudrais bien savoir ce que je vais faire tout court, dit Cate depuis son fauteuil.

— Alors, on déjeune, tu fais la sieste et tu réfléchis à tout ça après, d'accord ? proposa Nell en s'efforçant de ne pas trahir son irritation grandissante par le ton de sa voix. Je monte faire chauffer la soupe. Tu n'as qu'à... rester là et profiter du jardin. Je t'appellerai quand tout sera prêt.

— D'accord, dit Cate, sans joie excessive. Si tu es sûre de ne pas avoir besoin d'aide.

— Pour réchauffer de la soupe ? » Nell foulait déjà l'herbe grasse pour monter à la maison. Elle décida de faire également une longue sieste après déjeuner. Elle avait besoin d'être en forme. Les exigences de Cate, son style demandaient que l'on soit en forme si l'on tenait à maintenir de bonnes relations. Pourquoi donc se laissait-elle toujours prendre au dépourvu par l'incorrigible façon que Cate avait... d'être égale à elle-même ? Elle persistait à croire que sa fille allait se tempérer, mais chaque fois qu'elles se retrouvaient, le choc était le même ; les jugements à l'emporte-pièce de Cate sur tout et tout le monde, cette manière de débarquer sans crier gare et de vous larguer ses fantômes sans plus de cérémonie. Pourtant, Nell avait réellement envie de comprendre Cate. D'une certaine façon, cette envie jamais satisfaite avait été la grande frustration de sa vie. Si elle parvenait jamais à comprendre Cate, elle serait peut-être capable de lui donner... quoi ?

Que pouvait-elle offrir à Cate, à supposer qu'elle pût lui offrir quoi que ce fût ? Que pouvait bien attendre Cate d'elle, si elle attendait quelque chose ? Quel genre de personne fallait-il être pour aider Cate ?

Le problème, conclut Nell qui poursuivit sa réflexion sur le cas de Cate depuis le calme sanctuaire qu'était la chambre des maîtres où elle était allée se reposer après le déjeuner, échappait ainsi un peu à sa propre fille ; le problème était que Cate était à peu près aussi facile à approcher qu'un hérisson.

Cette espèce d'incompatibilité vient-elle d'elle, se demanda

Nell en tirant son édredon sous son menton afin de mieux se concentrer sur le dilemme ; ou bien de moi ? ou bien sommes-nous carrément antinomiques, comme les deux pôles d'un aimant ?

En ce cas, faudrait-il en déduire que nous sommes des ennemies naturelles ? Comment cela serait-il possible ? Comment ma fille pourrait-elle être mon ennemie naturelle ? J'ai porté Cate en moi pendant neuf mois et c'est mon sang qui a permis aux cellules de son cerveau de se développer pour concevoir les idées qu'elle a maintenant.

Coincée par des questions qu'elle soulevait elle-même, Nell prit un livre qu'elle gardait toujours à son chevet et l'ouvrit à la date du jour : le 2 juin. Il s'agissait d'un agenda de la nature écrit par un grand naturaliste de la Nouvelle-Angleterre. Comme d'autres lisent des méditations religieuses, elle se plongea dans cette lecture pour retrouver le calme. L'article du jour concernait les tritons. Le savant observateur, modeste et sans prétention, qui n'essayait jamais de voir plus qu'il n'y avait à voir ni de tirer ses observations vers des applications révolutionnaires, décrivait le triton dans son antre. Puis, reconnaissant qu'il n'avait pas la patience intellectuelle nécessaire pour tenter de combler le gouffre qui le séparait de la petite créature moite dépositaire de l'amorce de son propre cerveau et de sa colonne vertébrale, le naturaliste poursuivait sa description d'une salamandre.

Nell ferma le livre avec un soupir.

Lui revint en mémoire une chaude journée d'août 1942. L'une de ces journées de canicule où l'on reste écroulé sans bouger en rêvant d'un ciel qui ressemblerait à de l'eau fraîche où l'on pourrait se régénérer. Elle était enceinte de six mois (de Lydia) et, à cette époque, les femmes en état de grossesse visible n'allaient pas s'exhiber dans les piscines. Néanmoins le père de Leonard, qui avait une voiture, devait venir les chercher pour les emmener au bord d'un lac.

Et il vint effectivement. Mais personne n'alla à ce lac. Cate, alors âgée de trois ans, se précipita vers la voiture avec son seau et sa pelle. Son grand-père, qui fumait l'un de ses gros cigares, lui ouvrit la portière du passager. « Allez, jeune fille. Montez devant à côté de votre vieux grand-père. »

Mais Cate venait de respirer une bouffée de l'air qui régnait à l'intérieur de l'automobile et s'écria : « Pouah ! Je ne monte pas dans cette voiture, elle sent mauvais.

— Et comment comptes-tu te rendre au lac, hein ? »

Le temps que Nell et Leonard arrivent jusqu'à la voiture,

M. Strickland père était manifestement mécontent, mais tout espoir de réconciliation n'était pas encore perdu.

« Elle dit qu'elle ne veut pas monter dans cette voiture qui sent mauvais, rapporta M. Strickland à son fils. Vous pourriez tout de même élever cette gamine plus correctement, non ?

— Cate, dit Leonard, excuse-toi immédiatement. Dis : "Grand-père, je te demande pardon".

— Non, répondit Cate du haut de ses trois ans.

— Tu ne veux pas demander pardon, je m'en vais sans toi, menaça le vieux M. Strickland. Maman, papa et moi allons partir, et tu resteras là toute seule.

— Ça m'est égal », dit l'enfant dont le visage trahissait une certaine peur.

Nell ramena Cate à la maison où elle tenta de la raisonner à voix basse. « Chérie, tu as fait de la peine à ton grand-père. Ce n'est pas gentil de dire à quelqu'un que sa voiture sent mauvais. Va vite lui demander pardon, gentiment, et monte dans la voiture en essayant de ne pas penser à l'odeur. Nous serons vite arrivés à ce lac où il fera très frais. Tu n'es pas contente ?

— Non. Il est méchant. Et c'est vrai que sa voiture sent mauvais !

— Cate, s'il te plaît. Il fait très chaud et nous avons tous envie d'aller au lac !

— Eh bien, allez-y », répondit l'enfant qui leur tourna fièrement le dos pour se diriger vers la porte de la maison, avec son seau et sa pelle. Ni menaces ni prières ne purent avoir raison de son entêtement.

Leonard proposa de rester pour que Nell, vu l'inconfort de son état, pût aller au lac avec son beau-père.

Nell, qui était en larmes maintenant, insista pour que Leonard partît avec son père. C'est elle qui resterait pour punir Cate.

« Bon Dieu de bon Dieu, vous allez vous décider, oui ou non ?» avait fini par crier le vieux Strickland, en découvrant ses dents jaunies par la nicotine. Il était furieux et blessé, car il avait pris Cate en affection... pour autant que son égoïsme foncier lui permît ce genre de sentiment.

La conclusion de l'affaire fut que M. Strickland était finalement parti tout seul et que Leonard avait ramené Cate à la maison où il avait baissé la culotte de son petit maillot de bain pour lui administrer une fessée, tandis qu'elle ne cessait de seriner, sans le moindre signe de repentir : « Elle sent mauvais, elle sent mauvais ! » Et la famille avait passé le reste de la journée prostrée à cause de la chaleur, à ruminer sa rancœur. « Cette enfant a une volonté incroyable », avait fait remarquer Leonard lorsque Cate se fut endormie, et l'admiration qui perçait dans sa voix avait aggravé la fureur de Nell.

Oui, elle sentait effectivement mauvais, songea Nell avec trente-sept étés de recul. Beaucoup de choses sentent mauvais. Mais les gens comptent davantage que les choses.

Le problème de Cate est qu'elle sacrifiait toujours les personnes aux idées.

Mais si tel était le problème de Cate, en quoi Leonard et elle étaient-ils à blâmer ? Car les « parents » avaient toujours tort, n'est-ce pas ?

Leonard avait eu de nobles idéaux, une soif d'honnêteté ; pourtant, il n'avait jamais écrasé personne au nom d'un quelconque idéal. L'antisémitisme qui régnait à St. Dunstan Forest, par exemple : Leonard déplorait le racisme. Il le disait clairement, sur le mode calme et posé qui était le sien. Or, il aurait accepté d'habiter ce quartier pour que ses petites filles aient le privilège de s'ébattre librement dans un vaste parc protégé par la police.

Leonard avait condamné les exécutions en Espagne et, jeune homme idéaliste fraîchement émoulu de son école de droit, il était prêt à partir là-bas risquer sa vie pour défendre les droits de gens qu'il ne connaissait pas. Pourtant, encore qu'il ait toujours été discret sur les détails, il avait écouté la voix de la raison — celle d'Osgood — et était resté chez lui.

Etait-ce la voix de la raison ou celle du compromis ? « Celle du compromis », se serait écriée Cate si l'homme ainsi présenté n'avait été son père. Ce qui était naturel. On avait presque toujours un faible pour son père. N'est-ce pas ? Pourtant, songea Nell, j'ai toujours eu une grande lucidité par rapport à mon père. Mais lui ne m'aimait pas beaucoup. Leonard adorait Cate. Je pense que, sans en être totalement conscient, Leonard avait envie que Cate soit l'idéaliste intransigeante qu'il n'avait pas eu la force d'être lui-même.

Lui sacrifiait « les gens anonymes et lointains » pour les personnes réelles, proches et connues, qu'il aimait.

Cate sacrifiait des êtres de chair et de sang pour... des gens dont elle ignorait tout. « Des gens. » Elle a sacrifié son emploi et sa marraine pour les Cambodgiens, par exemple. Et quel bénéfice en ont tiré Theodora ou les Cambodgiens en question ?

Et la pauvre Cate ?

Ma pauvre petite fille, pensa Nell, la voie que tu as choisie te condamne à n'être jamais heureuse.

Si Leonard avait su cela, il aurait certainement moins favorisé l'intransigeance de sa fille. Mais en quoi l'a-t-il encouragée dans cette voie ? Je ne peux citer aucun exemple précis. Jamais il n'a dit, en ces termes du moins : Va-t'en défendre les opprimés et oublie ton bonheur personnel. Oui, mais il admirait sa « volonté », son regard s'éclairait chaque fois qu'il disait : « Je me demande ce que Cate va inventer la prochaine fois ? »

Et ce fameux soir, après la soirée chez Theodora, pendant leur fatal trajet de retour, quand j'ai dit : « Je voudrais bien que Cate se dépêche de trouver... le bonheur », n'y avait-il pas une pointe de fierté dans sa voix lorsqu'il répondit : « Peut-être qu'elle cherche autre chose que le bonheur. »

Nell entendit les corbeaux dans le pin blanc planté par Leonard. Il y avait plusieurs petits maintenant, encore qu'elle ne puisse pas les voir pour les compter. Leurs croassements aigus et mélancoliques étaient comiques et touchants.

Crôa ! Crôa ! Crôa ! grondaient les parents, fâchés et sévères : ils prévenaient, menaçaient, châtiaient, dénonçaient tous les dangers.

Co.Crôa ! Co.Crôa ! Co.Crôa ! répondait l'imitation des petits, sur le mode aigu. Le ton y était, mais pas la sombre urgence du corbeau plein d'expérience.

J'imagine que j'ai eu ma part de torts, moi aussi, songea Nell. Leonard encourageait Cate tacitement ; moi... qu'ai-je fait ? Il est toujours plus facile de dénoncer les lacunes des autres, mais moi, quelle fut ma part de responsabilité ? Cate est née avec un tempérament volontaire et entêté. Que son père admirait secrètement. J'ai exhorté, supplié, pleuré parfois, en essayant de la corriger. (« Tu as fait de la peine à grand-père. Ce n'est pas gentil de dire à quelqu'un que sa voiture sent mauvais. Va vite lui demander pardon gentiment et monte dans la voiture en essayant de ne pas penser à l'odeur. Nous serons vite arrivés à ce lac où il fera bien frais. ») Elle m'a évidemment rangée parmi les hypocrites.

Et je lui en ai voulu. Oui, j'en ai voulu à cette petite bonne femme têtue qui nous tournait le dos en se cramponnant vertueusement à sa pelle et son seau, quitte à gâcher notre journée.

Mais elle n'avait que trois ans ! Comment peut-on en vouloir à un enfant de trois ans ?

En tout cas, je lui en ai voulu.

Nell sombra dans le sommeil en même temps qu'elle entendit Cate se faire couler un bain. Elle rêva que Cate et elle nageaient dans une eau étrange. L'horizon était celui de l'océan, mais il y avait de la boue et des racines de nénuphars qui s'enroulaient autour de ses jambes pendant qu'elle nageait. Cate était devant elle et avançait par vigoureuses brasses résolues. Dans son rêve, elle ressemblait davantage à un bébé potelé, tout en ayant son visage adulte. Enfin, elle est encore petite, se disait Nell, elle ne devrait pas aller aussi loin. Mais elle craignait de révéler la vérité à Cate parce qu'elle savait que si Cate baissait les yeux et découvrait qu'elle avait un corps de petit bébé, elle paniquerait et sombrerait.

Quand elle émergea de sa chambre, à quatre heures et demie, pleine de courbatures comme si elle s'était effectivement battue avec des éléments hostiles, Nell trouva Cate shampouinée de frais. Les cheveux séchant librement sur ses épaules, elle défaisait ses valises et rangeait ses vêtements par piles. Un parfum exotique, dû sans doute à une savonnette spéciale, émanait de sa personne et elle avait réussi, dans l'immédiat en tout cas, à reconquérir sa séduction naturelle malgré les vicissitudes de l'existence qu'elle menait.

« Tu n'as pas dû beaucoup dormir », dit Nell avec une pointe d'envie pour les facultés de récupération de la jeunesse, même si elle n'était que relative car, apparemment, la nature était plus clémente avec les trente-neuf ans qu'avec les soixante-trois.

« Non, dit Cate avec entrain. J'étais trop occupée à penser. D'ailleurs, je me demande qui pourrait dormir avec le vacarme que faisaient ces corbeaux. Nous n'avions pas de corbeaux dans le temps, si ? Tu devrais emprunter une carabine et les massacrer. »

Bien que la remarque eût été faite sur le ton de la plaisanterie, Nell accusa le coup. « Je ne sais pas, dit-elle. Je suis désolée qu'ils t'aient dérangée, mais je les ai un peu pris en affection. Ce sont des oiseaux très intéressants, en vérité. Extrêmement malins. Je me suis documentée à leur sujet. On prétend que ce sont les oiseaux les plus intelligents. Ils sont capables d'imiter des sons humains et leur instinct de conservation est tellement développé qu'il leur arrive de reconnaître un chasseur en puissance, même s'il n'a pas son fusil.

— Voilà qui me les rend déjà plus sympathiques, dit Cate qui était suffisamment fine pour percevoir qu'elle avait un peu

371

exagéré. « Ma pauvre maman. Je débarque un jour plus tôt que prévu et te gâche l'après-midi sous prétexte que j'avais le bourdon dans mon appartement vide et, en plus, je me mets à critiquer tes oiseaux supérieurement intelligents. Tu devrais me réexpédier au service après-vente des filles indignes et demander à être remboursée !

— Je n'ai aucune envie de te renvoyer, dit Nell, touchée. Qu'ai-je à faire d'un remboursement ? J'ai déjà trop d'argent pour mes besoins. Tiens, d'ailleurs, si on allait dîner dehors ce soir ? Il y a un nouveau restaurant, en principe très chic, qui vient de se monter : le Jamal's ; tout le monde m'en rebat les oreilles, mais je n'ai pas eu envie d'y aller toute seule. Accepterais-tu d'accompagner ta vieille mère ?

— Avec plaisir, dit Cate. Allons nous mettre sur notre trente et un et en route pour le Jamal's. J'ai besoin de donner un coup de fer. Tu le ranges toujours au même endroit ?

— Comme d'habitude, dit Nell. Je téléphone pour réserver une table. »

Les deux femmes, très en beauté, roulèrent dans la pénombre crépusculaire de ce début d'été. Nell portait la robe de coton gris qu'elle avait mise pour sa séance du Club Lecture et, par un heureux hasard, Cate s'était choisi un chemisier en coton indien d'un gris très doux, rebrodé de blanc. Chacune était consciente de rehausser l'élégance de l'autre, ce qui accentua davantage l'atmosphère d'aimable complicité qui s'était installée entre elles.

« Au fait, dit Cate, merci pour les pivoines dans ma chambre. C'est la première fois depuis bien longtemps que quelqu'un met des fleurs dans ma chambre. Quand je suis montée, juste après déjeuner, j'ai vu le vase argenté et j'ai voulu te remercier, mais tu avais déjà fermé ta porte.

— Je suis contente de t'avoir fait plaisir. J'aime bien tes cheveux tirés en catogan. Tu es très chic.

— Merci. Après tout, tu m'emmènes dans un restaurant chic. »

Tout se passait comme si elles avaient résolu de se faire mutuellement la cour.

Le Jamal's avait repris les locaux d'un magasin d'ameublement qui s'était installé dans la nouvelle galerie marchande. Beaucoup des bâtiments libérés dans l'ancien quartier des affaires étaient repris et rénovés par de jeunes entrepreneurs ou artisans — ou ce que Theodora persistait à appeler des « hippies ». La grande papeterie était devenue une boutique d'articles de cuir et de vitraux. L'ancien magasin de tissus où l'on pouvait acheter des soies et des tweeds merveilleux avait été transformé et vendait maintenant des produits diététiques parmi lesquels on trouvait des vitamines en cachets et des légumes biologiques. Cependant, les nouveaux propriétaires avaient souvent choisi de conserver les vitrines et enseignes d'origine, si bien que la boutique d'artisanat du verre et du cuir s'appelait toujours Papeterie Rolfe, tandis que les patrons de la boutique diététique avaient poussé la plaisanterie jusqu'à conserver la vieille enseigne peinte à la main, représentant un pouce et un index en train d'enfiler une aiguille juste au-dessus de leur commerce.

Tandis que mère et fille se soutenaient réciproquement pour ne pas perdre l'équilibre sur les talons hauts que ni l'une ni l'autre n'avaient l'habitude de porter, sauf pour les grandes occasions, Nell exprima à voix haute le malaise qu'elle éprouvait à voir la rue où elle venait faire ses courses se transformer en « avenue de la nostalgie ».

« J'ai un peu l'impression d'être tournée en dérision, dit-elle. Ou... je ne sais pas... d'être embaumée vivante. »

Et Cate de rire, relativement fort, pour marquer son approbation de la comparaison faite par Nell. Puis elle dit : « Je suis toujours mal à l'aise devant tout ce qui n'est pas authentique et veut se faire passer pour ce qu'il n'est pas. »

Elles entrèrent chez Jamal's, sous le clignotement d'un cheikh en néon. Un grand jeune homme en chemise et pantalon moulant noir, coiffé d'un turban à la mode arabe, se précipita gracieusement à leur rencontre.

« Bonsoir, dit Nell. Nous avons réservé pour deux. Strickland.

— Quel plaisir ! s'écria le jeune homme comme si Nell était une amie perdue de vue depuis longtemps. Vous avez acheté le noir que je vous avais conseillé ? »

C'était le jeune « surveillant » de Blum's, coiffé d'un turban blanc.

« Oh ! dit Nell. Vous êtes partout ! En fait, le maillot m'a tellement plu que j'en ai acheté deux. Mais vous étiez parti quand je suis ressortie de la cabine.

— Le samedi, je ne fais qu'une demi-journée parce que je travaille ici jusqu'à deux heures du matin. Je fais des économies pour me payer le voyage à New York en septembre. » Il pivota gracieusement sur lui-même pour consulter le programme des réservations, consigné dans un faux Coran. « Strickland, deux. Par ici. Si vous voulez bien me suivre. » Il écarta pour elle un rideau de perles en verroterie, et ils traversèrent une « mosquée » flamboyante, illuminée par des spots multicolores ; la mosquée en question abritait une table de hors-d'œuvre montée sur un système tournant.

La seule note occidentale était constituée par une série de portraits de stars hollywoodiennes des années quarante — un cadre au-dessus de chacune des petites tables rangées le long du mur.

« Nous vous avons placées sous Joan Crawford, dit-il. A moins que vous ne préfériez Hedy Lamarr. Si vous optez pour Hedy, je permute les cartons de réservation. Les prochains n'en sauront rien.

— Hum », fit Nell en échangeant un sourire complice avec Cate. Le récit tristement célèbre de la cruauté de Joan Crawford venait d'être publié en librairie par la fille de la défunte star. « Qu'en penses-tu, Cate ? » Et au jeune homme elle dit : « Je vous présente ma fille.

— Seigneur ! s'écria-t-il, ravi. Dans ces conditions, je ne peux pas vous mettre là. Vous n'allez tout de même pas dîner sous l'œil de Mommie Dearest. Je m'y oppose absolument.

— Je crois qu'il serait plus heureux de choisir Hedy », acquiesça Cate, jouant le jeu.

Ils rirent ensemble et il installa les deux femmes, avec une débauche de galanterie, avant de leur tendre des cartes en bristol glacé marron, sur lesquelles le petit cheikh doré leur adressait un clin d'œil avenant. « Le serveur arrive dans une minute, mais je me permets de vous conseiller de prendre plusieurs plats que vous pourrez partager. Comme entrée, par exemple, l'une de vous pourrait prendre l'Assiette Saudi qui se compose d'un assortiment de petits plats tels que l'houmos, le tajine et le babaganoush, et l'autre, disons le Bouquet de Bagdad, qui est une version orientale du cocktail de crevettes. En plat principal, je suggérerais le Kebab cairote qui peut se faire avec du poulet ou de l'agneau, et le Délice de Téhéran, une sorte de quiche végétarienne à base d'okra, de tomates-cerises, de champignons, avec trois sortes de fromages. Miam ! C'est ce que j'ai pris ce soir. En attendant, vous pouvez aller vous servir ce que vous voulez à notre table des hors-d'œuvre de la mosquée.

— Vous avez une carte des vins ? demanda Cate. A moins que nous ne soyons censées nous contenter d'orangeade ou autre breuvage du genre, comme d'authentiques Arabes ?

— Certes pas. Vous avez les vins au dos de la carte. Je pense personnellement que ces dames apprécieraient beaucoup notre pouilly-fumé. »

Après son départ, Cate s'exclama : « Vingt-quatre dollars la bouteille de pouilly-fumé. Un restaurant arabe dans le magasin de meubles de M. Madison. Sans parler de ce jeune cheikh fringant. On nous change définitivement Mountain City.

— C'est le moins que l'on puisse dire, convint Nell. Mais je t'en prie, ne te tourmente pas pour les prix. Je savais à quoi je m'exposais. Le prix de revient fait partie de l'expérience.

— L'homme avec qui je sortais dans l'Iowa avait un fils qui ressemblait à notre cheikh, dit Cate, qui continuait à explorer la carte des vins. Sauf que Jody était beaucoup plus beau. Tiens, ils ont du piesporter Goldtröpfchen. C'est ce que tante Thea a servi à la réception qu'elle a donnée en l'honneur de mon mariage avec Pringle. C'est seulement dix-huit dollars ! Seulement, façon de parler... Si nous en prenions une bouteille et que nous la buvions à son prompt rétablissement, pour lui porter chance ? Je me demande pourquoi tant de beaux mâles sont homos de nos jours ?

— Je n'en sais rien, dit Nell. Mais c'est effectivement du gâchis. D'accord pour commander le piesporter. Que s'est-il passé avec ton ami en Iowa ? »

Cate haussa les épaules. « Bôf, rien. Et tout. » Un sourire coupable éclaira fugitivement son visage. « Enfin, disons que ce tout n'aura mené à rien. Il m'a demandé de l'épouser, tu sais. » Elle redressa son menton fièrement vindicatif. « Il m'a invitée dans son château au bord du fleuve et m'a présenté son autre fils, un débile adorable — qui présente bien, pas comme certains... J'ai eu droit à une demande en mariage dans les règles, pendant un pique-nique. Si j'avais accepté, je serais en ce moment même en train de boucler mes valises pour accompagner mon mari à un congrès sur les pesticides, en Suisse. » Et Cate de se trouver un intérêt aussi vif que subit pour la serviette de table qu'elle déplia soigneusement.

« Je suppose que tu n'as même pas été tentée par sa proposition ? demanda Nell non sans une pointe d'amertume.

— Bien sûr que si, j'ai été tentée. Tiens, voilà notre serveur. »

Elles commandèrent du piesporter et les plats recommandés par leur « cheikh ». « Il a fait preuve de goût pour les maillots de bain, avait dit Nell. Autant lui faire confiance pour la gastronomie. » Elle brûlait d'en savoir plus long sur cette demande en mariage mais tenait à manœuvrer prudemment.

Elles firent un tour au plateau de hors-d'œuvre et revinrent avec des croûtons, des pois chiches et des morceaux de bacon éparpillés sur une montagne de laitue et de concombres. « Tu parles d'une mosquée, commenta Cate. Une mosquée qui offre du bacon. Sans parler du faux Coran où l'on inscrit les réservations. Si un véritable Arabe mettait les pieds ici, il en aurait une crise cardiaque.

— Il avait vraiment un château ? » demanda Nell en trempant les bouts de bacon dans la sauce afin de ne pas trahir sa curiosité.

« Oui. Avec toutes les tourelles et les créneaux de rigueur. Et une gouvernante en congé qui avait préparé suffisamment de nourriture pour soutenir un siège, le tout rangé dans des récipients hermétiques dûment étiquetés pour qu'il n'y ait pas d'erreur dans les menus. » Perdue dans ses pensées, Cate se mit à manger sa salade.

« Il t'aurait certainement demandé de rester beaucoup à la maison pour t'occuper de son fils handicapé, risqua Nell.

— Pas du tout. Il m'a dit que je pourrais aller et venir à ma guise. Roger Jernigan avait de l'admiration pour mon indépendance. Je pense que c'est la première chose qui l'a séduit en moi.

— Alors, c'est que lui ne devait pas te plaire suffisamment, lança Nell. Il est probablement assez malvenu d'épouser quelqu'un pour qui l'on n'a pas un minimum d'attirance. Je sais que moi, je n'aurais jamais pu. Encore que certaines femmes ne se privent pas de le faire chaque jour.

— Oh, ce n'est pas non plus le problème. Il me plaisait bien. Sans être un Apollon, c'était un homme chaleureux et dynamique. » Cate s'exprimait avec un enthousiasme qui laissa sa mère perplexe.

Nell dressa les sourcils avec un sourire indécis, mais elle se serait fait couper en rondelles plutôt que de poser la question fatidique : « Alors... pourquoi ? », comme elle l'avait si souvent fait par le passé.

Un certain froid s'installa entre elles. Chacune mastiquait consciencieusement sa salade. Puis Cate lança avec désinvolture : « Non, je n'aurais pas pu épouser Jernigan. Je l'aurais transformé en figure paternelle aussi sûrement que Jake avait fait de moi un ersatz de mère. Les gens ne font pas un véritable mariage quand ils cherchent la sécurité d'une figure parentale.

— Je n'avais jamais remarqué que Jake te poussait dans un rôle de mère. Je trouvais que vous aviez tous les deux l'air de... euh deux jeunes rebelles passionnés en révolte contre le monde entier. » Nell se souvint de la courtoisie médusée de Leonard et de son propre embarras quand Cate leur avait amené ce jeune homme relativement mal élevé sous des apparences flatteuses. Avec deux longues nattes. Son nouveau mari.

« Passionnés, nous l'étions. Mais rappelle-toi : il était plus jeune que moi.

— De quatre ans seulement, dit Nell.

— Quatre ans ont suffi », répliqua Cate qui s'était jadis empressée de souligner que quatre ans « n'étaient rien du tout ». « Il ne lui en a pas fallu davantage pour s'engouffrer dans la brèche qui lui a permis de pervertir notre mariage en relation mère-fils ; il a régressé au stade puéril avant de sombrer dans la folie. Tout cela était prévisible, sans que j'en sois consciente à l'époque. Non que je regrette mon mariage avec Jake. J'ai eu raison de le faire au moment où je l'ai fait ; c'est un point sur lequel je ne reviendrai jamais.

— Bien sûr, murmura Nell. Et si tu penses que M. Jernigan aurait été... un *père*... tu as bien fait de ne pas l'épouser. Peut-être finit-on par tirer les enseignements de... — elle avait failli dire « ses erreurs », ce qui aurait été une bêtise puisque Cate venait de dire elle-même qu'elle avait eu raison de le faire au moment où elle l'avait fait —... de ses propres expériences.

— Oui, acquiesça-t-elle sans joie. La décision que j'ai prise au sujet de Roger Jernigan est juste. J'aurais régressé à un état de dépendance. Il était trop bon père ; je crois même que c'était sa plus grande qualité. Il ne demandait qu'à accueillir un enfant de plus. »

Une étrange et fugitive surprise se lut sur son visage. Elle rougit. « Je parle au sens figuré, naturellement, précisa-t-elle avec une certaine agressivité.

— Bien entendu, dit Nell. Je m'en doutais. Le pauvre homme. Un fils débile et l'autre... euh » — elle ne pouvait se résoudre à utiliser l'expression « homo » qui n'appartenait pas à sa génération, ni les autres, trop déplaisantes. « Je suis certaine que le pauvre homme a eu son compte, à ce niveau. »

Avec sa netteté coutumière, Cate indiqua clairement que le chapitre Jernigan était clos pour la soirée. Nell sentit qu'elle tirait irrémédiablement le rideau sur le sujet, et se garda d'insister.

377

Après avoir bu un peu de piesporter au prompt rétablissement de Theodora, et dans le but de rétablir le contact avec Cate aux dépens de quelqu'un qu'elles détestaient l'une et l'autre, Nell fit le récit de sa conversation avec Latrobe Bell, sur le parc de stationnement de l'hôpital. « Quand tu penses, s'étonna-t-elle en conclusion, que Latrobe a été le représentant de cet Etat au Congrès des Etats-Unis.

— Ce n'est pas surprenant, dit Cate. Les politiciens sont le reflet des gens qui les élisent. » Puis elle ajouta méchammment : « Papa et toi avez voté pour lui, si je ne m'abuse. »

Après tant d'années, songea Nell, vexée. Je n'ai toujours pas appris à repérer un piège avant de sauter à pieds joints dedans. « Effectivement, répondit-elle calmement. Nous le connaissions... et... en toute sincérité, il était mieux que la vieille baderne contre qui il se présentait.

— Choisir entre la peste et le choléra », ricana Cate. Puis, voyant subitement qu'elle avait fait de la peine à sa mère, elle tenta de faire amende honorable. « Je suis désolée mais, depuis quelque temps, ce pays me désespère complètement, dit-elle. Depuis six semaines, je ne manque pas un bulletin d'informations. Je me demande pourquoi. Mon goût pour le morbide, j'imagine. Je restais rivée à mon fauteuil devant la petite télé couleurs offerte par mes logeurs — il était réparateur de télé, tu sais — et tout ce que j'entendais me donnait envie de vomir. Je pense sincèrement que nous sommes fichus, maman. L'Amérique riche, prometteuse, aventureuse et imaginative est foutue. Au début, nous avions plus d'atouts que n'importe quelle autre nation — plus de terre, plus de rêves, plus de liberté — et regarde ce que nous avons fait d'une telle abondance : nous nous empoisonnons et nous nous détruisons mutuellement avec notre science et notre technique ; nous avalons des couleuvres depuis tant de temps que si la vérité débarquait subitement, là, dans cette salle de restaurant, nous ne la reconnaîtrions même pas ; nous sommes devenus paresseux, prétentieux, intéressés et ineptes ; pas étonnant que nos avions dégringolent et tuent des centaines de gens — un mécano particulièrement feignant qui préférait lire *Playboy* au lieu de resserrer un écrou — bien beau encore s'il savait lire ! — il devait plutôt se rincer l'œil avec le poster du milieu, si tu vois ce que je veux dire. Et ceux qui fabriquent des réacteurs nucléaires et autres petites voitures de sport se soucient comme d'une guigne des gens qu'ils empoisonnent ou transforment en torches vivantes, du moment qu'ils émargent. Sans parler de la bande de cons, style Latrobe Bell, qui siègent à Washington et font joujou à "conduire le pays" comme d'autres font une partie de Monopoly. Sauf que personne ne les a prévenus que s'ils font une bêtise, ils n'auront pas de maman pour les consoler en les gavant de gâteaux avec la promesse que tout ira bien mieux demain s'ils vont dormir gentiment pour oublier tout cela. Et les voyous de luxe, comme Buddy Bell, qui fabriquent des missiles, nom de Dieu... des *missiles* : le dernier jouet de cette civilisation. Maman, crois-tu vraiment que les choses puissent continuer ainsi ? Honnêtement ? Il m'est arrivé, ce printemps, d'entendre un avion militaire passer au-dessus de ma tête alors que j'étais chez moi — tu sais, ils font un vacarme épouvantable en passant le mur du son —, je sentais ma tête exploser de rage. Un crétin a déclenché la prochaine... et dernière... guerre mondiale, me disais-je, et je ne peux rien faire. Parce que je n'ai pas la moindre miette de pouvoir. D'aussi loin que je me souvienne, j'ai le sentiment que ma vie est entre les mains de gens moins intelligents que moi... » Confuse, elle guetta la réaction de Nell d'un air penaud et se hâta de préciser : « Papa et toi êtes évidemment exclus de ce jugement.

— Merci tout de même, dit sèchement Nell.

— Toi, tu n'as jamais désespéré ? demanda Cate. Enfin, comment une personne douée d'un minimum d'intelligence peut-elle ne pas être désespérée par ce qui se passe dans le monde depuis six mois ?

— Je me suis fait une espèce de... réflexion aujourd'hui, dit Nell. A propos... euh... de la façon dont la sagesse arrive parfois trop tard ! Au niveau des nations comme à celui des individus. Je me disais que, avec la crise du pétrole, nous pourrions aisément nous passer de faire cinquante ou soixante kilomètres de voiture rien que pour faire les courses. Mais si l'on avait tenu de tels propos à nos élus locaux il y a dix ans, quand ils étaient tout feu tout flamme pour leur projet de galerie marchande, auraient-ils écouté ? Les gens n'écoutent pas... ai-je conclu... ils sont incapables d'écouter ce qu'ils ne sont pas prêts à entendre. Alors, il faut souhaiter que ce moment ne vienne pas trop tard !

— Il nous faudrait bien quelques élu-*es*, dit Cate. Franchement, maman, tu ne crois pas... entre nous... que tu ferais un meilleur travail à la tête de cette ville... ou de cet Etat... ou de ce pays, que les imbéciles à qui nous avons délégué nos pouvoirs ? »

Nell médita un mot. Le serveur apporta suffisamment de petits plats pour faire un repas complet ; et ce n'était qu'une entrée.

« Je ne sais pas, dit-elle enfin. La critique est aisée et l'art est difficile. Si tu prends mon cas, je ne pense pas avoir les qualités nécessaires. Je ne suis pas assez savante. J'ignore trop de choses sur la science ou le gouvernement ou... tiens, il existe des pays que je serais incapable de te montrer sur une carte. Je ne suis même pas certaine que je saurais encore situer géographiquement tous les Etats de ce pays sans me tromper, alors que c'est une chose que l'on nous enseignait à l'école. En clair, je ne suis pas préparée à ce genre de travail. Et puis je suis trop vieille.

— Sottises, répliqua Cate en mangeant une crevette « orientalisée » avec ses doigts. Tu ne peux pas brandir ton âge en excuse. La plupart des dirigeants d'Europe et d'Asie sont plus vieux que toi. Certains sont même des vieillards gâteux. Quant à la "préparation", la perspicacité est plus utile que les faits. Pour les faits, on peut toujours se documenter.

— Je ne suis pas certaine d'être plus perspicace qu'une autre, dit Nell. Je suis de plus en plus douée pour faire preuve de "perspicacité rétrospective", mais ce n'est pas exactement la même chose.

— Tu esquives ma question, dit Cate en rompant violemment son morceau de pita. Exactement comme papa.

— Je ne comprends pas, s'étonna Nell.

— Oh, un jour qu'il me faisait remarquer les contradictions internes d'une loi votée par le Congrès, je lui ai demandé : "Pourquoi est-ce que tu ne te présentes pas au Congrès, papa ?" Et il m'a répondu qu'il ne pensait pas pouvoir être un homme politique : "Ils doivent dire trop de mensonges et faire trop de compromis avant d'arriver à quoi que ce soit". A quoi j'ai répliqué : "Et si tu devenais le premier député honnête et intègre ?" Il m'a rétorqué qu'il ne pensait pas trouver les fonds nécessaires, ni les votes d'ailleurs, et que de toute façon il était trop vieux. Et cela remonte à plusieurs années.

Oui, songea Nell, ce genre de réaction était typique de Leonard ; mais elle ne voulut pas se désolidariser. « Eh bien, tu es encore jeune, toi, dit-elle, et sembles avoir de plus en plus de perspicacité...

— Non, l'interrompit aussitôt Cate. J'ai déjà un métier. Si du moins les universités où je travaille cessent de mettre la clé sous le paillasson. J'ai peine à croire que je viens d'essuyer deux fermetures en moins de trois ans. Dans le New Hampshire d'abord, et à Melanchton ensuite. Et chaque fois, la gestion était en cause. Mauvaise appréciation de l'évolution à moyen terme. Dans laquelle je ne porte aucune responsabilité. Non, tant que je pourrai enseigner, j'aurai le sentiment d'apporter ma contribution personnelle. Margaret Mead décrit une certaine catégorie de personnes fortement attachées à la culture dans laquelle elles ont été élevées, mais agacées par les vieilles règles et les habitudes qui la régissent. Elle prétend que chaque personne concernée devrait se constituer un groupe de quelques disciples, une sorte de « noyau » qui lui soit attaché — à lui ou à elle ; des gens enthousiasmés par ses enseignements et désireux de répandre des idées. Elle dit qu'un tel individu ne sera peut-être pas reconnu comme l'un de ceux qui font l'histoire, mais que lui et son noyau de fidèles sont les moteurs qui opèrent les petits changements au sein d'une société, un par un. Je ne demande rien d'autre que mon petit noyau de fidèles. Tu sais que, il y a environ trois semaines, j'ai reçu une lettre merveilleuse de l'une de mes anciennes étudiantes dans la boîte qui m'a foutue dehors, à New York. Une lettre de *fan* un peu — tu dois l'avoir vue, c'est toi qui me l'as fait suivre.

— C'est exact. Je me suis demandée qui tu connaissais encore à New York.

— Eh bien cette fille, Mimi Vandermark, est retournée à l'école chercher mon adresse dans leurs fichiers parce qu'elle voulait me dire qu'elle n'avait jamais oublié le jour où j'avais emmené sa classe au tunnel Lincoln. Elle disait que ce fut l'un des jours les plus marquants de sa vie, avec celui de son mariage et de la naissance de son bébé. Elle n'a que vingt et un ans mais a épousé un homme riche dont la famille dirige une fondation, et elle a eu ce petit enfant qui n'a vécu qu'un an. N'est-ce pas terrible ? Elle m'écrit qu'elle a beaucoup réfléchi sur le sens qu'avait pu avoir la vie si courte de ce bébé et que cela l'avait amenée à s'interroger sur le sens de la vie en général ; elle était ainsi remontée à cet après-midi de 1970 où je les avais toutes entassées dans des taxis pour aller faire une barrière humaine devant l'entrée du tunnel. Elle me dit — le visage de Cate prit une étrange mobilité —, elle me dit qu'elle considère comme un privilège le fait de m'avoir connue, et que je suis... Bon Dieu... la seule héroïne en chair et en os qu'elle ait jamais rencontrée ! Et tu sais ce qu'elle a écrit ensuite ? Elle dit que c'est à mon visage qu'elle pense chaque fois qu'elle a besoin de rassembler son courage... »

A ce point, Cate craqua et fondit en larmes. Elle se dépêcha de cacher son visage dans sa serviette. « Excuse-moi, bredouilla-t-elle. Je suis très fatiguée, je crois. »

Comme tous les serveurs, le leur choisit ce moment précis pour venir leur demander si tout allait bien.

« C'est absolument parfait », répondit Nell avec assurance. Il jeta un coup d'œil à Cate derrière sa serviette et battit en retraite.

Cate étouffa un sanglot avant de poser sa serviette. « Dis donc, maman, tu lui as répondu de façon absolument merveilleuse. » Des larmes roulaient encore de ses yeux. « Tu es la colle qui empêche notre civilisation de partir en morceaux. Ha ! Ha ! Ha ! » Et de prendre le fou rire. Nell la trouva légèrement hystérique.

« Je pense que tu es probablement un professeur très efficace, dit Nell. Tu vas trouver un autre poste. Est-ce que tu as commencé à chercher ? »

Cate eut besoin d'une minute pour reprendre ses esprits. « J'ai passé quelques coups de téléphone, mais je n'ai guère eu le temps d'en faire davantage. Nous n'avons rien su jusqu'au tout dernier moment. C'est encore une autre histoire : Roger Jernigan ne finançait l'établissement que jusqu'à ce que son fils passe ses examens... mais je ne veux pas repartir sur ce sujet. J'ai appelé plusieurs relations de l'époque où je passais mes diplômes. L'un d'eux venait juste de se retrouver sur le pavé, comme moi. J'ai eu quelques vagues tuyaux. Quelques rumeurs à propos d'un remplacement d'un an au Gila Monster Community College dans le désert d'Arizona, et un "ce-n'est-pas-sûr-alors-ne-dites-pas-que-je-vous-en-ai-parlé" à propos d'une création de poste à l'Underground Coal Mine College de Depression, en Virginie occidentale. J'exagère un peu, mais la réalité n'est guère plus reluisante. J'ai l'intention d'écrire toute une série de lettres cet été, quand je serai à la villa. Qui sait ? Peut-être que le Skylab va me tomber sur la tête, ce qui résoudra tous les problèmes. Il faut bien qu'il tombe quelque part. Peut-être que ce sera au beau milieu d'Ocracoke avec un superbe cratère en cadeau. Après tout ce serait assez logique. Papa me disait souvent qu'en vérité, l'histoire de l'Amérique avait commencé à l'endroit où se trouvait maintenant Ocracoke, le jour où, regardant au-delà des Outer Banks depuis l'Atlantique, Verrazano prit le détroit de Pamlico pour l'océan Pacifique et rentra en Europe en racontant aux cartographes que l'Amérique était un minuscule détroit, correspondant à la Caroline du Nord ; et les Européens ont accepté cette version pendant quelque cent cinquante années. Ne serait-il pas savoureux qu'avec le même orgueil démesuré, notre morceau de vaisseau

382

spatial balaye de la carte l'origine de l'histoire américaine ?
Erreur de calcul du début à la fin. Le Rêve américain qui se
mord la queue. »

Nell décida de rentrer par la voie express. Elle se sentait bal-
lonnée d'avoir mangé trop riche, trop épicé, et le vin lui donnait
la migraine ; elle n'avait pas l'habitude de boire de l'alcool. Sagement assise sur le siège passager, Cate qui venait de vivre en une
seule soirée plus de sautes d'humeur que Nell n'en connaissait en
une semaine, contemplait les étoiles de ce ciel estival en fredon-
nant. Son appétit ne s'était pas démenti de tout le repas et elle
avait aidé Nell à finir son Kebab cairote. Cate jouissait de surprenantes facultés de récupération, au physique comme au mental,
songea Nell. A moins qu'il ne s'agisse seulement d'une apparente
souplesse, masquant en fait une dangereuse instabilité... Cate
faisait-elle la démonstration d'un esprit sain et ouvert, en pleine
évolution, ou bien envoyait-elle les signaux de détresse d'une personnalité aux abois prête à lâcher les pédales ?
Malgré son état de total épuisement, Nell résolut de faire
encore une tentative pour essayer de résoudre l'énigme que constituait pour elle sa fille aînée. Choisissant aussi précisément que
le lui permettait sa mémoire l'endroit où elle avait eu cet ultime
entretien avec Leonard au sujet de Cate — une façon de l'appeler
à sa rescousse —, elle s'efforça de trouver la juste mesure entre
un humour de bon aloi et une curiosité pleine d'affection pour
demander à sa fille : « Et si ce Skylab ne te tombe pas sur la tête,
et que nous ne sautions finalement pas dans les quelques années à
venir, quelle vie aimerais-tu mener ? »
Elle commença par n'être pas sûre que Cate avait entendu la
question, car un kilomètre passa sans que vînt de réponse. Ou
bien, si elle avait entendu, quelque chose dans le ton ou la formulation lui avait déplu et elle avait choisi de ne pas répondre.
Un second kilomètre passa. Elles n'allaient pas tarder à passer
maintenant devant l'endroit que Nell ne parviendrait jamais à
chasser de sa mémoire.
« J'ai envie de comprendre, dit Cate au moment précis où Nell
avait renoncé à sa tentative, inopportune ou peut-être pré-
somptueuse. J'ai envie d'être libre, de continuer à explorer ce
monde fascinant, exaspérant et fou où je suis née. Je ne tiens
pas spécialement à crever de faim, ni à croupir dans des lieux
hideux, j'aimerais aussi compter quelques amitiés et, si je peux
continuer à enseigner à l'université, peut-être pourrais-je former

383

un "noyau" au sens où l'entend Margaret Mead. Je ne leur demanderais même pas d'être mes disciples, mais simplement des êtres engagés, parce que je ne veux pas devenir dingue dans ma solitude. J'ai beaucoup réfléchi au problème, ces dernières semaines, et je suis arrivée à cette conclusion que je pouvais me passer de certains luxes. Ce que je considère aujourd'hui comme des luxes, précisa-t-elle avec un bref accès de rire, grave et discret, mais que je considérais jadis comme des droits légitimes.

— Quoi, par exemple ? demanda doucement Nell.

— Bôf, j'ai décidé que je pouvais supporter de demeurer dans l'ombre. Que j'étais capable d'assumer la solitude. Et même de vieillir seule, sans "admirateur béat", sans homme pour m'aimer, sans enfants "en qui investir mes rêves déçus". » Ces derniers propos étaient teintés d'ironie.

« Voilà un programme fort courageux, dit Nell, la gorge nouée par une espèce d'insurmontable chagrin.

— J'ignore ce qui est courageux », dit Cate, embrayant sur son habituelle rengaine désabusée. (Elle était la fille de Leonard côté rengaine et celle de Nell pour la dérision.) « Je sais seulement que c'est possible... rien de plus. Je crois pouvoir faire l'impasse sur les petits luxes, pourvu que j'aie la liberté de pensée et d'action, que je puisse me pencher sur la réalité telle qu'elle est, voire d'énoncer au passage un certain nombre de vérités sans me faire arrêter ou boucler dans un asile. Si j'ai la possibilité de mener cette vie quelques années encore, je crois que j'aurai atteint mon but dans la vie. J'aimerais également conserver une bonne santé, si possible.

— C'est un désir bien légitime », convint Nell.

Elles passèrent devant l'endroit où Leonard avait quitté la route. *Ma vie aurait pu s'achever ce soir-là, moi aussi*, songea Nell. Cate regardait fixement par sa fenêtre, mais Nell n'aurait su dire si l'objet de leurs pensées était le même. Les étoiles étaient très claires et proches cette nuit, comme elles l'étaient en cette nuit du 16 décembre. Nell reconnut la Grande Ourse. Leonard lui avait montré comment il retrouvait son étoile à partir de cette constellation, mais le moment était mal venu pour s'y essayer ; elle n'avait pas envie de faire une embardée avec Cate.

Le trajet s'acheva en silence, Nell méditant les propos de Cate (étaient-ce les paroles d'une « héroïne en chair et en os », ou celles d'une femme déjà-plus-toute-jeune et pleine d'amertume, pour qui le Rêve américain ne s'était pas matérialisé ?) et Cate... Nell ne savait rien de ses pensées.

Lundi après-midi, mue par l'urgence d'un ultime scrupule, Nell se rendit à l'hôpital pour revoir Theodora, au cas où les choses prendraient un tour définitif pendant qu'elle serait avec ses filles à Ocracoke. Profitant de ce moment de solitude dans la maison, Cate se trouvait dans le bureau de son père. A part le courrier resté sur sa table de travail et auquel il avait fallu répondre, tout avait été laissé exactement en l'état.

Au cours des dernières semaines de son séjour en Iowa, Cate avait vécu dans un état d'agitation et d'hyperémotivité qui lui avait valu de nombreux rêves. Le plus marquant concernait son père. Il n'avait guère duré plus d'une minute, même en durée subconsciente, mais l'image gardait l'acuité d'une séquence de film particulièrement mémorable : bon père, les lunettes descendues sur la pointe du nez comme cela se produisait quand il venait de lire, il se tenait à la porte de son bureau où il la pria d'entrer ; le temps qu'elle obtempère, il avait déjà tourné le dos et se penchait au-dessus de sa table pour attraper un livre sur l'étagère où il rangeait ses volumes préférés. La vision de son rêve était tellement précise qu'elle discernait, dans la soie de sa veste, les plis provoqués par la conjonction de la température et de la pression contre le dossier de la chaise. Il s'agissait de la vieille veste à carreaux, sa préférée. Dans le rêve, elle savait qu'il voulait lui montrer quelque chose qui se trouvait dans l'un de ces livres. Il chercha ; elle attendit la révélation ; et ce fut la fin du rêve.

A présent, elle se trouvait dans la pénombre du véritable bureau et s'efforçait de vivre la suite de ce rêve. Il y avait une rangée de livres dont chaque volume contenait au moins une demi-douzaine de signets blancs qui se dressaient comme autant de voilures encalminées. Au-dessus de l'étagère étaient accrochées deux de ses peintures d'Ocracoke, exécutées depuis la terrasse de la maison où elle avait l'intention de passer l'été, à méditer sur sa vie et concocter un plan d'action pour l'avenir. Elle anticipait déjà sur la semaine suivante, quand sa mère et Lydia auraient quitté l'île. Cate gardait une foi inébranlable en ses facultés de régénération. Elle allait programmer ses années de quadragénaire, des années où elle célébrerait seule son anniversaire, en buvant du vin, en invoquant les dieux, et en appelant les fantômes à la rescousse pour faire bon accueil, à l'heure mystique du crépuscule qui la vit naître, à tout ce que lui réservait encore le destin.

L'idée lui était venue que, dans la solitude de cette maison et pourvu qu'elle garde la disponibilité d'esprit qui convenait, elle trouverait peut-être seule le passage que son père voulait lui faire lire, dans son rêve. Elle croyait à ces messages qui arrivaient, dissimulés au milieu d'un fatras de coïncidences : à elle de savoir les reconnaître et les déchiffrer ; elle aimait le défi à ses facultés intellectuelles, la chasse aux clés qui donnent accès à la signification. Si un roman de D. H. Lawrence, pris « accidentellement » sur la mauvaise étagère, en Islande, avait pu la conduire à un mari, plus une thèse de doctorat dans le Nouveau-Mexique, pourquoi ne pas envisager que le texte de son père — si elle le retrouvait — lui indiquerait la vie qu'elle était censée emprunter maintenant ?

Elle se pencha sur la table de travail, en s'efforçant de se mettre dans la peau de son père, à l'intérieur de la veste à carreaux au dos trempé de sueur. Elle était Leonard Strickland, occupé à chercher le livre qui sauverait sa fille...

Le dos s'endolorit. La maison elle-même était calme comme le sont les maisons dans les rêves. Le soleil de l'après-midi qui filtrait par les jalousies inondait la pièce d'une douce lumière d'or passé. Montaigne ? Emerson ? Cicéron ? Orwell ? Pourquoi son père possédait-il trois éditions différentes d'*Hommage à la Catalogne* ? Sans doute ne pouvait-il oublier qu'il avait failli combattre en Espagne aux côtés d'Orwell en 1936... Mais s'il était parti, que serait-il advenu d'elle ? Rien ? Serait-elle restée dans les « limbes » où les nonnes prétendaient qu'allaient les bébés non baptisés ?

Fil de pensées bien malencontreux... Dans l'imagination de Cate, s'imposa soudain une scène d'un futur qui n'avait désormais plus de chance de se produire : seul dans une pièce que baignait la lumière de l'après-midi, un jeune homme que n'effleure aucun doute sur son existence rêve à ce qu'aurait été l'univers sans lui, si sa mère avait finalement décidé de ne pas l'avoir.

Saisissant la première indication plutôt que la clé véritable, Cate choisit l'Emerson sur l'étagère de son père. Sans bien savoir pourquoi, elle liait Emerson à la notion de bon sens. (« C'était une fille ou un garçon ? avait-elle demandé, les jambes en l'air, dans la clinique de Chicago. — Vous tenez vraiment à le savoir ? » La réponse du docteur était arrivée après un intermède de silence pendant lequel Cate entendait encore les échos de cet horrible bruit de succion qui avait transféré la parcelle de vie de son ventre à une grande poubelle d'aluminium. « Oui et non, avait bredouillé Cate prise entre le remords et son besoin de tout savoir. — Alors décidez-vous », dit le docteur dont le ton n'était plus aussi rassurant que lorsqu'il l'avait invitée à s'allonger sur la table. Et Cate s'était décidée. « Un garçon », avait fini par répondre, à regret, le docteur. Le regret était-il dû au fait qu'un être humain de son sexe était perdu pour le monde ? Ou bien était-ce la mauvaise humeur d'avoir été obligé de fouiller un moment dans les débris sanguinolents de la poubelle plastifiée avant de pouvoir satisfaire la curiosité de sa patiente ?)

Cate feuilleta le volume d'Emerson pour s'arrêter aux pages marquées par un signet. Mais le cœur n'y était plus. Dans la marge, des lignes verticales tracées au crayon attestaient l'approbation de son père à la lecture de nombreux passages. Trop nombreux presque. Mais doucement : il avait un système discriminatoire. Certains paragraphes méritaient deux traits verticaux dans la marge. Cate lut un de ces derniers, dans l'essai sur les « Illusions ».

Certains jours, les faits capitaux de la vie humaine demeurent cachés à nos yeux. Puis, en se levant, le rideau de brume nous les révèle soudainement et nous songeons alors à cette perte de temps dont nous aurions pu faire l'économie, si seulement nous avions eu le moindre soupçon de l'existence de telles choses. Une côte en cours de route nous dévoile subitement le massif montagneux avec tous ses sommets qui étaient physiquement proches à longueur d'année, mais bien loin de notre esprit...

Ses yeux se repurent de cette prose solennelle dont les images parlaient immédiatement à l'esprit. Pourquoi n'avait-elle jamais lu Emerson auparavant ? Parce qu'il était abolitionniste, sans doute, et que, en bons Sudistes, ses professeurs ne l'inscrivaient généralement pas au programme. A l'université, elle s'était spécialisée dans la littérature anglaise, ce qui lui avait encore permis de l'éviter. Une Américaine « cultivée » n'ayant jamais lu Emerson !

Si jamais elle retrouvait un emploi de professeur, elle ferait étudier Emerson par sa classe, ce qui l'obligerait à lire intégralement son œuvre.

Mais ces alternances ne s'opèrent pas sans ordre et nous sommes impliqués dans nos fortunes diverses. Si la vie ressemble à une suite de rêves, la justice poétique ne s'en exerce pas moins aussi dans les rêves. Les hommes de bien ont des visions à leur image...

Oui, son père aurait aimé ce passage. Il justifiait les visionnaires en chambre. De quels « faits capitaux de la vie humaine » avait-il eu, lui, la révélation quand le rideau de son bureau s'était levé ? Mais pouvait-elle être sûre qu'il s'était jamais levé ?

Son père, à un moment donné, s'était-il posé des questions sur le visionnaire en chambre ? Ou bien ce passage marqué d'un trait vertical témoignait-il seulement de son autosatisfaction ? (« Les hommes de bien ont des visions à leur image... ») Son père s'était-il contenté d'avoir des visions d'homme de bien ?

Dans ce cas, d'où lui venait cette certitude d'avoir besoin de son enseignement ?

Elle se débattait avec la culpabilité que suscitaient en elle ces pensées dissidentes dans le bureau même de son père, lorsque le bruit clair et net d'un moteur de voiture en train de se garer dans l'allée vint l'arracher à ce pénible dilemme.

Aucune erreur n'était possible : il devait s'agir de la Volvo de Lydia. Cate rangea Emerson à sa place et quitta la pénombre surréaliste du havre de son défunt père. Elle sortit dans la clarté éblouissante du soleil qui lui fit cligner les yeux. Et elle était sincèrement curieuse de découvrir ce que Lydia était devenue avec sa liberté fraîchement acquise.

Debout sur la pointe des pieds, Lydia lui tournait le dos, occupée à refermer le toit ouvrant de sa voiture. Elle portait un short kaki de coupe stricte et impeccable, avec un débardeur blanc et ses sandales du Dr Scholl. Le soleil avait rosi ses épaules et ses bras. Lydia avait toujours possédé l'art de faire deux choses à la fois, en l'occurrence, améliorer son bronzage et conduire sa voiture. Elle se retourna en entendant claquer la porte de la maison et vit Cate, pâle et les yeux cernés, qui s'avançait vers elle, avec cette façon systématique qu'elle avait de basculer le bassin en avant.

« Salut ! » dit Cate en redressant le menton. Tandis qu'elle se rapprochait, un petit sourire de supériorité éclaira le visage que Lydia avait d'abord jugé hagard, et les choses retrouvèrent instantanément leur ordre habituel. Alors qu'elle était dans une forme resplendissante, que tout lui réussissait et qu'elle était parfaitement contente d'elle-même, Lydia se sentit jugée, voire prise en défaut, comme toutes les autres fois que les deux sœurs s'étaient retrouvées après un certain temps de séparation.

J'ai trente-six ans, songea Lydia. Je suis mère de deux grands garçons. Je me suis admirablement sortie d'un printemps difficile et éprouvant. J'ai obtenu des mentions très bien à tous mes cours (malgré la mention bien-plus que Renee a cru devoir m'attribuer pour ce fameux devoir sur Eros qui, je l'admets, aurait pu être traité avec plus de rigueur) et je vais passer à la télévision. J'ai quitté le lit de mon amant il y a moins de quatre heures et je me sentais totalement comblée sur tous les plans jusqu'à ce que j'arrive dans cette allée et que la vue de sa voiture commence à me donner des battements de cœur. Pourquoi ? Il serait temps que j'analyse ce genre de réaction. Si j'y parvenais, je serais peut-être capable de les dépasser.

« Salut ! dit Lydia en grimpant les dernières marches pour embrasser sa sœur. Quelles nouvelles ?

— Attends que je réfléchisse. » Cate leva les yeux au ciel, apparemment amusée. « Je suis au chômage, et pratiquement fauchée pour commencer. Ensuite, tante Thea a eu une attaque — mais tu dois être déjà au courant. Et le pays court gaiement à la catastrophe, encore que certains diront que ce n'est pas vraiment une nouvelle. Viens, je vais t'aider à décharger ta voiture.

— Il n'y a que ce sac de voyage. Tout le reste peut rester dedans. Ce sont mes affaires de plage.

— Chapeau pour l'organisation », dit Cate, un peu trop gaiement. Une simple intonation lui suffisait à changer la face des choses et faire de la perte de son emploi une sorte de succès, tandis que les talents de parfaite organisatrice de Lydia semblaient presque ridicules. Fulminante, Lydia passa la bandoulière de son petit fourre-tout sur son épaule et passa devant Cate, en se jurant intérieurement de ne plus prononcer une seule parole tant que Cate n'aurait pas fait le premier pas.

Ce qui se produisit avant même qu'elle n'ait atteint la porte d'entrée. Cate, qui était parfaitement capable de se montrer attentionnée envers des gens qu'elle venait de mettre dans tous leurs états, lança triomphalement : « Maman a fait un saut jusqu'à l'hôpital pour rendre visite à cette pauvre tante Thea. C'est moi qui joue les maîtresses de maison, aujourd'hui. Tu te souviens comment tu m'as sauvé la vie avec un merveilleux bourbon, en décembre dernier, après mon périple harassant en autocar ? Que dirais-tu d'un julep menthe ? Je file au jardin cueillir un peu de menthe fraîche pendant que tu te rafraîchis. Encore que, je dois le reconnaître, tu as l'air de sortir de ta douche ! »

Lydia dut admettre qu'elle rêvait d'un julep menthe malgré la résolution qu'elle avait prise de s'en tenir à de légers sodas au vin blanc pendant ces vacances. Elle était au régime. Calvin lui avait dit qu'elle était un tout petit peu ronde pour la télévision.

« Parfaite dans la vie, mais la caméra donne cinq kilos de mieux », avait-il dit, pour reprendre sa formulation pleine de délicatesse. En montant l'escalier qui menait à sa chambre de jeune fille, pendant que Cate disparaissait dans le jardin pour cueillir de la menthe, Lydia fut prise d'un soudain vague à l'âme. Le réconfort de ses nouveaux amis lui manquait cruellement. D'une certaine façon, elle se sentait plus proche de Renee que de sa propre sœur.

Cate ne s'était cependant pas trompée à propos de la douche. Elle s'était douchée avec Stanley, chez lui. Et quelle douche ! Puis il était monté dans sa voiture pour regagner son cabinet après la « pause-déjeuner » et elle avait pris le volant et la I 40 en direction de l'Ouest pour aller chez sa mère. Stanley aussi lui manquait déjà, bien qu'elle ne soit toujours pas capable de prendre de décision à son sujet.

Stimulée malgré elle par l'élégance avec laquelle Lydia s'acquittait des menues besognes du quotidien, Cate décida de faire les juleps dans les règles de l'art. Elle ramassa un gros bouquet de menthe. Puis, les feuilles veloutées et aromatiques pressées contre son visage, dans un geste de solitaire extase, elle se dirigea vers la cuisine maternelle d'un pas résolu. Arrivée sur le terrain des opérations, elle passa la menthe sous le robinet avant de la mettre dans un grand pichet d'eau fraîche, le temps d'aller chercher, dans l'écrin d'acajou garni de velours que son père rangeait soigneusement dans le troisième tiroir de la desserte de la salle à manger, deux des coupes à julep en argent. Elle les rinça rapidement sans les essuyer pour accélérer la formation de givre, et les plaça dans le compartiment à glace du réfrigérateur. Le bourbon à présent — apparemment, c'était toujours la même bouteille qu'à Noël — et deux sacs à glaçons — ce qui devrait faire suffisamment de glace, même finement pilée. Cate écrasa la glace. Elle entendait les pas de Lydia, entre la chambre et la salle de bains, au premier étage. Lydia avait belle allure. Ce qui n'était pas une nouveauté, mais elle avait maintenant une sorte d'aura en plus de sa sveltesse habituelle. Nell avait dit à Cate que Lydia devait participer régulièrement à une émission de télévision sur la cuisine, avec une vieille dame qui faisait entrer le spectateur dans des maisons particulièrement intéressantes ; la première prestation de Lydia avait été le fruit du hasard, et la société avait reçu des lettres et des coups de téléphone du public pour lui dire sa satisfaction.

Elle devait être contente d'elle, songea Cate en fouillant le tiroir où était censé se trouver le pilon en bois de leur père ; où était passé ce foutu truc ? Jamais un Sudiste digne de ce nom ne ferait un julep sans se servir d'un pilon. Elle eut un bref instant de panique, car elle avait plus ou moins mis son point d'honneur à ce que les juleps soient prêts, ou presque, quand Lydia redescendrait. Il faut que je pense à la féliciter pour l'émission de télé, se dit Cate. Bon Dieu, papa, où est ton pilon de malheur ? Puis, par une brusque illumination, elle se rappela l'avoir aperçu, incidemment, dans le tiroir de la desserte ; leur mère avait dû le ranger là-bas pour éviter de tomber dessus chaque fois qu'elle ouvrait le tiroir de la cuisine. Car ce petit ustensile, joliment tourné en bois de noyer et ressemblant à une matraque de flic miniature, avait été l'un des objets auxquels leur père tenait le plus.

Suis-je jalouse des nouveaux succès remportés par Lydia ? se demanda Cate en même temps qu'elle sortait le sucre. Puis, après avoir enfilé un gant de cuisine pour ne pas faire de traces sur les coupes givrées, elle écrasa au pilon quatre feuilles de menthe dans deux cuillerées de sucre au fond de chacune d'elles. Ce serait tout de même un événement si, après toutes ces années d'hibernation, Lydia sortait de sa coquille et se taillait un immense succès ? La petite sœur accédant aux sommets au moment où la grande sœur faisait le rude apprentissage de l'inexorable déclin.

Lydia entra dans la cuisine juste à temps pour surprendre un sourire énigmatique sur les lèvres de Cate tandis qu'elle versait généreusement le bourbon dans les deux tasses d'argent givrées emplies à ras bord de glace pilée.

« Tiens, les coupes à julep de papa, dit Lydia, ravie. Mais quelle est la raison de ce mystérieux sourire ?

— Oh, fit Cate d'un air provocateur, tout en plantant un joli brin de menthe dans chaque tasse, j'étais plongée dans une espèce de méditation hégélienne sur l'évolution opposée que l'on observe dans la vie de certaines personnes.

— Quelles personnes ? » demanda Lydia avec désinvolture en baissant les yeux sur le julep qu'elle venait d'accepter. Depuis sa dernière conversation avec Cate, elle avait amassé une quantité de connaissances considérable sur le culte d'Eros ; elle avait étudié la pensée de Marx, celle de Descartes et celle de William James ; mais elle n'était pas arrivée jusqu'à Hegel. Le fossé qui les séparait ne serait-il donc jamais comblé ?

Puis Cate la stupéfia en répondant : « Toi et moi. Je me disais que tu t'épanouissais au fur et à mesure que je me desséchais.

— Sottises ! » s'exclama Lydia qui rougit doublement dans la mesure où elle s'était fait sensiblement la même réflexion au cours des dernières semaines. Mais elle était gênée d'entendre la chose formulée aussi brutalement par Cate et crut de son devoir de tempérer l'ardeur dénigratrice de sa sœur. « Ce n'est pas ta faute si l'établissement où tu travailles a fait faillite et fermé ses portes. » Elle se rendit compte qu'elle reprenait l'argument que lui avait opposé sa mère la semaine précédente alors qu'elle critiquait l'imprévoyance de Cate.

« Ce n'est pas à cela que je pensais, dit Cate en levant son gobelet d'argent. A ta santé ! Je crois que nous devrions lever cette coupe au souvenir de papa. Ce sont probablement les premiers juleps préparés sous son toit par une autre personne que lui. Est-ce qu'ils sont bons ? Honnêtement.

— A papa. » Lydia avala une gorgée. « Divins. Je suis déjà ivre. » Et elle s'écroula avec sensualité sur la chaise la plus proche.

Cate s'installa de l'autre côté de la table de cuisine. Cette même table que Lydia et elle avaient jadis copieusement salie quand elles apprenaient à manger seules. Elle goûta, se lécha les lèvres. « Hum ! Pas mauvais, si je peux me permettre. Trêve de plaisanterie, ma belle, tu es vraiment superbe. Mais d'où te vient cet éclat supplémentaire ? On dirait... je ne sais pas moi... tu irradies l'amour comblé. Si, je sais. Tu as un amant. »

Prise par surprise, Lydia esquissa une moue coupable.

« Ha ha ! Je ne me suis pas trompée, hein ? »

Lydia baissa modestement la tête en guise de réponse. Elle concoctait une description flatteuse de Stanley, au cas où elle aurait à fournir quelques précisions. Mais Cate revint au précédent sujet.

« Ce que je voulais dire tout à l'heure, en fait, c'est que ton étoile semble être sur une courbe ascendante au moment où la mienne disparaît, à l'aube d'un jour qui ne sera pas le mien. Allez, Cate. Assez de métaphores pour au moins une semaine ! Les étoiles, les sommets, le zénith, la coquille... Je dois être victime du syndrome de la quarantaine. J'aurai quarante ans ce mois-ci, tu sais. Nous autres, professeurs de lettres, avons la manie d'enrober les choses dans un vocabulaire sophistiqué. » La voix de Cate trahissait soudain une gaieté de commande. Elle avala ce qui restait de liquide dans sa coupe et suça la glace pilée.

Jamais elle n'a parlé de sommets, ni de coquille, songea

Lydia. Deviendrait-elle un peu excentrique en vieillissant ? Ou bien était-elle un peu folle, tout simplement ? Mais la perplexité de Lydia fit bientôt place à une impression de *déjà vu**. Combien de fois déjà, en retrouvant Cate après une assez longue séparation, était-elle passée, elle, Lydia, par cette succession de sentiments ? L'espèce de passion qui animait constamment Cate lui donnait le tournis, comme disait leur père. Elle s'énervait, perdait les pédales, projetait sa propre confusion sur Cate en la taxant de « folie ». Etait-ce ainsi ? Lydia fut parcourue d'un léger frisson de bonheur en se rendant compte que, d'une part, pour la première fois elle commençait à analyser la situation et, d'autre part, elle se sentait suffisamment forte pour endosser une part de responsabilité afin de ne pas accabler Cate. En plus, elle se rappelait subitement le dernier baiser de Stanley, sous la douche : c'était bien vrai, l'amour lui donnait un joli sourire radieux. Et pour couronner le tout, elle se rendit compte, sans déplaisir, que sa force grandirait avec les années et qu'il lui incomberait de plus en plus de protéger sa sœur.

« Et quel est le rapport avec Hegel ? » Lydia se sentait de taille à admettre son ignorance et à poser la question. Elle se demanda si elle avait encore le temps de s'éclipser pour aller acheter un cadeau d'anniversaire pour Cate.

« Oh, que les choses évoluent dans un sens pendant un certain temps, puis dans le sens opposé, et que de ce double mouvement naît une synthèse bénéfique à la conscience mondiale, encore que je me pose des questions sur notre sort à nous en tant que consciences individuelles. Nous cessons d'être indispensables, j'imagine, lorsque nous avons accompli notre bout d'évolution. Pour ne rien te cacher, ma lecture de Hegel remonte à plusieurs années. Je me suis surtout servie de lui pour t'impressionner. Mais maintenant que tu as repris tes études, tu ne te laisses plus impressionner. Je ne saurais t'en blâmer. Je n'ai vraiment jamais apprécié l'adhésion de Hegel au principe monarchique comme forme supérieure de gouvernement. J'imagine que nous avons tous nos aveuglements. »

Lydia écoutait avec le regard passionné de la bonne élève, mais son esprit était dans la galerie marchande. A quelle heure fermaient les boutiques ? Quel prétexte pourrait-elle inventer pour s'éclipser ? De quoi Cate pourrait-elle avoir envie pour son quarantième anniversaire ? Lydia avait ses cartes de crédit sur elle.

* En français dans le texte *(NdT)*.

393

Une jolie pendulette, peut-être ? Non, Cate pourrait se méprendre sur la symbolique d'une pendulette. Qu'offrait-elle à Cate autrefois, lorsqu'elles vivaient encore sous le même toit et se faisaient des cadeaux ? Des savonnettes françaises ; un beau bloc de papier vélin, épais, couleur chamois, que Cate avait beaucoup aimé ; et, lorsqu'elles étaient plus jeunes, un presse-papiers en verre, avec de la neige qui tombait sur une petite orpheline en train de vendre des allumettes. Et puis Lydia eut l'inspiration. Elle savait ce qui ferait plaisir à Cate ; et elle n'aurait même pas besoin de sortir pour aller le chercher. Son châle tout neuf, un superbe triangle à impression cachemire dans les tons vert, turquoise et violet. Elle l'avait trouvé la semaine dernière en allant s'acheter un maillot de bain. Il était un peu cher, mais elle s'était imaginée débarquant chez Stanley, un soir d'été, avec ce châle négligemment jeté sur ses épaules bronzées ; elle n'avait pas pu résister. A présent, dans un bel élan de générosité, elle imaginait Cate marchant seule sur la plage d'Ocracoke, avec ses cheveux blonds balayés par la brise marine. Ce serait à la tombée du jour et un bel homme, peut-être quelqu'un qui avait amarré son petit yacht pour la nuit, apercevrait Cate et serait attiré par cette farouche jeune femme au visage passionné et méditatif qui déambulait sur la grève en serrant le joli châle féminin autour de ses épaules. Plus tard, peut-être, lorsque Cate et cet homme seraient mariés, Lydia avouerait-elle en riant qu'elle prévoyait un événement de ce genre le jour où elle avait décidé d'offrir ce châle à Cate. Et peut-être encore, mais beaucoup plus tard, lorsque Cate et elle seraient deux vieilles dames survivant aux hommes qui les avaient aimées, peut-être qu'elles feraient une longue croisière ensemble, ou un grand voyage, et qu'elles se raconteraient la véritable histoire de leur vie.

Lydia ne m'écoute même pas, observa Cate à la fin de son discours sur Hegel. Par certains côtés, elle n'a pas changé d'un pouce. Je me souviens qu'elle posait des questions à papa, parce qu'elle estimait devoir connaître la réponse, et que ses yeux partaient dans le vague sans qu'elle entende quoi que ce soit. Elle faisait du reste la même chose avec Max : je l'ai vue interroger Max sur le fonctionnement de la Bourse et, dès qu'il commençait à le lui expliquer, ses grands yeux pervenche se mettaient à fixer l'infini et elle n'enregistrait pas un mot de ce qu'il lui disait.

Un démon s'empara de Cate, de la même tribu peut-être que celui qui l'avait incitée à dramatiser ses échecs, et elle fut à deux doigts de lancer avec une froide ironie : « Une autre raison qui fait que je ne suis pas en grande forme en ce moment, c'est que j'ai avorté il y a moins de deux mois. » Voilà qui ne manquerait pas d'arracher Lydia à sa douce rêverie. Cate envisageait même de raconter à Lydia l'entretien qu'elle avait eu, la veille de son avortement, avec la militante de « Laissez-les vivre » qui l'avait suivie à la sortie de la clinique, lorsque les deux sœurs, — visiblement frustrées sans vouloir le montrer — entendirent le bruit de la grosse voiture de Nell qui descendait le plan incliné pour entrer dans le garage, juste en dessous de la cuisine.

La portière de l'Oldsmobile claqua. Cate se leva pour sortir deux autres sacs à glaçons du réfrigérateur. « J'en prépare une autre tournée, pour maman. »

Puis on entendit le pas familier de Nell dans l'escalier qui montait de la cave à la cuisine.

Et Lydia dit soudainement : « Pas un mot sur le fait que j'ai un amant. Je ne lui en ai pas encore parlé.

— Bien sûr que non », répondit Cate en rajoutant quelques glaçons dans l'appareil à piler.

Le joli visage de leur mère, sûre du bon accueil qui allait lui être fait, apparut dans l'embrasure de la porte. « Tiens, mes deux filles. Comme au bon vieux temps. »

Lydia se précipita pour embrasser sa mère et la débarrassa du sac à provisions qu'elle portait. Elle en inspecta le contenu sans vergogne : privilège de la fille de la maison « Ça alors ! Où as-tu trouvé d'aussi jolies tomates si tôt en saison ?

— J'ai fait un crochet par le Cours des Halles. Celles-ci doivent évidemment venir de Géorgie, il est un peu trop tôt par ici. Mais, après ma visite à Thea, je me suis dit qu'il fallait profiter de la vie tant qu'on en a la possibilité. Or, j'ai rêvé d'une belle tomate bien mûre toute la journée.

— Je suis en train de préparer des juleps menthe, dit Cate. Dans les coupes en argent de papa. Ça te dit ? Lydia et moi en avons déjà bu un. Nous avons eu une pensée émue pour papa, vu que c'était toujours lui qui les préparait.

— Quelle bonne idée ! dit Nell malgré le nuage de tristesse qui assombrit un instant son front.

— Comment va tante Thea ? demanda Lydia.

— Si son état continue de s'améliorer, on doit l'emmener à Duke en ambulance la semaine prochaine. Les "frères" Harley se trouvaient là en même temps que moi. Al Harley a réussi à la faire sourire. L'infirmière a dit que c'était la première fois. Ils étaient aux anges l'un et l'autre. Les deux Harley, je veux dire. Vous savez, je vous disais qu'ils se complétaient parfaitement, tous les deux — au sens profond du terme. Ils s'équilibrent l'un l'autre comme un véritable couple. En fait, leur liaison aura duré aussi longtemps que mon mariage avec votre père, à un an près. C'est du reste ce qui a fait sourire Thea. Al lui a dit qu'il fallait absolument qu'elle soit sur pied pour leur quarantième anniversaire. » Nell rougit. « Enfin, j'imagine que c'est effectivement comme un mariage, encore que je ne pense pas que j'aurais pu tenir ce genre de propos il y a seulement dix ans. Peut-être ne l'aurais-je même pas pensé.

— Et vive l'accomplissement de la conscience universelle », chanta Cate avec une pointe d'ironie amère dans la voix, en même temps qu'elle partait chercher une autre coupe à julep dans la salle à manger.

Nell eut un regard interrogateur en direction de Lydia. Le sourcil inquiet semblait demander : quelque chose ne va pas ? A quoi Lydia répondit par un haussement d'épaules accompagné d'un sourire et d'un hochement de tête qui signifiait : Tout va bien ; Cate est égale à elle-même ; pas de problème dans l'immédiat.

« Tu as l'air très... je ne sais pas... heureuse et reposée », dit Nell à Lydia.

Gloussement de Cate, dans la salle à manger.

Les trois femmes prirent la route le lendemain matin avec environ une heure de retard sur l'horaire prévu. Pour commencer, Cate ne retrouva pas le maillot de bain qu'elle était certaine d'avoir mis dans une valise puis, quand elle l'eut récupéré après avoir défait tous ses bagages, elle voulut l'essayer et s'aperçut qu'elle avait passé l'âge de se mettre en bikini. Elle s'était alors lancée dans une grande tirade d'autodénigrement, ponctuée de larmes, avant d'annoncer son intention de remettre son départ au lendemain — après tout, elles partaient avec deux voitures —, ce qui lui permettrait de faire des achats de dernière minute dans une ville dont elle connaissait les magasins, et de soigner son moral ébranlé. Nell était venue à son secours en proposant de lui prêter son second maillot qui lui irait parfaitement mais, tout en s'admirant dans la glace, cette dernière se reprochait encore amèrement de vouloir voler le beau maillot tout neuf de sa mère. « Tu ne le voles pas, c'est moi qui te l'offre, dit Nell. Je ne vais pas mettre les deux à la fois. J'aurais l'air un peu ridicule. Si cela doit libérer ta conscience, disons que je te le prête jusqu'à la fin de l'été. » Nell avait hâte d'être partie. Elle avait oublié les tensions qui pouvaient envahir une maison. Elle et ses pensées avaient eu tout l'espace à leur disposition, ces derniers mois.

Puis Lydia avait omis de fermer la fenêtre de sa chambre et le signal d'alarme s'était déclenché dès que Nell avait verrouillé la porte d'entrée, si bien qu'elles avaient encore dû attendre que Nell rentre dans la maison pour téléphoner au Central qu'il s'agissait d'une fausse manœuvre de leur part.

« Ce Jerome Ennis est tellement gentil », dit-elle en sortant. En même temps qu'elle verrouillait la porte, elle continua : « C'est un homme qui aime son métier, ça se sent. Une vraie mère poule. Il a répondu lui-même au téléphone. Dommage qu'il ait perdu une jambe au Vietnam.

— Seigneur Jésus ! dit Cate. Tu ne parles pas du Jerome Ennis que j'ai connu au lycée ? Celui qui jouait au football.

— Je crois que si, dit Nell. Il a dit qu'il avait passé son enfance ici. Nous avons longuement bavardé quand il est venu expliquer à ses ouvriers comment installer un système de protection sur la loggia.

— Nom de Dieu ! » Cate tapa du pied en levant les yeux vers le ciel bleu voilé où l'on n'apercevait aucun nuage. La journée serait chaude. « Putain de guerre. »

Roulement d'yeux de Lydia signifiant : c'est reparti.

Nell dit : « Oui. Mais il est content d'être en vie. Il a une femme et plusieurs enfants. Le fils de cette pauvre Sicca a été tué, lui. Bon, les filles, que prévoit-on pour le déjeuner ? Est-ce qu'on essaie de ne pas trop se perdre de vue pour s'arrêter ensemble d'ici trois heures ? »

Il avait été décidé que Nell monterait dans la Volvo de Lydia où il y avait davantage de place. Cate emportait beaucoup de choses dans sa VW, en prévision de son séjour dans l'île.

Lydia consulta sa montre avant d'annoncer, non sans une pointe d'agacement, qu'étant donné qu'il était déjà neuf heures passées, elles ne seraient probablement guère plus loin que Winston-Salem à l'heure du déjeuner. Elle venait de faire la route depuis Winston-Salem pas plus tard qu'hier et la perspective de revenir à la case départ l'irritait passablement, sans qu'elle pût en faire le reproche à qui que ce soit.

« J'ai horreur de conduire en cortège, dit Cate. Il faut constamment chercher devant ou garder l'œil sur le rétroviseur. » Elle avait surtout besoin de solitude. Ce qu'elle venait d'apprendre à propos de Jerome Ennis lui avait irrémédiablement gâché la matinée.

Elles s'étaient donc accordées pour ne pas fixer de rendez-vous de déjeuner. Elles se retrouveraient seulement « à la tombée de la nuit », chaque voiture roulant à son rythme pour traverser le long Etat dans toute sa longueur. Lydia avait retenu une chambre pour elles trois au Buccaneer Motel de Morehead City, au nom de Nell.

Lorsqu'elles furent sur la I 40 en direction de l'est, face au soleil, Lydia monta la climatisation au maximum. « Que penses-tu qu'elle va faire ? » demanda-t-elle à Nell.

Elles avaient épuisé le sujet Dickie et Leo avant même d'emprunter l'autoroute. Dickie participerait à un stage musical à Brevard dès la fin de l'année scolaire (ce qui signifiait que Lydia devrait reprendre la I 40, vers l'ouest cette fois, dans moins de deux semaines), et Leo écrivait tout seul à des écoles anglaises. Renee lui avait apporté une aide appréciable. Jusqu'à la fille de Renee qui avait été mise à contribution. Camilla avait écrit personnellement à Leo, sur du papier à en-tête de son école, pour lui suggérer Turnbridge, établissement proche de Battle Abbey où elle-même faisait ses études. Et maintenant, puisqu'elle était condamnée à refaire en sens inverse le fastidieux itinéraire de la veille, Lydia se dit qu'elle pouvait bien s'offrir un sujet de conversation intéressant. Or Cate, si elle pouvait être exaspérante dans la vie courante, constituait toujours un sujet de discussion passionnant. Bien que Lydia sût parfaitement que sa mère ne « trahirait » jamais Cate ; d'ailleurs, on pouvait faire confiance à Lydia pour ne pas franchir certaines limites, de son côté.

« Eh bien, dans l'immédiat, dit Nell, avec le même regain d'enthousiasme que Lydia, je crois qu'elle a besoin de repos. Ses nerfs ont été mis à rude épreuve. Elle a besoin de nager, de prendre un peu de soleil, de manger du poisson frais et de se coucher de bonne heure. Ce qu'elle fera après un mois ou deux de ce régime... Je n'en sais pas plus long que toi. J'ai bon espoir qu'elle retrouve un poste dans une faculté. La situation n'est tout de même pas complètement désespérée, si ? Je veux dire par là qu'elle est intelligente et ne manque pas de charme. On ne peut pas ne pas voir ses qualités potentielles. » Le ton de Nell s'était fait plus agressif, comme si elle discutait avec quelqu'un qui venait de la contredire. « Quant au reste... au reste de sa vie j'entends... eh bien il se passe toujours des choses dans la vie de

Cate, n'est-ce pas ? Est-ce qu'elle t'a dit qu'un milliardaire l'avait demandée en mariage ce printemps ? »

Elles parlèrent du milliardaire de Cate jusqu'à Statesville, puis évoquèrent les raisons qui avaient amené Cate à le repousser, pratiquement jusqu'à Winston-Salem. Lydia roulait régulièrement à un peu plus de cent kilomètres à l'heure, l'œil constamment aux aguets pour débusquer l'éventuel agent de la sécurité routière qui l'attendait sournoisement pour la chicaner sur un malheureux dépassement de quinze kilomètres/heure ; son cœur était partagé entre la jalousie suscitée par le soudain regain d'intérêt de sa mère dès que la conversation s'était portée sur Cate, et la fascination que lui inspirait la dernière aventure de Cate. Un milliardaire. Avec un château. Et ses deux fils. Mon Dieu...

Tout en tripotant la bande FM de son autoradio — elle ne pouvait pas capter d'autres postes —, Cate pensait à Jerome Ennis. Avait-il épousé Teenie Wilson ? Avant, ou après la perte de sa jambe ? Au lycée, Jerome et Teenie formaient l'un de ces couples vedettes dont la beauté et la popularité amenaient à considérer comme un honneur le simple fait de fouler le même sol qu'eux. Teenie était le boute-en-train en même temps que la présidente du club des Joyeux Boosters où Cate n'avait été admise que d'extrême justesse. Le père de Teenie avait monté un grill en plein quartier noir et, bien avant l'intégration, Blancs et Noirs venaient y ranger leur voiture, côte à côte, pour déguster ensemble les grillades de porc que M. Wilson arrosait généreusement d'une sauce de son cru. Jerome était capitaine de l'équipe de football lorsque Cate et Teenie étaient en première année. Lui faisait donc figure d'« ancien ». Cate se souvenait encore de son numéro : le 22. Le père de Jerome était plombier.

L'une des choses qui me plaisaient, dans cette école, songeait Cate tandis que *Sweet Forgiveness* interprété par Bonnie Raitt envahissait la voiture, c'est que l'on y était jugé sur pièces ; personne ne bénéficiait de préjugé favorable à cause de la situation de son père. Il suffisait d'être beau et athlétique ou — ce qui était son cas — pas trop mal et doué en quelque chose (moi, je brillais dans les débats) pour acquérir une certaine célébrité. La mienne me laissait cependant très loin derrière Jerome et Teenie.

Elle sourit intérieurement au souvenir de l'émoi qu'elle avait créé en plaidant « pour la reconnaissance de la Chine communiste » dans un débat où elle l'avait emporté grâce à une argumentation mieux préparée que celles de ses adversaires.

Cate fit taire Bonnie Raitt. Les paroles de la chanson lui rappelaient Jernigan. Bonnie Raitt avouait à un homme que, finalement, elle avait besoin de lui. Jernigan serait ravi si elle, Cate, faisait demi-tour aujourd'hui même pour venir lui annoncer : « J'ai besoin de toi, malgré tout. »

L'éternelle sensation de retour en arrière, songea Cate en cherchant une autre station. Pour chaque bond en avant, on faisait six petits pas en arrière. Comme dans l'espèce de jeu de l'oie de son enfance où l'on était renvoyé à la case départ chaque fois que l'on oubliait de dire « S'il te plaît ». Débile, ce jeu. Pourquoi acceptait-elle d'y jouer ? Dans l'espoir de gagner, probablement. Pourtant, c'était toujours elle qui oubliait le plus souvent de dire « S'il te plaît » et se retrouvait à la case zéro. Quel ignoble tyran avait bien pu inventer ce jeu de merde ? Un respectable père de famille de l'ère victorienne, sans doute.

Impitoyable était l'oscillation du pendule. Diastole/systole. Dialectique hégélienne de la thèse et de l'antithèse. En avant, en arrière. Il fallait se débrouiller pour maintenir une progression, sans se laisser absorber par le vide ni heurter par le pendule.

La reconnaissance de la Chine communiste était maintenant un fait acquis qui ne choquait plus personne. Un vieil homme au regard rusé et au sourire digne d'un chat du Cheshire avait, cette année même, reçu l'aubade des plus grands artistes américains, à Washington, tandis que *Time* le sacrait Homme de l'Année.

Jerome Ennis avait été frappé par le pendule.

Elle, Cate, miraculeusement indemne, continuait à bouger ; le temps lui avait donné raison sur bien des causes impopulaires (Mimi Vandermark voyait en elle la seule héroïne en chair et en os qu'il lui avait été donné de rencontrer). Mais comment ne pas être frustrée de sa victoire, se demanda tristement Cate, alors que des gens comme Jerome Ennis se baladent avec une jambe en plastique ? Elle n'avait pas dû échanger plus de trois phrases avec Jerome du temps où ils fréquentaient le même lycée, mais qu'une beauté aussi resplendissante ait été mutilée — inutilement, selon elle — lui laissait un amer sentiment de défaite, et de vieillesse.

Heureusement, la station de radio Retour-à-la-Bible qu'elle venait de capter la tira un peu de ses sombres pensées. L'animateur proposait aux auditeurs un fascicule gratuit à choisir parmi les trois titres suivants : *La vérité du message biblique* ; *Que faire quand votre mariage bat de l'aile ? Conseils inspirés par la Parole sacrée de Jésus-Christ ; et Méthode antijurons.* Une méthode antijurons ?... A quoi cela pouvait-il ressembler ? Cate subit le cantique qui suivit, *Grand est le Seigneur*, et puis un sermon (« ... l'unique chose qui importe dans notre monde perdu et à l'agonie est la seule parole inspirée, celle de Jésus-Christ ») dans l'espoir d'en apprendre davantage sur la méthode antijurons. Avait-on recours à des synonymes pour les gros mots ? Ou bien proposait-on une liste de passages de la Bible à murmurer, comme des imprécations, chaque fois que l'on avait envie de jurer ? Le livre citait-il les gros mots en toutes lettres ou bien se contentait-il de l'initiale « m... », « c... », « p... », « b... », etc. ? A moins que, pour cette secte particulière de Retour-à-la-Bible, les jurons ne recouvrent pas du tout le vocabulaire qu'elle considérait comme grossier. Mais pas un mot de plus ne fut dit de la méthode antijurons et Cate ne se sentit pas vraiment d'attaque pour supporter l'intégralité de la harangue qui commençait maintenant. Elle écouta plusieurs minutes, non pas le contenu du sermon dont elle avait déjà entendu des millions de variantes au cours de sa vie, mais la conviction du prédicateur. Il parlait comme s'il n'existait qu'un mode de vie possible dont il allait justement livrer le secret.

Exactement comme l'avait fait la bonne femme de Laissez-les-Vivre en sirotant son *mai tai* (payé par Cate) au Trader's Vic de Chicago. Sur la table, entre elles deux, se trouvaient d'abominables photos couleurs, que Cate n'avait toujours pas vues, inoffensives dans le porte-documents en cuir de chez Gucci gravé en lettres d'or aux initiales de sa propriétaire.

Quelle bande de dingues nous sommes, sur cette foutue planète, se dit Cate en remettant de la country-music. Avec un demi-sourire ironique, elle redressa le menton et appuya sur l'accélérateur. En tout cas, une chose est sûre : nous sommes *intéressants*.

Lydia et Nell arrivèrent les premières au Buccaneer Motel et lorsque Cate les rejoignit, elles s'étaient déjà douchées et en étaient à leur second verre : Lydia avait apporté dans ses bagages un bar digne d'une convention de tastevins. Cate vit qu'elles avaient hâte d'aller dîner et, belle joueuse, elle se rafraîchit le visage, se donna un coup de peigne et passa un chemisier propre sur son jean. S'il n'avait tenu qu'à elle, elle serait allée piquer une tête dans la piscine du motel qui, à cette heure, était particulièrement accueillante et désertée par les enfants.

Après un dîner au restaurant, elles s'offrirent une petite marche digestive, nez au vent, pour essayer de humer un peu d'air de la mer qui devait se trouver juste derrière les échappements des voitures et des camions. De retour à leur chambre, elles décidèrent de regarder *L'aventure de Mme Muir* programmé par la chaîne de télévision la plus nette du poste et elles burent une goutte de cognac frappé pour trouver le sommeil. Les deux sœurs dormirent côte à côte dans un grand lit tandis que Nell s'étalait de tout son long dans le second. Lydia se plaignit d'une raideur à la nuque. Cate la massa fraternellement et Lydia se releva pour lui resservir du cognac. Nell qui regardait d'un œil distrait le film qu'elle avait déjà vu il y a plusieurs années — une veuve loue la maison d'un défunt capitaine au long cours qui tombe amoureux d'elle — s'intéressait surtout à la relation qui s'établissait entre ses deux filles, ravie de pouvoir en être le témoin tout en suivant ostensiblement le programme de télévision.

Mais Lydia surprit l'expression de tristesse sur le visage de Nell et proposa : « Dis, maman, ce film ne te gêne pas, si ? »

A la fin du film, quand Rex Harrison disparaît pour la dernière fois derrière les rideaux gonflés par le vent, après un émouvant adieu à Gene Tierney endormie où il évoquait tout ce qu'ils auraient pu faire ensemble si seulement il avait été encore vivant, Cate s'effondra et pleura doucement dans son oreiller. « Enfin, Cate, dit Lydia, à la fois gênée et fascinée par la violente réaction de sa sœur, c'est parce qu'il veut qu'elle puisse épouser cet autre homme dans le village. Un amant vivant vaut mieux qu'un capitaine au long cours mort, même s'il a les traits de Rex Harrison. C'est ainsi qu'il faut voir les choses.

— Ce n'est pas le problème », renifla Cate avec un coup d'œil en direction de Nell, qui s'était déshabillée un peu auparavant et dormait maintenant. Elle parla à voix basse pour ne pas réveiller sa mère.

« Si nous allions faire un tour du côté de la piscine ? » proposa Lydia encore pleine d'énergie à dépenser, après une journée passée au volant de sa voiture. Cate lui ferait peut-être des révélations qu'elle n'avait pas faites à leur mère à propos de son milliardaire.

Mais Cate se déclara trop fatiguée pour bouger. Après l'avoir aidée à se déshabiller, Lydia prit quelques pièces dans son portemonnaie avant de se rendre à la cabine téléphonique du motel qu'elle avait repérée un peu plus tôt, pour appeler Stanley qu'elle préférait indubitablement à Rex Harrison, lequel devait avoir aujourd'hui au moins soixante-dix ans.

Par habitude, Lydia avait emporté un pain industriel rassis pour jeter aux mouettes dès que le ferry de Cedar Island larguerait les amarres pour son périple de deux heures à travers le détroit d'Ocracoke ; jeter du pain aux mouettes avait toujours été l'apogée du voyage pour Dickie et Leo. Mais dès que les moteurs du ferry se mirent à tourner et que les gens commencèrent à quitter les voitures — d'autres familles, avec leur pain rassis — Lydia se rendit compte que son pain ne s'imposait pas aujourd'hui. Pendant la première demi-heure, les trois dames Strickland furent sous le charme de la traversée. Chacune à sa façon reconnaissait l'étendue marine, le ciel, les bancs de sable et les bouées familières, les mouettes agiles qui planaient au-dessus de leurs têtes avant de plonger pour se disputer le pain que les passagers leur distribuaient par petits morceaux — quand ils ne le leur tendaient pas, sadiques, afin de forcer les plus braves d'entre elles à venir manger dans leurs mains. Tout y était, sauf la personne qui avait peut-être le plus aimé ce paysage et qui n'était plus là pour en profiter.

Je crois que ce morceau de la planète était l'endroit qu'il chérissait entre tous, songea Nell, penchée au-dessus du bastingage, les mains jointes sous la chaleur du soleil. Ces mains qui étaient maintenant criblées des taches brunes jadis détestées et dans lesquelles elle trouvait à présent une sorte de réconfort. Leonard n'y attachait pas d'importance. Ils avaient les mêmes bruns stigmates de l'âge.

Pour sa première visite à Ocracoke, juste après leur mariage pendant l'été 1936, Leonard et elle étaient venus sur le bateau de la poste ; à l'époque, il n'y avait pas encore de ferry public, et il fallait laisser la voiture à Atlantic, sur la terre ferme. La maison appartenait encore au père de Leonard qui, pendant la traversée, lui avait raconté son premier voyage à l'île, en compagnie de son père. C'était pour l'ouverture de la chasse au canard, en novembre, et Leonard avait alors douze ans. Sa mère ne voulait pas qu'il parte. « Elle devait savoir que papa, lorsqu'il retrouvait ses compères, deux avocats de Beaufort qui chassaient avec lui, avait tendance à boire beaucoup et je suppose qu'elle craignait que l'un d'entre eux ne me tire dessus accidentellement. Mais j'avais dans l'idée de partir, et je suis parti. Il nous fallut deux jours entiers pour traverser l'Etat en voiture et, le soir du second jour, j'étais dans un état de fébrilité que j'attribuai à l'excitation du voyage. Malheureusement, à peine avions-nous embarqué sur le bateau postal qui était déjà trop loin pour faire demi-tour que le capitaine, après m'avoir regardé, déclara à mon père : "Ce gosse a la rougeole ; il faut qu'il reste dans la soute avec les colis ; je ne peux pas le laisser contaminer tous les passagers." Or, par une funeste coïncidence, le fret emportait ce jour-là une morte. Elle était dans un cercueil, dans la cale où je devais passer la nuit ; il s'agissait d'une vieille femme native d'Ocracoke, que l'on ramenait sur l'île pour y être enterrée. Le capitaine ne me dit rien à moi, mais il prévint mon père qui s'empressa de me le répéter avant que je ne descende. Je suppose qu'il trouvait l'histoire trop savoureuse pour ne pas m'en faire profiter. En tout cas, je peux t'affirmer que je n'ai pas beaucoup dormi. Je m'étais fait une petite phrase que je me répétais intérieurement. "Ce n'est qu'une pauvre vieille dame morte ; elle ne peut faire de mal à personne." J'ai bien dû me répéter ce refrain mille fois avant que nous débarquions à Ocracoke. Sur l'île, papa trouva une femme qui soignait les gens à domicile et il partit rejoindre ses amis au pavillon de chasse. J'ai dû rester deux semaines dans la maison d'Ocracoke, reprendre seul le bateau de la poste et rentrer en car, après ma guérison. Mais je crois bien que c'est de cette époque-là que remonte mon amour pour cette île. En dépit du fait que maman a toujours prétendu que je m'y étais définitivement abîmé les yeux. Quand l'infirmière quittait la pièce, tu comprends, je tirais le rideau de ma chambre et je regardais les navires passer au large. J'avais même décidé d'être marin quand je serais grand. Personne ne m'avait prévenu qu'il ne fallait pas regarder la lumière quand on avait la rougeole, mais je crois que je l'ai appris à mes dépens ! »

Sale vieil égoïste, se dit Nell avec le recul. Comment peut-on traiter aussi cruellement un enfant ! Et quelle imprudence !

Son cœur se brisait encore à l'image de ce pauvre gosse qui regardait la mer avec ses yeux enflammés. Il aurait aimé être officier de marine, lui avait-il raconté, s'il n'avait pas été contraint de porter des verres épais depuis l'âge de douze ans.

Les péchés des pères... Existait-il un seul enfant qui y ait échappé ? Les mères n'étaient pas exemptes de péché non plus, bien sûr.

Pourtant, les choses avaient tendance à s'équilibrer. Nell était sûre que Leonard avait été un excellent père et un époux fidèle en partie parce qu'il ne voulait pas ressembler à son père.

Leur premier arrêt dans l'île d'Ocracoke fut pour le magasin de M. Jack. Non qu'elles aient besoin de quoi que ce soit (l'alcool de Lydia et la nourriture que Nell avait apportée dans la glacière leur dureraient bien la semaine), mais M. Jack serait blessé qu'elles ne le fassent pas, surtout s'il apprenait que Leonard était mort et qu'il n'avait pas été le premier habitant de l'île à être au courant.

Nell et Lydia durent attendre Cate qui était restée coincée derrière une caravane à la descente du ferry, et c'est ensemble qu'elles entrèrent chez M. Jack à qui elles achetèrent du lait, une boîte de biscuits salés et de l'eau gazeuse dont elles n'avaient pas besoin. M. Jack reçut la nouvelle avec l'équanimité stoïque des natifs de l'île. « Oh, je suis désolé, dit-il. C'était un monsieur bien sympathique. Jamais une parole désagréable à personne. » Il enregistra leurs achats sur sa nouvelle caisse enregistreuse électronique et, de sa même voix gutturale et lente, leur dit : « Beau temps pour aujourd'hui et demain, mais ça va souffler fort vendredi. » Et d'ajouter en même temps qu'il enveloppait les trois articles : « Y a du monde dans la maison des Hollowell, à côté de chez vous. Un couple qui vient de Virginie. Un monsieur le Révérend. »

« Ça ne s'est pas trop mal passé, dit Nell à Lydia lorsqu'elles se retrouvèrent dans la Volvo. L'une des pires choses, quand on est veuve, est de devoir annoncer la nouvelle aux gens qui ne sont pas au courant. Ils se croient obligés de dire des tas de gentillesses dont on ne sait plus comment sortir. J'aime bien la façon qu'a eue M. Jack de mettre la mort de Leonard sur le même plan que la météorologie. Tu sais que M. Jack croit à la météo ; par conséquent, il croit aussi à la mort de Leonard. L'ennui, avec la plupart des gens qui compatissent, est qu'ils essaient de nier la réalité de la mort. Ou son côté naturel. La mort est naturelle. Au même titre que les vents qui vont souffler fort vendredi. J'espère qu'ils ne dureront pas trop longtemps, au point de nous gâcher la semaine.

— Non, dit Lydia en surveillant la VW rouge de Cate dans son rétroviseur. Papa aimait bien l'accent des gens d'ici. Il disait qu'il remontait directement à l'époque élisabéthaine où leurs ancêtres échouèrent pour la première fois sur cette côte.

— Oui, il aimait ce genre de détails », dit Nell en songeant au petit garçon avec sa rougeole scrutant l'horizon brillant de longues heures durant en quête d'un navire, fasciné par l'immensité romantique de l'océan.

Isolée dans les dunes, la maison se trouvait à l'extrême pointe est de l'île, juste à droite de l'entrée du port de Silver Lake où leur ferry était en train de recharger des passagers — à côté de la station des gardes-côtes — avant de repartir pour la terre ferme. Elles étaient passées à moins de cent mètres tout à l'heure, sur le ferry. La lumière du plein midi ne l'avantageait pas. Elle paraissait triste et nue au milieu de la végétation rase. La meilleure heure était juste après le coucher du soleil, quand les ombres donnaient une certaine diversité à la vigne vierge et que la douce brise du détroit faisait frémir les feuilles à verso blanc de l'unique tremble rachitique, tandis que la pâle toiture installée par la marine en 1945 (en guise de dédommagement pour le défraiement que Leonard avait refusé après avoir hébergé deux familles d'officiers) brillait d'une touchante mélancolie de nacre.

Pour s'être depuis longtemps préparée à cet instant, Nell n'en fut pas moins submergée par un chagrin dont elle croyait bien avoir épuisé les affres. Non seulement cette maison avait représenté l'un des biens les plus chers au cœur de Leonard, mais il en était infiniment proche ; elle lui ressemblait un peu : sans grâce, rustique et solitaire, surtout dans la lumière vive du midi qui rendait aveugle à ses charmes cachés...

Ce n'est pas ainsi que je veux commencer la semaine, songea Nell en sortant de la voiture de Lydia. Je suis venue pour être avec mes filles, prendre sa relève. Si je me mets à pleurer maintenant, Cate va s'écrouler aussi, et c'est bien la dernière chose dont elle a besoin, vu le triste état qui est déjà le sien.

Car Nell avait entendu les sanglots étouffés de Cate le soir précédent, après le film, mais elle s'était forcée à ne pas réagir. Il vaut mieux que je ne m'en mêle pas, s'était-elle dit ; qu'elles s'arrangent entre sœurs. Ce qu'elles avaient fait. Allongée sur le lit, elle avait entendu avec plaisir la sollicitude raisonnable de Lydia et la reconnaissance gentiment honteuse de Cate lorsque sa sœur l'avait aidée à se déshabiller. C'était comme... un avant-goût de leur intimité future quand elle ne serait de toute façon plus là pour y mettre son nez.

Les yeux de Nell s'embuèrent de larmes qu'elle voulait à tout prix cacher à ses filles, faute de quoi elle risquerait d'être livrée à leur sollicitude pressante. Comment surmonter alors l'épreuve qui l'attendait ? Elle cligna les yeux en direction de la villa des

Hollowell, derrière la dune, et distingua une grosse Chevrolet verte qui devait avoir dix ans d'âge. « La voiture du Révérend, sans doute, dit-elle laconiquement. Curieux que Mary Hollowell ait loué à un ecclésiastique. Elle qui cherche habituellement à rentabiliser au maximum la saison estivale. »

Les deux filles assurèrent une présence protectrice à leur mère au moment où elle sortit la vieille clé, avec son étiquette en carton écrite de la main de Leonard, pour ouvrir la porte. Elle dut la tirer vers elle et lui administrer plusieurs coups de pied, comme l'avait toujours fait Leonard, avant qu'elle cède et leur permette de surprendre une pièce sans présence humaine. Les meubles de rotin, avec leurs coussins tachés par l'humidité, la bibliothèque, pleine de livres de poche et de vieilles revues, le tapis oriental râpé jusqu'à la corde, dont les séduisants vestiges de bleu et d'orange témoignaient d'une splendeur passée — quand il trônait dans le salon de la mère de Leonard —, tout baignait dans la poussiéreuse lumière dorée qui filtrait à travers les tentures passées. Comme si, songea Nell, qui entra la première et huma l'odeur humide des objets inutilisés, les composants extérieurs du soleil, de la mer et de l'air entretenaient avec les habitants inanimés de la pièce un commerce spécifique et secret. *(Tu feras un jour partie des nôtres pourvu qu'ils t'abandonnent quelques étés et quelques hivers de suite.)*

Ce qui sera notre sort commun, pensa Nell, et l'immense chagrin qui l'avait submergée un moment plus tôt se tempéra en une sorte d'élémentaire résignation, plus supportable. Après un regard circulaire dans les lieux, elle résolut de se débarrasser un moment de ses filles.

« Ecoutez-moi, toutes les deux, leur dit-elle. On va décharger les voitures et ensuite je tiens à ce que vous fassiez ce que vous avez toujours fait par le passé. Mettre votre maillot et filer à la plage pendant que je mets la maison en état.

— Certainement pas ! protesta Lydia.

— Ne sois pas ridicule, maman, dit Cate.

— Je ne peux naturellement pas vous y contraindre, dit Nell, en changeant de tactique, mais c'est le plus grand service que vous puissiez me rendre dans l'immédiat. J'ai besoin d'être un peu seule dans cette maison. Pas longtemps. »

Cate fut la première à comprendre. « Dans ce cas...

— Bon, mais tu nous promets de ne pas faire de ménage, dit Lydia. Tu laisses les gros travaux jusqu'à ce que nous soyons revenues. »

Nell promit.

Dès qu'elle les entendit partir dans la VW de Cate, Nell s'abandonna à son chagrin. Elle parcourut les deux pièces du rez-de-chaussée, puis les deux chambres du premier en se laissant envahir par le déferlement des souvenirs, tandis qu'elle époussetait tables et rebords de fenêtres. Elle favorisait même le processus de la mémoire qui lui restituait le détail de scènes qui n'existeraient plus désormais que dans ses souvenirs. Puis elle redescendit et ouvrit grandes les portes donnant sur la terrasse. A midi, le détroit n'était qu'une vaste flaque de lumière, et il semblait vouloir absorber sa douleur personnelle dans la chaude immensité de son corps impersonnel. Nell poussa un profond soupir accompagné d'un long frisson, avant de se mettre à sortir sur la terrasse quelques meubles de jardin qu'elle disposa autour de la gigantesque épave de bois que quelqu'un avait un jour remontée depuis la plage. Elle épousseta les fauteuils, sans déranger une énorme araignée qui avait tissé une toile inextricable entre deux saillies de l'épave.

Elle transféra leurs provisions de nourriture de la glacière portative au réfrigérateur dûment rebranché et s'apprêtait à remplir d'eau les bacs à glaçons lorsqu'elle se rappela que l'eau précisément n'avait pas encore été ouverte. Il fallait d'abord ouvrir le robinet principal sur le tuyau passant sous l'évier et menant à leur puits ; ensuite on amorçait la pompe. Agenouillée sous l'évier, elle tourna la manette de toutes ses forces. Sans succès. Le robinet ne bougea pas d'un millimètre. Cette tâche incombait depuis toujours à Leonard. Certaines fois, le robinet était tellement dur qu'il devait utiliser un chiffon pour avoir une meilleure prise. Elle trouva un chiffon et fit une nouvelle tentative, jusqu'à ce que ses mains se couvrent d'ampoules et que son visage ruisselle de sueur.

Vexée, elle se releva et regarda par la fenêtre au-dessus de l'évier. Pas la peine de se tuer à l'ouvrage. Elle attendrait les filles. Et si elles n'y arrivaient pas non plus, M. Jack enverrait quelqu'un. Mais il y avait de quoi enrager !

Elle vit un homme torse nu et en short sortir sur la terrasse dallée de Mary Hollowell. Il s'assit pour arranger quelque chose sur une canne à pêche. Le Révérend ? En tout cas, il paraissait taillé pour la besogne. Et puis le savoir homme d'Eglise facilitait la démarche.

Nell essuya son visage à un torchon, rectifia un peu sa coiffure et traversa résolument la dune de sable qui séparait les deux maisons. Elle se fit un visage de circonstance et répéta mentalement son entrée en matière.

La chaise grinça et il fut debout dès qu'il comprit qu'elle venait vers la terrasse. Il doit me prendre pour une voisine indiscrète, songea Nell.

« Bonjour, monsieur, dit-elle, un peu essoufflée par cette petite marche sous le soleil brûlant. Je me présente : Nell Strickland. Nous habitons la villa juste à côté. Je suis absolument navrée de vous déranger, mais je ne serai pas longue. Le problème est...

— Pas du tout, s'empressa-t-il de dire avec la courtoisie instinctive du monsieur bien élevé. Marcus Chapin », ajouta-t-il en tendant la main. Il devait avoir sensiblement son âge, était de constitution robuste et athlétique, arborait des cheveux blancs coupés court — style militaire — et des yeux bleus clairs, plutôt distants. « Voulez-vous vous asseoir un instant ? » Il parlait avec l'intonation de quelqu'un habitué à ce qu'on le dérange et ayant acquis l'art de masquer son agacement avec une élégance de bon aloi. « Ma femme est à l'intérieur, dit-il. Nous rentrions juste de la plage et elle se repose un peu à présent. Elle a été malade cet hiver. » Il posa la canne à pêche pour lui avancer une chaise.

« Non merci, je ne peux vraiment pas. Je viens d'arriver avec mes filles que j'ai expédiées aussitôt à la plage. Or je m'aperçois que je suis incapable d'ouvrir toute seule le branchement d'eau. J'ai regardé dehors et je vous ai aperçu, alors je me demandais si...

— Ça alors ! » entendit-on crier avec exaltation à l'intérieur de la maison.

Manifestement très inquiet, Marcus Chapin se dirigeait déjà vers la porte, lorsque celle-ci s'ouvrit brusquement, avant que ne sorte une petite femme ravissante dont les bras levés achevaient de nouer un fichu pervenche. Malgré les ombres grisâtres qui cernaient ses yeux et un teint légèrement cireux, elle regardait Nell avec une radieuse béatitude. « Je t'ai vue par la fenêtre de la salle de bains, figure-toi, dit-elle en finissant de nouer le foulard au creux de sa nuque. Je t'ai vue mettre le pied sur cette terrasse et je me suis dit : "Ou bien j'ai une hallucination, ou bien il s'agit de Nell Purvis". Et voilà, c'est toi !

— Merle ! Je n'en crois pas mes yeux ! »

Car, entre-temps, derrière les gestes ultra-féminins de ce petit bout de femme au visage en forme de cœur, malgré l'absence de l'épaisse masse de cheveux auburn qui lui faisaient jadis une auréole électrique, Nell avait percé l'identité de la gentille petite camarade de classe qui se faisait câline pour lui reprocher : « Nell, pourquoi refuses-tu de nous aimer vraiment ? »

« Eh oui, mon chou, c'est Merle. Je sais que je suis affreuse, après ma maladie, mais toi ! Les années n'ont pas eu prise sur toi, au contraire. »

Dans un ultime effort, Merle serra Nell dans ses bras. Elle perçut un parfum évanescent dans le cou de son amie quand elle lui rendit son étreinte, et ce parfum ressuscita en elle toutes ses angoisses d'adolescente se croyant privée de tout talent futile. *Mon Dieu, je n'ai pas cessé d'être jalouse de Merle*, s'avoua Nell en l'embrassant. Mais l'extrême légèreté de Merle la surprit.

« Merle, tu es légère comme une plume ! Je n'avais pas gardé le souvenir d'une telle minceur ! » s'exclama-t-elle, paroles qu'elle regretta instantanément. Car la raison de cette légèreté était que sous sa longue robe floue, Merle n'avait plus son opulente poitrine. La maladie. Bien sûr.

« Eh oui, je ne pèse pas bien lourd, répondit aussitôt Merle, dans un bel élan de spontanéité visant surtout à tempérer le faux pas de Nell. Et je peux te dire une autre chose qui a changé : c'est que quelqu'un t'a apparemment appris à exprimer ton affection. »

La générosité de Merle, sa sensibilité laissèrent Nell sans voix. Un regard en direction de Marcus Chapin, qui avait observé les retrouvailles entre les deux femmes, leur révéla un homme carrément au supplice.

« Mais que fais-tu ici ? interrogea Merle. Tu te rends compte, après tant d'années ! Tu avais promis d'écrire et tu ne l'as jamais fait. Marcus, tu as devant toi, en chair et en os, l'une de mes plus chères amies de Farragut Pines, Nell Purvis. Sauf que je l'ai toujours davantage aimée qu'elle ne m'aimait en retour.

— C'est franchement incroyable », dit Marcus Chapin avec un sourire, avant de serrer une seconde fois la main de Nell. Il avait suffisamment de contrôle de lui pour que la remarque passe pour un compliment galant adressé à l'une autant qu'à l'autre. « Mais c'est Nell Strickland maintenant, non ?

— Que je suis sotte ! s'écria Merle. J'aurais dû penser que tu étais mariée bien sûr !

— Ce n'était pas évident, répliqua ironiquement Nell. J'ai eu bien de la chance de trouver quelqu'un qui accepte de me supporter.

— Je tiens à faire sa connaissance. Il est ici ?

— Merle chérie, ne put s'empêcher de répondre tristement Nell. Il y a tant de temps à rattraper ! Leonard est mort il y a six mois.

— Nell ! » gémit Merle qui aurait éclaté en sanglots si Nell ne s'était empressée d'enchaîner avec autant de naturel et de gaieté qu'elle en trouva la force :

« Je suis venue avec mes deux filles que je tiens à te présenter. Pour tout dire, j'avais du mal à ouvrir un robinet, alors j'ai regardé dehors... et j'ai vu... Marcus... à qui je suis venue emprunter sa force.

— Dans ce cas, tu es bien tombée », dit Merle. Mais elle s'appuya contre Nell dont elle prit la taille en signe de sympathie. « Marcus a de la force à revendre. Allez, Marcus, allons aider Nell avec son robinet.

— Bien sûr. Mais tu ne ferais pas mieux de te reposer ? dit son mari.

— Certainement pas, dit Merle en serrant Nell plus fort. Je ne vais pas la lâcher maintenant que j'ai remis la main sur elle. D'ailleurs je ne suis plus fatiguée. »

Pendant qu'ils traversèrent ensemble le sable qui les séparait de la maison de Nell, Merle se blottit affectueusement contre son amie et lui demanda gentiment : « C'était une longue maladie, chérie, ou bien il est parti rapidement ? »

Nell raconta l'accident. « Il a fait un infarctus irréversible avant que la voiture ne fasse un tonneau. Je ne pense pas qu'il ait souffert plus de quelques secondes.

— Mon Dieu ! s'écria Merle. Tu as failli être tuée, Nell, quelle chance que tu sois toujours en vie. » Elle resserra encore son étreinte.

« Oui, murmura Nell. Au début, je n'ai pas trouvé que c'était vraiment une chance, mais j'ai surmonté l'épreuve à présent. La vie ne sera plus jamais la même sans lui, mais j'ai envie de continuer à vivre.

— Bien sûr ! Nous avons tous la même envie. »

Marcus, qui n'avait pas dit un mot pendant tout le trajet, ouvrit le robinet de la cuisine en un tour de poignet.

Rire de Merle. « Nell, tu viens d'observer ce que j'appelle le "syndrome du pot de moutarde". La pauvre femme se démène tant et plus, pour réussir à ouvrir le couvercle qui ne cède pas. Puis, au moment où ses efforts seraient sur le point d'aboutir, elle se décourage et tend le pot à l'homme. "Chéri, tu peux ouvrir ce pot ?" et, bien sûr, monsieur l'ouvre en un tour de main. » Merle eut cependant un regard plein de fierté pour Marcus qui faisait couler les robinets de Nell afin de purger la tuyauterie jusqu'à ce qu'il n'y ait plus de rouille. « Est-ce que tu aurais imaginé, Nell, qu'une tête de linotte dans mon genre finirait par épouser un prêtre anglican ? »

Nell, qui n'avait jamais possédé le don de répondre judicieusement à ce type de coquetterie, se contenta de rétorquer qu'elle n'avait jamais pensé que Merle était une tête de linotte. Puis, malgré un accès de timidité qui ne lui était pas coutumier, Nell leur demanda : « Est-ce que vous accepteriez de venir prendre un verre tous les deux après dîner pour faire connaissance avec mes filles ? »

Les Chapin échangèrent le regard complice des vrais couples.

« Si Merle se sent d'attaque, ce sera avec plaisir, dit Marcus, mais seulement après avoir lu clairement sur le visage de sa femme qu'elle le souhaitait vraiment.

— Bien sûr, que je suis d'attaque ! » dit Merle avec un sourire radieux pour son amie longtemps perdue de vue.

En les regardant retraverser la dune, le bras de Merle accroché à celui de son mari tandis que sa frêle silhouette s'appuyait contre lui, Nell eut un serrement de cœur. Sa vie conjugale à elle était bien finie.

X

Le conflit

Depuis le sable où l'écume des vagues venait lui lécher les orteils, Lydia regarda Cate se mesurer aux rouleaux. Au sens propre du terme. Cate choisissait une vague particulièrement agressive et partait à la nage dans sa direction puis, au moment où elle aurait dû plonger en dessous ou se laisser porter par elle, elle se dressait d'un coup pour essayer de faire front, dans un violent corps à corps. Après un choc aussi violent que désordonné dont Lydia perdait généralement l'essentiel en fermant les yeux ou en détournant le regard, Cate émergeait, portant triomphalement les stigmates de sa défaite et elle incitait Lydia à se joindre à la bagarre avant de repartir à l'assaut des vagues.

Quand elle était plus petite, ces « invitations au combat » proférées par Cate avaient le don de plonger Lydia dans les affres de l'indécision : valait-il mieux se laisser durement malmener par l'océan pour tenter d'imiter la témérité de sa sœur ou bien — à son rythme prudent — se risquer progressivement dans cet élément hostile, quitte à passer pour une froussarde ?

Et elle n'avait résolu ce dilemme que le jour où — pratiquement au même endroit, sur cette jolie plage sauvage — elle avait expliqué à ses propres enfants comment on entrait dans l'océan, qui n'avait rien à voir avec une pataugeoire. Elle avait alors soigneusement choisi ses mots parce qu'elle ne voulait ni les effrayer au point de faire d'eux des poules mouillées, ni leur donner une fausse confiance qui risquerait de les conduire à la noyade. C'est en jouant ainsi les professeurs de plage à l'intention des deux petits garçons qu'elle s'était définitivement débarrassée de son complexe par rapport à l'océan. « Si vous respectez les sautes d'humeur de la mer et que vous apprenez à les prévoir, vous pourrez tirer beaucoup de plaisir de votre baignade », avait-elle dit, à peu près en ces termes ; et depuis ce jour-là, chaque fois qu'elle affrontait la vague, ses propres directives maternelles étouffaient l'envie insidieuse de se mesurer à toutes les Cate de la terre : elle n'avait plus l'impression de manquer d'énergie ou d'audace sous prétexte qu'elle ne se jetait pas à l'assaut des puissants rouleaux. Elle pouvait désormais aborder l'océan comme une Lydia, sans pour autant être mécontente de son image personnelle.

Ce qu'elle faisait justement en ce moment précis, où elle s'immergeait progressivement, par étapes successives ; elle laissait d'abord une petite vague éclater en haut de sa cuisse, puis une plus grosse, contre son ventre ; à ce stade, elle marquait toujours un temps d'arrêt : elle avait besoin d'un encouragement supplémentaire pour livrer son buste à l'eau glaciale. (« Si je suis complètement mouillée, le temps de compter jusqu'à trois, je... »)

L'eau était vraiment froide. Il fallait une motivation sérieuse. De quoi avait-elle envie au point de s'exécuter avant le trois fatidique ? Elle se tourna vers le soleil, le temps de passer en revue ses désirs les plus chers. Son choix fut vite arrêté. « Je veux être... » Elle envisagea, puis rejeta l'épithète « célèbre » qui lui sembla relever de l'inflation adolescente.

« Je veux être une femme largement respectée et admirée avant d'avoir atteint la quarantaine », souhaita-t-elle à voix haute.

Et de plonger vaillamment dans l'eau avant de nager, à longues brassées souples, en direction de Cate qui venait de se faire malmener par une nouvelle vague.

« Marchons jusqu'à cette vieille épave pour nous sécher le dos, proposa Cate. Puis nous ferons le chemin en sens inverse pour sécher devant.

— Il ne faut pas laisser maman seule *trop* longtemps.

— Elle a envie qu'on la laisse tranquille. Je ne lui en veux pas. Elle fait ses adieux à papa. Cette maison représentait beaucoup de choses pour lui. S'il décide de revenir hanter un lieu, c'est sans doute celui-ci qu'il choisira. Je me demande si l'esprit d'un mort a des problèmes de déplacement dans l'espace. Je veux dire, quand on meurt à Mountain City, quel moyen de transport post-mortem pourrait te permettre de couvrir les six cents kilomètres qui te séparent de la côte ?

— Je n'en sais vraiment rien, répondit Lydia pour qui le fait de parler de leur père comme d'une espèce de fantôme baladeur avait un côté sacrilège. Tu sais, maman me disait que l'un des aspects les plus éprouvants du veuvage était de devoir l'annoncer aux gens. Ce doit être très difficile. Je crois que je n'ai pas envie d'être veuve.

— Très simple, il suffit de ne pas être mariée au moment où ton mari mourra.

— Ce qui signifie ? » Lydia fronça les sourcils dans son effort pour saisir les implications de cette réponse ambiguë de Cate.

« Oh rien, mon chou, laisse tomber », soupira Cate avec lassitude. Elle expédia un coup de pied dans un coquillage qui vola en éclats avant de retomber dans la mer. « J'étais en train de préparer un petit couplet sur le thème apparences et sentiments, mais je commence à me lasser de ce genre de sport. » Elle prit Lydia par l'épaule et lui donna un affectueux coup de hanche. « Parlemoi donc de ton amant. Ce sera beaucoup plus amusant.

— Je te parlerai de mon amant, dit Lydia, vaincue par la rapidité avec laquelle Cate était capable de changer d'humeur, quand tu m'auras tout dit du milliardaire qui t'a demandée en mariage. » Et elle rendit à Cate son coup de hanche.

« Tiens, tiens ! Je vois que maman et toi avez parlé de moi.

— Pas autant que je l'aurais voulu. Je veux tout savoir.

— Alors comme ça, tu veux tout savoir ? » fit Cate, songeuse. Elle lâcha l'épaule de Lydia et se pencha en avant, regardant un instant ses pieds imprimer leur empreinte dans le sable. Puis, avec une soudaine résolution, elle redressa la tête, renifla une fois et, ventre rentré, elle s'étira en hauteur. « Eh bien, disons que ma petite aventure avec Roger Jernigan a bien failli me briser... articula-t-elle d'un air sinistre. Il était l'homme de ma vie par bien des aspects. Si seulement il n'avait pas été ce qu'il était... pour ne pas parler du reste... je crois qu'il correspondait exactement au type d'homme avec qui je suis susceptible de m'entendre. Mais je ne me voyais pas en Madame Reine du Pesticide de l'Iowa ; ni partager son mode de vie pour commencer... »

Exactement ce que je me dis moi-même ! faillit s'exclamer Lydia. *Je n'ai pas envie de devenir Madame Podologue. A vrai dire, je ne veux plus être Madame qui que ce soit.* Mais elle voulait que Cate continue de parler.

« Et puis, c'était le genre d'homme à vouloir tout prendre en main. Les choses et les gens. Je me suis méfiée de moi-même. Il n'aurait été que trop facile de lever le pied. Il me passait la bague au doigt en disant : laisse-toi aller maintenant, je m'occupe de tout. Et je me serais transformée en zombi avant la fin de l'année.

— Tu veux dire qu'il n'aurait pas voulu te laisser travailler ?

— Si, il m'aurait "laissé" travailler, comme tu dis. La belle blague ! C'est déjà lui qui payait mon salaire, puisqu'il finançait cette foutue boîte jusqu'à ce que son fils ait son diplôme. Mais j'avais autre chose à faire avant de songer à retravailler. Tu comprends. Je suis tombée enceinte.

— Tu es... » Les yeux de Lydia fixèrent le ventre de Cate. Une foule de détails lui traversaient l'esprit. Cate en larmes, hier, chez leur mère, parce qu'elle ne rentrait plus dans son bikini. Etait-ce la raison qui poussait Cate à s'exiler sur une île ? Mais il n'y avait même pas de médecin. Si Cate ne veut pas être encombrée, je pourrais prendre le bébé, songea Lydia. Dickie se ferait un plaisir de m'aider à élever le bébé de Cate. Je pourrais même l'adopter, carrément. Stanley mettrait la main à la pâte. Lui qui voulait un petit à lui tout seul. Nous pourrions nous relayer pour le garder.

« Mais non, se fâcha Cate qui avait parfaitement suivi le regard de Lydia. Il n'y a plus rien là-dedans. C'est complètement vide. J'ai avorté. Une chose que je te déconseille formellement si tu peux l'éviter. Non que je regrette le choix que j'ai fait. Je pense que toute femme a le droit de choisir. Mais fais en sorte de prendre les précautions nécessaires pour ne pas avoir à exercer ce droit. Encore que, Dieu sait que je faisais attention, je...

— Jamais je ne pourrais..., commença Lydia, avant de pouvoir modérer un peu sa fougue. Enfin, je crois que je serai toujours incapable de... », reprit-elle sans pouvoir finir sa phrase. Elle était profondément choquée et la violence de sa réaction l'ébranlait encore davantage. Elle, une femme moderne, dont plusieurs amies avaient avorté... Mais l'avortement de Cate la touchait de trop près. Leo et Dickie y avaient perdu le petit cousin qu'elle leur promettait vainement depuis des années. Lydia avait le sentiment que toute la famille avait été lésée dans l'opération, tout en sachant que ce genre de réaction était totalement désuète. « Est-ce que tu as eu mal ? demanda-t-elle, faute de trouver mieux à dire.

— J'ai souffert davantage psychologiquement que physiquement. Sans implication morale ou religieuse, s'entend. Je veux seulement dire que je suis sortie de là profondément blessée.

— Cate », gémit Lydia d'un air sinistre. Elle toucha le bras de sa sœur.

Et elles continuèrent de marcher en direction de l'objectif fixé qui n'était pas encore visible.

« Je sais que je peux compter sur toi pour ne rien dire à maman, dit Cate.

— Tu peux me faire confiance.

— Tu sais ? Je crois que notre vieille épave a été recouverte par de nouvelles dunes. Nous aurions déjà dû la repérer. Tout l'archipel des îles au large des Outer Banks est rongé par l'érosion. J'ai lu un article à ce sujet. Plus les hommes tentent de s'opposer à ce processus en construisant des digues et des machines, plus l'érosion s'accélère. » Le ton de sa voix trahissait une sorte de satisfaction coupable.

« Je ne pense pas qu'Ocracoke soit en proie à une telle érosion », dit Lydia dont le regard embrassa jalousement la côte sauvage. Un peu plus haut, plusieurs dizaines d'oiseaux marins à longues pattes s'étaient rassemblés pour festoyer grâce aux crustacés laissés par la marée descendante. Le sable mouillé se creusait de centaines de trous tandis que de minuscules bestioles mettaient toute leur énergie à s'enfouir avant d'être dévorées. Lydia voulait que Leo et Dickie viennent un jour ici avec leurs propres enfants à qui ils apprendraient à nager, dans ces mêmes eaux, prudemment mais non sans plaisir. « Si nous faisions demi-tour ? » proposa-t-elle. Il serait tellement dommage de déranger tous ces oiseaux. Et puis leur promenade, commencée sous le signe de l'allégresse, était traversée maintenant par une certaine tension.

« Comme tu voudras », dit Cate qui pivota instantanément dans son élan pour repartir en sens inverse, face au soleil, à grandes enjambées agressives. Elle ferma les yeux, redressa le menton, oublia ostensiblement Lydia.

Elle boude parce que je n'ai pas manifesté suffisamment de sympathie pour l'épreuve qu'elle vient de subir, songea Lydia.

Allongeant le pas pour suivre le rythme de Cate, elle lui demanda d'une voix qu'elle voulait suave : « Cette blessure psychologique... elle commence à se cicatriser un peu ?

— Oh, je vais très bien. Je suis une coriace, répondit Cate avec belle humeur. La seule chose qui continue de me chagriner, dans cette affaire, c'est la femme qui m'a suivie depuis la clinique, la veille du jour prévu pour l'avortement.

— Elle t'a suivie ? Mais pourquoi ?

— Pour me dissuader d'avorter. Cette femme... — et Cate d'embrayer avec la verve légèrement satirique qui faisait son talent de narratrice —, elle a fait le chemin en voiture depuis Chicago. Deux fois par semaine, elle quitte sa maison de huit pièces sur la rive ouest du Michigan, dans le seul but de faire salon dans la salle d'attente de cette clinique où elle détecte la clientèle convoquée pour le bilan préavortement. Elle choisit la candidate au profil le plus favorable et la suit quand elle quitte l'établissement. Elle se présente alors comme une sorte d'hôtesse d'accueil bénévole au service de la clinique et propose de répondre à toutes les questions que l'on pourrait se poser sur... les événements du lendemain. Bref, quand elle m'a mis la main dessus, j'ai flairé la salope, mais pas la salope ordinaire : belle allure, courtoisie, vêtements chics, c'était la salope militante de haut vol si bien que je l'ai invitée à prendre un verre au Trader's Vic, à côté de la Palmer House où j'avais retenu une chambre.

Nous avons pris des *mai tais* et la première demi-heure a passé agréablement à bavarder de tout et de rien, en évitant soigneusement le sujet. Elle avait quelques années de plus que moi, un mari avocat qui voyageait beaucoup, quatre enfants à l'université, sauf le plus jeune, et disposait donc d'énormément de loisirs. Elle avait commencé par reprendre des études supérieures et passé une maîtrise, ce qui l'avait amenée à enseigner quelque temps dans un lycée jusqu'à ce qu'on la remercie pour embaucher plus de Noirs, si j'en crois sa version du moins. Elle avait alors suivi une formation pour les professions du tourisme et travaillé un moment pour une agence de voyages. Mais ce métier ne la satisfaisait pas ; aider les gens à organiser leurs voyages et leurs loisirs avait un côté superficiel et limité, disait-elle. Entre-temps, elle avait convaincu son mari de lui faire un autre bébé ; elle se retrouva donc enceinte mais, au troisième mois de sa grossesse, alors qu'elle épluchait des pommes de terre dans sa cuisine — c'était le jour de congé de la bonne —, elle fut prise de violentes douleurs et, le temps qu'elle arrive à la salle de bains, elle avait fait une fausse couche !

« A ce stade de la conversation, elle changea adroitement de sujet pour m'interroger sur ce que je faisais et nous avons fini par parler des poètes romantiques anglais : qui nous préférions, de Keats ou de Shelley — elle préférait Shelley ; si Wordsworth et sa sœur avaient eu un attachement incestueux... Nous avons renouvelé la commande de *mai tais*. J'envisageais même de l'inviter à dîner avec moi ; après tout, je n'avais rien de mieux à faire et plusieurs heures creuses à meubler avant mon retour à la clinique.

« Et puis elle a fouillé dans un grand cabas élégant d'où elle a sorti le fameux porte-documents en cuir de chez Gucci. J'ai commencé par penser qu'elle voulait me montrer un superbe article de maroquinerie qu'elle venait d'acheter ; mais elle a pris un air de fervente résolution pour tourner le porte-documents de façon à ce que j'ai les initiales face à moi. Puis, après un rapide regard en coulisse pour vérifier qu'aucun serveur ne traînait dans le secteur, elle a ouvert sur toutes ces... photographies, de fœtus, en couleurs.

« J'étais furieuse. J'ai attrapé mon porte-monnaie pour régler les consommations. J'allais la planter là, point final, elle et les terribles images qu'elle avait dans son porte-documents. Et puis je n'ai pu m'empêcher de l'interroger sur les motivations qui pouvaient inciter une femme comme elle à faire ce qu'elle faisait. De sa voix agréablement timbrée, elle m'a expliqué qu'elle avait vécu une expérience religieuse le jour de sa fausse couche. Quand elle était allée dans la salle de bains éponger le sang répandu, elle avait trouvé au fond de ses sous-vêtements un petit bébé parfaitement formé, gros comme une souris. Après avoir nettoyé le sang, elle le berça dans ses mains, émerveillée par la perfection de ses traits lorsque... IL SE MIT A LUI PARLER. Et il lui aurait dit : *"Il est trop tard pour moi, maman ; mais je t'en prie, sauve les autres."*

— Nom d'un chien ! s'écria Lydia qui croisa les bras pour chasser le frisson qui venait de la parcourir en dépit de la chaleur du soleil. C'était une dingue !

— Peut-être que oui, peut-être que non, dit négligemment Cate. Elle m'a donné sa carte. Francine J. Armbruster, Lake Forrest, Illinois. Je l'ai toujours dans mon portefeuille. Je peux te la montrer si tu veux.

— Tu aurais pu la dénoncer à la clinique, dit Lydia.

— Oui, j'y ai pensé. Puis je me suis dit qu'elle devait avoir une "entrée" pour aller et venir ainsi à sa guise. L'avortement est très controversé, en Illinois, par les temps qui courent. Pour finir, j'ai résolu de lui laisser sa raison de vivre. Elle risque de sauver quelques bébés, ce qui lui sera une gratification morale, et peut-être que les mères aussi se sentiront gratifiées. A chacun son truc. A chacun et à chacune. Je lui ai néanmoins fait savoir qu'elle avait abusé de mon hospitalité ; je n'ai pu résister à ce plaisir. Eh bien tu sais, cette remarque l'a chagrinée. En dépit de sa haute mission, elle n'a rien perdu de ses bonnes manières bourgeoises.

N'empêche que le souvenir de ces photos n'a pas été très agréable pendant la journée du lendemain, je te prie de le croire.

— Je regrette que tu ne m'aies pas appelée », dit Lydia après quelques minutes de marche silencieuse. Lydia se voyait volant au secours de Cate, s'installant en face d'elle — dans un bon restaurant par exemple — pour lui parler d'une voix basse, agréablement timbrée, mais pas une voix de dingue. *J'aurais peut-être réussi à la faire changer d'avis*, se dit Lydia.

« Pourquoi est-ce que je t'aurais appelée ? demanda Cate, surprise.

— Euh, commença Lydia, je n'en sais rien, parce que... » Mais elle abandonna. C'était trop tard. Pourquoi faire souffrir Cate davantage ? « ... parce que je suis ta sœur, finit-elle timidement.

— Oh, merci, mon chou. » Cate vira de bord en direction de Lydia, à qui elle donna une courte accolade. « Mais il y a des cas où même une sœur ne peut être d'aucun secours. A présent, oublions tout cela et, tu te rappelles : maman ne doit jamais rien apprendre.

— Bien sûr que non, s'indigna légèrement Lydia. Je t'ai déjà promis de ne rien dire. »

Elles ne trouvèrent pas leur mère dans l'état de recueillement auquel elles s'attendaient. Les joues rouges, des boucles trempées s'échappant de son chignon gris-blond habituellement impeccable, elle finissait d'arranger un bouquet de fleurs des dunes dans un vieux pichet à cidre ; sur une table, un chiffon sale et une bombe d'encaustique attestaient qu'elle n'avait pas tenu sa promesse.

« Maman, tu avais dit que tu ne ferais pas de ménage, accusa Lydia.

— Je sais, je sais. » Nell leur adressa un sourire penaud ; ses yeux brillants cachaient mal son impatience. « Mais vous ne croiriez jamais ce qui vient de se produire. »

Et elle leur raconta les événements de l'heure écoulée. « Je suis certaine que vous m'avez entendue parler de ma vieille camarade de classe Merle Meekins de Farragut Pines Academy. Je suis sûre d'avoir prononcé son nom : c'était la séductrice de l'école. Nous avons même partagé une chambre à une certaine époque. J'ai dû citer son nom de nombreuses fois. »

Les filles hochèrent la tête négativement. Ni l'une ni l'autre ne se souvenaient de la moindre allusion maternelle aux charmes de Merle Meekins.

« Ah bon. Peut-être que vous avez raison. Peut-être ai-je seulement pensé à elle sans en parler, dit Nell manifestement déçue. De toute façon, je leur ai dit que nous les attendions à la tombée de la nuit, quand le phare s'allumera. Eux aussi le voient depuis leur maison. Lydia, tu ne crois pas qu'il faudrait installer un petit bar dans ce coin pour que les gens puissent se servir depuis la terrasse ? Je pense qu'il fera assez chaud pour rester dehors, après la tombée de la nuit. Cate, tu étais ravissante dans ton ensemble gris, l'autre soir, au restaurant. J'espère que tu l'as apporté. »

« A croire qu'on reçoit le gouverneur en personne », dit Lydia à Cate. Après un dîner expéditif, elles s'étaient fait proprement expédier dans leur chambre « pour se changer ». Affalée sur le grand lit tout propre dont les deux sœurs avaient toujours partagé le matelas affaissé, Lydia portait encore le short qui, selon leur mère, risquait de choquer un pasteur de l'Eglise épiscopale. Cate passait la première à la coiffeuse ; autant jouer le grand jeu, avait-elle décidé, et elle appliquait sur ses paupières un fard gris censé s'harmoniser avec l'ensemble gris qu'on l'avait priée de mettre. Dans la lumière rose du couchant, le reflet de Cate, que Lydia apercevait de son lit, était celui d'une femme parfaitement consciente de ses charmes potentiels. Mais qui sait également, par expérience, que les artifices du maquillage sont un jeu qu'elle peut jouer aussi bien qu'une autre, avec la distance de l'ironie.

« Moi, je ne l'ai jamais entendue faire la moindre allusion à cette personne, et toi ? » interrogea Cate, consciente d'être observée, non sans admiration, par Lydia. L'instant était gratifiant, comme au bon vieux temps, quand la grande sœur s'installait devant son miroir pour se faire belle avant un rendez-vous galant, sous l'œil attentif de la petite sœur qui enregistrait religieusement le rituel des gestes à accomplir lorsque son heure serait venue.

« Jamais ! acquiesça Lydia avec fougue. Elle a effectivement fait des allusions à son école, sa solitude, les visites qu'elle rendait à sa mère au sanatorium, mais elle n'a jamais parlé de ses amies.

— Enfin ! Maman a besoin d'amies maintenant, alors cette Merle est peut-être une bonne chose. Les gens mariés rompent les liens de l'amitié. Ceux comme papa et maman du moins. Maman avait ses bonnes femmes du Club Lecture, mais elle n'est vraiment liée avec aucune. Quant à papa, il n'avait aucun ami, au sens propre du terme. Ses livres lui tenaient lieu d'amis : quand il avait des loisirs, il préférait leur compagnie à toute autre.

— Mais cette Merle a toujours son mari », dit Lydia. Elle avait hâte de parler à Cate de sa nouvelle amie Renee qui était bel et bien l'amie la plus reluisante qu'elle ait jamais eue, mais avec cette lumière douce et Cate qui ressemblait à un poignant mélange d'arrogance et d'égarement, le contexte n'était pas favorable pour présenter une étrangère. Le récit navrant de la dernière épreuve de Cate, qui l'avait révoltée avant de l'attrister, avait eu pour effet, au fil des heures, de renforcer l'instinct tribal et protecteur de la sœurette. Elle avait perdu une petite nièce ou un petit neveu : comment savoir ? Raison de plus pour se cramponner à son unique sœur, quels que soient les manques de leurs relations affectives. Dans l'immédiat, elle se sentait donc moins proche de son amie ou de son amant que de Cate qui retrouvait curieusement la vedette dans le cœur de Lydia, au nom d'une certaine solidarité de clan. (Pourtant, en rentrant de la plage, Lydia avait demandé à Cate de l'arrêter à la cabine téléphonique de l'île ; après ce récit du bébé perdu de Cate, Lydia avait éprouvé l'urgent besoin de vérifier que tout allait bien pour ses fils.)

« Bôf ! fit Cate. C'est un curé, non ? Il doit préférer la compagnie du bon Dieu. » Elle plongea le doigt dans un petit pot de fard à joues et, d'un geste théâtral, appliqua une touche de mauve sur le haut de chaque pommette. « Tiens : j'ai presque envie de descendre comme ça ! » Dans le miroir elle adressa un clin d'œil malicieux à Lydia. La trahison inattendue de leur mère pour cette camarade de classe surgie du néant les avait curieusement rapprochées.

Mue par un soudain élan de tendresse, Lydia sauta littéralement de son lit et ouvrit la fermeture Eclair de sa valise. Elle en sortit le doux, le somptueux châle à franges de soie et, d'un pas solennel, alla en couvrir les épaules de sa sœur.

« Qu'est-ce que c'est ? » Cate venait de commencer à estomper le fard sur sa joue droite.

« Ton cadeau d'anniversaire. Je sais que la véritable date est le vingt-cinq, mais je ne serai plus là, et j'avais envie de te voir avec.

— Mais c'est superbe ! Les couleurs sont très belles. Ce violet s'harmoniserait parfaitement avec tes yeux, Lydia. Ce châle est beaucoup trop chic pour moi.

— Absolument pas. Regarde comme le turquoise fait chanter les reflets blonds dans tes cheveux.

— Mon chou ! Tu n'aurais pas dû. Cela fait des années que nous avons cessé de nous faire des cadeaux... » Cate drapait l'étoffe sur ses épaules de façon moins symétrique, plus désinvolte : il lui allait effectivement très bien.

« Il s'agit tout de même d'un anniversaire spécial. J'espère que tu me feras un cadeau pour mes quarante ans. Ce châle te portera bonheur. Il est magique. Celle qui le porte jouira d'un charme irrésistible auprès des messieurs. » Lydia se pencha et vint appuyer sa tête contre celle de sa sœur. Chacune sourit au reflet de l'autre. En ce moment précis, chacune se trouvait belle et s'enorgueillissait de la beauté de l'autre.

« Exactement ce dont j'ai besoin, tiens, un autre homme, ironisa Cate.

— Tu n'y es pas du tout. Ce châle n'attire que le compagnon idéal », précisa Lydia qui poursuivait son fantasme.

Le dernier morceau de soleil rouge sang disparut sous l'horizontale gris-argent de la mer. Subitement, le phare s'éclaira d'une lueur sinistre. L'effet produit était impressionnant, même lorsque l'on savait qu'un connecteur automatique venait d'allumer une simple ampoule de 250 watts dont l'intensité lumineuse était amplifiée par un jeu de lentilles optiques. Autrefois, au crépuscule, le gardien du phare gravissait toutes les marches de l'escalier pour monter allumer la lampe à huile, et il devait remonter plusieurs fois au cours de la nuit pour vérifier l'état des mèches ; à présent, le garde-côte vérifiait le mécanisme une fois par semaine. Les sœurs tenaient cette information de leur père. Lui qui était tellement friand de ce genre de détails.

« Alors les filles, vous êtes bientôt prêtes ? » La voix de Nell, au rez-de-chaussée. Elle s'était changée avant dîner et avait dû guetter le phare depuis la fenêtre de la cuisine.

« Mon Dieu, qu'est-ce que je vais mettre ? gémit Lydia. Je n'ai aucune envie de faire des effets de toilette pour mon premier soir de plage, surtout en l'honneur d'inconnus.

— Si tu mettais cette jupe paysanne ? Le chemisier que tu as sur toi est parfait. Avec mon châle, je devrais être plus que présentable, quels que soient les hôtes que nous recevons. Tiens, voyons voir par la fenêtre s'ils sont ponctuels. »

Lydia passa la jupe suggérée et, telles des espionnes, les deux sœurs firent le guet depuis la fenêtre du premier pour surveiller la maison Hollowell.

« Ils arrivent, murmura Cate, avec des airs de conspiratrice.

Ils sont sur le pas de leur porte. Tiens, elle porte des sandales à talons hauts ; ils vont emprunter la route goudronnée. »

Le couple semblait flotter dans la pénombre bleutée du crépuscule ; ils avançaient en cadence, elle appuyée contre lui, comme s'ils avaient traversé les décennies au bras l'un de l'autre.

« Les filles ? appela Nell. Les voilà ! »

Cate leva un sourcil interrogateur à l'adresse de Lydia. « Condescendrons-nous à descendre, du haut de notre splendeur, *ma jolie petite sœur** ?

— Oh, attends ! s'écria joyeusement Lydia. Tu as oublié la deuxième joue. Tiens, laisse-moi faire. » Et d'estomper d'une main experte la marque rouge sur la pommette gauche de Cate, par une série de petits gestes circulaires. « Ça devrait aller, maintenant.

— Merci mon chou. » Cate fit mine d'embrasser sa sœur. Puis, d'un geste royal, elle se drapa dans son nouveau châle et, d'un même pas, elles descendirent l'escalier en faisant grincer les marches sous leurs talons hauts, pour impressionner les invités de leur mère.

« Je vous présente Cate, ma fille aînée et Lydia, ma cadette ! » Nell était fière. Cate s'était vraiment surpassée et, malgré sa simple jupe campagnarde, Lydia avait la classe, comme toujours. « Les filles, je vous présente mes amis, les Chapin. Ou, plus exactement — elle eut un petit rire nerveux — Merle, une très vieille amie à moi, et Marcus, dont l'amitié est plus récente, puisqu'elle date de cet après-midi.

— Sincèrement, je n'arrive pas à y croire, dit Merle qui venait d'embrasser chaleureusement Nell avant de serrer successivement la main de ses deux filles. Je n'ai jamais vu tant de femmes aussi ravissantes dans une même famille. » Elle était coiffée d'un turban de soie vert sombre sur lequel brillait un scarabée d'or. Ce soir, elle se sentait encore plus vieille ; elle portait de faux seins sous sa robe vague ; Nell les avait sentis quand elles avaient échangé un baiser.

« Faut-il vous dire mon Père ou mon Révérend ? demanda Cate au mari de Merle qui lui serrait la main.

— Appelez-moi donc Marcus », répliqua-t-il avec l'aisance légèrement distante du monsieur habitué à être le point de mire en société. Il portait un costume en velours côtelé froissé et pro-

---

* En français dans le texte *(NdT)*.

nonça son nom avec une affectation de bon aloi. Toujours sur ses gardes, Cate flaira l'aristocrate décadent bien sous tous rapports.

La disposition des fauteuils sur la terrasse fut rapidement révisée lorsque Marcus Chapin annonça que Merle s'était enrhumée. Les deux confortables fauteuils de rotin sortis un instant auparavant furent rentrés, on alluma un lampadaire et Lydia, s'érigeant en préposée au bar, prit les commandes pour tout le monde. Marcus Chapin buvait du scotch avec un glaçon ; Merle annonça que n'importe quel soda ferait l'affaire. (« Habituellement, je me flatte d'être connaisseur en bourbon, mais je suis un traitement qui m'interdit l'absorption de boissons alcoolisées. »)

Assise sur le canapé à côté de Nell, Merle dévorait son amie des yeux. « Espèce de vilaine ! » Et de frapper la main de Nell qu'elle venait de prendre dans les siennes. « Elle promet d'écrire et ne le fait jamais. Pour ta punition, je vais te faire raconter tout ce que tu aurais dû écrire dans tes lettres. Nous allons commencer par le présent et procéder rétroactivement. Je ne veux rien ignorer de tes deux adorables filles. » Elle regarda Lydia avec une sorte d'avidité passionnée, puis Cate. « Marcus et moi désirions avoir des enfants, mais Notre-Seigneur n'a pas jugé bon de nous accorder ce bonheur. Tu dois être très fière d'elles.

— Bien sûr que je suis fière », dit Nell, un peu gênée de parler ainsi de ses filles en leur présence. Et elle se souvint alors pourquoi il lui était arrivé parfois de trouver Merle difficile à supporter : cette façon qu'elle avait de s'enthousiasmer systématiquement pour tout et tout le monde — certains parlent de tempérament chaleureux —, ce qui, par comparaison, accentuait encore la prétendue froideur de Nell. Elle se reprocha intérieurement cette pensée mesquine et, après avoir avalé une grande gorgée de gin tonic, elle entreprit de dresser le tableau exhaustif des mérites de ses filles, malgré leur présence. « Lydia a deux beaux garçons, et vient de reprendre ses études à l'université de Greensboro ; Cate possède un doctorat d'anglais et enseigne dans un établissement supérieur privé, d'obédience luthérienne, dans l'Iowa.

— Vous êtes donc enseignante, dit Marcus Chapin qui était assis à côté de Cate.

— Une enseignante sans école, à vrai dire. Mon établissement vient de faire faillite.

— Oh ! Vous me voyez désolé. » Il se pencha en avant et serra son verre entre ses deux genoux. « Voilà qui nous place sur la même galère. Moi, je suis un prêtre sans église.

— Qu'est-il arrivé à votre paroisse ?

— Oh, l'église n'a pas bougé, répondit-il avec un sourire triste. Ou plus exactement, les murs n'ont pas changé de place. Car je ne peux pas dire qu'elle ressemble beaucoup à l'église que j'ai connue. J'ai été "muté" par l'évêque. Dans une toute petite paroisse dont les fidèles avaient la réputation d'être aussi rétrogrades que moi-même. L'année passée, j'ai demandé un congé pour convenances personnelles. Ils se sont trouvé un gentil petit vicaire pour assurer mon remplacement. Plein de projets et de rêves. Je vais dire la messe une fois par mois pour ne pas laisser rouiller mes vieilles articulations. Mais mes ouailles s'entendent mieux avec lui, si bien que nous allons sans doute laisser les choses en l'état. Quel était le sujet de votre thèse de doctorat ?

— Elle s'intitulait *Perspectives pour un monde nouveau dans la poésie de D.H. Lawrence.* » Cate rectifia son châle et baissa les épaules prêtes à passer à l'offensive au cas où. Car sur ce sujet, elle avait appris à classer les gens cultivés en deux catégories : ceux qui détestent Lawrence et ceux qui le portent aux nues. Il n'existait apparemment pas de position médiane.

« J'avoue à ma grande honte que je n'ai rien lu de sa poésie, risqua prudemment Chapin avec son accent bon chic-bon genre. J'ai essayé de lire un de ses romans, autrefois. Pour être franc, je l'ai trouvé un peu emphatique. Je suis certain qu'il en va différemment de la poésie. Ne jugez-vous pas sa prose un peu verbeuse ?

— Oh, il n'en fait guère moins dans sa poésie. C'est parce qu'il a vécu dans un monde où les gens refusaient d'écouter. » Cate but un peu de bourbon et, d'un œil provocateur, observa le grand seigneur virginien par-dessus le bord de son verre. Il serait intéressant d'éprouver les limites de sa courtoisie.

Lydia avait rapproché son fauteuil du canapé et parlait de Dickie et Leo avec Merle.

« Je vois, dit Chapin en souriant dans son verre. Et à quoi ressemble ce monde nouveau ? A un endroit où les gens l'écouteraient ? »

Cate détecta, ou crut détecter, une pointe de condescendance dans le ton du révérend, tandis qu'il courbait un peu ses puissantes épaules à la façon d'un général Patton aux tempes argentées. D'ailleurs, il ressemblait davantage à un officier supérieur en retraite qu'à un prêtre.

« Pas tant l'écouter *lui* qu'écouter tout court, dit Cate. La plupart des gens sont incapables d'écouter ; pas étonnant qu'ils n'entendent rien. »

Chapin hocha la tête, comme s'il était tenté de souscrire à ce point de vue. « Mais quelle était sa théorie pour un monde nouveau ?

— Ses perspectives, rectifia Cate en avalant une autre gorgée de bourbon. Il m'a fallu près de trois cents pages pour exposer le contenu que je leur prête. Je doute donc de pouvoir répondre correctement à votre question dans le cadre d'une conversation mondaine autour d'un verre. »

Avec un mince sourire, Chapin dressa les sourcils.

« Je veux dire par là, corrigea Cate pour atténuer son éventuelle grossièreté, que le sujet est vaste. Seriez-vous capable de résumer le sens profond de votre ministère en buvant un verre de whisky ?

— Le sens profond, non. Car il n'est pas figé. Le message, oui. J'ai passé ma vie à clamer l'impérieuse nécessité d'accéder à la connaissance de la sagesse et de l'amour divins, afin d'en devenir à notre tour les dépositaires. »

Chapin n'était manifestement pas un imbécile ; il était capable de penser logiquement et ne laissait pas son interlocuteur s'égarer dans des digressions sans le lui faire poliment remarquer. Bien que l'énoncé du fameux « message » de son ministère ait peut-être péché par excès d'élégance et d'aisance. Néanmoins, devant sa performance, Cate se mit à rêver d'avoir elle aussi un « message » clair, prêt à servir, et qui lui permettrait d'expliquer brillamment sa mission à des inconnus.

« Et le message de ce M. Lawrence, quel est-il ? » demanda gentiment Chapin.

Consciente d'être mise au pied du mur, Cate passa rapidement en revue ses découvertes durement acquises, en quête d'un élément suffisamment frappant pour impressionner Chapin. Mais pourquoi tenait-elle tant à l'impressionner ? Elle n'était pas sûre de le trouver seulement sympathique. Il semblait faire partie de ces hommes capables de vous réciter les credo les plus profonds tout en dansant le menuet sans faire un faux pas.

« Lawrence dit que nous vivons une époque révolue. Notre activité a perdu sa signification. Jusqu'à nos émotions qui sont devenues mécaniques. Nous ne sommes plus que des fantômes exécutant les vieux pas de danses démodées d'une civilisation sur le déclin. » La métaphore de la danse était improvisée, mais puisqu'il n'avait pas lu les poèmes, elle comptait bien s'en tirer ainsi.

« Oui, mais quelle place fait-il à l'espoir ? Qu'en est-il des projets de M. Lawrence pour les malheureux fantômes que nous sommes ?

— J'y viens », répondit Cate non sans humeur. Elle soupira. But la dernière goutte de bourbon. L'effort de concentration la fit grimacer. S'ils avaient été en train de danser, elle aurait incontestablement trébuché. « Selon lui, nous sommes des fantômes, mais nous sommes également semence. Notre tâche est simple, bien que difficile à accomplir : Nous devons "renoncer au fantôme" et laisser le vieux monde mourir avec nous. Il nous faudra alors descendre en terre et repartir... »

Tout le monde s'était tu pour l'écouter. Cate en fut gênée, mais Chapin s'était tourné vers elle et attendait la suite.

« Il nous faudra repartir avec... — elle bredouilla et dut improviser la suite, sans être sûre que les idées qu'elle développait appartenaient à Lawrence et non à elle — avec ce qu'il y a de vrai, de vivant et d'indestructible en nous... même si cela ne représente pas grand-chose de tangible au départ... et... » Elle s'interrompit net, déroutée par tous ces visages tournés vers elle. Lisait-elle bien une ombre d'agacement sur le visage serein de sa mère ? Avait-elle parlé trop longtemps, avec trop de passion, pour une conversation qui se voulait aimablement mondaine ? « Bref, conclut-elle avec une désinvolture censée être humoristique, en attendant que germe notre semence, si nous remplissions notre verre ?

— Excellente idée, dit Marcus Chapin en tendant le sien à Cate qui venait de se lever. Il faut toujours surveiller l'arrosage. »

Il y eut un petit rire de soulagement tandis que Cate — imitée par Lydia qui s'était précipitée pour l'aider — ramassait des verres vides ou sérieusement entamés.

« Tu sais, Marcus, dit Merle Chapin en se penchant béatement en avant, pendant que Cate parlait, je ne pouvais m'empêcher de songer au courage qu'il fallait pour descendre sous terre avant de renaître... eh bien, c'est exactement ce que tu es en train d'accomplir, dans un certain sens. A la façon des premiers chrétiens au temps des persécutions.

— Ecoute, chérie, je ne saurais parler de persécution à mon sujet. Le terme me semble excessif, rectifia son mari.

— Pourtant, on te persécute bel et bien, s'écria la petite femme avec passion. Tu me permets de leur parler de... de l'église de Norfolk ? Et de tes démêlés avec l'évêque ? »

Marcus eut un geste d'impuissance. Avec le sourire, il

répondit : « Je vois très mal comment tu pourrais faire autrement à présent. »

Car tout le monde avait dressé une oreille attentive. « Je vous en prie, racontez-moi vos démêlés avec l'évêque, insista Nell qui semblait décidément surexcitée ce soir.

— Pourquoi ne t'en charges-tu pas, ma chérie ? suggéra Marcus. Merci », dit-il à Cate qui venait de lui apporter un autre verre de scotch. Puis, levant calmement son verre, il lui murmura : « A la semence indestructible ! »

Merle s'était déjà lancée dans le récit passionné et palpitant du « coup époustouflant » que leur avait fait l'évêque en envoyant à Marcus *une* séminariste pour l'assister dans sa paroisse de Norfolk.

« Au début, il a décidé de prendre les choses avec une totale sérénité dans la mesure où sa nomination valait seulement pour l'été ; elle avait encore une année d'études à faire au séminaire. Par conséquent, le pauvre Marcus s'est contenté de fermer les yeux en cherchant de plus nobles sujets de méditation quand elle avançait vers le pupitre, avec ses mocassins qui dépassaient sous la soutane, pour lire l'Epître. Cependant, l'église de Marcus lui plut tellement qu'elle demanda à revenir comme vicaire après son ordination. Le fin mot de l'histoire est qu'elle s'est entichée de la personne dirigeant la chorale, encore une jeune femme qui porte des mocassins sous sa tunique...

— Merle chérie, nous n'avons aucune certitude à ce sujet, intervint Chapin avec un sourire d'indulgente neutralité qui ne laissait aucun doute sur sa conviction.

— Si tu veux, Marcus. Marcus est d'une scrupuleuse honnêteté — qui finit d'ailleurs par se retourner contre lui, si vous voulez mon avis. Quoi qu'il en soit, étant désormais prêtre à part entière — encore que pour moi, une femme prêtre soit à peu près aussi inconcevable que, disons, un homme mère de famille —, Jim avait parfaitement le droit d'administrer la communion. Oui, elle s'appelait Jim : ses parents l'avaient en effet prénommée James à cause de James River. Tout le mal vient de là, à mon humble avis ; comment une femme peut-elle s'appeler James ? Elle faisait partie de ces filles au physique un peu chevalin, issues d'une vieille famille ; je suis sûre que sa famille aura fait pression sur l'évêque car, pour n'importe quel jeune prêtre, le fait d'être nommé vicaire dans la paroisse de Marcus a toujours représenté une sorte de privilège...

— Chérie, rien ne nous permet d'affirmer que sa famille a

exercé des pressions sur qui que ce soit, rectifia une fois de plus Chapin avec un sourire songeur sur son whisky.

— Enfin, je sais ce que je sais, dit Merle avec un hochement de sa tête enturbannée de soie verte. Et tu le sais également, mais tu es d'une incorrigible honnêteté. Peu importe, un dimanche, Jim distribuait donc le vin tandis que Marcus administrait les hosties. C'était la première fois qu'elle officiait ; Marcus avait tenté de la tenir le plus longtemps possible à l'écart de la communion, mais elle avait beaucoup insisté et... bref, l'une de nos vieilles paroissiennes les plus dévotes, Mme Leeds, que son chauffeur venait d'amener à la table de communion dans son fauteuil roulant, Mme Leeds donc manqua de se trouver mal lorsque, relevant les yeux après avoir pieusement avalé l'hostie, elle vit cette Jim en mocassins se pencher pour lui tendre le calice. Elle faillit en avoir une attaque cardiaque et fit signe à son chauffeur de l'éloigner de cette table de communion. L'incident n'échappa pas à Marcus qui comprit ce qui se passait, tant et si bien que, lorsque tout le monde eut communié, au lieu de boire le vin qui restait dans le calice, conformément au rituel liturgique, Marcus prit la coupe et descendit parmi l'assemblée de fidèles jusqu'à Mme Leeds qui tremblait encore d'émotion dans son fauteuil roulant et il acheva d'administrer le sacrement. A la suite de quoi, Jim n'eut d'autre hâte que de sauter dans sa petite voiture étrangère pour foncer dénoncer Marcus à l'évêché. Il y eut alors un beau scandale. L'assemblée des fidèles prit parti. Les paroissiens de Marcus lui furent évidemment unanimement fidèles, mais cette Jim et son amie musicienne avaient traîné dans leur sillage un certain nombre de personnes nouvelles — d'un genre particulier, dirons-nous — et le résultat de cette affaire fut la mutation de Marcus à Gloucester, un endroit qui ne manquait certes pas de charme, ni de pittoresque — avec toutes ses belles propriétés anciennes — mais où pas un seul paroissien n'avait moins de soixante-dix ans bien sonnés. Tout ce beau monde se souciait davantage de la restauration des fonts baptismaux du XVIIIe siècle ou de l'entretien des pierres tombales des premiers colons que de Dieu. Si bien que, lorsque je suis tombée malade l'année dernière, Marcus a décidé de prendre un congé et, depuis, sauf une fois par mois, il dit la messe pour nous deux, dans son bureau. Nous avons installé une espèce d'autel et voilà. Nous sommes descendus sous terre, mais nous gardons la foi.

— Mon Dieu, quel malheur, dit Nell. Je parle de l'église de Norfolk, bien sûr. Mais et l'autre, la petite ? Celle de

Gloucester ? Vous n'avez pas l'intention d'y retourner ? Vous ne pourriez pas, je ne sais pas moi, inventer un système susceptible d'attirer les moins de soixante-dix ans ? C'est ce que nous faisons pour notre Club Lecture, chez nous. Il faut amener un peu de sang neuf.

— Pour être franc... Nell, dit Marcus qui pour la première fois l'appelait par son prénom, l'Eglise que j'ai connue et aimée a pris un sacré coup de plomb dans l'aile. Au moment précis où les gens ont tendance à foncer un peu à l'aveuglette dans toutes les directions et auraient plus que jamais besoin de son inébranlable stabilité, elle ne trouve rien de mieux que d'enfourcher à son tour l'un de ses chevaux fous pour se mettre à tourner frénétiquement en rond. » Il fit tourner le glaçon dans son verre d'un air méditatif. « Je n'y retournerai probablement pas, non. Je suis proche de l'âge de la retraite de toute façon, et l'évêque ne sera pas au désespoir si je demande à être mis sur la touche un peu plus tôt. Du moment que je peux maintenir en vie mon église à moi pour un fidèle ou deux — Merle et moi — je m'estimerai satisfait.

— Je ne sais pas, dit Cate dont le visage avait trahi une succession de réactions diverses au long du récit de Merle et de la conclusion de Marcus. J'ai l'impression d'être confrontée à un nouvel exemple de l'Elégant Défaitisme dont nous autres Sudistes nous sommes fait une spécialité. J'ai aussi le sentiment d'assister à une désertion par rapport à votre foi. »

Les sourcils de Marcus se dressèrent. Sans sourire cette fois.

« Personne n'a une foi plus solide que Marcus ! s'indigna Merle, avant qu'une petite quinte de toux ne la plie en deux.

— Tu es épuisée, chérie. Nous devrions prendre congé, dit Marcus.

— Absolument pas, protesta fermement Merle. Je t'en prie, laisse-moi un peu avec Nell. Cela fait des années que je n'ai plus d'amie... » Un sourire espiègle éclaira son petit visage blême en forme de cœur.

« Ce n'est pas moi qui ai déserté l'Eglise, dit Chapin en se retournant vers Cate, mais l'inverse. Ma foi demeure inébranlable. Seulement l'Eglise ne me permet plus d'agir en accord avec ma foi. » Apparemment, il tenait à enfoncer ce clou dans la tête de Cate.

« Attendez un peu, dit Cate avec une pointe d'acharnement. Je désire clarifier un détail. Dois-je comprendre que vous réprouvez l'homosexualité ou l'accession des femmes au sacerdoce ? » Ses yeux défiaient crânement Chapin.

Le regard de Nell croisa celui de Lydia et lança un appel au secours : Essaie de dévier la conversation. Par pitié !

« Je pense que lorsque nous sommes trahis par nos institutions, nous devons les bousculer un peu, intervint Lydia avec autorité. Mon opinion est que notre devoir alors est de perpétuer les principes qu'elles ont abandonnés jusqu'à ce que nous puissions les contraindre à se reprendre. Dans l'intervalle, poursuivit-elle en redressant joliment la tête, nous devons regarder ailleurs. Je m'explique : quand la qualité des voitures américaines laisse à désirer, notre devoir est de montrer à Detroit que nous, nous continuons à apprécier le travail bien fait en nous tournant vers les marchés étrangers. Tenez, je vous donne un autre exemple : ce trimestre, mon fils a été relativement abandonné par son école qui se soucie plus de complaire à la majorité que de promouvoir certains principes. Eh bien il s'adresse à des internats anglais. C'est lui-même qui écrit les lettres. Nous...

— Nous ne sommes pas en train de discuter d'un produit, Lydia. Nous parlons de principes, ce à quoi l'on croit, l'interrompit Cate non sans une certaine agressivité.

— Parce que l'enseignement est un produit ?

— Bien sûr que oui. » Cate redressa le menton et adressa un petit sourire supérieur à sa sœur. « Qu'est-ce d'autre qu'un produit ? Tu es bien placée pour savoir que tu payes telle somme pour tant d'heures de cours qui te permettront d'obtenir telle peau d'âne. Tu as dit pendant le dîner que tu voulais un diplôme de sociologie. Alors tu payes pour obtenir le bout de papier qui te permettra d'aller mettre ton nez chez les défavorisés.

— Quelqu'un a soif ? demanda Nell avec un regard noir en direction de Cate qui choisit de l'ignorer.

— Tu es injuste, Cate. Nous parlions du lycée de Leo et on ne paye pas à l'heure de cours dans un établissement secondaire. Et ton doctorat de littérature, tu en fais quoi ? Je suppose que tu ne le ranges pas parmi les produits mais parmi les principes puisqu'apparemment tu as l'exclusivité du négoce des croyances.

— Lydia, je voudrais bien un peu de glace », dit vainement Nell. Son regard avait croisé celui de Merle qui lui adressa un sourire d'encouragement, comme pour dire : Ne t'en fais pas, tu as des filles fantastiques.

« C'est bien évidemment un produit, dit Cate avec un sourire de mauvais augure. J'ai donné mes sous et acheté mon produit, qui n'intéresse plus personne aujourd'hui. Je me trouve dans la même situation que Detroit. Si tu recherches un glaçon pour

432

maman, ça ne te dérangerait pas de me verser une larme d'Old Crow tant que tu y seras ?

— Avec plaisir », répondit Lydia en faisant un suprême effort d'amabilité, contrainte aux bonnes manières par Cate qui aurait certainement pu se dispenser de davantage d'alcool. Les lèvres pincées, elle emporta le verre de sa mère et celui de Cate.

Il y eut un moment de silence tendu pendant que Lydia, du bar, faisait tinter les glaçons dans un verre et versait du bourbon dans l'autre.

Marcus, qui attendait patiemment son heure, s'adressa encore à Cate : « Je crois que la question soulevée peut se formuler ainsi : Faut-il refuser à une très fidèle paroissienne le sang du Christ versé pour elle deux mille ans auparavant, parce qu'elle ne peut se résoudre à accepter la décision pour le moins controversée prise en 1976 par un synode d'ecclésiastiques un peu dérangés ?

— Mais vous auriez pu l'amener à accepter cette mesure, dit Cate en se précipitant sur le verre plein que Lydia venait de lui tendre avec une révérence moqueuse. Vous étiez le prêtre et elle était votre fidèle paroissienne.

— Encore faudrait-il que je l'aie moi-même acceptée, expliqua-t-il doucement.

— Tiens ! Je vous ai eu ! s'écria Cate en bondissant sur son siège comme si elle voulait le pousser. C'est exactement la question que je vous posais au début. Alors, votre réticence est-elle motivée par sa qualité de lesbienne ou de femme ? »

Nell ressentit une espèce de picotement sur le visage et le cou, comme l'éclatement de petites bulles.

« Elle peut bien être ce qu'elle veut, je n'ai rien à y redire, répondit courtoisement Marcus Chapin. Mais aucun des trente-neuf articles de la religion ne prévoit qu'une femme puisse être prêtre.

— On n'en parle même pas dans la Bible ! renchérit Merle.

— Une minute, dit Cate, qui fit attendre tout le monde, le temps pour elle d'absorber une longue gorgée de bourbon. Vous disiez tout à l'heure que le message que vous portiez devait amener les gens à connaître la sagesse et l'amour divins, jusqu'à être eux-mêmes habités par ces attributs.

— Effectivement, dit Chapin avec un rien de solennité.

— Dans ces conditions, triompha Cate, ne peut-on envisager que cette Jim, ou James, peu importe son nom, soit autant que vous habitée par la sagesse et l'amour divins ? » Elle avait l'esprit un peu embrouillé par l'alcool et quelque chose lui disait qu'elle avait dû escamoter une étape dans son raisonnement ; mais elle comptait bien gagner sur la lancée.

« Je ne demande qu'à le croire, répliqua Chapin avec une mimique fortement dubitative. Mais cela ne suffit pas à faire d'elle un prêtre.

— Disons une prêtresse, si vous préférez. Peut-être sommes-nous en train de pinailler sur de simples questions de vocabulaire. Reconnaissez-vous à cette femme le droit d'être prêtresse au sein de votre Eglise ?

— Je crains que la réponse ne soit négative, répondit-il. Libre à elle d'être prêtresse dans le temple d'Isis, ou vestale consacrée si cela lui chante, et même bonne sœur anglicane si elle en a envie, mais elle ne peut être prêtresse de l'Eglise. » Ces derniers mots semblaient indiquer que le chapitre était clos.

« Ce qu'elle est en fait, si je ne m'abuse ? » insista Cate.

Pour la première fois, Marcus Chapin trahit un certain agacement.

Nell ferma les yeux.

Remarquant l'embarras de sa vieille amie, Merle eut une seconde quinte de toux qui, pour être moins spontanée que la première, réussit à faire lever Marcus Chapin.

« Nous rentrons tout de suite, dit-il en se dirigeant vers son épouse. Je me suis tellement laissé prendre par cette discussion que j'en ai négligé ta santé. »

Survint un échange de salutations au cours desquelles Marcus Chapin poussa la courtoisie jusqu'à remercier Cate pour l'animation qu'elle avait mise dans la conversation. Puis Merle plaida avec conviction pour que tout le monde se réunisse une autre fois : les Chapin devaient rester encore une semaine. Et avant que le couple ne disparaisse, bras dessus bras dessous, dans la douceur marine de la nuit, Merle avait extorqué à Nell la promesse de venir passer l'après-midi avec elle pendant que Marcus ferait de la voile avec un jeune homme possédant un yawl de trente-trois pieds. Il les avait invités tous les deux, « mais j'ai le mal de mer et Marcus refuse de me laisser seule. Comme ça, Nell, nous pourrons nous raconter nos souvenirs d'école et nos histoires de bonnes femmes sans ennuyer tout le monde mortellement ».

« Je vais rester lire un peu au rez-de-chaussée, dit Lydia dès que les trois femmes se retrouvèrent seules. Je peux rincer ces verres, maman, tu n'as qu'à me les laisser.

— Merci, dit Nell avec un vague regard dans la direction de Lydia. Je suis un peu fatiguée. » Lydia se demanda si sa mère lui faisait ou non la tête. Mais pourquoi serait-elle fâchée contre moi ? se défendit-elle intérieurement.

« Et moi, je suis un peu soûle, je crois », dit Cate avec une bonne humeur à toute épreuve. Elle posa un baiser sur la joue de sa mère. « Ne t'en fais pas pour le mari de ton amie. Il peut encaisser. Mais moi, l'indulgence dédaigneuse style vieille garde inébranlable me fait toujours sortir de mes gonds.

— Nous avons pu le constater », répliqua sèchement Nell. Puis avec un demi-sourire, elle rendit son baiser à Cate. « De toute façon, tu étais très en beauté. Surtout avec ce châle.

— Il est beau, n'est-ce pas ? C'est Lydia qui me l'a offert. Un cadeau anticipé pour mon quarantième anniversaire ; pour compenser des ans l'irréparable outrage. Ma petite Lydia, je ne voulais pas t'attaquer sur les questions d'éducation, mais tu faisais dévier la conversation en m'empêchant de river son clou à Marcus Chapin. Maman, d'après Lydia, ce châle aurait des vertus magiques : celle d'attirer les hommes par exemple. » Avec un clin d'œil complice en direction de sa sœur, Cate se drapa dans le châle. Elle essayait de recoller les morceaux, mais Lydia faisait la sourde oreille.

« Eh bien ce ne sera pas du luxe, dit Nell, si tu les traites tous comme ce pauvre Marcus Chapin.

— Oh, il s'en remettra. Je regrette seulement de n'avoir pas été un tout petit peu plus sobre, car j'aurais pu l'emporter haut la main. Je sais exactement quand je me suis fait piéger. » Bâillement. « Ouf ! Je suis fatiguée. Et un peu bourrée. Allez, bonsoir tout le monde ! » Et de disparaître à l'étage, sans l'ombre d'un remords.

« Bonsoir », dit Nell en se tournant vers sa fille cadette à qui elle n'avait pas encore donné le baiser de bonne nuit. Mais Lydia, distante et froide, avait déjà commencé de rassembler les verres. « Bonsoir », répondit-elle sèchement à sa mère avant de disparaître dans la cuisine.

Nell opta pour la neutralité et se retira dans sa chambre, ravie à l'idée de retrouver son lit.

Lydia passa les verres à l'eau savonneuse. Puis elle les rinça, les essuya soigneusement et les aligna sur une serviette en sopalin. Dommage qu'il n'y en ait pas une cinquantaine de plus à laver, car elle n'avait pas la moindre intention de se coucher dans le même lit que Cate avant d'être certaine que cette dernière dorme à poings fermés. Lydia n'était pas sûre de pouvoir se retenir de déclencher les hostilités. Les allusions de Cate sur son diplôme de sociologie lui restaient particulièrement en travers de la gorge. C'est ce qu'on appelait frapper en dessous de la ceinture ; exactement le genre de pratique qu'elle avait eue autrefois. Elle lui soutirait une information pour la lui renvoyer en boomerang à la première occasion, sur le mode ironique ou dérisoire.

Mais Lydia ne tenait pas à se disputer. Surtout ce soir, après avoir donné le châle à Cate. Cate serait fort capable de mettre le châle définitivement aux oubliettes sous prétexte que Lydia et elle s'étaient querellées le jour même. Et il méritait mieux que cela. Lydia regrettait d'ailleurs un peu son élan de générosité — mais il était trop tard — qui l'incitait maintenant à faire contre mauvaise fortune bon cœur.

Si je veux « exister » au sein de cette famille, se dit Lydia, la magnanimité est ma seule planche de salut ; être celle sur qui chacun peut compter. C'est vers moi que maman s'est tournée pour appeler au secours quand Cate s'est mise à attaquer cet homme, et qui a-t-on embrassé ce soir ? Enfin, Dieu merci, j'ai une autre famille. Dickie adore me donner un baiser avant d'aller se coucher, Leo également à sa façon. Je suis bien contente de me retrouver avec eux deux dans la grande maison, cet été, pendant que Leo suivra ses cours de vacances. Max s'est montré grand seigneur en faisant un échange d'appartements avec moi. Bien que nous sachions l'un comme l'autre qu'il passe un certain temps chez Lizzie. Et puis, j'ai Stanley, même si je me demande encore ce que je vais faire de lui. Stanley qui se ferait un plaisir de m'embrasser, lui aussi.

Lydia prit son livre de bibliothèque et s'installa dans le grand canapé en face de la cheminée vide à côté de laquelle sa mère avait posé le bouquet de fleurs des dunes. Apparemment, leur mère tenait beaucoup à plaire à ces gens. Dire que cette petite bonne femme au visage blafard, en dépit de ses yeux lourdement maquillés, avait été sa camarade d'enfance ! Même qu'elle était la plus jolie fille de l'école, celle qui remportait le plus de succès, en tout cas d'après leur mère. Lydia l'avait trouvée sympathique — surtout lorsqu'elle parut s'intéresser à Leo et Dickie — mais un peu trop portée à voir systématiquement les choses sous leur jour le plus favorable. Le genre de personne qui l'agaçait un peu, à la longue. (A quoi leur mère avait-elle pu ressembler, quand elle était gamine ?)

Elle ouvrit son livre dont elle sortit plusieurs feuilles de papier pliées en quatre. Des photocopies de lettres adressées à la chaîne de télévision, pour dire du bien — ou citer — la prestation de Lydia. Calvin les lui avait envoyées. Et la centième — si ce n'est plus — relecture de ces documents la transportait encore de joie.

D'un coup de talon, Lydia se débarrassa de ses sandales à hauts talons et, les orteils confortablement repliés, elle se plongea une fois de plus dans ces lettres qui lui mettaient du baume au cœur.

... *un simple mot pour vous féliciter de l'émission de mardi dernier (celle des soufflés au crabe du capitaine La Forgue) et vous dire le plus grand bien de Mme Manning de Mountain City. Elle était absolument charmante. J'espère que Mlle Mary Turnbull invitera d'autres personnes comme elle (ou peut-être Mme Manning sera-t-elle réinvitée !).*

(Signé par une dame habitant à la campagne, près de Level Cross, Caroline du Nord.)

... *Après tout le tam-tam que vous autres, gens de télé, faites sur ces féministes braillardes et autres perpétuelles insatisfaites des années soixante, merci de nous avoir présenté la vivante réfutation de toutes ces fumeuses élucubrations. Je fais évidemment allusion à la charmante jeune personne qui cassait les œufs dans l'émission culinaire que je regarde parfois avec ma femme, depuis que je suis en retraite. Cette jeune femme en robe verte m'a rappelé les vraies dames de ma génération ; elle respirait l'équilibre, le charme, le respect pour les aînés et une certaine fierté de n'être rien d'autre que ce que Dieu avait fait d'elle, c'est-à-dire une femme. Au cours de l'année passée, j'ai eu l'occasion d'écrire plusieurs lettres, tant aux journaux qu'à la télévision, pour me plaindre de sujets parfaitement abjects auxquels on se plaisait à donner la vedette. Mon plaisir n'en est que plus grand de trouver l'occasion d'exprimer ma satisfaction.*

(Signé par un médecin d'Archdale, Caroline du Nord.)

... *le motif essentiel de ma lettre est de demander s'il est possible d'acheter une « pendule-soleil » comme celle que l'on voyait sur la cheminée en briques du capitaine Laforge, dans sa maison de Beaufort ; à moins qu'il ne s'agisse d'un objet ancien. J'ai aussi beaucoup aimé la jeune femme qui a raconté la « disparition de la colline » à Mountain City. Elle m'a rappelé l'époque où je tenais compagnie à ma grand-mère dans la cuisine, pendant qu'elle faisait des gâteaux. Nous nous racontions des choses extraordinaires, exactement comme Mary McGregor Turnbull et cette jeune femme.*

(Signé par une habitante de Greensboro.)

P.S. — Pensez-vous que le capitaine Laforge serait prêt à vendre sa pendule ?

Cette Lydia Mansfield qui participait à la dernière émission de Mary McGregor Turnbull m'a beaucoup plu. Moi aussi, je suis une jeune mère, souvent coincée dans la maison, et il m'arrive parfois d'avoir le cafard à l'idée qu'il est peut-être trop tard pour réussir ma vie. Elle m'a réconfortée et j'espère avoir l'occasion de la revoir.

(Signé par une femme vivant dans un quartier des logements sociaux de Greensboro.)

Avec un soupir de satisfaction, Lydia replia les photocopies. Elle en renifla l'odeur chimique et frotta rêveusement les coins anguleux du papier contre sa joue. A l'origine, elle comptait lire ses lettres à sa mère pendant leur première soirée en tête à tête dans la villa. Puis, lorsque Cate avait annoncé sa venue, Lydia avait envisagé de trouver une occasion de les leur montrer à toutes les deux. A présent, elle ne savait plus. Elle redoutait un peu d'avoir l'air d'étaler sa « réussite », pour reprendre l'expression de Cate, au moment précis où cette dernière, entre la perte de son emploi et... l'autre perte... connaissait une période de déclin. Pour peu que Cate soit d'humeur vindicative, ou ait bu un bourbon de trop, elle serait capable de faire un commentaire qui gâcherait son plaisir. Lydia glissa donc les lettres dans les dernières pages du livre dont elle reprit la lecture à l'endroit où elle l'avait laissée. Il s'agissait d'un ouvrage de Bob Shankes intitulé *Comment réussir à la télévision*, et que Calvin lui avait recommandé.

Quatre personnes au moins se sont trouvées bien de ma prestation télévisée, songea Lydia. Quatre du moins l'ont exprimé concrètement. Mais il existe peut-être une masse de personnes qui partagent leur point de vue sans avoir pris la plume pour l'écrire. Y a-t-il un mal à ce que le fait de le savoir me réjouisse et ouvre des perspectives quant à mes possibilités encore inexploitées d'œuvrer pour le bien du monde ? J'en serais désolée.

Elle se rappela qu'elle devait trouver absolument une jolie carte, mentionnant clairement Ocracoke — des pivoines sauvages peut-être — pour envoyer à Mary McGregor Turnbull. Non, une simple carte risquerait de paraître mesquine et Miss Mary pourrait en prendre ombrage. Or Lydia tenait essentiellement à ce que Miss Mary n'éprouve aucun sentiment de ce genre. Lydia acceptait volontiers de jouer les petites filles dociles et respectueuses jusqu'... jusqu'au jour où elle aurait creusé son trou. Même dans les rôles subalternes, on peut exercer une influence considérable, à condition de faire bien ce que l'on a à faire, avec charme et discrétion, sans se mettre en avant.

Bien qu'épuisée par les événements de la journée, Nell ne trouvait pas le sommeil. C'est la première fois qu'elle dormait dans ce lit sans Leonard et elle ne pouvait s'empêcher de ruminer sans parvenir à ramener la nostalgie à sa juste place. Où était la belle sérénité résignée acquise ces six derniers mois ? Elle qui était capable de plonger dans son passé, d'en inspecter les tranches successivement comme l'on sonde les profondeurs d'une eau calme qui, au-delà du reflet d'un visage, révèle à la fois le ciel et le fond terreux...

La soirée n'était évidemment pas étrangère à son trouble ; tous ces remous et ces antagonismes entre les divers individus — elle, Nell qui voulait à tout prix impressionner Merle avec ses filles ; Merle qui ne demandait qu'à paraître impressionnée ; la virulence de Cate, ensuite, à propos de ce qui ressemblait à un débat philosophique entre elle et Marcus Chapin ; puis la prise de bec entre les deux sœurs ; et la grossièreté de Cate envers Marcus qui, après tout, était pasteur et suffisamment vieux pour être son père ; sans oublier le regard de Lydia lorsque Nell avait accepté de passer l'après-midi du lendemain en compagnie de Merle.

Mais comment aurais-je pu dire non à Merle, songea Nell en se retournant dans son lit douillet dont le matelas rebondit désagréablement à cause de l'absence de Leonard pour faire contrepoids. Qui saurait refuser quoi que ce soit à Merle ? Surtout à présent, avec la maladie qui la rongeait visiblement. Sa toux ne m'a guère plu. Je me demande si son cancer a été pris à temps. Et ce turban sur sa tête... Je suis sûre qu'elle a subi une chimiothérapie... Comment aurais-je pu ne pas répondre que je viendrais le lendemain. Merle qui n'a jamais eu d'enfant ne peut imaginer avec

439

quelle facilité naissent jalousies et rancunes : pauvre Lydia — d'abord, elle s'imaginait m'avoir à elle seule ; puis il lui a fallu me partager avec Cate ; et maintenant, sans crier gare, voilà cette amie d'enfance qui réclame une part de mon temps.

Etrange qu'aucune des filles ne se souvienne de m'avoir entendue parler de Merle. A y bien réfléchir, j'avais plus ou moins oublié ces années d'école jusqu'à très récemment, lorsque je me suis retrouvée avec tout ce temps pour repenser à mon passé. Peut-être n'ai-je jamais fait allusion à Merle devant elles.

Mais pourquoi cette rencontre avec Merle, alors que nous sommes devenues deux vieilles femmes, a-t-elle le pouvoir de réveiller en moi les douloureuses angoisses de l'adolescence ? De ressusciter les sentiments dont je me croyais définitivement débarrassée ? Heureuse de l'être. Je ne saurais même plus les nommer. Ils sont liés à la crainte de n'être pas à la hauteur... Moi qui me croyais à l'abri de mes vieux fantômes ! Tous liés à la peur. Peur de quoi ? De perdre davantage que je ne saurais le supporter... Mon Dieu, que j'ai sommeil ! Si seulement Leonard occupait encore sa moitié de lit. Autre aspect du problème : voir Merle en compagnie de son mari, bien qu'il soit relativement distant — enfin, sauf avec elle —, me renvoie avec d'autant plus de violence à la vérité de ma situation de veuve. Socialement on est la moitié d'un tout qui n'existe plus. On arrive seule, on repart seule, et si l'on est prise d'une quinte de toux, personne n'est là pour suggérer gentiment d'aller se coucher. Les gens qui reçoivent une veuve doivent prier secrètement qu'elle ne tousse pas.

Voilà que je sombre dans le mélodrame. D'ailleurs, à Mountain City, parmi les relations de mon âge, je ne ferai pas figure d'oiseau rare. Entre Grace Hill qui est veuve depuis si longtemps que la plupart des gens la prennent pour une vieille fille, et Sicca dont le mari reste à la maison à cuver son alcool tandis qu'elle ne sort que pour boire. Quand elle sort. J'aurais préféré demeurer célibataire toute ma vie que d'être l'épouse de Latrobe Bell ; et cette pauvre Theodora qui ne s'est jamais mariée ! Je souhaite de tout mon cœur que Theodora se remette tout à fait, ou pas du tout. Dieu merci, j'ai toujours la santé. Peut-être devrais-je me trouver un travail, comme Grace Hill. Mais quoi ? Je pourrais être infirmière à titre privé, comme Mme Talmadge. Mais cela ne me tente pas vraiment...

La mer montait régulièrement sur la petite plage en dessous de ses fenêtres. Les signaux lumineux clignotaient, rouge-vert, vert-rouge et continueraient de le faire toute la nuit. S'étant stoïquement résignée à son insomnie, sur le coup d'une heure du matin, Nell fut aussi surprise par les premières manifestations du sommeil que par la visite d'un amant inattendu.

Les pieds prisonniers de chaussures grandes comme des péniches, Cate s'était vu assigner la tâche de trier le sable de la plage. Avec pour seuls outils plusieurs petits moules à tarte, elle était censée classer les graviers par taille et par couleur, et retirer toutes les matières étrangères. Elle s'y employa un certain temps. Elle avait la bouche sèche et nauséeuse, la tête lui faisait mal, mais elle continua. Il le fallait. Pourtant, elle ne semblait guère progresser. Très près d'elle, une corne lui écorcha les oreilles pour lui rappeler que le temps imparti était presque passé. Oh non ! Comment réussirait-elle jamais ?...
Elle baissa les yeux sur ses pieds, dans leurs grandes chaussures. Des mocassins. Eh là, minute ! songea-t-elle ; je n'ai pas à me fatiguer davantage. Il ne s'agissait que d'un foutu rêve.
Elle se réveilla et aperçut la lumière du jour dans l'angle du volet ; elle regarda l'heure sur la pendulette de Lydia. La corne de tout à l'heure devait être celle du ferry de sept heures quittant Ocracoke. Elle avait la gueule de bois et ferma les yeux pour dormir et se reposer un peu de ce rêve épuisant, mais la respiration de Lydia était particulièrement agaçante. Des saccades brusques et désordonnées, comme si elle affrontait de façon répétée une chose qui la prenait par surprise dans un rêve incontrôlé.
Cate attrapa son chemisier et son pantalon pour descendre s'habiller dans la salle de bains. Elle prit une dose de vitamines B pour soigner sa migraine et avala les comprimés avec un verre d'eau gazeuse et quelques biscuits salés. Puis elle se brossa les dents jusqu'à ce que la mauvaise haleine disparaisse et prit les clés et les papiers de sa voiture pour aller jusqu'aux vingt kilomètres de plage côté océan.
Ah, la plage du petit matin ! Probablement l'une des dernières belles plages de la planète ! Propre, vierge, sauvage. Personne ne pourrait jamais y mettre un panneau ou y construire l'un de ces vilains cabanons sur pilotis. Le service des parcs nationaux, qui était maintenant propriétaire, protégerait son intégrité jusqu'à ce qu'elle sombre dans la mer. A moins que ce ne soit lui qui disparaisse le premier. On ne savait jamais.
Cate vira à gauche, tournant le dos aux deux buggies stationnés presque dans l'eau, à l'endroit où quatre ou cinq pêcheurs lançaient leurs lignes. Elle fit face au soleil et à la plage déserte :

des kilomètres de sable fraîchement battu par les flots à elle seule, n'était la présence d'oiseaux venus déjeuner, et de crabes mous filant de guingois à son passage, les yeux exorbités et leur carapace presque translucide aplatie contre le sable.

Un jour nouveau. Un recommencement. Je m'en tirerai, songea Cate, qui allongea allégrement le pas le long de la plage. D'une certaine façon, je repars à zéro. Ce n'est pas mal. A ce stade, mon avenir est aussi vierge d'obstacles que cette plage. Je ne sais pas ce qui m'attend, mais je m'avance résolument à la rencontre de mon destin. Je viendrai faire une marche sur cette plage tous les matins, à la même heure, afin de me mettre en forme pour l'année à venir. Ma quarantième année — non, en fait, la quarante et unième. Je vais m'établir un régime d'été : exercice physique, méditation, correspondance. J'ai une rame de papier à en-tête, fauchée à la réserve de Melanchton College — pourquoi pas, après tout ? Ils n'en auront plus besoin, maintenant — et j'ai bien l'intention de contacter toutes les relations dont les coordonnées figurent dans mon carnet d'adresses. Je commencerai la lettre sur le mode badin (« Je vous écris parce que l'institution susdésignée a cessé d'exister... ») et le reste suivra. Il se passera bien quelque chose. Comme toujours. En un sens, il est amusant de ne pas savoir exactement ce qui adviendra.

Je ne peux cependant pas faire grand-chose tant qu'elles sont là. Je ne sais même pas être moi-même en leur présence. Maman m'étouffe ; il me suffit de la regarder du coin de l'œil pour voir qu'elle attend toujours de moi une attitude plus ou moins extrémiste ; comme si elle la prévoyait, savait à l'avance ce qui allait se produire. Pourquoi ? Parce qu'elle a en elle les mêmes potentialités et m'en veut de ne pas les refouler comme elle l'a toujours fait ?

Oh, non, inutile de repartir sur le thème des potentialités et autres semences... Je regrette. J'avais un peu forcé sur le bourbon hier soir. D'habitude, je ne suis pas grossière. J'ai perdu mon sang-froid.

Et Lydia ! C'est ma sœur. J'ai de l'affection pour elle, elle m'inspire même une certaine sympathie, limitée cependant. Nous sommes nées d'un même sang, sans être de la même race. Il est totalement chimérique de ma part de prétendre lui faire voir le monde avec mes yeux ; et très méchant de lui tendre des pièges comme je le fais. Mais elle me provoque. Il suffit que nous soyons un instant dans la même pièce pour que je meure d'envie de secouer un peu sa perpétuelle autosatisfaction.

Peut-être est-ce là ma mission sur terre : empêcher les gens de sombrer dans l'autosatisfaction.

Excusez-moi, Dr Galitsky, pourriez-vous nous résumer brièvement le sens de votre ministère ?

Volontiers. Mon ministère a pour but de secouer l'autosatisfaction de mon prochain. Quant au *message*, c'est un sujet sur lequel je n'ai pas fini de réfléchir...

Un peu plus loin sur la plage, une silhouette marchait en direction de Cate. Instinctivement, Cate se déporta sensiblement vers la mer pour éviter d'avoir à échanger des paroles.

Autre erreur, songea Cate, que celle de parler de l'avortement à Lydia. J'ai compris ma bévue dès que les mots furent sortis de ma bouche. Quand Lydia exprime le désir de « tout savoir de ma vie », ce qu'elle désire en fait, c'est vivre mes expériences par personne interposée, comme on se plonge dans un livre relatant la vie aventureuse d'un héros plus audacieux qu'on ne le sera jamais. Ensuite, elle recule avec une petite moue offensée, ainsi que je l'ai vue faire sur cette plage, quand une vague ose effleurer son corps un peu plus haut qu'elle n'avait prévu, et elle s'exclame : « Oh, moi je n'aurais jamais pu... ! » Elle veut connaître les péripéties de mon existence hasardeuse sans assumer la responsabilité de partager ce que je lui raconte. Si bien que j'ai l'impression d'avoir été pillée tandis qu'elle s'en tire toujours indemne. Je ne suis pas sûre de regretter la sortie que je lui ai faite à propos de sa vocation de sociologue ; peut-être qu'elle avait besoin d'entendre ce genre de vérité.

La silhouette qui marchait en direction de Cate appartenait à une femme, passablement étrange, qui semblait s'être déportée en direction de la mer. A moins que l'une d'elles ne réagisse rapidement, elles seraient obligées de se saluer. Mince et bronzée — trop bronzée pour sa carnation —, la femme avait une cinquantaine d'années. Ses cheveux roux traversés d'une mèche blanche étaient coupés très court. Elle portait une veste en nylon transparent sur un maillot de bain démodé et une jupe. Elle avait déjà posé un regard aigu sur Cate à travers les verres de ses lunettes — des lunettes correctrices, pas solaires. Eh oui, nous allons devoir nous dire quelque chose, vous et moi, semblait-elle dire. Nous trouverons bien les mots...

« Bonjour ! dit Cate. Beau paysage, n'est-ce pas ?

— Oui ! » répondit l'autre femme, d'un ton malicieusement entendu, comme si elle était plus ou moins responsable de tant de beauté. Elle s'arrêta devant Cate, sans cesser de la regarder de son œil vif. A y voir de plus près, Cate discerna sous les taches de rousseur une peau à la pigmentation irrégulière, entre les roses et les rouges. La femme lui souriait. Au moins avait-elle une dentition saine.

« Sauriez-vous si la vieille épave se trouve toujours au bout de la plage ? demanda Cate en pointant l'index dans la direction d'où venait la femme. Je l'ai cherchée hier soir sans la trouver. Soit le sable l'aura recouverte depuis la dernière fois que je suis venue, soit quelqu'un l'aura retirée.

— Mon mirage à moi est par là-bas, répondit la femme en désignant la direction opposée. J'y vais à pied tous les jours et reviens de même, qu'il pleuve, qu'il vente ou qu'il neige. » Elle se tut, sourit plus largement et attendit. Au moment précis où Cate s'apprêtait à répondre à son allusion au mirage (qu'avait-elle voulu dire ? Insinuait-elle que l'épave de Cate était un mirage ?) la femme poursuivit : « Ce que j'aime dans cette promenade, ce sont les plans.

— Les plans ? » Cate comprenait mal à quels plans elle faisait allusion.

« Oui, les plans, reprit la femme avec un rien d'exaltation. Il y a tellement de plans, tellement de perspectives », et ses mains, également rouges et criblées de taches de rousseur, de commencer à découper l'espace à grands coups de hachoir imaginaire. « C'est ce que j'aime dans cette promenade », conclut-elle en observant attentivement Cate comme une personne solitaire (ou un peu dérangée) guette chez son interlocuteur l'effet de ses propos « inhabituels ».

Elle essaie probablement de me signifier qu'elle est artiste, se dit Cate, tout en éprouvant l'irrésistible envie de ne pas faire à cette femme le plaisir de l'interroger sur le style de ses toiles, ni celui de lui demander si elle vivait ici toute l'année ou ce qu'elle faisait dans la vie avant. Elle lisait pourtant dans ses yeux une vive impatience de se raconter. Or Cate, dont l'habitude était justement de s'intéresser aux inconnus, fussent-ils un peu en dehors des normes, éprouvait une terrible répulsion physique. Elle n'avait aucune envie de croiser cette femme chaque matin de l'été pendant sa promenade sur la plage.

« Bien, je crois que je vais aller voir si je retrouve mon épave, dit Cate qui n'omit pas d'ajouter : Ravie d'avoir fait votre connaissance. »

Sans se départir de son sourire, la femme haussa les épaules. Puis son regard parut transpercer Cate pour s'intéresser à nouveau à ses chers « plans ». « Vous ne la trouverez sans doute pas », dit-elle aimablement avant de poursuivre son chemin.

Cate marcha près d'un kilomètre avant d'oser se retourner. Loin, très loin derrière les deux buggies, marchait une silhouette solitaire dont Cate n'aurait su affirmer qu'elle appartenait à la femme.

Elle fit le chemin de retour pour retrouver sa voiture, qu'elle avait laissée sur le parc de stationnement ensablé, juste à côté de la piste d'atterrissage, avec la hantise de croiser à nouveau cette femme.

Puis elle prit sa voiture pour aller à l'Auberge de l'Ile où elle s'offrit un gigantesque petit déjeuner : deux œufs, jambon, gruau de maïs et biscuits. Quand elle revint à la villa, Lydia et sa mère en étaient à boire une tasse de café sur la terrasse. Elles semblaient d'humeur agréable et plutôt contentes de la voir. Aucune remarque sur sa conduite de la veille au soir ne paraissait inscrite à l'ordre du jour. Lorsque Lydia lui demanda ce qu'elle « avait fabriqué », Cate répondit qu'elle était allée faire une marche le long de la plage, que c'était très joli, mais elle ne fit aucune allusion à la rencontre avec cette femme en qui elle voyait un sinistre présage, l'incarnation de ce qu'elle ne voulait pas devenir.

Tout en dégustant son thé glacé à l'ombre d'un parasol, sur le patio de la maison Hollowell, Merle scrutait le détroit où jusqu'à très récemment, elles avaient pu suivre le départ de Marcus sur le voilier du jeune homme. « Je ne sais pas ce que tu en penses, dit-elle à Nell, mais je suis heureuse d'avoir vécu à l'époque où j'ai vécu. Ou, si tu préfères, je me réjouis d'avoir vécu les belles années de ma vie quand je les ai vécues plutôt qu'à présent. La vie ressemble tellement à une monstrueuse mascarade de nos jours. Tu ne trouves pas ?

— Si, parfois, dit Nell. Il y a des jours où tout marche de travers, où les choses vont trop vite et où tout me paraît confus, moche. Je me dis que si c'est cela, leur progrès, je leur en fais cadeau ! Et puis je me rappelle que je figure toujours parmi les "leur" en question et je dois reconnaître que j'en suis bien aise. Les jeunes n'ont pas l'air de se tracasser. Evidemment, puisqu'ils n'ont pas le souvenir d'une époque où les choses étaient différentes. Je finis d'ailleurs par me demander si elles l'étaient tant que cela. Ou si les jeunes de maintenant se retrouveront au milieu du siècle prochain pour hocher la tête au souvenir heureux des années quatre-vingt où tout était plus beau et plus cohérent.

— Oui, s'exclama Merle. C'est peut-être la logique des choses. Les gens embellissent toujours le passé. » (Nell se souvint que Merle s'était toujours fait un plaisir de changer ainsi d'avis, dans le seul but de sauver une conversation agréable.) « Sincèrement, poursuivit Merle, je crois que Marcus vit cela plus mal que moi. Pauvre Marcus, dont l'univers s'écroule à ses pieds ; les deux choses au monde auxquelles il tient le plus s'effondrent sous ses yeux : l'Eglise et puis moi, dans cet ordre d'importance. » Elle regarda Nell plus fixement. « Tu es au courant, pour ma maladie, n'est-ce pas, Nell ? Tu as deviné, hein ? Maintenant que je sais que tu étais infirmière, je suis sûre que tu as compris. Je me trompe ? Je le savais. Ma petite Nell, c'est une épreuve que je vis depuis trois ans. Tout s'est ligué contre nous en même temps. La disgrâce de Marcus, muté à Gloucester, et puis la découverte d'une grosseur à mon sein. Bôf ! Quand j'étais plus jeune, j'aurais juré que je préférais mourir que de perdre un sein. Mais on a vite fait de passer par-dessus ce genre de considérations quand l'alternative est... Bref, on ravale son orgueil, on va s'acheter une prothèse, on jette ses chemisiers un peu trop décolletés et on commence le compte à rebours. Cinq ans. Moi, j'ai tenu deux ans et demi. Et puis, j'ai trouvé une seconde grosseur. Après l'ablation du second sein, on a détecté un petit truc dans les nodosités axillaires, ce qui m'a valu une série d'injections d'hormones. Mâles ! Nell, ce fut une terrible épreuve ! Je me suis mise à perdre mes cheveux par poignées ; il me poussait de la moustache et j'ai fini par faire une jaunisse, si bien qu'ils ont interrompu le traitement pour me faire subir une chimiothérapie classique. Mes cheveux, ma féminité, ensuite mes forces... Je crois que ce fut le pire : je n'avais même plus la force de sourire à Marcus. Je commence tout juste à récupérer une once de vie humaine. Ils pensent avoir réussi à vaincre le fameux petit *résidu.* C'est du moins ce qu'ils disent. Je fais sans doute preuve d'une grande ingratitude à leur égard, mais les docteurs sont tellement... bref, même lorsqu'ils sont gentils, on ne peut s'empêcher d'avoir le sentiment d'être un cobaye entre leurs mains quand on passe par où je suis passée.

— Tu as donc fini ta chimiothérapie ? demanda Nell.

— Oui, Dieu merci ! Et mes cheveux commencent à repousser

bien qu'il ne leur reste plus grande couleur. J'ai essayé une perruque ; j'avais l'air ridicule. J'aime mieux mes turbans à la Carmen Miranda. Mais ce sont là des détails triviaux, pourvu que je puisse aller au bout de ma petite vie toute simple : arroser mes plantes, parler avec Marcus, faire mon petit train-train dans la maison. Le seul fait de me lever le matin, sentir que je suis capable de me lever, d'aller voir à la fenêtre le temps qu'il fait m'est déjà un grand bonheur. Je me moque que la journée s'annonce pluvieuse, chaude, glaciale ou vouée à la fonte des neiges... tant que je suis là pour la voir ! » A bout de souffle, elle fut terrassée par une quinte de toux.

Nell voulait lui demander depuis combien de temps elle toussait ainsi, mais elle n'en trouva pas le courage, pas après cet hymne à la vie que venait de prononcer Merle.

Puis Merle retrouva son rire pour dire, avec la pétulante gaieté d'une enfant gâtée habituée à voir ses moindres désirs satisfaits : « Je refuse de mourir et de laisser Marcus à Mary Hollowell.

— Mary *Hollowell* ?

— La propriétaire de cette villa. Tu la connais ?

— Mal. Elle vient rarement en même temps que nous. Elle aime bien louer cette villa pour la saison entière, quand elle le peut. J'ai eu l'impression d'une femme d'affaires douée d'un solide réalisme. Elle ne tient pas une agence immobilière à Norfolk ? »

Merle plissa les yeux avec un hochement de tête entendu. « Exact, ma petite Nell. Elle faisait partie de nos paroissiens de Norfolk. Depuis notre exil à Gloucester, elle monte consulter Marcus sur des "questions spirituelles" au moins une fois par mois. Elle te semble particulièrement portée sur le mysticisme, toi ? Ah ! Bien sûr, elle annonce toujours qu'elle passait dans le secteur pour affaires, parce qu'elle avait une vieille propriété à faire visiter à un client, mais ce client, il brille surtout par son absence. Tiens, elle s'est même chargée de nous trouver la maison que nous habitons actuellement — en location, bien sûr. Nell, je pourrais écrire un livre de mille pages sur la façon dont notre Eglise traite son clergé : nous n'avons jamais été propriétaires de la maison où nous vivions ; jusqu'à ces dernières années où, Dieu merci, nous avons pris une assurance Blue Cross, nous n'avons jamais bénéficié de sécurité sociale ; tiens, un jour, dans le presbytère de Norfolk, il faisait une chaleur torride, trente-sept ou trente-huit degrés ; Marcus et moi avons dû nous absenter une heure pendant l'après-midi du dimanche. A notre retour, nous avons cru que le climatiseur était en panne, puisqu'il ne marchait

447

plus alors que nous l'avions laissé branché ; eh bien, tu sais ce qui s'était passé ? Un de nos paroissiens était rentré chez nous pour l'arrêter, parce qu'il trouvait que nous gaspillions l'argent de la paroisse ! Tu imagines un peu ? Non seulement on nous maintient dans la biblique pauvreté de Job, mais on ne nous reconnaît même pas la moindre intimité. Nell, tu as une maison à toi ?

— Oui, à ce niveau je suis gâtée », dit Nell. Elle se tut un moment et réfléchit à ce que Merle venait de lui dire. « Je serais très contente que Marcus et toi veniez me rendre visite. J'ai beaucoup de place. » Elle rit. « Trop, pour moi toute seule. Octobre est un mois très agréable dans nos montagnes. Si tu en parlais à Marcus, vous pourriez vous organiser pour venir à ce moment-là.

— Nell ! Tu sais que nous allons peut-être le faire ? Après tout, pourquoi pas ? C'est un projet à mettre sur pied, et tant que l'on peut former des projets... » Elle hésita un instant, préféra ne pas terminer la phrase et prit la main de Nell avec enthousiasme. « Nous pourrions nous offrir un petit pèlerinage à Farragut Pines. Le vieux bâtiment est toujours là ? Je me souviens de la grande prairie, avec ses deux vieux pommiers sauvages. Nous y faisions des pique-niques...

— Ça, c'est terminé ! La prairie en question s'est transformée en complexe commercial. Pour Farragut Pines, il faudra que je me renseigne. Je sais que l'école a continué d'exister pendant des années, sur sa colline. Nous passions devant en voiture chaque fois que nous allions de ce côté de la ville. Depuis, ils ont fait une déviation...

— Tout change ! » se lamenta Merle. Elle aussi garda le silence quelques instants avant de demander : « Nell, si cela ne t'est pas trop douloureux, pourrais-tu me dire ce que l'on ressent quand on est... euh, celui qui reste ? »

Nell prit le temps de réfléchir car Merle était la première personne à lui poser cette question. Or elle avait justement passé la nuit à méditer sur toutes les implications en chaîne de cette situation : être « celle qui reste ». Mais quelle part de son vécu pouvait-elle réellement partager avec Merle ou qui que ce soit ? Chaque personne ne réagissait-elle pas différemment ? Merle posait-elle la question pour elle ou pour Marcus ? Pour Marcus vraisemblablement. Auquel cas il n'était pas souhaitable d'insister sur les déchirements du veuvage. Pourtant il fallait trouver une réponse et que cette réponse soit vraie. Merle détecterait le moindre mensonge.

« Eh bien, dit Nell avec un détachement voulu, pour commencer j'ai dû mettre le couvert pour deux ou sortir deux verres à l'heure de l'apéritif une bonne centaine de fois depuis la mort de Leonard. » A sa propre surprise, Nell sentit ses yeux se remplir de larmes. Merle les vit et comprit son désarroi.

« Ma petite Nell, tu souffres donc à ce point ! s'écria Merle. Je te demande pardon. » Elle prit la main de son amie et mêla ses doigts aux siens. « Cette question était dictée par mon égoïsme. Mais tu comprends... enfin, je me sens beaucoup mieux à présent et il n'y a sans doute pas lieu de s'inquiéter, mais... je ne supporte pas l'image de Marcus tout seul, en train de dire sa messe comme un voleur, avec le vieux missel, dans son bureau. Tu sais ce qui me fait le plus peur ? Je peux bien te l'avouer. J'ai peur que si... si je pars la première... il ne s'aigrisse et perde la foi. J'ai connu des cas semblables. La foi de Marcus est tellement belle et inébranlable. Il croit, Nell, pour de vrai. Je l'ai parfois surpris à genoux, quand il me croyait endormie, et je te jure que ce n'est pas rien de voir un homme aussi viril que lui faire... faire humblement don de lui-même à Dieu. J'ai tellement peur qu'il sombre dans l'amertume et s'en prenne à Dieu pour m'avoir rappelée à lui, qu'il perde la foi et que Mary Hollowell... elle nous a fait cadeau de cette villa, Nell, gratuitement, pour dix jours, et radine comme elle est, ce n'est pas sans arrière-pensée ! Elle tient à soigner son image auprès de Marcus... pour plus tard ! Nell, tu te rends compte si Marcus perd foi en Dieu ! Avec cette Mary Hollowell qui lui mettrait le grappin dessus... il passerait ses vieux jours avec des types bourrés d'argent qui sirotent du porto en discutant de vieilles pierres à restaurer... Je ne supporte pas l'idée d'une telle déchéance pour Marcus !

— Merle, cela n'arrivera pas. » Sa main toujours dans celle de Merle, Nell regarda sa villa. Cate venait de sortir dans la véranda où elle s'installa pour écrire sur un bloc de papier. « Mary Hollowell n'est pas son genre. Je ne la connais pas bien mais, pour autant que je le sache, elle est tout le contraire de toi : elle a le verbe haut et... et... » Nell fouilla dans sa mémoire pour trouver une remarque désobligeante à l'égard de la propriétaire de la terrasse où elles étaient installées. « Je crois bien qu'elle ne se rase pas les jambes. Je me souviens qu'un jour j'étais en train de parler avec elle et... »

Merle éclata de rire. Au point que Cate, de l'autre côté, leva les yeux. Et salua les deux amies d'un geste amical. Elles firent de même. Cate retourna à son écriture.

« Pauvre Cate ! Elle doit faire un brouillon pour sa lettre », expliqua Nell lorsqu'elles eurent fini de rire aux larmes. Il était temps de détendre un peu l'atmosphère, dans l'intérêt de tout le monde. « Son université a déposé le bilan, alors il faut qu'elle reprenne contact avec toutes ses anciennes relations pour recenser les postes vacants.

— Marcus m'a dit qu'elle était sans école comme lui était sans église. Il l'a trouvée très sympathique.

— Vraiment ? » Nell observa son amie pour voir si elle plaisantait.

« C'est vrai. Il m'a dit qu'elle avait l'esprit curieux. Il est manifeste qu'elle est très intelligente. Pour ma part, j'ai un faible pour Lydia mais il faut dire que j'ai parlé davantage avec elle qu'avec Cate. »

Les prévisions météorologiques s'avérèrent exactes. Un peu avant l'aube du vendredi, l'habituelle brise qui balaye le détroit et joue dans la végétation rase qui entoure la maison se fit soudain plus forte et changea de registre ; elle se mit à cingler le tremble au lieu de le caresser, malgré l'inlassable protestation des feuilles bruyamment froissées ; elle siffla dans les cèdres rabougris, s'infiltra de force sous la charpente, secoua les vitres des fenêtres et fit ricocher un petit objet non identifié — en plastique à en juger par le bruit — sur le sol cimenté de la véranda des Strickland. L'océan se hérissait de courtes vagues qui venaient se briser contre les galets de la mince bande de plage, avec un bruit de gourmande succion évoquant l'animal assoiffé qui trouve enfin à se désaltérer.

Un tel tapage troubla un instant le sommeil de Nell. Ce doit être la *tempête* annoncée par M. Jack, se dit-elle avant de se rendormir, ayant identifié l'origine naturelle du vacarme.

Ces vents ne parvinrent pas à réveiller Cate, mais ils infiltrèrent son sommeil. Elle eut un rêve agité par l'écroulement des mâts et les hurlements de marins et se demandait précisément ce qu'elle venait faire dans ce désastre puisqu'elle n'était ni sur le bateau en difficulté, ni sur la terre ferme — flottant dans l'irréalité de quelque hypothétique éther —, lorsque le bruit du petit objet de plastique la réveilla ; elle le reconnut immédiatement ; il s'agissait du dessous-de-verre qu'elle avait utilisé la veille quand elle avait bu un peu d'eau minérale en rédigeant le brouillon de sa lettre de demande d'emploi.

Chaque fois que le vent heurtait la fenêtre des deux sœurs,

Lydia émettait un petit gémissement de protestation enfantine, mais elle continua de dormir.

Au lever du jour, la maison du garde-côte, visible depuis la fenêtre du salon des Strickland, avait hissé le drapeau rouge.

Nell et Cate se retrouvèrent au rez-de-chaussée avant sept heures et burent leur café ensemble, sur le canapé du salon.

« Mon Dieu, dit Cate qui était encore en chemise de nuit et dont les cheveux pendaient en longues mèches encore emmêlées, ce vent me rappelle l'année que j'ai passée à Reyjkavik avec Pringle. Les vents d'hiver rendent fou. Là-bas les arbres nous arrivaient péniblement à la taille à cause du sol de nature essentiellement volcanique et nous habitions un ensemble ultra-moderne, tout en vitres ; le vent hurlait contre les fenêtres à nous en faire perdre la raison. Puis arrivait la longue période des journées sans fin, en été, et la plupart des Américains calfeutraient alors leurs fenêtres avec du papier aluminium parce que le soleil de minuit les rendait cinglés. Moi, la lumière ne m'a jamais gênée. Cette aube surnaturelle qui durait toute la nuit me plaisait plutôt. »

Elle avala une longue gorgée de café chaud, les yeux dans le vague au souvenir de cette autre époque de sa vie où les choses commencèrent à se détériorer. Avant un changement radical.

« Heureusement que Marcus Chapin a fait sa sortie en mer hier, dit Nell en regardant le petit drapeau rouge flotter sur son mât.

— Hum », fit Cate, soucieuse d'éviter tout sujet de discorde ce matin. Le vent lui agissait toujours sur les nerfs. Elle ne voulait pas susciter d'autres tensions.

« Il a dit à Merle qu'il te trouvait sympathique, dit Nell en observant Cate par-dessus sa tasse de café. Il trouve que tu as un esprit curieux.

— Ah ! Ah ! s'esclaffa Cate. Il ne réussira pas à me neutraliser par la flatterie. » Mais elle était contente.

Elles burent leur café. Le vent se mit soudain à tourner autour de la maison comme s'il cherchait à s'immiscer dans leur conversation. Nell envisagea de raconter à Cate sa conversation de la veille avec Merle, faute de réussir à la chasser de son esprit. Mais elle ne pourrait partager totalement les motifs de sa préoccupation sans évoquer la maladie de Merle. Or, elle ressentait toujours un certain malaise à voir le malheur ou les problèmes de santé des autres étalés au grand jour pour animer une conversation.

Nell avait été surtout frappée par l'optimisme d'une Merle qui

savait se contenter de ce qu'elle avait, même lorsque les circonstances réduisaient ses ambitions à l'espoir d'être encore capable
de se lever le lendemain, pour voir quel temps il faisait. En cet
instant, Nell se sentait plus concernée par l'avenir de Merle, aussi
incertain fût-il, que par le sien propre ou celui de ses filles. Ses
pensées étaient avec Merle, qui se réveillait et découvrait le temps
qui se préparait. Aimerait-elle la tempête ? Probablement.

Nell interrogea Cate. « Comment s'est passé ton courrier ?

— Je n'ai guère avancé. Je m'étais faussement imaginé que je
pourrais préparer un brouillon à recopier pour tout le monde.
Mais j'ai mesuré mon inconscience en feuilletant mon carnet
d'adresses. J'ai affaire à de foutus individus qui ne se ressemblent
pas. Mon ancien maître de conférences du Nouveau-Mexique est
traditionaliste. Mon ex-patron du défunt collège du New Hampshire est un esprit novateur. Il va me falloir improviser pour chaque lettre, ce qui demandera beaucoup de temps et d'énergie.

— J'imagine », acquiesça Nell.

Lydia, que le vent n'avait pas réussi à tirer de son sommeil, fut
réveillée par le rire de Cate. Sa mère était en train de discuter
avec Cate à l'étage en dessous. Elle essaya de comprendre ce
qu'elles disaient, mais le vent s'en mêla. Elle tira le rideau et
regarda le ciel gris ardoise, les herbes et les arbres secoués par la
tempête, la colère des vagues dans le détroit habituellement
calme. Et elle se félicita d'avoir donné un bon départ à son bronzage dès la veille. Combien de temps ces vents étaient-ils censés
souffler ? Il lui fallait encore deux jours de soleil pour obtenir le
hâle qu'elle escomptait pouvoir arborer pour ses retrouvailles
avec Stanley. Or elle et sa mère partaient mardi.

Comment occuper la journée ? Lydia avait expédié ses cartes
hier, y compris le mot à Mary McGregor Turnbull. Elle avait
acheté un sac de toile marqué Ocracoke pour chacun de ses fils
dans une boutique de souvenirs.

Nous pourrions faire un peu de rangement, songea Lydia, non
sans soulagement. Vider les placards et emballer les affaires personnelles de papa, plus les biens de famille dont Cate n'aura pas
besoin, de telle sorte que la maison sera prête à être louée dès le
début de la saison prochaine.

Elle se leva et passa un pantalon. Il faisait trop frais pour supporter le short. Puis elle brossa ses cheveux courts, frisés, faciles
à entretenir, et descendit dans la salle de bains. Assises côte à
côte sur le canapé, Cate et sa mère avaient cessé de parler. Elles

avaient la mine songeuse et triste dans la lumière encore chiche du matin. L'une comme l'autre apprécieraient la moindre manœuvre de diversion.

« Bonjour tout le monde, dit Lydia. Et si je préparais une de mes omelettes paysannes ? Ensuite, je pensais que nous pourrions faire la tournée des placards pour évacuer toutes nos vieilleries.

— En quel honneur ? demanda Cate. Parce que si c'est à cause de moi, j'apprécie l'intention, mais c'est parfaitement inutile. Pour tout dire, non seulement la présence de ces vieilleries ne me gêne pas, mais elle me plaît.

— Cela te facilitera les choses, dit Lydia. C'est autant que tu n'auras pas à faire avant ton départ, à la fin de l'été... ou quand tu décideras de partir.

— Mais pourquoi faut-il ranger ? Pourquoi ne pas laisser les choses comme elles sont ? voulut savoir Cate.

— *Parce que* — Lydia fit effort pour ne pas perdre patience — parce que maman avait prévu de mettre la maison en location.

— Lydia, s'empressa d'intervenir Nell. Il n'y a pas urgence. Nous venons d'arriver. Et puis il n'y a pas tant de vieilleries...

— J'ignorais que tu avais prévu de louer la villa, maman, dit Cate. Tu avais l'intention de le faire dès cet été ? Est-ce que mon séjour vient contrarier l'économie familiale ? Tu ne m'as jamais soufflé mot de cette histoire de location, maman, sinon je me serais arrangée différemment.

— C'était seulement un projet, dit Nell, et en ce qui me concerne, ce projet peut attendre. Je me retrouve avec plus d'argent que je n'en ai besoin, plus deux maisons. Beaucoup de gens sur cette terre n'ont même pas une maison. » Elle se leva et, sans regarder aucune de ses filles, poussa un petit soupir d'exaspération. « Tâchons d'arriver au bout de cette journée sans nous disputer. Vu le temps qui s'annonce, nous risquons fort d'être coincées à l'intérieur. Lydia, ton idée d'omelette me paraît excellente. Mais je vais refaire du café pour tout le monde... » Elle se dirigea vers la cuisine.

« Eh bien moi, je n'ai pas l'intention de me laisser coincer par un peu de vent, dit Cate en posant bruyamment sa tasse sur la table la plus proche. Ne me comptez pas pour l'omelette. Je vais faire un tour. » Et elle disparut dans l'escalier, le menton agressivement pointé en avant, pour monter s'habiller.

Mon Dieu, songea Nell dans la cuisine. Par la fenêtre, elle regarda la villa Hollowell, de l'autre côté de la dune. A cause d'une ardoise mal fixée, le vent faisait un bruit de percussion, épuisant pour les nerfs. Et Nell se dit, non sans un certain malaise, que, coincée dans l'autre maison avec la compagnie attentive de Marcus, Merle se languissait probablement moins de sa vieille amie d'école que réciproquement.

La tête coiffée d'un foulard et rentrée dans les épaules pour résister au vent, Cate marcha autour du Silver Lake mais s'arrêta à mi-chemin pour aller déjeuner à l'auberge, avant de partir à pied en direction de North Point, et du vieux cimetière, but premier de la promenade qu'elle s'était fixée. Mais ce n'était pas très drôle avec ce vent qui vous sifflait dans les oreilles tandis que le sable vous cinglait le visage. Peut-être qu'après déjeuner la tempête serait un peu calmée, ou semblerait moins dissuasive à qui l'affronte le ventre plein. Elle voulait surtout éviter de retourner à la villa. Cette matinée en compagnie de sa mère et de sa sœur avait ressuscité en elle le goût amer de la révolte qui, pendant son adolescence, l'avait constamment maintenue en marge d'une famille étrangère à elle. Pourquoi diable fallait-il que les gens s'organisent en famille ? Quel motif les poussait à s'enfermer dans ces cocottes minutes que l'on baptise « familles nucléaires » ? Pas les enfants, bien sûr. Eux naissaient dedans et leur première prise de conscience se faisait au son du jet de vapeur dans la soupape en rotation. Mais quel besoin avaient-ils de grandir pour se dépêcher de former une nouvelle cocotte du même type ? Quelle absurde nécessité ! On commence par exclure tout élément étranger dit « du monde extérieur », puis on se lance dans le triste cycle de la reproduction avec son partenaire, à huis clos ; suit l'écœurant mijotage de tous les membres de la famille dans leur « chaudron » nucléaire où ils se cognent les uns contre les autres, chacun ne connaissant que trop bien les défauts de l'autre — mais tous « marinant » dans le jus commun.
Oh, les polarisations, marchandages et contraintes de ces « rôles » à tenir au sein de la famille. « Voyons, où en sommes-nous ? Un calme avec une excitée. Marions-les et voyons comment ils vont se compléter réciproquement. La nature passionnée de l'épouse est tempérée par la prudence du mari — ou vice versa, selon le mariage envisagé — et la passivité de l'époux gagne un certain charme, rehaussé par les molécules folles que produit le surplus d'énergie de sa femme. Grâce à son couple, il deviendra même le « Roc », l'« Ancre » ou la « Force tranquille » — vous avez le choix de la métaphore.

A présent, pour que le mélange soit parfait, jetons un ou deux enfants dans la cocotte. Celui-là n'est pas commode ; qu'à cela ne tienne ! Nous compenserons par un second rejeton plus docile. L'aîné est peureux ; peu importe, nous rectifierons le tir avec un cadet trop audacieux.

Quiconque commence par être avant tout un « membre de la famille » n'a pas la moindre chance de devenir une personne à part entière, conclut Cate en entrant dans l'auberge avec une mine tellement renfrognée que la caissière, une matrone attentive, lui demanda si elle avait des ennuis.

Cate s'était plongée dans sa diatribe intérieure au point d'être incapable de se recomposer instantanément un visage avenant pour répondre avec bonne humeur. « Mais non, c'est seulement le vent ! »

Explication recevable pour cette femme qui, prenant une carte au passage, installa Cate-la-cliente à une bonne table, au milieu de la salle à manger, ce qu'elle n'aurait pas fait pour Cate-la-révoltée. Même Ocracoke, ce havre de rustique pureté à l'écart de la décadence continentale, commençait à avoir son lot de voyous encore que, jusqu'à présent, le besoin d'une police ne s'était jamais fait sentir. La réalité insulaire du crime se limitait à quelques échanges de coups de poing et autres comportements brutaux, eux-mêmes provoqués par l'état d'ivresse. Une fois en passant, quelqu'un pouvait s'aviser de partir dans une voiture ou sur une bicyclette ne lui appartenant pas, mais — comme le disait plaisamment Leonard Strickland — « que peut faire le voleur de la marchandise volée ? L'emmener jusqu'à l'embarcadère pour attendre le premier ferry ? » La voiture ou la bicyclette finissaient toujours par retourner à leur propriétaire.

Cate commanda le même petit déjeuner que la veille, et sortit un livre de poche de son sac. L'un des grands plaisirs de la vie indépendante était de pouvoir se commander un gigantesque petit déjeuner dans un restaurant et de s'installer dans sa confortable solitude pour lire un livre, tout en se laissant distraire par les bribes de conversations des tables voisines.

Cinq hommes — des autochtones à en juger par leur accent — étaient attablés derrière Cate. Ils discutaient d'un projet de nouvelle antenne médicale sur l'île. Mais apparemment, il y avait une femme qui « voulait tout prendre en main ». Elle s'appelait Joyce. « Je ne lui reproche pas de ménager ses efforts, disait le plus vieux des cinq, mais elle veut tout faire seule et après, *rien ne va plus.* » « La meilleure solution est de lui passer de la pommade et de travailler à côté d'elle », risqua timidement un homme relativement jeune. « Lui passer sur le corps serait plus efficace », dit une voix bourrue. Rires généralisés. A partir de ces remarques, Cate essaya de deviner l'âge de Joyce, à quoi elle ressemblait et pourquoi elle s'était intégrée dans cette équipe.

Puis elle ouvrit son livre. Elle en avait déjà lu les deux tiers. L'ouvrage lui avait été chaudement recommandé par plusieurs collègues féminines. Il racontait l'histoire d'une jeune femme qui fuit la technologie moderne pour redécouvrir ses instincts fondamentaux dans l'innocence des profondeurs sylvestres. Au cours de l'année passée, Cate avait lu au moins trois livres où des femmes fuyaient ainsi dans la forêt. Dans le premier, elle tombait amoureuse d'un ours ; dans le second elle se découvrait des talents artistiques cachés ; dans celui-ci, elle se promenait à quatre pattes dans la forêt, fouinant et humant la terre, à la recherche de ses instincts perdus, et elle se demandait si elle réussirait à devenir complètement velue.

En l'espace de deux ans, Cate avait lu au moins trois romans d'écrivains confirmés qui, pour une raison ou une autre, se trouvaient dans une situation d'enfermement et s'efforçaient de reconstituer leur mental à l'intérieur de leur prison.

Les femmes fuyaient dans la nature sauvage tandis que les hommes se construisaient des prisons. Quelle conclusion en tirer, se demanda Cate, pendant que l'héroïne du roman s'appuyait contre un arbre et tentait de percevoir la réalité du point de vue de l'arbre : nous cherchons à agrandir notre espace et eux essaient de réduire le leur à des proportions plus faciles à circonscrire ? Finirons-nous par nous enfermer dans une cellule après avoir eu *notre part* de courses à travers bois et de séances dans les conseils d'administration ?

Mais du moins ces écrivains tentent-ils d'élargir le champ habituel de leur imagination pour inventer de nouvelles façons de vivre. Pour l'instant, ils semblent coincés entre la prison et la nature sauvage — deux lieux de réflexion privilégiés — et ils reconstituent leur énergie pour affronter ce qui les attend : qu'avons-nous fait de mal et comment faire mieux la prochaine fois ? Je ne dénigre pas ces auteurs ; comment le pourrais-je ? Je suis coincée dans les même dilemmes — entre les remises en cause et l'avenir à affronter — mais je me réserve le droit d'être agacée. Pourquoi ne sortent-ils pas un livre merveilleux contenant la solution à tous mes problèmes ?

Et quels sont-ils, ces fameux problèmes à résoudre ? Cette voix intérieure qui exprimait le bon sens possédait bien des intonations maternelles.

Euh... *être solvable* par exemple, se rétorqua Cate non sans humour, puisque rien n'est soluble tant que l'on est insolvable.

Puis son petit déjeuner arriva et elle s'adonna volontiers à ses instincts fondamentaux.

Dans la villa, Lydia et Nell finissaient leur omelette campagnarde.

« Tu crois qu'elle verrait un inconvénient à ce que nous vidions un ou deux placards ? demanda Lydia. J'ai apporté des boîtes vides à cette intention.

— En principe non... » Nell était hésitante. Elle voyait que Lydia piaffait de désœuvrement et cherchait à se fixer un objectif pour la journée. D'un autre côté, Cate risquait de mal le prendre si, au retour de sa promenade, elle les trouvait en train de déménager la maison dont elle était censée avoir la jouissance pour l'été ; comme si elles avaient hâte de l'évacuer elle aussi. Nell se demanda d'ailleurs si elle n'avait pas eu tort de taire à Cate ses projets de location. Mais dans ce cas, Cate aurait immédiatement enfourché son éternel cheval de bataille. Comme pour le système d'alarme installé par Max et qui lui avait donné l'occasion de fustiger une fois de plus les tendances bassement capitalistes de son beau-frère (et de Lydia, par la même occasion). « Mais si nous attendions son retour avant de toucher à quoi que ce soit ? Histoire de voir de quelle humeur elle est.

— Oh, elle et ses humeurs », grinça Lydia entre ses dents. Et de bondir de son siège pour s'atteler à la vaisselle.

Cate était d'excellente humeur à son arrivée. Toutes éventuelles rancœurs semblaient s'être évanouies pendant sa marche dans le vent. Elle fit le récit de ses aventures de l'heure écoulée en donnant à son équipée des accents d'odyssée à faire pâlir d'envie ceux qui avaient préféré le confort douillet de leur maison.

Cate a vraiment le chic, songea Lydia, pendant que sa sœur leur racontait par le menu les biscuits chauds, le jambon de campagne et Joyce, la bonne femme du bureau chargé d'installer une nouvelle antenne médicale et qui voulait tout diriger ; il lui suffit de traverser un village bloqué par les intempéries ou de monter dans un car Greyhound pour que les événements se mettent à surgir ; l'air s'emplit des savoureux échos d'une conversation voisine, un couple bizarre se passe et se repasse un panier de pique-nique sans que l'homme, gros, ne mange rien...

« Et puis j'ai continué vers le cimetière..., disait Cate. Le drapeau britannique flottait au-dessus du carré de terre "à jamais anglaise" où sont enterrés les marins britanniques coulés par un sous-marin nazi ; je suis allée rendre hommage à toutes les générations de Williams, Howard et autres Wahab... Tiens, j'ai remarqué pour la première fois ce matin qu'il n'y a pas de Juifs dans ce cimetière. On y trouve pourtant tous les Wahab, descendants du premier Arabe échoué sur cette côte, dans les années mille sept cent et quelque, *la* famille noire dont l'un des héritiers a dû faire cuire les biscuits de mon déjeuner de ce matin, mais aucun Juif. Je me demande bien pourquoi ?

— Tu as pensé à saluer Amour et Pinta ? » intervint Lydia dans l'espoir d'échapper à une envolée lyrique sur les préjugés raciaux dans l'île d'Ocracoke. Amour était le prénom d'un homme, Pinta celui d'une femme et, il y avait bien longtemps, les deux sœurs, séduites par ces prénoms gravés sur les vieilles pierres tombales, avaient inventé un hypothétique mariage entre Amour et Pinta, fussent-ils nés dans le même siècle.

« Oh, oui », se souvint Cate qui cita leur vieille ritournelle : « Amour aime Pinta et Pinta aime Amour ». Pourtant, alors qu'elle n'était encore qu'une gamine, Cate avait réussi à tirer de cette histoire une parabole sur l'inégalité. « Amour aime Pinta, disait-elle. Mais de là à penser que Pinta aime seulement l'amour. »

« Cette histoire d'antenne médicale est une excellente nouvelle, dit Nell. Quand vous étiez petites, j'avais toujours peur de ce qui arriverait si l'une de vous se blessait ou tombait malade.

— Bouh, j'ai une demi-tonne de sable dans les cheveux, dit Cate, et encore, j'avais mis un foulard sur ma tête. En plus, j'ai l'oreille droite qui bourdonne d'avoir marché le long du lac. Le vent transperçait l'étoffe.

— Si tu prenais une douche bien chaude tu pourrais te faire un shampooing pour rincer le sable, suggéra Nell. Ensuite, verrais-tu un inconvénient à ce que nous triions un peu les affaires que nous avons dans les placards pour classer ce qui est à jeter et ce qui doit être conservé ?

— Je crois que je vais effectivement me doucher », lança négligemment Cate avec un regard désinvolte alentour. Puis elle ajouta, non sans un détachement exaspérant : « Bien sûr que je n'y vois aucun inconvénient. Je participerai même à l'opération, pourvu que vous me laissiez le temps de prendre cette douche. Il n'y a pas grand-chose à faire aujourd'hui. »

Nous aurions pu servir de modèles à un peintre flamand, songea Cate tandis que les trois femmes armées de chiffons, de plumeaux, d'encaustique et de cartons vides grimpaient l'escalier qui menait au placard du premier étage. *Contraste entre la lumière crue des fenêtres et l'ombre des coins sombres ; douce harmonie de ces trois ménagères s'apprêtant à accomplir une même tâche.*

Dans le placard des filles, Lydia retrouva la chaussure manquante d'une poupée jadis chérie. Cette poupée, elle l'avait aimée au point de l'envelopper précieusement pour la fille qu'elle aurait plus tard. Sauf qu'elle avait eu deux fils. Elle souleva la petite sandale en chevreau blanc, avec un minuscule bouton en perle et une vraie boutonnière. « Regardez un peu cette pure merveille », dit-elle contraignant les autres à abandonner ce qu'elles faisaient pour admirer le chef-d'œuvre. Si Cate avait eu une petite fille, songea Lydia, j'aurais pu lui faire cadeau de ma vieille poupée, avec ses deux chaussures. « On ne fabrique plus de poupées ni de vêtements de poupée de cette qualité », ajouta tristement Lydia.

Dans le placard des parents, elles retrouvèrent la boîte de peinture paternelle. « A mon avis, les tubes de peinture à l'huile semblent complètement séchés, dit Nell. Il n'avait pas sorti ses pinceaux depuis au moins dix ans. — Non, attends, gardons la peinture, dit Cate. J'aurai peut-être envie d'exercer mes talents de peintre cet été. » Mais elle se renfrogna d'un coup au souvenir de l'artiste folle traquant ses mirages et autres « plans » sur la plage. « Et puis non, on peut jeter », dit-elle.

Dans le placard du rez-de-chaussée, à côté de la cuisine, elles retrouvèrent l'attirail de pêche : les bottes et casquettes de pêcheur du père, cuissardes couvertes de moisissures du grand-père Strickland — trop petites pour Leonard, dans l'hypothèse où il serait allé chasser le canard, mais il n'avait jamais pu se résoudre à les jeter ; il y avait également des cannes à mouche, des cannes à lancer, sans oublier la chère boîte à mouches anglaise de leur père, avec ses beaux, ses chatoyants insectes artificiels aux noms exotiques dûment inscrits sur l'étiquette collée à chaque petite case transparente.

« Tiens, la Grizzly Wulff, s'attendrit Lydia, et sa Sauterelle verte, et son Imago. Et puis ma préférée, la Golden-witch pour la pêche au bar. Regardez comment c'est fait. » Elle sortit l'appât artificiel de son petit casier et, le tenant prudemment par

459

l'hameçon, elle le promena en l'air pour simuler un vol. « Cette gamme de verts et d'ors !

— Ce lancer léger est pratiquement neuf, dit Nell. Je me souviens encore du jour où il l'a commandé chez Bean's. » Elle envisagea un instant d'offrir les cannes à pêche de Leonard à Marcus Chapin. Qu'elles soient utiles à quelqu'un.

« Mettons-les de côté pour les garçons, dit Lydia. Un de ces jours, Leo et Dickie viendront ici organiser des parties de pêche avec leurs amis. »

Finalement, se dit Cate, *dans notre cas, Norman Rockwell serait mieux indiqué. La mère qui regarde songeusement la canne à pêche ; la fille cadette qui entasse un maximum de choses dans les cartons ; l'aînée qui reste les mains vides avec un demi-sourire sarcastique au coin des lèvres. Titre : « Rupture de la Cellule Familiale ».*

En début d'après-midi, elles s'étaient acquittées de leur tâche. Brisée par tous les souvenirs attachés aux objets ainsi manipulés, Nell se retira dans sa chambre pour une longue sieste. Le vent poursuivait son hurlement incessant et ses coups de plantoir contre la villa. Comme le sirocco et le mistral, ce type de vent finit par oppresser ceux qui y sont soumis.

Heureusement que je n'ai pas suggéré de donner les cannes à pêche à Marcus Chapin, se félicita intérieurement Nell, soulagée de se retrouver seule. L'idée ne l'avait pas effleurée que Leo et Dickie pourraient avoir l'utilisation de l'équipement de pêche de Leonard. Elle avait déjà hâte de retrouver sa maison, avec le jardin à désherber et sa famille de corbeaux à surveiller. En paix. Elle aimait ses filles, naturellement, mais elle les aimait d'autant plus que cet amour pouvait s'exercer séparément, posément, paisiblement. Nell avait complètement oublié le climat de tension susceptible de s'établir dès qu'elles se trouvaient toutes les trois réunies sous un même toit. Et les choses n'avaient fait qu'empirer. Pourquoi ? La seule présence de Leonard suffisait-elle jadis à désamorcer les conflits latents ? Le fait de savoir qu'il était là — même enfermé dans son bureau, perdu dans l'Espagne déchirée par la guerre ou la résidence d'été de Cicéron — les empêchait-elles de faire sauter la maison ?

Bien sûr, si nous n'étions pas venues, je n'aurais pas revu Merle, songea encore Nell. Encore que l'endroit fût mal choisi pour renouer de vrais contacts avec elle. Cela ne ferait qu'aggraver nos tensions familiales.

Avant de sombrer dans le sommeil, indifférente soudain au vent qui soufflait dehors, Nell commença à réfléchir aux distractions qu'elle pourrait offrir à Merle et Marcus s'ils venaient lui rendre visite à Mountain City. Octobre serait la meilleure période. Les arbres seraient de pourpre et d'or. Elle les emmènerait au fameux château. Leur ferait visiter la maison du célèbre romancier. Elle connaissait même une église où Marcus pourrait faire ses dévotions en toute quiétude : l'église épiscopale de Theodora. Theodora qui avait qualifié le recteur de renégat et restait fidèle au livre de prières de 1928.

Debout devant la fenêtre du salon qui donnait sur le détroit, Lydia surveillait l'entrée du ferry de quatorze heures, sur une mer grise et mauvaise.

« Tiens, voilà le ferry, dit-elle. Je suis prête à parier qu'il transporte une flopée de gosses malades du mal de mer.

— Hum », fit Cate, pelotonnée sur le canapé avec son roman. Elle s'était fait un shampooing, après les travaux de rangement, et avait noué son nouveau châle sur ses épaules, à l'indienne. Propres, blonds et un peu flous, comme toujours, ses cheveux flottaient librement.

Lydia demeura à son poste d'observation. Elle n'ignorait pas qu'elle aurait pu faire la même chose depuis la fenêtre de sa chambre, mais un curieux entêtement l'incitait à rester ici, pour forcer le dialogue avec Cate qui semblait pourtant profondément plongée dans sa lecture. Le livre était du reste presque fini.

Dehors, dans le détroit, le ferry amorçait la première phase de la manœuvre qui lui permettrait d'accoster dans le port. Comme s'il avait subitement changé d'avis et décidé d'aborder sur une autre île, le bateau changea brusquement de cap et fila plein sud, juste devant la villa ; puis, aussi brutalement, il repiqua vers le nord en direction du port, mais l'angle était légèrement différent. Ce comportement étrange du ferry avait fait leur joie de petites filles ; elles croyaient que tout ce manège avait lieu en leur honneur, que ces va-et-vient spectaculaires étaient une façon de saluer comme il se doit leur villa. Puis leur père leur avait expliqué que pour entrer dans le port ou le quitter, tous les ferries devaient se soumettre à un labyrinthe complexe et dûment balisé pour ne pas s'échouer sur les écueils particulièrement traîtres en cet endroit. Même qu'ils étaient les plus trompeurs de la côte est, selon certains. C'est pourquoi le plus grand pirate de tous les temps avait choisi d'amarrer là son dernier navire, l'*Adventure*, sur ce bout de côte précis, « à deux pas de chez nous », comme disait leur père. Edward Teach, le grand « Blackbeard », n'avait plus qu'à attendre pour les cueillir joyeusement les navires en difficulté qui venaient s'échouer pratiquement à sa porte.

« Tu te rappelles quand papa et toi descendiez jusqu'à la caverne de Teach, une fois que j'étais couchée ? demanda Lydia sans cesser de fixer le ferry. Je vous regardais partir par la fenêtre de la chambre. Vous passiez juste là, quand la marée était basse.

— C'est vrai, fit Cate sans vraiment lever le nez de son livre.

— Ensuite, lorsque j'ai été en âge de veiller un peu plus longtemps et de vous accompagner, poursuivit Lydia tandis que le ferry effectuait sa seconde volte-face, tu sais ce que tu as fait ?

— Non, quoi ? fit Cate, toujours plongée dans sa lecture.

— Tu m'as raconté que tous les gens qui allaient à la caverne du pirate en ayant un peu peur voyaient le fantôme de sa tête leur apparaître sous l'eau et les regarder fixement. »

Rire de Cate. « Oh ! J'ai dit ça ? Je devais être atroce quand j'étais petite. » Cette fois, elle leva un peu le nez de son livre. La tête inclinée de côté, elle semblait méditer le passé. « Oui, je m'en souviens, maintenant. Je t'ai flanqué une telle frousse que tu ne voulais pas y aller. Nous te le proposions, mais tu refusais à chaque fois.

— Oui, dit Lydia. Je n'ai jamais accepté l'invitation. »

Cate replongea dans son livre. Lydia regarda le ferry rouler et tanguer pour entrer dans le port. « Je suis sûre qu'il y a des passagers qui ont le mal de mer sur ce bateau », répéta-t-elle. Apparemment, elle avait un irrépressible besoin de parler.

« Et merde ! » s'écria violemment Cate avant de lancer le livre en travers de la pièce. Lequel atterrit contre la cheminée avec un bruit sourd.

Choquée, Lydia se retourna. « Que se passe-t-il ? » demanda-t-elle avec une feinte innocence, bien qu'elle fût persuadée que ses constantes interruptions étaient à l'origine du geste de colère de Cate.

« Rien, j'aimerais seulement tenir la bonne femme qui a écrit ce livre, répondit Cate avec une pointe d'humour et plus de calme.

— Pourquoi ? » demanda Lydia, à la fois soulagée et intéressée. Et elle s'assit dans le fauteuil le plus proche.

Soupir de Cate. Lydia vit sa sœur monter à une tribune invisible pour se lancer dans une harangue. « Je commence à en avoir par-dessus la tête de lire des romans racontant l'histoire de femmes qui pratiquent le retour à la nature pour se trouver elles-mêmes. Elles apprennent à tailler le bois ou dépouiller un lapin, s'offrent quelques révélations ou pondent subitement un recueil de poèmes, ou encore font de la tapisserie ; puis, elles s'en retournent directement à la ville, mère de tous les vices. Dans celui-ci, la bonne femme commençait à exister. Mais elle découvre qu'elle est enceinte alors, bien sûr, elle repart pour la ville. Elle se résigne même à la perspective d'épouser un autre minable, faute de mieux. Enfin, c'est ce qu'elle dit. Putain !

— Et tu voulais qu'elle fasse quoi ? »

Cate fronça les sourcils. « J'aurais aimé qu'elle ait un peu plus foi en ses récentes révélations. Au prix d'un dur labeur, elle commençait tout juste à voir ce qui n'allait pas. Il lui aurait suffi peut-être d'un petit peu plus de courage pour changer le cours des choses. Mais non, elle fait machine arrière en traînant derrière elle ses angoisses métaphysiques. Le livre se termine sur ce message de jubilatoire résignation. Je voudrais faire un feu d'enfer dans cette cheminée. C'est tout ce que mérite ce livre, les flammes d'un feu d'enfer.

— Zut ! dit Lydia. Je savais que j'oubliais quelque chose. Je voulais apporter quelques bûches pour nous faire une bonne flambée. En prévision d'un temps comme celui que nous avons aujourd'hui. Et j'ai oublié.

— On ne peut pas prévoir tous les cas de figure, dit Cate avec ce que Lydia aurait volontiers appelé une « jubilatoire résignation » pour reprendre l'expression de Cate qualifiant l'attitude de cette autre femme.

— Je sais bien. N'empêche qu'un bon feu de bois aurait été le bienvenu. Pour nous aider à supporter. Supporter ce vent... Je ne sais pas moi... mais on dirait que ce vent a le don de mettre les nerfs à vif, non ?

— Exact. On ne peut pas se concentrer, ni pour lire ni pour réfléchir, ni pour faire des projets, rien. Il emberlificote les êtres au point d'en faire des... prisonniers. Il les met en situation d'attente.

« Voilà ! Avec un vent comme celui-ci, on attend. Ce qui va arriver. Une situation paroxystique, une rupture, quelque chose. » Cate paraissait assez satisfaite de son approche intellectuelle du phénomène vent. Même si ce dernier continuait à battre les murs avec une vigueur inchangée.

Lydia songeait à l'héroïne du livre de Cate. « Peut-être,

risqua-t-elle, que le bébé était un symbole d'espoir. » Elle n'était pas mécontente de sa perspicacité. D'autant que Cate aimait bien les symboles.

« Quel bébé ?

— Tu ne m'as pas dit que la femme de ton livre découvrait qu'elle était enceinte ? Alors, ce pourrait être la façon choisie par l'auteur pour signifier que le bébé représentait une chance de repartir à zéro. L'occasion de commencer autre chose sur d'autres bases. Comme la semence dont tu discutais avec Marcus Chapin.

— Eh bien, si telle était son intention, je ne partage pas ce point de vue. Cette histoire de nouveau départ grâce à un bébé est entièrement fallacieuse. C'est une façon de se dérober à sa propre maturité. On ne fait pas évoluer les choses ainsi.

— Je parlais seulement de symbole, insista Lydia doucement, mais fermement.

— Un bébé n'est pas un symbole, dit Cate. Un bébé de chair et de sang signifie l'obligation de retourner dans un monde déchu et de s'en accommoder tant bien que mal jusqu'à ce qu'il ait grandi. Un bébé fait de la femme qui le porte un otage en ce monde. » Sa voix devenait dangereusement agressive.

Lydia sentit la boule fatidique se nouer dans sa gorge. Vite, ses yeux cherchèrent dans la pièce un exutoire à son indignation. « J'ai une idée, dit-elle. Je fais un saut chez M. Jack pour voir s'il a du crabe frais. Et je régale toute la famille de soufflé au crabe, façon capitaine La Forgue. C'est la recette que nous présentions à l'émission de Mary McGregor Turnbull le jour où j'ai été "découverte" comme on dit. » Le ton volontairement désinvolte de la remarque était censé atténuer la façon dont Lydia se vantait auprès de Cate de sa percée dans le monde de la télévision. Elle, Lydia Strickland Mansfield, allait apparaître chaque semaine dans une émission télévisée. Des gens qu'elle ne verrait pas pourraient l'admirer, et elle aurait la possibilité de leur parler, voire d'influer sur le cours de leur vie ; elle allait disposer d'une tribune plus large que n'importe quel enseignant. Peut-être qu'elle réussirait à induire quelques changements dans ce monde que Cate qualifiait de déchu.

« Tu te lances dans un sacré travail avec ce soufflé, non ? demanda Cate. Rien que pour ta mère et la méchante grande sœur.

— Ce n'est pas pour me déplaire totalement, dit Lydia. Il faut bien se trouver une occupation, comme dirait Dickie.

— Brave petit Dickie », répéta rêveusement Cate au souvenir

de la soirée où ils avaient ensemble regardé ce documentaire médiocre sur Dracula. Le jour où elle s'était cassé une dent en mangeant des cacahuètes. Elle sourit. « Après tout, pourquoi pas ? Toi, tu trouves l'occasion d'exercer tes talents et nous une chose à attendre de cette journée. Je t'accompagne chez M. Jack. Je voudrais acheter un journal pour me mettre un peu au courant de l'actualité. »

Le fameux soufflé de Lydia ne fut malheureusement pas une réussite. La chair du crabe était délicieuse, les proportions avaient été scrupuleusement respectées ; elle s'était même lancée dans de savants calculs pour compenser le fait que ce four ne chauffait pas très fort ; néanmoins, quand elle sortit le chef-d'œuvre (qui n'avait pas monté autant qu'il aurait dû) pour l'apporter brûlant sur la table, la croûte trompeuse céda sous la première offensive de la cuiller de service et le soufflé se transforma en magma informe.

Lydia fut obligée de faire revenir le tout dans une sauteuse pour que ce soit mangeable. Cate et sa mère eurent beau lui assurer que « l'aspect importait peu » et que c'était la meilleure *omelette* au crabe qu'elles avaient jamais mangée, Lydia demeurait inconsolable. Jamais elle n'avait raté une seule recette depuis des *années*. Cet échec avait valeur de funeste présage : subir un échec dans un domaine aussi étroitement lié à ses nouvelles ambitions augurait mal de l'avenir.

« Ce four n'a jamais bien marché, dit Nell pour la consoler. Je ne saurais te dire combien de gâteaux j'ai ratés grâce à lui. Ce qui ne les empêchait pas d'être bons à manger. »

Que dois-je en conclure ? s'interrogeait Lydia. Que j'ai eu tort de vendre la peau de l'ours avant de l'avoir tué ? Ou que, quels que soient les succès que je remporte par ailleurs, je ne pourrai jamais m'imposer devant ma mère et ma sœur ?

La conversation du dîner n'avait pas contribué à arranger les choses. Dans le *News and Observer*, Cate était tombée sur un fait divers la confirmant dans ses pires appréhensions quant au devenir de ce monde. Deux jours plus tôt, une jeune flûtiste de dix-sept ans avait été poussée sous les rails du métro new-yorkais par un homme de race noire. Bien que l'article s'achevât sur le miracle accompli par la microchirurgie, puisque la main sectionnée dans l'accident avait été regreffée avec succès, la jeune fille ne retrouverait sans doute jamais la souplesse du poignet qui lui permettrait de rejouer un jour de la flûte.

« Et voilà, répétait Cate avec humeur. Voilà comment les forces du progrès sont battues en brèche par celles de la régression. Fini pour elle, les sonates de Bach. Et si on arrête ce type, vu qu'il ne s'agit même pas d'un meurtre, il s'en tirera avec six mois, aux termes desquels il n'aura plus qu'à recommencer. Comme celui qui avait poussé une hôtesse de l'air sur les rails. Vous avez lu cette histoire ? Il y a de quoi désespérer. Le pire est que lui-même est une victime. Un type rendu fou par l'usage de la drogue, grâce à cette saloperie de mafia, ce qui fait qu'il n'est pas responsable, lui non plus. »

Lydia se mit à regarder les restes de son soufflé manqué. Elle revoyait les morceaux d'écume blanche nageant dans une espèce de liquide jaune peu appétissant. Elle essaya de chasser de sa pensée l'image d'une roue métallique passant sur un poignet humain.

De son côté, Nell se risqua à tenter de faire dévier la conversation sur le côté le moins négatif de cette affaire : grâce à la microchirurgie, on avait réussi à recoudre la main de la jeune fille. « Quand je faisais mes études d'infirmière, un tel miracle ne relevait même pas du rêve utopique.

— On a vraiment envie de baisser les bras », dit Cate, sinistre, avant d'avaler la gorgée de vin qui restait sur la table.

Les trois femmes levèrent le couvert et consacrèrent beaucoup de temps à faire la vaisselle. Même les plats et les casseroles furent essuyés. Il était trop tôt pour aller se coucher, la nuit n'était même pas tombée. Pourtant, chacune attendait avec impatience le moment où elle pourrait échapper aux deux autres de la seule façon décente qui fût : pour monter se coucher.

Elles se traînèrent donc sagement au salon. Dehors, dans le crépuscule irréel, plusieurs oiseaux à longues pattes rêvaient mélancoliquement sur le sable mouillé. La marée était basse, et le soleil couchant était caché par un ciel gris et bouché. Avec son œil de lynx, Nell voyait le plumage des oiseaux frémir sous le vent.

Cate arpenta la pièce de long en large jusqu'à ce que, la colère cédant le pas à un profond soupir, elle se laissât tomber sur le canapé. Elle ramassa *The News and Observer* qu'elle feuilleta avec impatience — à la recherche d'autres mauvaises nouvelles ? Elle eut un regard méchant pour la cheminée : « Dommage que tu ne sois pas parfaite, Lydia. Si tu avais paré à toutes les éventualités, nous aurions pu faire une belle flambée. Un bon feu pour une charmante veillée en famille. On se serait raconté des histoires de fantômes.

— J'ai une idée, dit Lydia, sous le coup d'une inspiration subite. Si on brûlait le vieux morceau de bois de la terrasse. Il est assez gros. Il y aura de quoi faire un bon feu qui nous tiendra chaud jusqu'à l'heure d'aller nous coucher. Quelqu'un a-t-il une tendresse particulière pour cette vieille épave ? Maman ?

— Non, dit Nell. Tu laisseras seulement à l'araignée rouge qui y a élu domicile le temps de se sauver.

— Excellente initiative, Lydia », dit Cate en se levant d'un bond.

Les deux sœurs rentrèrent le morceau de bois, assez peu maniable au demeurant. Une bourrasque de vent profita de l'occasion pour s'engouffrer dans la maison par la porte ouverte.

« Pensez à vérifier que le conduit est ouvert, dit Nell. Il y a un registre qui doit être ouvert à l'intérieur du conduit. »

Cate fourra la tête dans la cheminée pour aller fouiller dans le conduit. Elle grogna : « Voilà. C'est ouvert. Na ! Avec quoi est-ce qu'on va allumer ? Merde, on n'a rien.

— On pourrait faire des boules de papier avec ton journal, dit Lydia. Max fait toujours comme ça, pour allumer un feu.

— Alors, si Max fait comme ça... », railla Cate. Elle attrapa son journal dont elle déchira les pages pour les rouler en boule.

C'est la fin de la journée, se dit Nell. Demain, ce sera samedi, ensuite il restera dimanche et lundi je pars avec Lydia.

Le vieux tronc s'avéra trop grand pour rentrer dans la cheminée. « Je sais, dit Cate, nous allons casser les rejets. Ils serviront de petit bois pour allumer le feu. »

Les sœurs ressortirent l'épave de bois sur la terrasse éventée et Lydia maintint fermement la bûche pendant que Cate cassait et arrachait les rejets.

Le feu venait juste de prendre, Lydia avait débouché une seconde bouteille de vin et chacune faisait un effort pour faire régner un semblant d'harmonie familiale sur la fin de cette épouvantable journée, lorsqu'on frappa à la porte.

C'était Marcus Chapin. Il vit le feu dans la cheminée, la bouteille de vin, les trois femmes ensemble et dit : « Je suis navré de cette irruption intempestive, Nell, mais Merle a du mal à respirer depuis un moment. J'ai pensé que vous accepteriez peut-être de faire un saut jusque chez nous. » Il refusa d'entrer. Debout sur le pas de la porte, avec le vent qui faisait claquer ses manches de chemise, lui-même respirait bizarrement.

« Bien sûr, dit Nell. On y va tout de suite. » Elle posa son verre de vin, un peu honteuse d'avoir ouvert la porte le verre à la main, et s'apprêtait à affronter la tornade en compagnie de Marcus Chapin lorsque Cate, ramassant vivement le joli châle qui gisait froissé sur le canapé se leva d'un bond pour en couvrir les épaules de sa mère. « Tu ne peux pas sortir dans cette tempête avec rien sur le dos, dit-elle avec une bienveillante autorité.

— Vous avez raison », dit Chapin qui aida Nell à se draper dans le châle. Malgré son évidente détresse, il demeurait galant homme. Il gratifia Cate d'un regard approbateur pour cette manifestation d'attention filiale.

« Merci, chérie, dit Nell avec un clin d'œil affectueux pour sa fille aînée. Soyez sages ! » recommanda-t-elle aux deux sœurs avant de fermer la porte derrière elle.

« Je me demande ce qu'elle a, dit Lydia.

— Je n'en sais rien. Les difficultés respiratoires, c'est les poumons, non ? Ou de l'asthme. A moins que ce soit psychosomatique. O la fragilité féminine !

— Je me demande. Elle ne m'a pas semblé en grande forme quand ils sont venus, avant-hier soir.

— Bôf ! Tu es meilleur juge que moi. J'étais tellement coincée avec lui ! » dit Cate qui avait cependant été ravie d'apprendre que Chapin avait apprécié ses qualités d'esprit.

Elles ne parlèrent pas davantage de Merle. Ni l'une ni l'autre ne la connaissaient suffisamment pour avoir envie de se lancer dans une polémique sur la gravité de son état de santé.

Lorsque le feu, après des débuts fulgurants, commença à donner des signes de faiblesse, Cate alla chercher une pile de revues sur une étagère. Elle s'avisa qu'en glissant régulièrement un ou deux numéros sous la bûche incandescente, elle redonnait un peu de vigueur au brasier faiblissant.

Elles continuèrent de boire.

« Je n'arrive pas à chasser cette fille de mon esprit », dit doucement Cate. Assise par terre, elle nourrissait régulièrement l'âtre de sa pile de vieux journaux.

« La fille de New York ? Je sais, quand on se met à penser à ce genre de chose, cela devient une espèce d'obsession. C'est atroce. Enfin, heureusement qu'ils ont réussi à lui sauver la main.

— Mais quel gâchis ! Et un gâchis inutile ! »

Lydia fixa le feu. Elle pensait au Noir qui avait perpétré ce forfait. **Puis ses pensées allèrent à Renee et Calvin.** Elle qui avait envie de parler à Cate de ses nouveaux amis, l'occasion lui en était fortuitement donnée. « Tu sais, dans le temps, je n'étais pas meilleure que les autres, commença-t-elle. J'étais toujours prête à accuser les Noirs de tous les vices de la terre. Chaque fois que j'entendais parler d'un vol, d'une agression ou pire encore, ma première réaction était de dire : je parie que c'est encore un Noir qui a fait le coup. Ce qui était d'ailleurs souvent le cas. Mais depuis que je me suis fait ces amis, à Greensboro, des gens vraiment bien, intelligents, doués et qui réussissent — leur seul tort étant d'être nés noirs — je souffre beaucoup du préjudice que des individus comme ce type, à New York — sûrement un fou, victime de la drogue comme tu le disais — causent à des personnes telles que Calvin et Renee qui jouent, eux, un rôle positif dans notre société.

— En quoi leur rôle est-il positif ? » demanda Cate qui venait de glisser une revue sous les vestiges calcinés de la précédente.

Son intérêt semblait authentique. Lydia entreprit donc de brosser un portrait aussi séduisant que possible de ses amis, en s'efforçant de ménager ses effets et de ne pas tout dévoiler d'un coup, à l'instar de Cate quand elle racontait une histoire. Elle commença donc par Calvin, son entrée à elle dans le monde de la télévision, comment il avait grandi à Greensboro et vaincu tous les obstacles qui ne manquaient pas de surgir sur la route d'un jeune dans sa situation ; puis elle embraya sur la maîtrise d'études théâtrales à Chapel Hill suivie du départ pour la RCA à New York dont il avait peu apprécié le cynisme généralisé alors qu'il y avait tant de choses intéressantes à faire en Caroline du Nord. Elle évoqua encore le samovar, ses yeux vifs et inquiets (encore que Lydia eût finalement préféré parler de regard vif et *pénétrant*) qui lisaient dans la pensée de tout le monde, sans oublier le rêve qu'il avait de monter une chaîne strictement culturelle, fonctionnant à partir de souscriptions privées et émettant depuis la Caroline du Nord.

Quant à Renee... Au moment de se lancer dans le portrait de Renee, Lydia se rendit compte qu'elle avait dû souvent anticiper cet instant car les mots lui vinrent avec une facilité étonnante, comme si elle récitait des phrases qu'elle connaissait par cœur. « Elle est docteur de l'université Harvard et les éditions universitaires de Harvard vont publier sa thèse... Elle possède sans doute l'intelligence la plus subtile qu'il m'ait été donné de côtoyer et pourtant, elle adore sombrer dans le langage trivial pour prendre les gens au dépourvu... Elle est très belle... longue, fine, le port aristocratique... »

Avec un froncement de sourcils, Cate tisonna un peu les braises sous la bûche quasi consumée avant de remettre encore une revue. « D'où sort-elle ce physique aristocratique ? »

Question qui menait directement à la longue histoire de la famille Peverell-Watson. L'arrière-arrière-grand-mère, cette beauté antillaise aux oreilles percées de boucles en or véritable, qui devint la propriété du Révérend Peverell par la grâce des enchères. L'alliance de cette aïeule avec le Révérend planteur, scellée par une série de daguerréotypes et une abondante descendance. Et tous les membres de la branche maternelle de la famille de Renee qui conservèrent le patronyme de Peverell.

« Tu comprends, Renee peut remonter beaucoup plus loin que nous dans le passé de sa famille, dit Lydia.

— Je ne sais pas, fit songeusement Cate. Toutes ces recherches généalogiques pour retrouver ses racines me collent un peu la nausée. Il y a déjà de quoi s'occuper avec ses ascendants au premier et au second degré sans forcer les limites de sa mémoire ! »

Un peu dépitée, Lydia poursuivit néanmoins sa chronique enthousiaste de la saga des Peverell-Watson. « Les parents de Renee fréquentèrent tous deux cette école très chic de Greensboro — un pensionnat pour les enfants de la haute bourgeoisie noire —, l'Institution Palmer, tu connais ? » Cate n'avait jamais entendu parler. « Et la fille de Renee, Camilla — elle a l'âge de Leo — est pensionnaire dans un collège anglais. L'autre jour, quand je suis allée chez Renee avec Leo — elle a une maison formidable —, elle nous a montré des photos de Camilla en écuyère. On aurait dit une princesse Anne de race noire. »

Ricanement de Cate. « Lydia, tu as une façon de dire les choses !

— Bref, tu vois ce que je veux dire », reprit Lydia avec le sourire, malgré la totale absence de malice de sa métaphore. Elle résolut de ne pas mettre d'ombre dans le tableau et passa sous silence le fait que Camilla avait pour père un repris de justice.

« Eh bien, dit lentement Cate après avoir longuement médité en regardant le feu, ils ont effectivement tout des... parangons, tes amis. Des parangons de quoi, je n'en sais trop rien, mais... » Elle prit encore un temps de réflexion. « Quel était le sujet de thèse de Renee *Peverell*-Watson ?

— Oh, encore une chose passionnante, dit Lydia. Renee a fait sa thèse, qui doit être publiée, sur *La notion de classe sociale chez les Noirs d'Amérique.*

— La notion de classe sociale chez les Noirs d'Amérique ? répéta Cate, incrédule. Je ne savais pas que ça existait.

— Seigneur ! dit Lydia. Un peu, que ça existe. Par exemple, le nec plus ultra, pour un Noir, est d'être un *Vaughn*, de la branche Scipio Vaughn de Camden, en Caroline du Sud. Je veux dire par là qu'ils ont les mêmes critères que nous pour définir leur élite sociale. L'argent n'étant pas l'élément le plus important, encore qu'il joue un rôle déterminant. L'essentiel est de remonter le plus loin possible dans ses origines familiales et d'avoir une réussite sociale à la hauteur de celles-ci. »

Il y eut un silence. La pile de revues était épuisée. Cate regarda en direction de l'étagère où se trouvaient les autres. Puis elle dit : « Je n'ai pas envie de brûler les *National Geographics* de papa ; si on brûlait un des cartons vides que nous n'avons pas utilisés cet après-midi ? »

Lydia se leva et rapporta une boîte. Cate la déchira rageusement et glissa un grand bout de carton ondulé sous la bûche qui ne semblait décidément pas vouloir brûler toute seule. N'allait-elle pas ajouter un seul autre mot de commentaire à tout ce que Lydia venait de lui raconter ?

Puis, avec une intonation pour le moins ironique, Cate dit : « Je ne sais pas, mon chou. Mais on peut dire que tu n'en rates pas une.

— Comment cela ? » Au seul ton de voix de Cate, le cœur de Lydia s'était mis à battre.

« Eh bien ! » Cate eut un petit rire bref. « Non, rien. N'en parlons plus.

— Cate, ce n'est pas juste. Tu ne peux pas commencer et ne pas aller jusqu'au bout.

— Non, Lydia, j'aime mieux pas ; tu risques de ne pas aimer la suite, à supposer que je continue.

— Je ne peux effectivement pas jurer que je vais apprécier, mais j'ai envie de savoir, quoi qu'il en soit.

— Tu as toujours envie de "savoir", Lydia et, dès que tu entends quelque chose qui te fait peur, tu te sauves.

— Quelque chose qui me fait peur ? Je ne vois pas comment tu pourrais me faire peur avec ce que je viens de te raconter.

— Il y a pourtant de quoi trembler, Lydia. Tes amis, Calvin et Renee, me font précisément froid dans le dos. Dans le genre, on fait même difficilement mieux. Ma petite Lydia, tu viens de me

471

raconter une authentique histoire de fantômes. Ma tête de pirate qui brillait sous la surface de la mer, c'était de la guimauve à côté de Calvin et Renee.

— Explique-toi un peu, exigea Lydia en haussant le ton.

— Pas compliqué, mon chou. Ce sont des morts-vivants.

— Je ne vois pas ce qui te permet de dire une chose pareille. Ils ont beaucoup plus de réussites à leur actif que... — elle mit tout ce qui lui restait de sang-froid à s'empêcher de dire ce qui lui brûlait le bout de la langue, à savoir : que tu n'en auras sans doute jamais — ... la plupart des gens. Et bon Dieu, Cate, ce sont mes amis. Je te parle de mes amis et toi tu... » Elle s'arrêta pour ne pas pleurer.

« Je sais, je sais. Excuse-moi. Mais... » Cate luttait pour ne pas sortir de ses gonds. « Sacré nom de Dieu, Lydia, tu devrais savoir que quand on me cherche, on me trouve !

— D'accord ! cria Lydia. Admettons que je t'aie trouvée. Alors, vas-y, j'écoute. »

Cate inspira longuement avant de rejeter ses épaules en arrière. Elle pivota sur place pour affronter plus directement Lydia. « Comme tu voudras, dit-elle avec lassitude. Tes amis vivent dans un monde — *pour* un monde, devrais-je dire — qui n'existe plus. A supposer qu'il ait jamais existé. Et je trouve ça simplement lamentable ! Passer son temps à collectionner les vieux symboles — ou ce que tu appelles des réussites — comme d'autres accumuleraient les billets d'une monnaie qui n'a plus cours ! Perpétuer un système archipérimé ! Complètement foutu !

— Pour eux, il ne l'est pas, dit Lydia. Et pour moi non plus, d'ailleurs.

— Je sais bien, mon chou, fit tristement Cate. C'est bien ce qui me semble lamentable. Sainte Vierge ! La notion de classe sociale chez les Noirs d'Amérique ! Une chaîne de télé "à vocation strictement culturelle", fonctionnant par souscription privée. La fille qui joue les "écuyères" en Angleterre. On croirait une triste parodie. Au lieu d'utiliser leur intelligence manifeste — car je leur fais au moins ce crédit de n'être pas des imbéciles, surtout elle — pour créer du neuf sur les ruines de cette vieille société oppressive, ils vont en assimiler toutes les impostures pour continuer sur les mêmes bases et repartir pour un tour. Tu ne crois pas qu'il y a de quoi désespérer ?

— Je vais te dire ce que je crois, dit Lydia à qui la colère donnait soudain des ailes au point qu'elle se retrouva debout sans même s'en rendre compte. Je crois me trouver en face d'une femme qui frise la quarantaine et se trouve être ma sœur. Que cette femme a toujours bénéficié de tous les avantages qu'une citoyenne américaine est en droit d'attendre de la vie. Et pour autant que je puisse le constater, le seul talent dont cette femme ait jamais donné la preuve est celui de critiquer, critiquer, *critiquer* !

— Si je critique, critique, critique, c'est dans l'espoir que des gens de ton espèce finiront par ouvrir les yeux et voir au-delà de leur gentil petit monde douillet et confortable, qu'ils confondent allégrement avec la planète. Parce que ce petit monde est incontestablement mignon, propre et admirable — un vrai bijou dans le genre — mais... » Elle inspira un grand coup, ce qui permit à Lydia, malgré la semi-pénombre de la pièce seulement éclairée par le feu de bois, de constater que son accusation avait coupé l'herbe sous le pied de Cate. La grande sœur avait été touchée, mais elle pansait ses blessures grâce au baume des sarcasmes en continuant : « ... personne dans ce joli royaume de faux-semblants n'ira jamais courir le moindre risque ni prendre la moindre décision. En d'autres termes, Lydia, il faut regarder les choses en face et admettre qu'on ne peut pas rester prudemment sur la plage, tremper la pointe d'un orteil dans l'eau et s'écrier : "Oh ! Je sais enfin tout de l'océan. Je suis fille de l'océan !" » Sa voix était montée dans les aigus, contrefaisant celle d'une petite fille.

« Et toi, tu suggères quoi ? contre-attaqua crânement Lydia. D'aller en bateau au milieu de l'Atlantique pour se jeter à l'eau tout nu ? Quel genre de réussite escomptes-tu d'une telle attitude ?

— Oh ! La réussite, la réussite, la réussite ! psalmodia Cate. Continue donc ta course aux petites réussites. Passe ta petite maîtrise, fais un petit doctorat, va mettre ton nez dans la vie des autres, toi et ton petit uniforme BCBG, sous prétexte de jouer à la sociologue, fais tes petits soufflés pour ta petite émission de télévision en devisant gentiment avec une vieille peau qui sait parfaitement que Calvin n'a pas cessé d'être son esclave, et puis tu pourras aller te coucher dans ton petit lit douillet, dans les bras de ton gentil petit amant, où tu pourras t'abandonner à l'ivresse de toutes les petites réussites inscrites à ton actif sans jamais avoir risqué un pied en dehors de ton charmant petit monde en vase clos. Tu mourras avec un beau palmarès, Lydia, dans la jolie maison de poupée que tu n'as jamais quittée. » Cate tourna la tête et flanqua rageusement au feu un autre bout de carton comme si elle voulait vouer aux flammes le petit paradis de Lydia.

Toujours debout, Lydia contemplait la détestable créature accroupie à ses pieds. Elle endurcit son cœur.

Puis elle alla chercher son sac et son pull-over. A son retour, Cate était toujours penchée au-dessus du feu qu'elle nourrissait de carton, le dos courbé et la mine maussade.

« En tout cas, je ne soulèverai peut-être jamais des montagnes », dit Lydia qui sentit ses genoux trembler en même temps qu'elle ne pouvait s'empêcher de dire : « Mais moi, au moins, je n'ai jamais assassiné personne. Si c'est ce que tu appelles "créer du neuf", je préfère rester dans ma maison de poupée. »

Et de quitter la maison, non sans claquer la porte derrière elle, pour affronter le vent de l'extérieur. Et fuir la terrible colère qui se lisait déjà sur le visage de Cate. Elle monta dans sa voiture dont elle referma la portière avant même d'avoir sorti la clé de contact. Elle avait l'impression d'avoir les mains paralysées. Pendant qu'elle faisait marche arrière pour prendre la route balayée par la tempête de sable, elle s'attendait encore à voir la porte de la villa s'ouvrir brutalement et sa grande sœur, toujours plus grande, plus forte, plus audacieuse, sortir comme une furie et... et quoi ? L'époque était révolue où Cate avait le pouvoir de la terroriser pour la faire renoncer à une promenade ou de foncer sur elle pour la rouer impunément de coups.

La porte demeura fermée tout le temps, ainsi que Lydia put le constater dans le rétroviseur de sa Volvo.

« Nell, je vais beaucoup mieux. Tu peux repartir maintenant !

— Non. Je vais rester encore un peu avec toi. Si tu n'y vois pas d'inconvénient, bien sûr. Tu es sûre que tu ne veux pas essayer de dormir un peu ?

— Non, Nell chérie. C'est comme ça que ça a commencé tout à l'heure. Je sommeillais, vaguement, allongée ici, et puis le vent s'est mis à battre contre les vitres et je me suis rendu compte, alors, que je ne respirais plus aussi facilement. Heureusement, dès que je me suis redressée, les choses se sont arrangées et j'ai essayé de dissuader Marcus d'aller te chercher. Mais il tenait beaucoup à ce que tu viennes. Il voulait même descendre jusqu'à l'auberge voir s'il ne pourrait pas y trouver de médecin en villégiature, mais j'ai réussi à le persuader de renoncer à ce projet.

— Je suis contente d'être venue. Merle, fais-moi plaisir, allonge-toi et dis-moi si tu ressens encore une gêne.

— Apparemment pas. N'est-ce pas absolument surprenant ?
Tu crois que la position dans laquelle j'étais couchée pourrait y
être pour quelque chose ? Peut-être que n'importe qui aurait eu
du mal à respirer, dans la position où j'étais.

— Ce n'est pas impossible. Néanmoins, Merle, quand tu seras
chez toi, pourquoi est-ce que tu n'irais pas consulter ton médecin,
pour être plus tranquille ?

— Je sais, je sais. Je devais aller le voir avant notre départ,
mais je n'avais pas envie de découvrir quoi que ce soit de susceptible de gâcher nos vacances. La première fois que nous partons
un peu ensemble depuis le début de ma maladie. Je ne voulais
pas aller au-devant des ennuis.

— Il ne trouvera peut-être rien du tout. Et tu seras tranquilli-
sée, au contraire. Et puis tu devrais aussi t'occuper de cette toux.

— Nell, tu penses que quelque chose ne va pas, n'est-ce pas ?
Dis-moi la vérité.

— Merle, je ne suis pas médecin. Je ne suis même plus infirmière depuis... Mon Dieu !... quarante ans. Mais je suis persuadée que, s'il y a le moindre doute, il faut consulter. Tu as déjà
fait un tel chemin ! Je voudrais bien te voir arroser les plantes
vertes et regarder le ciel pendant encore de longues années.

— Nell, je suis tellement heureuse que nous nous soyons
retrouvées ! Si jamais je devais rechuter, est-ce que tu accepterais
de venir passer un moment chez nous ? Nous avons une très jolie
chambre d'amis avec sa salle de bains privée. L'évêque y a dormi
une fois. Je crois qu'il avait des remords à cause du bannissement
de Marcus et qu'il a voulu venir prendre de nos nouvelles. Est-ce
que tu viendrais ? Les hôpitaux me font tellement peur. Si je
devais être malade à nouveau, je voudrais pouvoir rester chez
moi.

— Ma petite Merle, je t'en prie. Ce n'est peut-être rien. Ne te
tourmente pas en allant t'imaginer que...

— Mais si c'est quelque chose, est-ce que tu viendras ?

— Mon Dieu... Si cela te fait plaisir, bien sûr que je viendrai.

— Merci, ma chérie. C'est très important pour moi. Nell, tu
sais que tu as beaucoup changé depuis le temps de Farragut
Pines. Enfin, je t'ai toujours bien aimée, Nell. Tu étais drôle,
intelligente et tout mais, à l'époque, tu avais une carapace de
trente centimètres d'épaisseur. Un blindage à toute épreuve.
Alors que maintenant, tu es chaleureuse, affectueuse et parfaitement naturelle. Je pense que tu as dû faire un mariage réussi. Tu
t'es réconciliée avec toi-même, Nell et cela te va très bien. Tu es

une femme superbe, superbe. Bref, tu existes. Tu te trouves à des années-lumière de l'orpheline qui ne m'a même pas laissée l'embrasser quand sa mère est morte. J'ai voulu te prendre dans mes bras pour te consoler et partager ton chagrin, et toi tu m'as dit : "Ça va. Elle voulait mourir". J'en ai eu des frissons dans le dos pendant des années, chaque fois que je pensais à la façon dont tu avais prononcé ces paroles. Et puis j'ai fini par comprendre que cette carapace te permettait de te cramponner à la vie. Tu avais peur, en te laissant aller, de t'écrouler complètement. Cette carapace, elle t'était nécessaire et je suis bien contente que tu aies su te la forger. Aujourd'hui, je suis ravie que tu n'en aies plus besoin. Tiens, bonjour, Marcus. Tu vois, je vais beaucoup mieux... Marcus, dis-moi vite, que se passe-t-il ?

— Nell, dit Marcus Chapin. Je viens de regarder par la fenêtre et votre maison est en flammes. »

Lorsque l'on est Américaine, que l'on a une excellente raison d'être en colère et que, naturellement, on possède une voiture, on conduit jusqu'à ce que la colère tombe ou du moins se fonde dans l'illusion que l'on va quelque part. Dès que Lydia se fut barricadée dans sa Volvo, son premier réflexe fut donc de prendre la route. Malgré ses vingt-cinq kilomètres de long dans le cas le plus favorable, l'île possédait une route de dix-huit kilomètres qui rejoignait directement Hatteras Inlet, et Lydia se voyait déjà fonçant comme une malade dans un sens avant de faire demi-tour pour repartir dans un sens opposé. Ce qui rimait à quoi, en période de crise de l'énergie ? Elle avait fait le plein d'essence avant de quitter Morehead City, au cas où les pompes d'Ocracoke seraient en panne et, si elle faisait attention jusqu'à mardi, elle devrait pouvoir attendre Morehead City pour remplir son réservoir.

Le seul fait de penser ainsi à la fin de ces « vacances » la réconforta — plus efficacement que ne l'aurait fait un rodéo inutile de trente-six kilomètres en voiture — et elle rangea sa Volvo en face de l'Auberge de l'Ile. Puis, tenant sa pochette comme une visière pour se protéger du vent, elle courut jusqu'à la cabine téléphonique et elle s'enferma soigneusement, malgré l'exiguïté du lieu, pour échapper au vent. Elle allait appeler quelques-unes des « poupées » de son « petit monde ». Après avoir sorti la carte automatique que Max lui avait procurée, elle forma le O.

La ligne de Max était occupée. Par qui ? Max téléphonant à

476

Lizzie ? Max donnant un coup de fil pour son travail ? Leo appelant une nouvelle petite amie ? Ou l'un des ex-Vampires ?

Elle essaya Stanley. Sans plus de succès. Regard à sa montre : il était neuf heures et demie. Stanley pouvait être allé seul à une séance de cinéma. Ce qui n'empêchait pas Lydia d'être déçue de ne pas le trouver alors qu'elle avait besoin de lui.

Renee était chez elle. Chère Renee. « Est-ce que je te dérange ? demanda Lydia avant d'éclater en sanglots.

— Eh bien, fillette, qu'est-ce qui ne va pas ? » La voix de Renee trahissait un tel intérêt teinté d'inquiétude que, si Lydia s'était trouvée avec elle, elle se serait laissée aller à pleurer tout son soûl dans le giron de son amie.

Lydia passa quarante-cinq minutes à faire le récit de ses ennuis à Renee. Enfin, une version de ses ennuis. Dont fut exclu, par exemple, le rôle joué par Calvin et Renee dans la bagarre. C'est la réalité sous-jacente qu'elle entendait exposer à Renee ; l'affrontement mortel auquel Cate et elle étaient vouées depuis... depuis la naissance de la seconde apparemment et, « ce soir, elle m'a dit des paroles impardonnables, elle a trouvé les mots capables de saper toute ma vie, et moi, j'ai riposté par des propos également impardonnables ». Preuve supplémentaire de sa grandeur d'âme, Lydia ne parla pas non plus de l'avortement de Cate : elle était capable de détester Cate sans faillir à la parole donnée. « Le problème, c'est qu'elle tient dans un parfait mépris les choses qui donnent un sens à ma vie et puis je ne supporte pas sa façon de s'en prendre à la terre entière pour la rendre responsable des désordres de sa vie personnelle, dit Lydia. Renee, je me sens infiniment plus proche de toi que de ma propre sœur. » Vaincue par l'émotion, Lydia se remit à pleurer au téléphone ; la tempête battait violemment les vitres de la cabine téléphonique.

« Chut, chut, petite fille, consola Renee. Personne, absolument personne ne sera jamais plus proche de toi que les tiens, mais je suis très sensible à ce que tu essaies de me dire. En ce moment, tu m'aimes davantage que tu n'aimes Cate, et cette affection me touche beaucoup. Tu sais, j'ai l'expérience de ce genre de conflit. Moi, j'ai failli tuer mon frère Warren, un jour. C'était un peu la même chose. Il essayait de me rabaisser, comme le font souvent les aînés. Je lui ai cassé une bouteille de Coca-Cola sur la tête et il a été assommé. On m'a dit que j'aurais pu le tuer. Sans plaisanter. Et nous avons encore nos différends, lui et moi. Il est très conservateur et pense que je devrais épouser un gentil conservateur comme lui pour offrir un vrai foyer à Camilla. Enfin, maintenant je lui réponds que ce n'est pas exactement ses affaires. Au fait, quand nous voyons-nous ? J'ai reçu une lettre des éditions universitaires de Harvard hier. Ils m'annoncent que j'aurai les épreuves du livre avant la fin de l'été. Ce n'est pas formidable ? Et puis Camilla vient avec une invitée, cet été. Sa camarade de chambre iranienne. La pauvre petite n'a nulle part où aller. Son père est coincé à Téhéran où il se fait le plus petit possible pendant que sa mère se terre dans un petit appartement à Paris ; mais le pire, pour cette gamine, c'est qu'elle a peur de ne jamais revoir ses deux Corgi. J'ai dit à Camilla que la présence de Judge la consolerait peut-être de l'absence de ses deux chiens. »

Les gens comme Renee et Calvin, songea Lydia en sortant de la cabine, l'esprit beaucoup plus libre qu'à l'entrée, et aussi *les gens comme Stanley* (qu'elle avait fini par joindre à la deuxième tentative — il était allé visiter une ferme en compagnie d'un promoteur), et *les gens comme MOI* tiennent à réclamer un morceau de ce que Cate appelle un « monde voué à la mort », parce qu'eux n'en ont pas encore eu leur part. C'est pourquoi ils ont besoin de protéger ce qui subsiste de ce monde, jusqu'à ce qu'ils en aient obtenu leur juste part. Que Renee ait publié son livre, que Calvin ait monté sa chaîne de télévision culturelle, que Stanley ait acheté sa ferme et ses chevaux et qu'elle-même se soit fait une petite place au soleil et ait conquis une parcelle de pouvoir en ce monde. Monde de « faux-semblants » pour certains ? Eh bien, « ce n'est pas exactement leurs affaires », comme dirait Renee.

La ligne de Lydia — ou plutôt celle de Max et des garçons — était encore occupée.

Pourquoi ne pas patienter quelques minutes ? Elle n'avait qu'à aller s'installer dans le hall de réception de l'Auberge en attendant que la personne en communication avec Winston-Salem ait raccroché. L'île ne possédait aucun bar, à supposer qu'elle ait été femme à fréquenter les bars toute seule. En tout cas, leur mère serait là quand Lydia reviendrait, ce qui était le plus important. Elle n'avait pas envie d'affronter Cate en tête à tête ; d'ailleurs, elle prendrait une couverture et dormirait en bas. Pas question de partager le même lit que Cate. Comment allait se passer leur cohabitation jusqu'à lundi ? Lydia n'y avait pas encore vraiment réfléchi.

Tandis qu'elle se dirigeait vers l'Auberge, elle entendit le bruit d'une sirène. Il devait y avoir un incendie quelque part. Elle décida d'attendre dans sa voiture le passage des pompiers qu'elle ne pouvait manquer puisque, d'où elle se trouvait, elle voyait la rue de la caserne de pompiers. Elle les suivrait. Innocent passe-temps, très humain de surcroît. Elle attendit donc. Arrivèrent deux camions, suivis d'un cortège de voitures privées, transportant plusieurs passagers à leur bord : la pléthore de volontaires dans cette île où la lutte contre l'incendie était prise au sérieux par tout le monde. Il lui fallut encore attendre quelques instants parce que d'autres pompiers bénévoles, dont certains étaient des clients de l'auberge coincés depuis le début de la journée dans leur chambre à cause du vent, faisaient irruption dans la rue pour suivre les camions.

L'idée n'effleura pas Lydia, en rejoignant le flot de circulation qui se pressait sur la route longeant le lac, que les camions qu'elle suivait allaient peut-être la ramener chez elle.

Cate se retrouva dehors, dans l'obscurité, sur le sable mouillé dégagé par la marée descendante. Elle marchait vers la caverne du pirate, pieds nus. Elle ne se souvenait pourtant pas d'avoir ôté ses souliers. En revanche, elle avait enfilé un pull-over. Mais oublié de se protéger le visage et les cheveux par un foulard.

Elle avait entendu la voiture de Lydia prendre le large et était restée un moment sur place, à alimenter en morceaux de carton le feu définitivement récalcitrant. Chaque fois, le carton semblait avoir communiqué sa flamme à la bûche, mais la flambée perdait invariablement toute vigueur dès que le carton avait fini de se consumer.

Si bien qu'elle avait fini par abandonner la pièce et ses funestes échos assassins.

Le volume du vent la fit hésiter à retourner prendre son fou-lard ; elle préféra être ébouriffée par la tempête et sentir ses joues griffées par le vent glacial. Tout, plutôt que de remettre les pieds dans la pièce qui avait abrité une altercation aussi méchante que révoltante.

Cate était davantage écœurée par sa propre attitude que par celle de Lydia. Pour autant que ce fût possible. Elle pourrait se passer allégrement de la compagnie de sa sœur dans les années à venir, mais le dégoût que lui inspirait sa cadette ne diminuait en rien sa propre honte d'être toujours prête à dénigrer les autres. Reconnaître cette tendance en elle lui était plus douloureux que la pire des remarques lancées par Lydia. Même à ce niveau d'ail-leurs, leur appréciation divergeait : Lydia pensait manifestement que sa dernière accusation était la plus blessante, raison pour laquelle elle l'avait gardée pour la fin ; mais pour Cate, qui ne s'était jamais sentie une conscience de meurtrière, malgré le remords que lui causaient effectivement ces occasions perdues, c'est la perfidie du « seul talent dont cette femme ait jamais donné la preuve », lancée froidement par Lydia, qui l'avait vraiment blessée. Ces paroles, bien que prononcées sous le coup de la colère et pour se défendre, avaient été le coup de grâce porté à un édifice prêt à s'écrouler.

Cependant, s'il était pour le moins mortifiant de s'entendre dire que l'on n'a pas la moindre réussite à son actif, il était sûrement pire de faire œuvre de destructeur. Or Cate avait cherché à détruire Lydia. Un jour, elle avait eu un long débat avec un ami catholique pour définir le péché contre l'Esprit saint — le pire aux yeux d'un catholique. Cet ami disait qu'à son sens, ce péché devait être lié avec le fait d'amener un être humain à mépriser sa propre nature, celle que Dieu lui avait donnée et avec laquelle il devait vivre. Or, Cate venait de mettre la totalité de ses facultés intellectuelles en œuvre dans le seul but de convaincre Lydia qu'elle était futile, insignifiante et banale — quoi qu'elle fasse ou puisse faire de sa vie.

J'ai été ignoble, songea Cate, en pataugeant dans la vase. Au plus bas de la marée, on pouvait marcher à deux pas des balises, ce qui permettait d'éviter la série des jetées privées qui traversaient la plage. Cette fois, sa joue droite était complètement paralysée à force d'être cinglée par le vent.

Elle pataugea encore un peu pour aller s'asseoir dans l'abri habituel. Il fut un temps où, à cet endroit, l'eau était suffisamment profonde pour y amarrer un vaisseau pirate. On l'appelait Teach's Hole, la caverne du pirate, et ce lieu était le but de la promenade qu'elle faisait jadis avec son père.

De ce repaire, le brigand velu et sans peur, celui qui accrochait des rubans rouges dans les tresses de l'épaisse barbe noire qui lui descendait jusqu'à la taille, celui à qui il arrivait de mettre le feu au chapeau qu'il avait sur la tête pour terroriser les populations, Teach le pirate avait fait son quartier général. Les navires qui ne venaient pas s'échouer la nuit devant sa porte, il sortait les arraisonner en plein jour. De ses mains, il se construisit un château sur Ocracoke. Par défi, il tira un jour sur son second caché sous la table, et le malheureux resta infirme pour la vie. On lui prêtait quatre épouses, vivant dans quatre villes de la côte de Caroline ; de la plus jeune, qui avait seize ans, il fit la maîtresse de ce château. Il est de notoriété publique qu'il achetait l'indulgence du gouverneur de Caroline du Nord et ce fut celui de Virginie qui, excédé, commandita l'expédition des marins britanniques qui le capturèrent.

En été, l'office du tourisme organisait un spectacle pour enfants retraçant la vie de Barbe-Noire. Déguisés en pirates ou en marins de Sa Majesté, des comédiens locaux faisaient inlassablement revivre, plusieurs fois par jour, les aventures de Teach le pirate. Inéluctablement, le pirate pris au piège recevait le coup fatal de la main du lieutenant Maynard (dont la plupart des enfants s'empressaient d'oublier le nom), mais la dernière partie de la saga n'était, bien sûr, jamais représentée. Le « conteur » — un jeune employé de l'office du tourisme — s'avançait sur la scène et, avec un sourire qui se voulait rassurant pour les enfants, il racontait que, si l'on en croyait la légende, le corps décapité de Barbe-Noire possédait encore une telle énergie qu'il fit sept fois le tour du navire à la nage avant de couler.

Mais, songea Cate avec un sourire mélancolique pour les vaguelettes sur lesquelles, pour effrayer Lydia, elle avait prétendu apercevoir la tête luisante du pirate (ce soir il faisait trop sombre pour voir ne serait-ce que son propre reflet dans l'eau), je parie que je suis la seule enfant — exclusivité garantie — dont les parents jugèrent astucieux de compliquer les choses par le récit des événements version Teach.

Jeune marin à l'âme sensible, Teach avait servi sur un bateau corsaire britannique pendant la guerre de la reine Anne à une époque où piller un navire français constituait un simple devoir patriotique. Il réussissait tellement bien dans ce genre de tâche qu'il n'avait aucune envie de changer de métier mais, expliqua Leonard Strickland, quand la guerre fut finie, on le pria de cesser ses activités. Ce qui était patriotisme prit du jour au lendemain le nom d'acte de piraterie. « Teach eut donc le sentiment, expliqua encore le papa à la petite Cate assise à côté de lui dans cette même petite crique, d'avoir appris un métier que l'on transforma en crime au moment précis où il était capable de le pratiquer avec succès. Par conséquent, même s'il commit plus tard des actes répréhensibles — et à la fin il se surpassait vraiment en ce domaine ; il projetait, entre autres, de faire d'Ocracoke une terre d'asile pour tous les pirates à qui il réclamerait une "taxe de protection" ; c'est à ce moment qu'intervint le gouverneur de Virginie — Teach fut toujours convaincu d'avoir été floué. Et dans un sens, il n'avait pas tort. »

A l'époque, ils rentraient main dans la main, la petite fille perdue dans les méandres des contradictions et audaces de l'histoire racontée par son père.

Savais-tu, papa, que tu transmettais parfois des messages contradictoires ? songea Cate. Elle avait suffisamment exposé son corps à l'agression du vent pour la journée. Elle se leva et prit le chemin du retour, la tête rentrée entre les épaules et un bras levé pour protéger son visage du vent.

Enfin, qu'importe puisque je t'aimais et que je t'aime encore. Tu es responsable d'une part de ce que je suis.

Elle pressa le pas, impatiente de retrouver la villa, en dépit de la présence éventuelle de Lydia. Il lui faudrait bien trouver un mode de coexistence jusqu'à mardi de toute façon. Je dormirai en bas, se dit Cate, la tête basse et les yeux presque fermés pour éviter la tempête de sable.

Dans le lointain, lui parvint l'écho d'une sirène qui luttait avec le hurlement du vent. Puis ce fut une étrange lueur qui força le filtrage de ses paupières mi-closes et lui fit redresser la tête. Elle vit alors de grandes langues de feu attaquer sauvagement le ciel, devenant un halo de pourpre autour de la langue de terre vers laquelle elle se dirigeait.

XI

La quarantaine

Compte tenu du fait que le vent soufflait à une vitesse de vingt à trente nœuds et que le toit n'était plus qu'une torche à l'arrivée des camions de pompiers, ces derniers firent preuve d'une efficacité à laquelle il convenait de rendre hommage puisque la maison ne fut pas entièrement réduite en cendres. Néanmoins, ce qui restait après l'extinction de la dernière flamme et le départ des volontaires épuisés qui regagnèrent aussitôt leurs foyers pour un repos bien mérité, laissait peu d'espoir pour une restauration rapide. Max devait arriver en avion dans la journée du lendemain, ou dès que les vents seraient tombés ; il amenait avec lui l'expert de l'assurance pour voir ce qui pouvait — ou ne pouvait pas — être fait. Entre-temps, il fit quelques recommandations à Lydia, par téléphone ; entre autres choses, la mère et les deux filles ne devraient souffler mot à personne des registres difficiles à ouvrir et encore moins raconter qu'elles avaient fait brûler du carton.

« Je pensais t'avoir appris à faire preuve de davantage de bon sens, dit Max. Je parie que le toit a été littéralement soumis à une pluie d'étincelles.

— Je n'avais pas toute ma tête, lui raconta Lydia. Cate et moi nous étions lancées dans cette épouvantable querelle et je l'ai regardée mettre consciencieusement des bouts de carton sans véritablement enregistrer ce qui se passait...

— Ce type d'imprudence ressemble tout à fait à Cate.

— Je porte une part de responsabilité pour ne pas l'avoir arrêtée ! » Mais, dans son for intérieur, Lydia se dit que c'était de la faute de Cate. Si elle n'était pas partie en laissant tout tel quel, on aurait peut-être pu éviter le pire. Bien sûr, moi aussi je suis partie. « Enfin, tout le monde est sain et sauf », dit-elle à Max.

Lydia passa sous silence la terrible angoisse qui l'avait étreinte lorsqu'elle avait vu la villa en flammes ; elle avait eu la certitude que, brisée par le remords après l'accusation de meurtre proférée par sa cadette, Cate avait voulu faire de la maison son bûcher funéraire. Et elle, Lydia, n'aurait plus eu qu'à vivre le reste de ses jours en sachant qu'elle avait pratiquement assassiné sa propre sœur.

Mais lorsque Cate avait émergé en haut d'une dune et que leur mère, avec un hurlement insensé, s'était précipitée vers sa fille aînée pour la serrer dans ses bras avant d'éclater d'un rire hystérique en criant, contre le vent et les pompiers qui s'époumonaient : « Tant pis pour la maison ! Tant pis ! », le cœur de Lydia, purifié par un repentir éphémère, se gonfla à nouveau d'un sourd ressentiment. Elle savait qu'elle devrait aller dire un mot à Cate : c'était le moment ou jamais, avant que le conflit ne se durcisse davantage. Mais pourquoi ? Qu'y avait-il de changé, en fait, depuis le moment où elle avait fui la villa ? N'était que Cate avait, selon toute apparence, laissé brûler la maison.

Puis était survenue une seconde urgence. Mme Chapin, qui était sortie en imperméable, avec sa chemise de nuit qui dépassait, fut terrassée par une quinte de toux atroce qui la laissa étendue à même le sol, avec un pompier qui lui faisait du bouche à bouche. On avait lancé un appel par radio et un hélicoptère de la garde côtière était venu évacuer les Chapin qui se trouvaient maintenant à l'hôpital de Norfolk. Bien que la pauvre femme ait semblé soulagée par la tente à oxygène de l'ambulance locale, Nell avait dit que, vu son passé médical, il avait été jugé prudent qu'elle ne passe pas une nuit de plus sur cette île.

Cate et sa mère étaient maintenant installées dans la villa des Chapin, mais Lydia avait pris une chambre à l'Auberge de l'Ile. En s'instituant relais téléphonique pour Max, qui était susceptible de transmettre d'autres conseils via le téléphone de l'Auberge — à usage exclusif des clients de la maison —, elle avait trouvé un excellent prétexte pour faire bande à part et échapper du même coup à toute confrontation avec Cate. Dieu merci, elle avait encore ses cartes de crédit pour se payer l'hôtel. Tout l'argent liquide, les chéquiers et les cartes de crédit de Cate et de leur mère avaient brûlé. Cate pouvait s'estimer heureuse de ne pas avoir perdu sa voiture dont le sauvetage — ô ironie du destin ! — fut rendu possible par la négligence de sa propriétaire qui avait laissé les clés de contact sur le tableau de bord. Nell avait eu le réflexe d'éloigner le véhicule du brasier pendant que M. Chapin prenait sa propre voiture pour prévenir les pompiers. (Mesure qui s'avéra inutile puisqu'ils avaient déjà été alertés par le garde-côte, inquiet d'apercevoir des étincelles jaillissant à profusion de la cheminée de la villa.)

Lydia était maintenant allongée dans l'obscurité de la chambre qu'elle avait louée pour son usage personnel. Elle était en sous-vêtements, puisque sa chemise de nuit avait brûlé avec le reste. Dire qu'elles s'étaient donné tant de mal à tout ranger dans des cartons, soigneusement étiquetés, pour tout voir réduit en cendres ! Tirant la couverture de l'hôtel sous son menton, Lydia entreprit de faire mentalement l'inventaire des choses à remplacer. A la suite de quoi elle nicha une joue dans son oreiller, replia les genoux et passa en revue, pour se consoler, la liste des personnes et des choses importantes dans sa vie qui avaient totalement échappé aux événements de la soirée. Ce pointage vital lui donna l'occasion de sentir que la boule qui lui nouait la gorge desserrait lentement son étreinte. Rien d'irremplaçable au chapitre des pertes. La villa était sans doute irréversiblement détruite, mais la personne qui y était le plus attachée était décédée. Objectivement, chacun s'accordait à reconnaître qu'elle était biscornue et relativement délabrée, avec son unique et minuscule salle de bains. Avant même de s'être endormie, Lydia avait déjà quitté l'île. Dans sa tête, elle préparait le départ de Dickie pour sa colonie musicale, redéménageait ses affaires pour réintégrer la grande maison, aidait Max à s'installer, temporairement, dans son appartement à elle. Et les cours de vacances de Leo... Et puis, Seigneur ! Le chat de Dickie ? Gregory ferait-il bon ménage avec Fritz, le vieux chien de Leo ? Leo allait-il persister dans son projet d'aller faire ses études en Angleterre ? Si elle connaissait bien son fils, elle pouvait d'ores et déjà répondre affirmativement.

Il était minuit passé, mais Nell et Cate veillaient encore dans le salon des Chapin — ou plus exactement celui de Mary Hollowell. Elles avaient ressassé les événements des dernières heures, encore abasourdies et incapables d'appréhender clairement la situation. Elles se répétaient, posaient plusieurs fois les mêmes questions en les formulant différemment, et surtout observaient de longues plages de silence durant lesquelles l'une ou l'autre, ou les deux, scrutaient par la fenêtre l'obscurité où elles auraient dû apercevoir le toit et le premier étage de leur maison, à l'autre bout de la dune.

« Marcus doit appeler Mary Hollowell, dit Nell, mais je suis sûre que dès lundi je ne serai plus là. Aussitôt que Max sera venu et que nous aurons tout réglé, je conduirai les Chapin dans leur voiture jusqu'à Norfolk ou Gloucester, selon la décision qui sera prise pour Merle. Ensuite, je reprendrai l'avion pour Mountain City.

— J'aimerais bien partir demain », dit Cate. Il avait été entendu qu'elle retournerait à Mountain City et resterait chez sa mère le temps de s'organiser autrement. « Je pourrais commencer à téléphoner pour les cartes de crédit. Me rendre utile d'une façon ou d'une autre.

— Rien ne presse, dit Nell. Elles ont brûlé. Ce n'est pas comme si on nous les avait volées. » La voix de Cate trahissait une docilité coupable qui ne lui avait pas échappé. Cate se reprochait déjà cet incendie en répétant que, si elle n'était pas partie, la maison serait toujours debout. Pourvu qu'elle n'en fasse pas un plat, de ses remords, souhaita Nell intérieurement. Elles étaient toutes les trois absentes quand l'incendie avait commencé ; alors les responsabilités étaient partagées, non ? Et à quoi rimerait d'évaluer le degré de culpabilité de chacune ? La villa était détruite.

Nell savait que ses filles s'étaient disputées. Leur attitude respective et réciproque pendant l'incendie et après le disait clairement. L'affrontement couvait depuis le début de la journée. Quant à ce qui avait déclenché les hostilités, eh bien... l'une ou l'autre finirait peut-être par le lui dire, ou pas. Ce soir, elle aimait autant ne pas savoir. Dans l'immédiat, elle avait surtout besoin de réfléchir à l'essentiel. Ses deux filles étaient vivantes. L'espace d'un instant atroce, quand Lydia était arrivée devant la maison en flammes et que Nell n'avait pas vu Cate dans la Volvo — car Nell avait supposé que les deux sœurs étaient sorties ensemble dès que l'incendie s'était déclaré, et qu'elles avaient foncé prévenir les pompiers ; ce qui n'avait pas empêché Marcus d'y aller également, par mesure de sécurité. Et puis Lydia avait bondi de la Volvo en criant : « Non, Cate n'est pas dedans ! Ce n'est pas possible ! » (ce qui signifiait que c'était tout à fait possible et que Lydia avait d'excellentes raisons de supposer que Cate se trouvait encore à l'intérieur), alors, Nell avait effectivement entrevu que le comble de l'horreur n'était peut-être pas atteint et que la destinée pouvait réserver d'autres calamités à une veuve qui avait survécu à la perte de son époux après avoir été une femme qui, à peine sortie de l'enfance, avait survécu à la perte de sa mère au moment où celle-ci lui était le plus nécessaire.

Ainsi donc, pendant toutes ces longues années, Merle s'était perdue en conjectures pour deviner ce qui avait pu amener une amie, qu'elle n'avait d'ailleurs pas revue depuis près de cinquante ans, à se construire une carapace. Dire que Merle n'avait jamais cessé de penser à Nell, au cours de toutes ces années, tandis que Nell — il fallait bien voir les choses en face — l'avait pratiquement oubliée...

Pourtant, moins de quatre heures auparavant, Nell avait promis à Merle de venir auprès d'elle, si elle retombait malade. Merle était bien malade ; c'était manifeste. Dans quelques jours donc, Nell serait au volant de la voiture des Chapin, en route vers la Virginie. En l'espace de quelques heures, tout avait changé. Une maison avait flambé, une femme malade s'était envolée dans le ciel, accompagnée par son mari anxieux, et tout le monde avait vu ses projets bouleversés. La nature nous force à être modestes, songea Nell, encore éberluée de la vitesse à laquelle la maison avait été réduite en cendres. Et puis, cette pauvre Merle, étendue sur la route... Elle avait tenu à sortir malgré la fumée : quand la maison d'une amie est en flammes, la moindre des choses est de se trouver à ses côtés pour la regarder brûler.

Allait-on opérer Merle ? Pour trouver quoi ? Car Nell était certaine qu'on trouverait quelque chose. Est-ce que Merle aurait encore envie qu'elle reste ? Confrontée à la perspective réelle et immédiate qui avait fait place à une hypothèse lointaine et vaguement sentimentale, Nell était subitement assaillie par le doute... et l'embarras. Pourtant, elle avait la certitude que, si les rôles étaient inversés, Merle quitterait tout pour voler au chevet de Nell et se dévouer corps et âme à son amie.

Après tout, quelles autres obligations me retiennent ? se dit Nell qui était habituée à faire passer le devoir avant le plaisir, la tranquillité ou l'« épanouissement personnel ».

« ... et à ton retour, avait dit Cate, je libère la maison dans la minute même où ma présence devient un motif d'énervement pour toi.

— Ne sois pas bête. » Nell remisa momentanément son propre dilemme. « Où iras-tu ?

— Je prendrai une chambre quelque part. Et je me trouverai un emploi de serveuse, ou dans les cuisines. Ne t'inquiète pas. J'éviterai Mountain City. Je ne veux pas te mettre dans l'embarras. Retourner aux dures réalités me fera le plus grand bien. Il y trop longtemps que je ne cesse de geindre du haut de ma tour d'ivoire. »

Cette dernière remarque était juste, songea Nell, mais pourquoi fallait-il que Cate passât d'un extrême à l'autre. « Ecoute, si tu veux te mettre derrière les fourneaux ou servir à table, je n'y vois aucun inconvénient et je ne serai pas gênée, quel que soit l'endroit où tu exerces tes talents. (Ce qui n'était pas totalement vrai.) Mais pourquoi ne pas prendre le temps de chercher un autre poste de professeur ? Je m'occuperai de toi jusqu'à...

— Maman, je ne veux pas être une seconde Taggart Mc Cord qui revenait vivre aux crochets de sa mère chaque fois que...

— Tu n'es pas Taggart Mc Cord ! protesta Nell avec une violence qui les surprit toutes les deux. Tu es vivante ; Taggart Mc Cord est morte ! Quand on est vivant, on fait ce que l'on *peut* ! C'est le devoir et le privilège des vivants. Je ne suis pas certaine que le reste importe beaucoup. Si tu as pour moi le minimum d'affection et de respect, tu accepteras ce que je te propose par amour... et parce que j'ai les moyens de l'offrir. Autrement... — Nell fit un geste d'impuissance exaspéré — plus rien n'aurait de sens ! »

Cate quitta l'île le lendemain, par le ferry du début d'après-midi. Max n'était pas encore arrivé, mais l'argent du voyage avait été indirectement fourni par Lydia qui avait obtenu du liquide à la réception de l'Auberge, argent qu'elle avait « prêté » à sa mère, qui l'avait à son tour « prêté » à Cate. Cate n'ignorait rien de ces circonstances, mais sa hâte de partir avait vaincu son désir de sauver la face. Néanmoins, lorsque Nell voulut rendre le châle à Cate, celle-ci refusa catégoriquement en disant qu'elle ne le porterait jamais plus et que Nell pouvait le garder. Peu de temps avant l'heure du ferry, Lydia fit un saut jusqu'à la villa Hollowell et, en présence de leur mère, les deux sœurs prirent congé avec décence, à défaut d'effusions attendrissantes. Aucune ne manifesta la moindre velléité d'affronter le regard de l'autre.

Puis, menton haut, Cate partit vers l'embarcadère et, quelques minutes plus tard, elle dut subir l'épreuve à la fois mortifiante et lancinante de passages répétés devant les ruines calcinées de la villa, tandis que le ferry effectuait son traditionnel quadrille pour éviter les écueils. Le vent de la veille était tombé. L'expérience avait un goût de tragédie grecque où tous les présages du premier acte sont réalisés avant la fin du dernier. Quatre jours plus tôt, à cette heure précise, les trois femmes arrivaient par le même chemin et passaient plusieurs fois devant leur maison. Si elles avaient pu la voir telle qu'elle était maintenant, qu'auraient-elles fait d'une telle vision ? Auraient-elles été capables de prévoir de quelle façon le présage s'accomplirait ? Fortes de cette connaissance anticipée, auraient-elles pour autant réussi à en empêcher la réalisation ? Quelle circonstance, si elle avait été différente, aurait suffi à modifier le cours des événements ?

Cate avait bien quelques idées à propos de cette dernière question, mais aucune n'était de nature à soulager son cœur.

Son intention était de conduire d'une seule traite, conformément à son style habituel — hâte et épuisement auraient un effet purgatif —, mais une petite douleur dans la mâchoire droite l'incita à faire étape pour la nuit à Goldsboro. Elle dîna donc à l'Holiday Inn local et arrosa son repas d'une bouteille de vin, avec le secret espoir que la rage de dents naissante ne serait qu'une fausse alerte. Pour mettre un maximum de chances de son côté, elle demanda à la serveuse de lui apporter un double cognac dans un gobelet en carton pour emporter dans sa chambre. En conjuguant l'action de l'alcool, de l'aspirine et du sommeil, elle espérait bien tuer le mal dans l'œuf. Plusieurs fois déjà, auparavant, pendant des périodes de grande fatigue, le nerf d'une dent s'était mis à la chatouiller dangereusement, mais elle avait généralement réussi à calmer la douleur.

A son réveil, la névralgie, pour lui donner un nom générique, était toujours là. En réalité, il s'agissait plus précisément d'une sensation désagréable dans la moitié droite du visage ; comme une hypersensibilité anormale. Dès sept heures elle était sur la route et traversa l'Etat à vitesse constante, sans trop réfléchir à quoi que ce soit. Rien ne valait une petite gêne physique, aussi minime fût-elle, pour freiner notablement toute velléité de ruminer ou de philosopher à outrance. Chaque heure qui passait — sans irruption soudaine d'une douleur redoutée dans la dent cariée (quelle qu'elle soit — l'examen le révélerait plus tard) prenait des allures de victoire. Lorsqu'elle arriva à Old Fort, elle appela le dentiste de Mountain City, le fameux Dr Musgrove avec sa blouse écossaise et sa chaîne en or, celui qui lui avait couronné la dent cassée sur les cacahuètes de Dickie en décembre dernier. Malgré son peu d'enthousiasme à la perspective de devoir recevoir une urgence un dimanche, il accepta de lui donner rendez-vous à son cabinet du centre médical dans un délai d'une heure ; elle irait donc directement là-bas. Après tout, c'était le côté droit du visage qui était touché, et Cate ne manqua pas de lui signaler que ses ennuis n'étaient peut-être pas sans relation avec la dent soignée par lui et qui aurait continué de se gâter sous sa couronne en or. Elle avait toute la partie droite du visage pratiquement paralysée, et commençait même à ne plus pouvoir fermer l'œil droit.

Une heure plus tard donc, Cate était sagement installée dans le fauteuil du dentiste à qui elle laissait faire autant de radios qu'il en avait envie. Elle ne souffla pas mot sur les dangers d'une exposition abusive aux rayons X. Elle commençait du reste à s'inquiéter sérieusement, car elle n'avait encore jamais rien ressenti de comparable. Comme si, expliqua-t-elle, dans un bel effort pour trouver une fleur de rhétorique qui la réconforterait un peu, quelqu'un avait pris une gomme pour effacer purement et simplement la moitié droite de son visage — son index décrivit le tracé de la gomme — depuis le milieu du front jusqu'à la naissance du cou.

« Bon, eh bien, je n'ai rien vu d'anormal au niveau des dents, lui annonça-t-il après avoir développé les clichés. Il pourrait s'agir d'une piqûre d'insecte... encore que, dans ce cas, il y aurait enflure. » Il lui prit le bras pour mesurer sa tension artérielle. « Disons que s'il s'agissait du côté gauche, j'aurais tendance à songer au syndrome de Bell.

— Qu'est-ce que c'est ?

— Une paralysie des nerfs faciaux. Le vent peut être l'élément déclencheur. Le fait de conduire avec la vitre grande ouverte est une cause fréquente de ce genre d'accident. Mais, dans votre cas, le côté atteint ne correspond pas à la place du conducteur. Hum ! Votre tension est un peu élevée. Je vais vous dire, je m'occupe de vous prendre rendez-vous chez un neurologue.

— Pour demain ?

— Non, aujourd'hui. Je vais essayer de joindre Dick Brant chez lui.

— Je ne souffre pas réellement, dit Cate. Vous ne croyez pas qu'on pourrait attendre demain ? » Elle espérait un peu une réponse affirmative ; qui signifierait que ce n'était pas trop grave.

« Sincèrement non. Quel que soit le diagnostic exact, plus tôt on intervient, plus grandes sont les chances de guérison totale. »

Guérison totale ?

« S'agit-il d'une attaque ? demanda Cate.

— Cela semble peu probable, mais... restez assise où vous

êtes, dit le docteur. Je vais voir si je peux joindre Dick Brant. Tâchez de vous décontracter.

— Comptez sur moi », répondit Cate avec un humour timide.

Le cabinet du neurologue se trouvait dans la même aile du centre médical. Il y aurait long à dire sur ces complexes laids et tentaculaires où se regroupent les docteurs.

Cate resta sagement dans son fauteuil pendant qu'on lui enfilait des aiguilles dans toute la partie de droite du visage en lui demandant de dire quand elle avait mal. On portait encore ses vêtements de tennis ; un hâle particulièrement poussé privait son visage impassible de toute expression. Cate aurait aimé qu'il fût plus bavard. Elle aurait également souhaité que les aiguilles lui fissent plus mal. Dans certains cas, elle ne sentait absolument rien alors qu'elle le voyait enfoncer les instruments de torture.

« On dirait bien le syndrome de Bell, dit-il enfin. Avez-vous dormi à côté d'un ventilateur ou d'un climatiseur ?

— J'ai marché dehors alors qu'il y avait un vent très fort avant-hier. Pensez-vous qu'il puisse y avoir un rapport ?

— Possible. Si ce côté a été exposé davantage que l'autre. Peu importe la cause du reste, parce que le mal est fait. Je vous mets à la cortisone pendant trois jours. Plus vite vous commencerez le traitement, mieux ce sera. Et je vous conseille une semaine de repos total. Deux si vous pouvez. » Il s'assit sur un tabouret haut pour rédiger l'ordonnance. « Je voudrais que vous m'appeliez quand vous aurez fini ça. Ou avant, bien sûr, s'il y a des complications.

— Attendez un peu, l'interrompit Cate. Je ne suis pas sûre d'avoir envie de prendre de la cortisone. C'est un médicament très fort. »

Il leva les yeux. Le visage bronzé ne trahit sa surprise que par une augmentation à peine perceptible du blanc des yeux quand les sourcils se redressèrent. « C'est la raison pour laquelle je vous le prescris, dit-il. Plus vite nous intervenons sur ces nerfs, moins vous risquez de rester défigurée pour le reste de vos jours.

— Est-ce qu'il y a vraiment un risque à ce niveau ? » Elle ajouta un reproche supplémentaire à la longue liste de ses griefs contre le corps médical : leur façon de vous faire peur dès que vous faisiez mine de mettre leur autorité en doute.

« Oui. Certains malades bénéficient d'une guérison complète, d'autres gardent des séquelles ; d'autres enfin n'observent aucune amélioration. Au cours de ma carrière, il m'est arrivé une fois de soigner une femme dont la famille possédait pratiquement toute la ville. Eh bien, elle n'a jamais récupéré. Et vous imaginez bien qu'elle a bénéficié des meilleurs soins médicaux.

— Je prendrai la cortisone, dit Cate.

— C'est la moindre des sagesses. » Il reprit la rédaction de son ordonnance. La tige de ses socquettes de tennis était agrémentée d'une rayure rouge. « Même dans ces conditions, il n'y a pas de garantie absolue. Mais nous ferons de notre mieux. Le résultat dépend pour une large part des défenses naturelles de l'organisme. »

Pendant tout le trajet pour aller faire exécuter son ordonnance à la pharmacie, Cate surveilla son visage dans le rétroviseur de la voiture. Même parfaitement au repos, la moitié droite avait tendance à s'avachir. On aurait dit une de ces photos truquées que l'on voit parfois dans les revues et qui prétendent donner l'image de ce que sera, dans vingt ans, telle ou telle personne belle et célèbre. Quand elle bougeait la bouche, le résultat était carrément grotesque. Le choc provoqué par cette image inquiétante d'elle-même faillit lui faire perdre le contrôle de sa voiture. Comment pourrait-elle se présenter devant une classe et prétendre enseigner avec un visage pareil ? Le pire était l'œil. Impossible de le fermer. Le neurologue lui avait conseillé de porter une paire de lunettes de soleil chaque fois qu'elle sortirait, de façon à prévenir les dangers d'infection oculaire. Comment dormait-on avec un œil grand ouvert ?

Elle acheta les plus grandes lunettes disponibles et les mit sur son nez en attendant son ordonnance. Puis elle fila à Lake Hills, après un arrêt dans une maison neuve style nouveau ranch pour prendre le trousseau de clés que sa mère confiait toujours à des voisins (les siennes se trouvant dans le sac brûlé pendant l'incendie). Il s'agissait d'un jeune couple qui se cramponnait avec l'énergie du désespoir à cette maison qu'ils avaient mis tant de temps à faire construire. Juste après leur emménagement, le mari avait été licencié de son usine de textiles et, bien que sa femme eût de son côté un emploi assez lucratif de secrétaire juridique, l'homme tondait des pelouses, faisait un peu de jardinage et arrosait même les plantes vertes de ses voisins et clients en leur absence. Cate le trouva donc occupé à arroser un jeune bouleau, dans son propre jardin, et il ne parut pas remarquer son visage lorsqu'elle lui réclama le trousseau de clés. Un monsieur très poli ou totalement absorbé par ses problèmes personnels, se dit-elle.

Son premier exploit, dû à la fatigue ou à l'inquiétude que lui

492

causait sa maladie, fut de déclencher involontairement le signal d'alarme. Elle oublia en effet de tourner la petite clé qui donnait le feu vert avant de déverrouiller la porte d'entrée. Cate appela aussitôt le bureau central pour signaler son erreur. « Numéro de code ? demanda une voix féminine. Ecoutez, je n'en ai pas la moindre idée. Notre maison au bord de la mer vient de brûler et nous avons eu d'autres soucis en tête que ce foutu numéro. — Voulez-vous me rappeler votre nom ? » Et Cate dut épeler « Galitsky » à deux reprises pour cette femme qui semblait incapable de concevoir que Cate pût être la fille de Mme Strickland et porter un nom différent. Peut-être aurait-elle pu simplifier les choses en annonçant Cate Strickland dès le début.

Elle avala la première cortisone dans la cuisine et s'attarda devant les baies vitrées, derrière l'évier, pour admirer la chaîne de montagnes au moment où elle prenait les nuances pourpres de la fin d'après-midi. Elle regarda les sommets qui lui avaient toujours fait songer à de grosses bêtes assoupies, en proie à une apathie désespérée. Premièrement, elle était revenue à la case départ : la maison de ses parents. Deuxièmement, dans quinze jours, elle aurait quarante ans. Et — pour reprendre l'accusation hargneuse de Lydia — aucun talent dont elle ait vraiment donné la preuve. Comment en était-elle arrivée là ? Quoi faire maintenant ? Les sages paroles de sa mère, pendant qu'elles contemplaient ensemble les restes de la villa, lui revinrent en mémoire. « Tu feras ce que tu pourras. C'est le devoir et le privilège des vivants. »

« Que puis-je faire ? » demanda Cate à ses vieilles amies les montagnes. Elle sentit sa bouche se tordre d'un côté et sut qu'elle avait parlé à voix haute. Que puis-je envisager, devrais-je dire, compte tenu du rétrécissement progressif du champ de mes possibilités ? Si elle n'avait pas cessé de croire en Dieu, elle lui aurait posé cette question : « Vous, que me laisserez-Vous faire ? En me dépouillant de tout ce que j'ai, quel message essayez-Vous de me faire entendre ? »

Tandis qu'elle montait lentement les escaliers, les fantômes de ses rêves d'antan l'assaillirent comme autant d'enfants en quête de protection, effrayés par la progression des ténèbres. Dans la maison régnait cette lumière orangée dont la mélancolie tant redoutée éveillait toujours sa claustrophobie. Toute sa vie, avant même d'avoir quoi que ce soit à fuir, elle avait essayé d'éviter l'opacité de cette demi-pénombre, comme si cette dernière possédait une chimie intangible capable de la détruire. A présent, elle connaissait les composantes de cette chimie : s'y mêlaient tous les ingrédients de son histoire personnelle, ceux qu'elle pouvait contrôler et les autres. Elle fuyait la prémonition d'un tel moment, à l'époque où son histoire avait encore le temps de prendre forme.

Sa chambre semblait avoir été repeinte aux couleurs de la réprobation ; tout baignait dans des tons mélancoliquement orangés. Sa chambre ! Avait-elle tant couru pour se retrouver là ? Au point de départ, face à la jeune Cate qui avait dormi sur ce lit, regardé par cette fenêtre et formé d'audacieux et vastes projets pour un avenir idyllique ? Les possibilités semblaient alors sans limites, et les perspectives de même. Mais à présent, nombre de possibilités étaient épuisées, essayées puis abandonnées ou rejetées à priori au bénéfice d'opportunités meilleures qui ne se présenteraient peut-être jamais. Le champ des perspectives se rétrécissait singulièrement. Le processus de détérioration était enclenché. Lorsqu'une promenade en plein vent, faite sous le coup de la colère, doit se payer un tel prix, on cesse d'avoir une vue idyllique de son histoire et de nourrir d'éternels projets de nouveaux départs. Terminés les ailleurs innombrables — de ce côté de la tombe —, finies les fuites en avant pour échapper à son histoire ou ses fantômes.

Elle s'allongea donc en leur compagnie, sous le poster jaune de Klee, dans son lit de jeune fille. Elle avait passé une chemise de nuit de sa mère puisque les siennes avaient brûlé en même temps que la maison. Pour la première fois de sa vie, elle se coucha sans s'être regardée dans la glace.

Adossée contre ses oreillers, elle observa le déclin du soleil dans le ciel jusqu'au moment où il disparut partiellement derrière le mont Pisgah et ses crêtes dentelées, avant l'éclipse totale, comme s'il avait hâte d'en finir avec cette journée.

Tandis que la pièce se vidait de toute lumière, elle sentit, avec soulagement et intérêt, sa propre résistance fondre dans l'obscurité naissante, à la façon d'un noyau qui se disloquerait lentement avant de se disperser. Une résistance à quoi ? Résister avait été l'éternel refrain de sa vie, au point de devenir un mode d'existence. Elle avait l'impression d'avoir des comptes à rendre, des dettes à payer. Les problèmes à venir, à défaut d'être résolus, semblaient, à l'instar de la lumière, se dissoudre dans les ténèbres denses et riches. Serait-ce l'effet de la cortisone ? Sans avoir confiance en l'avenir, elle n'était pas non plus sans espoir. Son empressement habituel, intense et tendu — avec une espèce de qualité athlétique —, à faire face à n'importe quel événement, se tempérait de disponibilité sereine et tranquille pour tout ce qui pourrait sortir de cette obscurité. Etendue sur son lit, sans dormir, tandis que sa respiration prenait ampleur et profondeur, elle sentit en elle la double action du châtiment et de la rédemption. Et elle accepta les deux.

Vers neuf heures, elle reprit de la cortisone et descendit s'ouvrir une boîte de soupe ; elle maniait l'ouvre-boîtes quand on sonna à la porte. Attrapant le vieil imperméable de son père pendu dans le placard du vestibule, elle le passa rapidement sur sa chemise de nuit. Elle aperçut son image étrange dans le miroir ovale. Entre les vêtements bizarres et le visage tordu, elle ressemblait à une intruse plus ou moins dégénérée.

L'homme qui se trouvait derrière la porte dut avoir la même impression car il porta instinctivement la main à la poche de son coupe-vent, comme un gars prêt à sortir son arme dans un film policier.

Il s'agissait de Jerome Ennis, l'ex-vedette de football de son lycée. Elle le reconnut immédiatement, malgré l'empâtement de la silhouette et le regard peu amène. L'homme avait gardé sa séduction. Il venait à la suite de l'appel pour le système de sécurité antivol. « Ça fait deux fois que vous téléphonez en moins d'une semaine, alors j'ai préféré passer voir s'il n'y avait rien de détraqué. Je viens d'accompagner ma femme à Gastonia, et en voyant ce nom inconnu sur le registre, sans numéro de code, je me suis dit que je ferais aussi bien de passer jeter un œil chez vous avant d'aller me coucher.

— Tu as épousé Teenie ? demanda Cate.

— Comme si elle m'aurait laissé en épouser une autre ! » Il venait de retrouver son petit sourire suffisant. La question devait avoir effacé en lui la crainte d'avoir affaire à une voleuse au visage tordu qui se ferait passer pour la fille de la maison.

« Tu ne veux pas entrer ? J'étais justement en train de me faire de la soupe. J'ai une attaque de paralysie faciale pour m'être baladée dans le vent, mais ce n'est pas contagieux. Le docteur prétend qu'avec un peu de chance je ne resterai pas avec cette tête.

— Je me disais que tu avais l'air bizarre quand tu es venue ouvrir la porte, dit Jerome. J'ai connu un gars, à l'entraînement, qui a attrapé le même truc en conduisant avec la vitre ouverte. Il s'est remis très vite, si je me souviens bien.

— Première bonne nouvelle de la journée. » Cate lui sourit mais, instinctivement, elle porta la main à son visage quand elle prit conscience du tableau grotesque qu'elle devait offrir.

« Je vais peut-être entrer une petite minute, dit Jerome. Est-ce que ta mère t'a raconté ce qui m'est arrivé au Vietnam ? » Il montra une jambe de pantalon toute raide. Il portait des bottes de cow-boy.

« Oui. J'ai été navrée d'apprendre cette nouvelle. Mais tu as l'air en pleine forme, Jerome.

— Je suis en pleine forme. » Il la suivit dans la cuisine avec une démarche légèrement déhanchée. « Je vais très bien. Il est arrivé bien pire à des types que je connaissais. Tu sais que tu n'avais pas rebranché ton système de sécurité ? Le voyant était au vert. N'importe qui pouvait entrer.

— Je l'aurais fait fuir avec la tête que j'ai, dit Cate en vidant une boîte de consommé de poulet au vermicelle dans la casserole.

— Mountain City a beaucoup changé, dit-il en passant en revue l'aménagement de la cuisine avec l'œil du monsieur qui compare avec ce qu'il a chez lui. Les gens se barricadent, maintenant ; ce n'est pas comme quand nous étions gosses. Je suis en train de développer mon affaire en y incluant une patrouille de sécurité. Tu comprends, les malfaiteurs surveillent les faire-part de mariage dans les journaux et, pendant que tout le monde est à l'église, ils filent chez les parents de la mariée et embarquent tous les cadeaux. Mon fils Johny travaille avec moi maintenant ; c'est lui qui va s'occuper de la patrouille.

— Bon Dieu, Jerome, tu as déjà un fils de cet âge ?

— Tu rigoles ! J'aurai quarante-deux ans au mois d'août. Teenie va sur quarante, bien qu'elle ne les fasse pas. Tu ne dois pas être loin de la quarantaine, toi non plus.

— J'y serai dans quinze jours. Tu bois quelque chose ?

— Tu n'aurais pas une bière, par hasard ? »

Il n'y avait pas de bière. Jerome opta pour un whisky. « Du Chivas Regal ! C'est le luxe !

— Mon père aimait bien. C'est ce qui reste depuis sa mort.

— Ouais, nous avons lu dans le journal. Le père de Teenie aussi est parti. Fini le secret de la sauce barbecue. Il a laissé un joli petit héritage à Teenie et à sa sœur. Sissy a craqué le sien pour s'acheter une saleté de Porsche. Teenie a préféré investir dans l'école maternelle qu'elle a montée en ville avec quelques amies.

— Teenie s'est montrée très raisonnable », dit Cate qui ne connaissait finalement pas très bien Teenie. Elle s'était assise à droite de Jerome pour lui épargner au maximum le spectacle de ses contorsions, pendant qu'elle ingurgitait sa soupe.

« Je lui dirai de venir te voir quand elle sera rentrée. En principe, elle revient vendredi. Sissy est partie et vient d'avoir un autre bébé, alors Teenie est allée là-bas avec les filles pour lui donner un coup de main.

— Quel âge ont vos filles ?

— Six ans et seize ans. La p'tiote a été plus ou moins notre façon de fêter mon retour. J'ai été rapatrié en soixante-douze et Melody est née neuf mois plus tard. Tu as des enfants ?

— Non.

— Tu n'avais pas épousé un aviateur ? Mais pas le nom que j'ai lu dans le registre tout à l'heure. J'en suis sûr.

— Mon premier mari s'appelait Pringle, et il était dans l'Air Force.

— Tu n'es pas restée *veuve*, si ? » Jerome la regardait avec un soudain respect.

« Non, nous avons divorcé. Il est parti au Vietnam plus tard. Maintenant il vit au Texas.

— Et l'autre nom, celui du registre ?

— Jake Galitsky est le nom de mon second mari. Nous sommes divorcés. » Elle ne vit pas la nécessité de compliquer davantage l'histoire de sa vie après le lycée en précisant à Jerome que Jake était depuis six ans dans un asile psychiatrique.

« Tu as eu une vie mouvementée », dit Jerome en faisant tinter le glaçon dans son verre de whisky. Il l'observa discrètement. « Teenie et moi avons aussi failli divorcer une fois. C'est à cette époque que je me suis engagé. En me disant que tant qu'à me battre, autant aller casser du chinetoque que de me bagarrer avec ma femme. Et puis la première affaire que j'avais montée faisait faillite. J'avais un petit magasin où je vendais des appareils photo et des disques. Mais les gars du coin n'arrêtaient pas de venir faucher chez moi. Les mêmes qui organisaient des manifs parce qu'ils avaient peur d'aller se faire trouer la peau. Enfin, qu'ils aillent se faire foutre ! C'est fini, maintenant. Depuis mon retour, j'ai la baraka et tout semble me réussir. J'ai mon affaire qui tourne bien et je ne me dispute plus avec Teenie. Je suppose que j'ai largement payé, hein ? » Il donna un coup de doigt dans la fausse jambe qui sonna étrangement creux. Puis il sembla hésiter un moment avant de la regarder en riant. « Tu sais comment Teenie t'appelait à l'époque du lycée ?

— Non, comment ? »

Il se remit à rire. « Non, je ne devrais sûrement pas te le dire.

— Tu ne peux plus faire autrement, maintenant. Il faut finir ce que tu as commencé. » (Elle crut entendre l'écho des paroles prononcées par Lydia.) « Allez, comment m'appelait-elle, Teenie ?

— Tu ne te mettras pas en colère ?

— Non, promis. »

Il avala la dernière gorgée du whisky de luxe. « Jeanne d'Arc. » Nouveau rire. « Parce que tu étais toujours prête à partir en croisade. »

Il fut soulagé que Cate décide d'en rire avec lui. Malgré sa main levée devant la moitié du visage pour cacher la disgrâce. Aurait-elle la même malchance que cette femme riche dont lui avait parlé le docteur, ou bien partagerait-elle la bonne fortune du copain d'entraînement de Jerome ?

Jerome refusa un second whisky. « Tu as l'air d'avoir besoin de sommeil. Tu restes combien de temps en ville ? »

Elle lui parla de sa mère, de la villa détruite par un incendie et de sa propre situation, en rupture d'emploi.

« Quel genre de travail tu cherches ?

— Dans l'enseignement. Si mon visage s'arrange un peu. Je me vois mal devant une classe avec une face de masque antique qui rit d'un côté et pleure de l'autre. En attendant, je prendrai n'importe quoi, du moment qu'il s'agit d'un travail utile.

— Peut-être que Teenie aurait quelque chose à te proposer dans son école maternelle. Elle a besoin d'une personne qui soit présente en permanence. La femme qui occupe le poste actuellement est trop vieille. Les autres filles se relaient, mais elle est là en permanence. Avec un beau logement de fonction sur place et tout. Ça t'intéresserait ?

— Non, merci, dit Cate avec un rire un peu méprisant. Je ne suis pas prête à aller jusque-là dans le genre "utile". »

Jerome parut froissé ; puis, avec un haussement d'épaules, il lança gaiement : « Je suppose que ce n'est pas un boulot exactement à ta mesure. Bon, il faut que je m'en aille. Johny va se demander ce que je fabrique. » Il glissa une main sous la table et Cate le vit régler la position de sa prothèse. A la force des bras, qu'il avait fort musclés, il s'extirpa de son siège.

498

« Dommage que tu sois obligé de partir, dit Cate. J'appréciais ta compagnie. » Elle n'avait pas voulu le blesser en déclinant l'offre d'emploi dans l'école maternelle de Teenie.

« Peut-être que je repasserai demain soir, dit-il à la grande surprise de Cate. Pour prendre de tes nouvelles. »

Elle le raccompagna jusqu'à la porte. « Bon, j'exige que tu tires le verrou derrière moi, dit-il, et que tu branches le système d'alarme. Je veux voir la petite lumière rouge.

— D'accord », dit Cate avec un regard amusé. Il y eut ensuite un court instant où elle eut l'étrange impression qu'il allait l'embrasser. Elle aurait juré qu'il en avait envie. Et elle était du reste décidée à le laisser faire — après les épreuves qu'il avait traversées. Mais il se contenta de lui effleurer le visage, du côté paralysé.

« Ne t'inquiète pas, ça va s'arranger », dit-il.

Dehors, il attendit qu'elle ait branché le système. Cate alluma la lumière extérieure et le regarda descendre l'allée. Il s'était composé une étrange démarche à grandes enjambées chaloupées qui, si elles accentuaient la présence de la fausse jambe, montraient clairement qu'il entendait bien utiliser au mieux cet appareillage bizarre et se déplacer aussi vite, sinon plus, que n'importe quel individu doté de deux jambes normales.

Lorsque Nell téléphona, mardi en fin d'après-midi, Cate avait presque récupéré l'usage de sa paupière droite, en dépit du peu d'amélioration notable sur le reste du visage. Elle s'était longuement interrogée sur l'opportunité de parler de cette attaque de paralysie à sa mère. D'un côté, toute marque de sympathie serait bienvenue, et puis la maladie rachèterait peut-être un peu sa négligence coupable dans l'incendie de la villa. En revanche, Nell risquait de se sentir obligée de rentrer directement, alors que Cate avait le net sentiment qu'elle préférerait aller soigner sa vieille amie d'enfance, perdue de vue depuis de longues années. Ce qui serait incontestablement plus gratifiant que de revivre toutes les tensions de la cellule familiale en compagnie d'une fille prodigue et vieillissante. D'autre part, songea Cate, je me soigne très bien sans l'aide de personne et, pour être tout à fait sincère, j'aime bien avoir la maison pour moi toute seule.

Nell s'apprêtait à fermer la villa Hollowell avant de prendre la route pour la Virginie au volant de la voiture des Chapin. Ensuite, ses projets devenaient beaucoup plus flous. En fait, elle sembla les clarifier au fur et à mesure qu'elle en parlait à Cate.

Merle s'était mis dans la tête de la faire rester chez eux pendant quelques semaines au moins. « Je veux que nous allions au bout de ces retrouvailles ! » avait-elle dit. A Norfolk, on lui avait fait une biopsie pulmonaire, après ouverture du thorax, et les médecins avaient décidé de traiter la tumeur qu'ils avaient découverte dans les lobes du poumon à la cortisone, doublée d'une chimiothérapie. Le traitement pouvait se faire à Gloucester où Merle n'aurait qu'à s'adresser à son médecin traitant.

« Mais pourquoi n'ont-ils pas retiré la tumeur, tant qu'ils y étaient ? » demanda Cate.

Nell soupira. « La chimiothérapie la réduira suffisamment pour lui assurer un minimun de confort. Tu sais, Cate, j'ai bien peur qu'il ne s'agisse d'un traitement "palliatif" — comme ils disent — bien que personne n'ait dit les choses aussi franchement. Merle fait preuve d'une telle détermination. Elle supporte son mal avec courage et optimisme.

— Tu crois qu'il y a encore lieu d'espérer ?

— Tant qu'il y a de la vie, il y a de l'espoir. Et puis tout varie tellement en fonction des individus. On sait par expérience que les tumeurs se réduisent plus facilement chez un sujet optimiste que chez un sujet pessimiste. Or elle est très optimiste. Ce qui me gêne dans toute cette histoire, c'est que... euh... je vois mal ce que je viens faire là-dedans. Marcus dit qu'elle tient beaucoup à ma présence et j'ai promis d'y aller, mais... c'est gênant. Je veux dire qu'ils devraient avoir envie d'être ensemble, tous les deux. Si tu tiens à savoir la vérité, je suis très partagée.

— Toi, tu as envie de faire quoi ?

— Envie ! s'esclaffa Nell. Moi, j'allais très bien entre mon jardinage et ma famille de corbeaux. Mais mon jardin ne va pas s'envoler et il y aura d'autres corbeaux l'été prochain. Comment vont-ils, au fait ?

— Très bien. Ils m'ont réveillée à cinq heures du matin. »

Après un instant de réflexion, Nell dit : « Je peux effectivement lui apporter un certain soulagement. Et puis nous sommes de vieilles amies. En plus, ils n'ont pas beaucoup d'argent pour payer une infirmière à domicile. Peut-être que... si tu veux bien emballer mes vêtements d'été et me les faire envoyer... Oh, Max a déjà appelé M. Bowers à notre banque. Tu y vas, tu signes à ton nom, et notre compte joint est ouvert officiellement. J'ai mis trois mille dollars ; je peux toujours en rajouter.

— Ce brave Max est venu en avion et il a tout arrangé ?

— Oui, très élégamment. Il veut acheter le terrain et faire

construire une villa double au nom de ses fils. En attendant qu'ils aient l'âge de l'utiliser eux-mêmes, ils toucheront les loyers.

— Très élégant, en effet.

— Je crois qu'il se sent coupable.

— De quoi devrait-il se sentir coupable, lui ?

— Il songe à se remarier, quand le divorce sera prononcé. Après toutes ses protestations d'amour éternel pour Lydia. Lydia et lui en ont discuté lors de son passage, mais je n'en sais pas plus. Elle ne semblait pas particulièrement affectée. Elle m'a dit qu'elle avait un ami mais n'envisageait pas de se remarier.

— Qui diable Max veut-il épouser ? » Cate ne se sentait pas encore d'humeur à parler de sa sœur.

« Lizzie Broadbelt. La petite fille. Elle travaille à la banque maintenant.

— Voilà qui s'arrange à merveille, non ?

— N'est-ce pas ? » Nell se permit un petit rire. « Mais j'aime bien Max. Il sera correct avec tout le monde. C'est son plaisir à lui. » Nell marqua un temps d'arrêt. « Cate, est-il correct de ma part d'aller m'installer dans leur chambre d'amis ? Si seulement... ce que je vais dire est horrible, mais je ne l'entends pas dans ce sens... si seulement j'avais une idée de la durée... il n'est pas dans mes habitudes de m'incruster... » Elle laissa sa phrase en suspens, vaincue par la détresse.

Cate décida de ne rien dire de son attaque de paralysie. « Tu feras ce que tu pourras, maman. C'est le devoir et le privilège des vivants. Tu te souviens ? »

Rire de Nell. « Ça alors ! Si tu te mets à retenir mes conseils.

— Il faut croire aux miracles, répondit Cate.

— Oh, dit Nell tristement. Je voudrais tant qu'il y en ait un pour la pauvre Merle ! »

Le coup de téléphone suivant était de Jerome Ennis. « Comment va ce visage ?

— Nettement mieux. J'arrive presque à fermer l'œil.

— Qu'est-ce que je t'avais dit ? » A l'entendre, on aurait pu croire qu'il était responsable de ce tour de magie. « Ecoute, normalement je ne devrais pas tarder à quitter le boulot. Si je venais avec un repas chinois, ça te dirait ? Il y a un traiteur très correct dans le quartier.

— Euh... bien sûr, dit Cate qui évalua rapidement les possibilités de changement si Jerome Ennis, qui affectait déjà ce ton protecteur, arrivait avec son repas chinois. C'est très gentil de ta part d'avoir pensé à moi », ajouta-t-elle. Je réussirai peut-être à faire en sorte que les choses demeurent sur un plan strictement amical, se dit-elle : deux camarades de lycée — l'ex-présidente du club débats et l'ex-capitaine de l'équipe de football, la première durement châtiée, le second broyé par la vie, se retrouvent pour partager un repas chinois. Finalement, tout nous séparait à l'époque, et les choses n'ont guère changé.

Tu crois tromper qui exactement ? railla la voix de l'expérience, tandis qu'elle s'installait devant sa coiffeuse pour essayer différents chignons susceptibles de dissimuler la disgrâce de son visage.

Néanmoins, cette semaine resterait gravée dans sa mémoire avec une tendresse amusée. Elle s'en souviendrait comme d'une semaine de convalescence mais elle garda soigneusement pour elle le détail des soins. Le biscuit surprise offert avec le repas chinois donnait le conseil suivant : TIREZ LA LEÇON DES BÊTISES COMMISES PAR LES AUTRES CAR VOUS NE POURREZ JAMAIS TOUTES LES FAIRE VOUS-MÊME. Le ton était donné ; ça et l'émouvante adresse avec laquelle Jerome mania les baguettes. Tous les deux avaient franchi ces montagnes pour partir, et puis ils étaient revenus, et ils se retrouvaient là, après avoir survécu à des revers dont ils n'étaient que partiellement responsables ; ce qui ne les empêchait pas d'être encore capables de rire et d'apprécier un bon repas. Ainsi que leur compagnie réciproque : elle, la passionaria des tribunes qui, pour le moment, ne pouvait parler qu'à « mi-bouche » et lui, le champion de football qui avait laissé un morceau de sa jambe dans une rizière. Ce qu'on ne peut faire seul, on le réussit parfois à deux, même en l'espace d'une semaine.

Ce fut donc une semaine d'une surprenante clémence ; pour Cate, elle dura en fait cinq jours. Une fois de plus, l'inattendu s'était révélé son allié. Elle se réveillait avec les corbeaux, regardait sa chambre s'illuminer lentement, puis allait consulter son miroir. Chaque matin de la première semaine apporta une amélioration notable mais à ce rythme il lui faudrait encore une bonne année pour récupérer l'usage total des muscles faciaux. (Et dans les miroirs, elle se trouverait toujours un visage asymétrique.)

Après avoir déjeuné, elle s'installait douillettement avec des oreillers dans le lit maternel où elle avait émigré lundi soir pour recevoir son amant ; elle rédigeait des lettres, pour informer, avec les variantes de style et de forme qui s'imposaient, ceux que cela risquait de concerner, qu'elle était disponible sur le marché du travail. Heureusement, la majeure partie de ce courrier pouvait être adressée sous couvert d'un département de littérature anglaise car son carnet avait brûlé dans l'incendie. Elle termina par une lettre à Mimi Vandermark, son ancienne élève et admiratrice (aux bons soins de l'Astra Foundation, 2 Park Avenue : elle se souvenait de cette adresse), à laquelle elle envoya la chronique en quatre pages, subtilement ironiques, de ses heurs et malheurs depuis 1970, date de son licenciement consécutif à l'épisode de la manifestation pour le Cambodge. La lecture de sa lettre amuserait certainement Mimi qui éclaterait peut-être même de rire à certains passages. Cate passa sous silence l'épisode de Chicago mais ne put résister au plaisir de consacrer un petit paragraphe à son week-end au château, couronné par la demande en mariage du Baron Pesticide.

L'autre raison des vertus curatives de cette semaine était liée au fait que, après Jernigan, Cate se demandait si elle aurait jamais envie de faire l'amour avec un autre homme. Réponse affirmative. Encore que Jerome ait beaucoup de points communs avec Jernigan. Il aimait « prendre en charge ». C'est lui qui expédia les vêtements à Nell ; il s'occupa, ou plus exactement chargea sa secrétaire, de remplacer toutes les cartes de crédit de Nell et de Cate brûlées dans l'incendie ; jusqu'à certaines de ses paroles qui lui rappelèrent Jernigan. Lorsque, par exemple, allongé à côté d'elle, Jerome avait conclu en ces termes son exposé sur le Vietnam : « Bref, à défaut d'avoir pu sauver les Vietnamiens du communisme, je pense être capable de sauver ma ville natale des méfaits d'une bande de malfrats », Cate avait cru reconnaître l'écho de la voix bourrue de Jernigan, déclarant avec son accent du Middle West : « Moi, je m'occupe de protéger les miens. »

J'imagine, songea Cate, que j'appartiens à cette catégorie de femmes qui refusent de se laisser prendre en charge par un homme mais veulent qu'on le leur propose — et que cette proposition puisse se concrétiser, le cas échéant. Epouser Jernigan était une chose. Alors que Teenie serait de retour vendredi.

Pour conclure sa lettre à Mimi Vandermark, Cate écrivit : « J'ai été consternée d'apprendre que vous aviez perdu votre bébé. Avoir ainsi un petit être à aimer, se voir accorder le temps nécessaire pour découvrir ce qu'il a d'unique et d'irremplaçable, puis le perdre, est un déchirement qui dépasse mon imagination. Je ne saurais prétendre vous apporter de véritable réconfort, mais je tiens à vous dire néanmoins que je suis avec vous, autant que peut l'être une personne n'ayant jamais connu la souffrance qui est la vôtre en ce moment. »

Teenie « passa voir » Cate dans le courant de la semaine suivante. La visite fut légèrement guindée ; manifestement téléguidée par Jerome... qu'avait-il pu raconter à Teenie ? « Ecoute, chérie, tu devrais faire un saut jusqu'à Lake Hills prendre des nouvelles de Jeanne d'Arc. Tu te rappelles, elle faisait partie des Joyeux Boosters ? Je sais que vous n'avez jamais eu beaucoup d'atomes crochus, mais elle traverse une sale période. Elle a perdu son boulot, leur villa au bord de la mer vient de brûler et, pour couronner le tout, elle a une attaque de paralysie faciale. J'ai essayé de l'aider un peu la semaine dernière. »

Assise du bout des fesses sur le fauteuil bleu paternel, Teenie sirotait un verre de jus d'orange glacé. Elle avait demandé un Coca, mais Cate n'en avait pas. Elle ressemblait beaucoup à ce qu'elle était à l'époque du lycée : sa beauté arrogante n'avait fait que s'affirmer avec les années. Elle se renseigna timidement sur la vie de Cate après le lycée et formula les félicitations de rigueur à l'énoncé des diplômes et voyages accumulés par son ancienne condisciple. Elle évita poliment les sujets épineux tels que les divorces, le chômage et l'absence d'enfant : Jerome avait dû la chapitrer. Cependant, lorsque Cate tenta d'insuffler un peu de vie dans cette morne visite en feignant de s'intéresser à l'école maternelle de Teenie, cette dernière devint intarissable. Elle évoqua les problèmes et les succès liés à son aventure, avec la passion obsessionnelle de la parfaite femme d'affaires. Elle regretta longuement que le pilier de la maison, Mme Murphy, devienne trop vieille pour ses fonctions, et raconta qu'elle cherchait une autre femme pour la seconder et demeurer sur place, sans commettre l'erreur de supposer que Cate pourrait être intéressée par ce poste. En même temps qu'elle acceptait un second verre d'orangeade pour terminer le récit de ses succès, Teenie signala que l'école avait une liste d'attente et jouissait d'une réputation telle que certaines personnes — « parmi la société la plus huppée de la ville » — inscrivaient maintenant leurs enfants dès la naissance. Au point que Teenie et ses associées envisageaient sérieusement de s'agrandir et d'inclure une crèche à leur établissement.

« Eh bien, dit Cate, voilà une initiative qui me semble incontestablement dans l'air du temps. »

Mais une certaine ironie aggravée par la lenteur de l'élocution de Cate renfrogna Teenie. Elle observa attentivement son

ancienne condisciple pour détecter une éventuelle volonté de dérision, et sembla décider qu'elle n'y était pas. En conséquence de quoi elle remercia Cate pour cet excellent jus d'orange, puis elle se leva pour prendre congé.

Tandis qu'elles se dirigeaient ensemble vers la porte, Teenie, qui était demeurée aussi minuscule qu'au temps du lycée, jaugea néanmoins Cate de pied en cap. « Ton visage n'est pas si mal que cela, dit-elle ; on ne remarque même plus rien quand tu parles. Je m'attendais à pire.

— Merci beaucoup, ironisa Cate.

— Ecoute, il faut absolument que tu viennes me voir pendant ton séjour à Mountain City, dit Teenie avec un sourire angéliquement affable.

— Dès que je me serai organisée, je n'y manquerai pas, dit Cate.

— Je compte sur toi », dit Teenie. Elles étaient arrivées devant la porte. Avec une pointe de menace dans la voix, elle ajouta : « Jerome m'a dit que tu avais eu pas mal de problèmes avec le dispositif de sécurité. Tu sais t'en servir à présent ?

— Le système n'a plus de secret pour moi, répliqua Cate. Jerome ne devrait plus avoir à se déranger pour cette maison. Enfin, sauf si un véritable voleur réussit à s'introduire dans les lieux.

— Bon, dit Teenie qui avait placé ce qu'elle voulait. N'oublie pas de venir me voir, hein ?

— Sois tranquille », susurra Cate.

Et les deux femmes se séparèrent, chacune heureuse à sa façon d'être définitivement débarrassée de l'autre.

Teenie n'a pas relevé mon allusion perfide au voleur, songea Cate un peu plus tard ; mais tant pis. Dans l'ensemble nous nous sommes très bien comportées, comme de parfaites Dames du Sud que nous sommes censées être.

Pour son quarantième anniversaire, Cate reçut une carte de sa mère et une autre du fils de Lydia, Dickie. « Merle livre un combat admirable, écrivait Nell. Finalement, je suis bien contente que la maison ne soit pas inoccupée. Tu risques d'être de garde dans la citadelle pour la durée de l'été. Je fais ce que je peux ici et je dois dire que mes efforts sont appréciés. Je voudrais que tu achètes une bouteille de vin ou de champagne que tu boiras à ton bonheur. J'ai foi en toi. »

« Je suis à nouveau au camp musical de Brevard, disait

505

Dickie. On joue beaucoup de bonne musique, mais ils nous font crever de faim. Bon anniversaire, tante Cate ! Viens me rendre visite quand tu pourras. N'oublie pas de m'apporter des cacahuètes. Ouaf ! Ouaf ! »

Cate flaira l'intervention de Lydia dans la carte de Dickie, car c'était bien la première fois qu'il lui écrivait. Elle entendait Lydia faire les recommandations d'usage en conduisant Dickie à son camp : « Et pense à envoyer une carte à ta tante Cate pour son anniversaire. N'oublie pas. Fais-le pour moi. » Ce serait bien dans le style de Lydia : déléguer à Dickie le soin de maintenir la « solidarité familiale » pour continuer à nourrir sa rancune en toute impunité.

Le hasard réservait encore deux surprises à Cate pour son quarantième anniversaire. Par ordre chronologique, il y eut une petite révélation familiale et une intéressante réconciliation.

La première intervint lorsqu'elle partit à Big Sandy pour rendre visite à l'oncle Osgood. Elle n'avait pas encore revu le vieux monsieur depuis l'enterrement de son père ; il lui avait alors demandé des nouvelles de son « beau brun », Jake, et l'avait pressée de revenir le voir.

Nous négligeons honteusement les vieillards, pensa Cate ; car douze ans s'étaient écoulés depuis le jour où elle avait emmené Jake chez Osgood. Cette fois-là, elle avait volontairement emprunté l'itinéraire le plus long, par la route en lacets qui faisait un détour de plusieurs kilomètres, parce qu'elle tenait à offrir à Jake la pureté spectaculaire de l'arrivée dans ce royaume perdu qu'était Big Sandy et dont elle était partiellement originaire par la branche paternelle.

Aujourd'hui elle avait choisi la route directe, construite depuis sa naissance. Celle-ci traversait un morne échantillonnage de temples du discount, depuis les ventes directes de chaussures aux machines à laver, en passant par les chaînes de restauration rapide — autant de calamités visuelles illustrant le progrès du XXᵉ siècle. Elle-même était pourtant un produit de son siècle, avec ses conséquences et ses corruptions. En réalité, elle était davantage encore l'émanation des montagnes vierges d'Osgood. Son choix de cette route entraînait une sorte de juste sanction, comme si le dieu du Progrès lui disait : Tu ne t'attends tout de même pas à monter en moins d'une heure jusqu'à ce havre de pureté de tes ancêtres, grâce à ta voiture moderne, sans payer le prix.

Jake n'avait jamais accepté de payer quoi que ce soit, ni de tolérer la moindre composition avec ses rêves. Raison pour laquelle le réalisme minable qui la conduisait par exemple à partir travailler tous les jours dans la société bourgeoise qu'il méprisait tant, afin de les nourrir, avait fini par tuer l'amour qu'il éprouvait pour elle. De la même façon, probablement, finit-il par trouver le monde extérieur intolérable et il se réfugia dans la folie.

J'aurais peut-être mieux fait de prendre la même route il y a douze ans, songea Cate. Le confronter aux horribles réalités tant que nous étions encore unis par la passion. Je l'aurais peut-être sauvé en le protégeant moins. Mais je voulais lui offrir la perfection d'un jour mémorable et sans fausse note. Et j'ai réussi. Car tout le temps que dura notre vie commune, il ne cessa jamais de délirer sur le jour de notre visite chez l'oncle Osgood. Cette expérience fut l'une des rares réalités à être à la hauteur de ses exigences de pureté : l'arrivée impressionnante avec la remontée du fleuve jusqu'aux vallées alpines, les champs de terre riche, noire et grasse, fraîchement labourés ; puis les pâtures escarpées aux curieux décrochements en forme de terrasse. Jake avait regardé par la vitre de la voiture et vu dans ces étranges escaliers herbeux la main mystérieuse des dieux anciens, avant la venue de l'homme qui gâcha tout.

Cate lui avait alors expliqué, comme son père l'avait fait pour elle, que ces décrochements en terrasse étaient l'œuvre de générations de vaches mises à paître sur ces pentes.

Elle revoyait encore l'œil noir et fébrile de Jake qui la foudroyait avec un mélange d'hostilité et de respect, tandis qu'elle lui expliquait l'histoire des vaches. Lui aurait préféré la version des dieux, mais le savoir de Cate l'impressionnait. Ils n'en étaient pas encore aux jours difficiles où il prenait la moindre manifestation d'intelligence de sa part comme une attaque délibérée contre son univers précaire, fondé sur l'illusion.

Roger Jernigan, lui, n'aurait pas détesté cette route déflorée pour aller chez Osgood. Les contrastes l'auraient au contraire stimulé. Cate sourit intérieurement tandis que la route sur laquelle elle conduisait lui apparaissait à travers le filtre du regard curieux et acéré de Jernigan. Lui aurait digéré le spectacle de ces disgracieuses grandes surfaces en l'interrogeant à voix haute sur la part de production locale et la part de produits étrangers à l'Etat. Quand la route se faisait plus étroite et sinueuse, au fur et à mesure que l'on montait vers les fermes, il aurait voulu savoir où travaillaient les gens qui vivaient dans ces caravanes sans être paysans, et ce que fabriquaient les usines alentour. Il aurait trouvé un commentaire sur les deux dindes qui faisaient la course autour de la roulotte isolée au sommet de sa montagne : étaient-elles apprivoisées ou destinées à fournir un revenu supplémentaire au moment des fêtes ? Comme elle, il apprécierait le spectacle incongru d'une vache paissant à côté d'une baignoire rose retournée, au beau milieu de la pelouse sans arbre d'une maison moderne flambant neuve et relativement prétentieuse. Ils discuteraient peut-être de ce progrès dans lequel on pouvait voir une somme d'incongruités que l'on acceptait au mieux, sous peine (pour reprendre une expression du premier soir où il était entré dans son bureau, s'était assis et avait retiré sa casquette, libérant une chevelure hérissée d'électricité statique) d'être « broyé comme sous le soc d'une charrue. Et je ne suis pas encore disposé à servir d'engrais ».

Jernigan lui manquait. Lui et sa curiosité toujours en éveil, sa façon de voir les choses, sa manière vigoureuse de faire face, son attitude pragmatique et courageuse devant ses propres erreurs.

L'un des avantages, quand on a renoncé à fuir sa propre histoire — ce qui était son cas —, c'est que l'on peut y intégrer les personnes qui ont compté, même s'il s'agit d'une expérience en soi douloureuse. Jerome Ennis l'avait aidée à digérer Jernigan. Forte de la preuve que son aventure avec Jernigan ne l'avait pas définitivement dégoûtée des hommes, elle pouvait se permettre d'en faire un tendre souvenir. Elle pouvait même *devenir*, modestement, Jernigan ; faire siennes les qualités et la force qu'elle admirait en lui et dont elle avait tant besoin.

Et qui lui faisaient effectivement défaut. Même si jamais, au grand jamais, elle n'aurait pu l'épouser et aller vivre dans son château pour y parvenir.

Elle pénétra aussi avant que possible dans le repaire d'Osgood, avant de ranger sa voiture devant la barrière d'une pâture, pour terminer à pied l'ascension du terrible raidillon qui montait chez Osgood. Elle dut s'arrêter plusieurs fois pour reprendre son souffle. L'air était plus vif à cette altitude, mais bienfaisant. Le chemin paraissait changé ; plus net. La pente était toujours aussi escarpée mais quelqu'un avait comblé les ornières et déblayé les grosses pierres.

Inquiète, Cate se demanda si... ? Mais s'il était arrivé quelque chose à Osgood, la famille aurait certainement été informée.

Elle atteignit la crête, une main sur son cœur qui battait à tout rompre à cause de cette marche forcée. Personne sur la terrasse, mais le fauteuil d'Osgood était à sa place. Peut-être que l'histoire allait se répéter et que le son de sa voix ferait surgir les vieilles jambes d'un pommier, comme douze ans auparavant.

« Osgood ? » appela-t-elle en se dirigeant vers le verger. Elle marchait entre les rangées de petits arbres fruitiers, guettant entre les feuilles l'apparition d'une paire de jambes ballantes.

Puis elle se heurta à une créature torse nu, portant un jean et arborant une tête d'insecte. Le fait d'avoir identifié rapidement l'apparition comme celle d'un jeune homme équipé d'un masque à gaz ne suffit pas à étouffer le cri qu'elle poussa. Il avait posé le pulvérisateur contre un arbre et retirait déjà son masque.

« Z'avez eu peur, hein ? » Il était très jeune, quinze-seize ans au maximum. Mais les traits enfantins rayonnaient du plaisir que donne le sentiment de force, pendant que Cate s'accrochait, pantelante, à l'écorce de l'arbre le plus proche.

« C'est que... je ne m'y attendais pas, dit-elle quand elle eut retrouvé son souffle. Je cherchais mon cousin Osgood. » Le gamin fixait son visage pendant qu'elle parlait : probablement, la fascination exercée par les séquelles de sa paralysie faciale. Tout un scénario traversa l'esprit de Cate : Osgood était mort, la maison vendue avec les terres et le fils du nouveau propriétaire pulvérisait les arbres du verger ; à moins qu'Osgood ne soit allé s'installer dans une maison de vieux après avoir vendu ses biens immobiliers pour financer ses vieux jours. Dexter Everby, qui venait constamment rôder dans le secteur, aurait pu arranger toute l'histoire sans que la famille soit mise au courant — son intérêt étant bien sûr de tenir ladite famille à l'écart.

Encore une occasion perdue à ajouter à la liste. Pourquoi n'était-elle pas venue plus tôt, pour garder le contact avec le dernier descendant de la famille Strickland ?

« La dernière fois que je l'ai vu, il était au poulailler et jouait avec ses perrettes, dit le gamin.

— Et vous, qui êtes-vous ?

— Je suis là comme aide-saisonnier.

— Comme quoi ?

— C'est organisé par l'école. Nous passons l'été dans une famille des Appalaches, nous aidons et tout... et puis nous notons les légendes locales et nous nous initions à l'artisanat du pays. L'ensemble est validé dans notre cursus, au même titre que n'importe quel autre cours.

— Vous êtes ici, chez Osgood ?

— Oui, depuis deux semaines. Et je vous jure qu'il y a de quoi

509

s'occuper ! Berry et moi avons été obligés de débroussailler avant de pouvoir monter jusqu'ici en jeep. Vous avez remarqué que la route était en meilleur état ?

— Oui. Qui est Berry ?

— L'autre aide. Normalement, il n'y a qu'un aide par foyer, mais l'grand-père a dit qu'il en prendrait deux, vu qu'il était tout seul. C'est vraiment la vieille époque, lui, hein ? Dans le secteur, personne n'est tombé sur un personnage aussi intéressant que lui, et de loin. Berry est descendu chercher de quoi pulvériser encore.

— Et vous vous appelez comment ?

— Moi ? Rick. » Il bomba le torse et ce geste qu'il voulait viril accentua davantage sa jeunesse. Assez fier de lui, il tendit enfin une main robuste et moite.

« Je m'appelle Cate.

— Enchanté, madame. »

La surprise arracha un rire à Cate. Mais le gamin avait raison, pour lui elle était une « madame ». Après tout, elle avait franchi le cap de la quarantaine. « Je suis sûre que vous aurez mention très bien, Rick. A bientôt. » Elle repartit en direction du poulailler d'Osgood.

Le vieil homme lui tournait le dos, entouré par un demi-cercle de perrettes dont le plumage blanc faisait ressortir le bec et les pattes noires. Le soleil déjà déclinant illuminait les cheveux d'Osgood dont la finesse évoquait des fils de la Vierge ; sans veste, ses épaules semblaient douloureusement frêles. Il paraissait en grande communication avec les jolies poulettes blanches qui s'éparpillèrent à l'arrivée de Cate, dans un concert de gloussements ennuyés.

Osgood se retourna pour voir ce qui les avait dérangées. L'habitude ne parvenait pas à étouffer totalement le choc que représentait toujours l'absence de nez au milieu d'un visage. Si je conserve un visage tordu, songea Cate, il faudra que je me prépare à affronter la curiosité des gens ou leurs efforts laborieux pour dissimuler toute réaction d'étonnement.

« Tiens, bonjour, jeune dame, dit Osgood en venant à sa rencontre, appuyé sur sa canne. Vous veniez pour me rendre visite, dirait-on. »

Ils s'installèrent sur la terrasse de la maison d'Osgood, autour d'un verre. La vue panoramique englobait toute la vallée, plus une ligne de crêtes qui changeait à vue au gré de la course du soleil vespéral. Le vent était doux, perceptible. Un coq chanta plusieurs fois. L'autre aide-saisonnier, Berry, avait atteint le sommet de la montagne dans sa vieille jeep camouflée et l'on entendait périodiquement la voix des jeunes garçons qui s'interpellaient en finissant de pulvériser les arbres du verger.

« Y sont ben braves, ces p'tits gars, mais y m'soûlent de questions, dit Osgood. Il m'arrive d'aller me coucher de bonne heure, rien qu'pour plus avoir à raconter, raconter. » Il posa son verre et se mit à fouiller dans un carton dont il tira enfin le morceau de bois et l'outil qu'il voulait. Puis il s'adossa, grogna un coup et se mit à travailler le bois pour lui enlever toute aspérité.

« De quoi parlent-ils ? » interrogea Cate dont le bonheur était soudain parfait, silencieux ou pas, tandis que, de sa chaise, elle surveillait les changements qui intervenaient dans la vallée. Elle était intégrée au paysage.

« Y m'font parler, surtout de mes vieux souvenirs sur la façon dont on cuisait le pain, chez nous. Faut que j'me réfugie au lit pour pouvoir me taire. Tu sais bien que je suis pas très bavard. »

Cate le savait effectivement mais ne voulut pas le décourager.
« Tu les fascines, oncle Osgood. Les choses que tu sais et que tu tiens pour acquises ont pour eux l'attrait du neuf et de l'inconnu. Ils sont heureux comme des papes. Je suis sûre que chez eux ils n'accepteraient pas de faire pour leurs propres parents la moitié de ce qu'ils font ici.

— Ouais, ils sont braves. Leur cuisine n'est pas toujours un succès. L'autre jour, ils ont voulu faire des gâteaux au chocolat dans le four flamand, comme je leur ai appris à cuire le pain, à l'ancienne, sur des braises. Ben ils avaient un drôle de goût, leurs gâteaux… de poussière où je ne sais quoi. J'en ai mangé un qui m'a flanqué une telle migraine que j'ai dû aller faire un tour à pied pour m'aérer. Mais eux, ils étaient ravis de leur exploit. Ils étaient même tellement contents que je n'ai pas eu le cœur de me plaindre. »

Ils demeurèrent un long moment sans rien dire. Osgood sculptait patiemment son morceau de bois, et Cate buvait, tout à l'enchantement de ce havre de tranquillité. Que se serait-il passé si son grand-père Strickland avait décidé que ce bout de paradis suffisait à son bonheur ? Il aurait vécu ici avec les siens. Et une autre version de son père se serait mariée et aurait eu une autre version d'elle-même. Cate façon rustique. Aurait-elle été tellement différente de la Cate installée en ce moment sur cette terrasse ? Elle serait peut-être grand-mère maintenant. D'un autre côté, si la Cate-des-champs avait ressemblé un tant soit peu à la

Cate-des-villes, elle aurait fui ces montagnes dès qu'elle l'aurait pu, pour voir ce qu'il y avait de l'autre côté.

« Tu restes combien de temps, cette fois ? » demanda Osgood.

Cate fit le récit complet de son histoire récente, depuis la fermeture de Melanchton jusqu'à l'incendie. « Maman me laisse donc la jouissance de sa maison pendant qu'elle s'occupe de sa vieille camarade de lycée, en Virginie. J'ai écrit des lettres pour trouver un autre poste. Et puis cette crise de paralysie faciale m'est tombée dessus à la suite d'une promenade dans le vent. Tu n'as rien remarqué de bizarre dans mon visage, oncle Osgood ? »

Elle se tourna nettement vers lui. « Dis-moi sincèrement. »

Le vieil homme interrompit son ouvrage pour la regarder. Cate se reprocha alors immédiatement le terrible manque de tact dont elle venait de faire preuve : attirer son attention sur une disgrâce physique qui n'était rien à côté de celle dont il était affligé. Mais il ne parut pas faire le rapprochement, ni établir de comparaisons. Il scruta son visage avec l'attention que l'on porte à un problème. Pour la première fois, elle remarqua la beauté de ses yeux. Malgré les paupières fripées, le vert clair des iris se transformait en brun inattendu autour des pupilles.

« A présent que tu en parles, dit Osgood, on dirait que tu as une rage de dents. Mais tu es encore plutôt mignonne ; ça ne va pas s'arranger ?

— Le docteur dit que je fais des progrès rapides. Ce qui est vrai. Si tu m'avais vue il y a quinze jours ! Enfin, je l'ai bien cherché, à aller me promener malgré ce fichu vent.

— Bôf ! dit Osgood en retournant à son travail de sculpture, moi aussi je l'ai bien cherché, le vilain pif dont je suis affublé. »

C'était la première fois que Cate entendait Osgood faire allusion à sa blessure de guerre. « Les choses ne sont pas comparables, oncle Osgood. Toi, tu as reçu cette... blessure... en faisant ton devoir. Dans mon cas, il s'agissait d'imprudence pure et simple. Toi, tu te battais dans une guerre. »

Osgood continua de tailler le bois, comme s'il n'avait pas vraiment entendu la remarque de Cate. Puis, sans cesser de manier le couteau, il dit : « Je n'ai jamais été me battre dans aucune guerre. Ton père ne te l'a jamais dit ? »

Il devient gâteux, observa tristement Cate. « Au contraire, oncle Osgood, papa parlait souvent de son admiration pour ta bravoure.

— Hum ! » Le vieil homme émit une sorte de ronflement par

512

les cartilages atrophiés de son nez. « Dans ce cas, il pensait sûrement à autre chose. »

Crunch, crunch, faisait le couteau d'Osgood. Cate ne savait plus quoi dire. La plupart des anciens combattants avaient tendance à exagérer leurs exploits passés, mais si Osgood préférait minimiser les siens, n'était-ce pas son affaire ? Peut-être chaque vieillard avait-il besoin de tisser sa propre mythologie à la mesure du costume militaire qu'il lui plaisait d'endosser pour la postérité. Elle se dit aussi qu'il était temps pour elle de regagner la villa.

« Quand ton père était jeune homme, il a débarqué un jour chez moi, tout feu tout flamme pour aller se battre en Espagne, dit Osgood à l'instant précis où elle préparait une bonne excuse pour prendre congé de lui. J'ai bien vu qu'en fait il était tiraillé, alors je lui ai dit ce que je n'avais jamais raconté à qui que ce soit. Le brave petit. Lui savait garder un secret. Mais tu es sa fille, alors je vais te raconter ce que je lui ai dit ce jour-là. Moi et un autre gars, on s'est bagarrés à Campo Greene, près de Charlottesville, où nous étions cantonnés avant d'être embarqués pour la France. On avait picolé de la gnole, il m'a insulté, j'ai répliqué et sans même savoir pourquoi, nous avons roulé par terre. Je lui en ai expédié un dans l'œil et lui m'a mordu le nez. Sectionné net d'un coup de dent. On a failli lui sauver l'œil. On lui refaisait les pansements tous les matins à l'hôpital où nous nous sommes retrouvés dans la même salle. Le jour où ils lui ont annoncé qu'il fallait l'opérer et qu'il resterait borgne, nous avons pleuré ensemble comme des Madeleine. Nous étions aussi écœurés l'un que l'autre et plutôt penauds. D'ailleurs ni lui, ni moi, n'avons eu le culot de rentrer chez nous. Nous avions bien trop honte. L'armée nous a donc permis d'attendre la fin de la Grande Guerre à moins de quinze kilomètres de cette maison. Nos parents n'ont jamais rien su. Ils nous croyaient sur le vieux continent en train de combattre les Boches, pendant que nous étions gardiens dans cette espèce de camp de prisonniers installé à Hot Springs ; on y avait bouclé quelques Allemands arrêtés sur des navires civils au moment de la déclaration de guerre. Des types inoffensifs qui n'étaient même pas des militaires, mais il fallait bien les mettre quelque part. On allait leur chercher du chou dans les fermes voisines et ils nous apprenaient à faire de la choucroute. Le type qui m'a mordu le nez est mort maintenant. Mais tous les ans, au moment de Noël, depuis notre retour à la vie civile, on s'envoyait une petite carte. Il s'est marié, mais cela n'a pas duré longtemps. A la fin, j'attendais cette carte de Noël avec impatience. D'une certaine façon, on était devenus intimes tous les deux. Curieux, non ? Après avoir gâché respectivement la vie de l'autre. Le seul courage dont ton père a pu me faire crédit, c'est sûrement celui d'avoir vécu tranquillement avec ma bêtise et sans que personne n'ait plus jamais à en subir les conséquences. Je lui ai tout raconté ce jour-là parce que je pensais que c'était mieux. Lui qui voulait prendre l'avion pour aller se battre par sens du devoir. "Commence par vérifier que tout va bien chez toi, je lui ai dit. — Et le vieil homme de prendre le couteau par la lame pour battre sa coulpe avec le manche. Si les choses vont mal chez toi, pas la peine d'espérer les arranger ailleurs. Tu feras sûrement plus de mal que de bien." Soit dit entre nous, je crois qu'il a été franchement soulagé que je le dissuade de partir. Leonard était un doux. Moi, j'ai toujours été un teigneux. S'il n'y avait pas eu cette bagarre avec Percy Clamp, à tous les coups j'aurais fini par tuer quelqu'un. Et je ne parle pas seulement des Boches. Percy Montraville Clamp, de Rock Hill. Tu parles d'un nom ! Lui m'a traité de cul-terreux et moi je lui ai dit ma manière de penser. Et nous avons gâché nos vies pour cette simple querelle. Les animaux sont plus intelligents que nous. Eux au moins ne se battent que par nécessité. »

Cate s'adossa dans son fauteuil. Elle contempla la douceur pastorale qui s'offrait à son regard. Ou plutôt chercha à la percer.

Crunch, crunch, refit le couteau d'Osgood. Avait-il seulement cessé de s'activer pendant sa longue tirade ? Que dire après le récit d'une telle histoire ? Où il était question de vies « gâchées »... Le calme sacré de ce coin de montagne diluait un peu ce jugement humain, l'adoucissait jusqu'à n'en faire qu'un écho de plus dans cette large vallée qui en avait entendu d'autres : le site était suffisamment vaste et solitaire pour absorber nombre de jugements aussi péremptoires sur des vies passées. Et il restait encore de la place. Osgood trouvait peut-être un réconfort dans ce lieu assez impersonnel pour être clément. Mais elle se sentit plus proche que jamais de son vieux cousin à qui elle eut envie d'offrir une sorte de reconnaissance très personnelle.

Elle se souvint alors des paroles de son père, le soir où il fessa Lydia, tandis que, elle, Cate, rôdait dans le couloir.

« Un jour, j'ai entendu papa dire que sans toi, notre vie n'aurait peut-être pas été ce qu'elle était. A l'époque, j'ai donné à cette phrase une portée très générale : en allant te battre pendant la guerre, tu avais sauvé la liberté de ce monde. Je comprends maintenant que papa donnait à cette affirmation un sens beaucoup plus précis et spécifique : s'il n'était pas venu te rendre visite, ce jour-là, Lydia et moi n'aurions peut-être jamais existé. C'est mon anniversaire aujourd'hui, oncle Osgood, l'occasion me semble donc tout à fait bienvenue pour te remercier d'être en vie. »

Le bruit de râpe cessa. Le vieil homme inclina la tête en avant. Le morceau de bois resta avec le couteau dans ses mains repliées. Un son étrange sortit de son moignon de nez. « Je suis content que tu sois venue, dit-il d'une voix fragile. Ces p'tits gars me font tellement causer que je me rapproche dangereusement de cette époque. Mais cette histoire n'appartient pas aux étrangers, c'est un épisode qui ne doit pas sortir de la famille. Attends-moi là. »

Il attrapa sa canne, se leva lentement et se dirigea vers l'appentis blanc où, dans le souvenir de Cate, on rangeait le bois pour l'hiver. Son père avait aidé Osgood à le moderniser une vingtaine d'années auparavant. « Ses poulets vivent plus au sec que lui », avait-il dit à l'époque.

Elle commençait à s'inquiéter quand il revint avec un plateau d'œufs. Il les lui offrit solennellement, comme s'il s'agissait d'un présent beaucoup plus important. « Mes perrettes pondent de petits œufs mais, pour la pâtisserie, ce sont les meilleurs du monde. Tu vas te faire un gâteau d'anniversaire avec, d'accord ? Et n'en fais cadeau à personne d'autre, de ces œufs. Ils sont pour toi. »

Sur le chemin du retour, Cate s'arrêta au supermarché où l'on pouvait maintenant acheter le vin directement, sauf le dimanche matin. Conformément aux instructions maternelles, elle s'offrit une bouteille de Moët et Chandon.

A six heures, elle se trouvait dans la cuisine de Lake Hills sans savoir si elle devait mettre le champagne à rafraîchir tout de suite dans le compartiment à glace pour le boire avant le coucher du soleil, afin de commémorer l'instant précis de sa naissance (elle était née à dix-neuf heures quinze), ou bien le laisser tranquillement au frais dans le réfrigérateur, pendant qu'elle se ferait un gâteau avec les œufs d'Osgood, ce qui lui permettrait de déguster champagne et gâteau sous les étoiles, aux alentours de neuf heures. Il existait incontestablement des dilemmes moins agréables pour fêter un quarantième anniversaire. Malgré sa solitude, et en dépit du maigre bilan des quatre décennies de son séjour sur cette terre, pour reprendre l'accusation de Lydia, elle ne pouvait s'empêcher d'arborer un relatif optimisme. Peut-être était-ce l'effet de l'air raréfié des montagnes où vivait Osgood, ou comment un grand bol d'oxygène pouvait donner l'illusion du retour de son arrogance d'antan. Eh bien, dans ce cas, elle saurait où s'adresser en cas de besoin.

Elle méditait justement sur ces vies soi-disant gâchées mais susceptibles d'éclairer d'un jour nouveau certaines complexités cachées de l'âme humaine, modifiant ainsi les perspectives et les possibilités de chacun, quand le téléphone sonna dans la cuisine. Cate se dit qu'il s'agissait peut-être de Lydia, incapable de résister à son habitude invétérée d'appeler pour souhaiter les anniversaires.

Elle laissa sonner encore deux fois pour se mettre en condition. Puis elle répondit de la voix affairée d'une personne dérangée en pleine activité, afin que personne ne pût croire qu'elle était en train de se morfondre le jour de son anniversaire.

« Nell ? » Ce n'était pas Lydia. La lassitude un peu rauque du timbre lui fit songer à un interlocuteur masculin.

« Maman est en Virginie. Cate à l'appareil ».

Petit « oh » de surprise choquée. Puis le silence.

« Puis-je prendre un message ? » Puis, comprenant à qui elle avait affaire : « Tante Thea ? »

Nouveau silence. Cate se demanda si sa marraine allait raccrocher. Mais sans confirmer ni infirmer son identité, elle demanda : « Quand revient-elle ?

— Difficile à dire. Elle est au chevet d'une vieille amie. Et cette amie est gravement malade.

— Je vois. »

Cate sentit l'incorrigible entêtement de Theodora investir la cuisine. Theodora désirait obtenir l'information dont elle avait besoin sans avoir à prendre acte de l'existence de Cate. Combien de temps allait durer ce petit jeu — la seconde n'accordant qu'une bribe de réponse à chaque question hautaine de la première, qu'elle soit ou non ponctuée de « Je vois » coercitifs.

Mais pourquoi diable fallait-il jouer ce petit jeu ? Leur brouille paraissait curieusement dépassée, comme une vieille guerre usée que l'on continue de mener par principe, longtemps après que les ennemis ont trouvé d'autres sujets autrement importants pour mobiliser leurs énergies. Tant de choses s'étaient passées depuis que Theodora avait prédit la prochaine domiciliation de Cate dans une prison ou un asile d'aliénés, tandis que Cate ripostait en déclarant que le cerveau de Theodora devait être atrophié à force de repousser toute idée nouvelle. Depuis ce jour, toutes deux avaient rencontré (et perdu) de nouveaux amis ; elles avaient mené d'autres combats et connu le même désarroi impuissant devant la maladie — leur dernier adversaire peut-être à affronter avant la mort. Il paraissait véritablement superfétatoire d'entretenir cette vieille animosité. Cate et Lydia s'étaient dit de pires horreurs moins de trois semaines auparavant et Cate était prête à lui répondre au téléphone. Jusqu'à Osgood et Percy Clamp qui avaient fini par s'envoyer des cartes de Noël.

Cate respira un bon coup. « Y a-t-il une commission que je puisse lui faire pour toi, tante Thea ? »

On se racla la gorge à l'autre bout du fil. « Merci, non. Je voulais seulement la charger d'une petite course. J'ai été malade et on ne me laisse aller nulle part.

— C'est une nouvelle qui m'a navrée, tante Thea. Mais tu dois aller beaucoup mieux. Tu as l'air parfaitement lucide...

— Tiens, bien sûr que je suis lucide, intervint sèchement Theodora. On m'a emmenée à Duke, tu sais. Le neurochirurgien qui me suit se montre très optimiste à mon sujet. Mon esprit n'a jamais été atteint et j'ai constamment gardé toute ma lucidité... même si certains ont pu penser le contraire. Néanmoins je n'ai pas encore récupéré le complet usage de ma patte folle, et c'est pour cette raison que je ne peux pas sortir seule. C'est pourquoi j'avais besoin de Nell.

— Si je peux faire quoi que ce soit... »

Court silence boudeur pendant lequel l'orgueil le disputa manifestement à la nécessité. « Je ne voudrais pas te déranger. » Nouveau silence. « Qui est l'amie que Nell est partie soigner en Virginie ? Je ne me souvenais pas l'avoir jamais entendue parler d'une amie en Virginie.

— Merle Chapin. Elles étaient ensemble à Farragut Pines. Son nom de jeune fille était... Maman me l'a dit, mais je l'ai oublié.

— Hum ! dit Theodora. Je ne me rappelle même pas l'avoir entendue faire allusion à une Merle. » Puis avec une intonation réprobatrice : « J'ai eu envie de faire appel à Nell pour lui demander de venir s'installer chez moi à mon retour de Duke, mais je me suis dit qu'elle était très bien toute seule. Si j'avais su qu'elle cherchait à faire l'infirmière, je lui aurais trouvé une vieille amie à soigner beaucoup plus près de chez elle.

— Tout cela s'est fait sous l'impulsion du moment, expliqua Cate. Merle et son mari séjournaient dans la villa voisine de la nôtre — nous étions parties à Ocracoke, tu sais — mais, oh ! bien sûr, tu n'es pas au courant : tante Thea, nous avons perdu

517

la villa. Elle a été détruite par un incendie pendant que nous étions là-bas.

— Quoi ? La villa de ce pauvre Leonard détruite par un incendie ? Comment cela a-t-il pu se produire alors que vous y étiez ? Pourquoi n'avez-vous rien fait ?

— Nous étions sorties toutes les trois, résuma Cate.

— Eh bien ! Quel malheur ! Un court-circuit ?

— Non, un feu de cheminée. A cause du vent. Lydia et moi avions allumé un feu...

— Tu ne vas pas me dire que vous êtes parties en laissant un feu allumé ? Quand je pense que moi je n'ose même pas aller me coucher avant d'avoir inondé les braises avec mon arrosoir. Nell me surprend. Elle qui fait habituellement preuve d'un tel bon sens !

— Maman était allée tenir compagnie à son amie dans la villa voisine. Elle avait toutes raisons de penser que nous faisions attention. Et puis Lydia a dû sortir soudainement, et... euh... et moi je suis allée me promener un peu, ce que je regretterai éternellement. En fait, je suis entièrement responsable.

— Pfft ! Personne n'est jamais entièrement responsable de quoi que ce soit. Tu surestimes ton importance. Encore une aberration des temps modernes, à mon avis. Comme tous ces terroristes qui se précipitent sur le téléphone pour revendiquer simultanément la responsabilité de la moindre petite explosion. Tout le monde se veut le seul coupable. Le ou la coupable. »

Cate éclata de rire. « Tante Thea, tu es en grande forme. Personne ne croirait que tu viens d'être gravement malade.

— On serait plus crédule si on voyait ma fichue jambe. Cela dit, je n'ai aucunement l'intention de la laisser — silence lourd de sens — s'*atrophier*. Azalea me fait travailler tous les matins, elle passe la nuit chez moi, maintenant ; le kinésithérapeute lui a montré les exercices à me faire faire. » Theodora parut néanmoins ravie de la remarque faite par Cate.

« Cette commission que tu voulais demander à maman, est-ce que je pourrais m'en charger ? »

Theodora hésita. « Mon Dieu ! C'est tellement compliqué ! Il vaudrait peut-être mieux laisser tomber. Je pensais seulement qu'une petite que j'ai hébergée un certain temps essaye de me joindre. Mais les deux fois, Azalea a répondu au téléphone et elle dit n'avoir entendu que la respiration de quelqu'un, plus des bébés qui pleuraient, et puis l'on a raccroché. Lucy Bell et Latrobe m'ont dit que la petite était rentrée chez elle, ce qui est un bobard. Elle n'a pas de chez elle où retourner, mais ils ne savent pas que je le sais. J'allais demander à Nell si elle accepterait de faire un saut jusqu'à cette vieille baraque verte dans Depot Street, afin de voir si Wickie Lee s'y trouvait encore ou pas. Sans faire de scandale. J'ai été très déçue par cette gamine qui a très mal agi, mais si elle a des difficultés, je veux le savoir. J'ai des devoirs envers elle. Quand m'as-tu dit que Nell rentrait ?

— Je n'ai rien dit. Elle ne le sait pas elle-même.

— Quel genre de maladie elle a, cette Merle ?

— Un cancer du poumon, je crois bien. »

Theodora inspira un grand coup pour compenser le choc. « Ce n'est pas très réjouissant. Dans ces conditions, je devrais m'estimer heureuse, non ? Et toi ? Tu es là entre deux aventures, je suppose ?

— C'est une façon d'exprimer les choses, ironisa Cate. Je suis là pour l'été. Est-ce que je peux passer te voir un de ces jours ?

— Si tu veux », finit par répondre l'autre. Puis, avec un soupir, comme si elle se rendait compte qu'elle venait d'être désagréable, elle ajouta avec lassitude : « Bon, eh bien je suis très heureuse d'avoir bavardé un moment avec toi, mais je ne voudrais pas te retenir plus longtemps. J'entends Azalea qui m'apporte un plateau.

— Appelle-moi, tante Thea, si tu as besoin de quelque chose.

— Hum ! » bredouilla Theodora sans s'engager. Et elle raccrocha sans avoir prononcé une fois le nom de Cate.

« Quelle vieille bourrique ! » dit Cate. Elle plaça le champagne et les œufs d'Osgood dans le réfrigérateur et fit le tour des pièces du rez-de-chaussée noyées dans la lumière douce du crépuscule. Elle enfonça l'index dans la terre d'une fleur en pot et revint avec une carafe d'eau. Elle arrosa la plante à petits coups jusqu'à entendre le bruit de succion de la terre absorbant l'eau jusqu'aux racines. Sur le chemin du retour à la cuisine, elle s'arrêta devant le grand miroir du vestibule, le temps d'essayer quelques-unes des nouvelles mimiques qu'elle avait mises au point pour atténuer l'asymétrie de son visage. Sous cet éclairage favorable, elle eut le réconfort de constater que, même si sa guérison devait rester limitée à ce stade, elle avait encore un bel avenir devant elle, moyennant une lumière adéquate et une expression de permanent désenchantement, avec la manie chronique de ne jamais rien regarder en face. Chez certaines personnes, il s'agissait d'une attitude naturelle ; peut-être qu'avec le temps elle parviendrait à l'acquérir.

Il faudrait attendre au moins une heure avant que le champagne soit décemment servable. Pour tout arranger, l'appel de Theodora avait eu comme effet secondaire de conférer à la perspective de sabler le champagne toute seule un goût de solipsisme complaisant ; de plus, le radar intérieur de Cate indiquait un intérêt grandissant et irrésistible pour ce qui se passait du côté de Depot Street, refuge choisi par la mystérieuse gamine hébergée par Theodora. Qui avait peut-être été magistralement bernée, auquel cas Cate serait curieuse de rencontrer le personnage. De façon à la fois vague et symbolique, elle avait même l'impression de la connaître déjà. Tout au long du printemps dernier, et au gré des récits maternels, la vie de cette fille s'était inscrite en contrepoint des heurs et malheurs de Cate. Successivement, elle lui en avait voulu, et puis elle l'avait encouragée intérieurement : voulu d'avoir su, sans effort apparent, éblouir une brochette de bonnes bourgeoises par son statut de fille séduite et abandonnée ; encouragée dans sa tentative timide, mais peut-être rusée d'arracher quelques bribes de confort et de protection à leurs privilèges de nantis. Et le fait qu'elle ait été capable de quitter la vie facile qu'on lui assurait pour aller s'installer dans Depot Street était un signe qui ne trompait pas, même si Cate hésitait à y voir la preuve absolue de l'indépendance d'esprit de cette jeune personne, ou celle du caractère définitivement invivable de Theodora.

Cette fille a peut-être effectivement des ennuis, songea Cate en empoignant ses clés de voiture, ragaillardie à l'idée qu'elle allait une fois de plus quitter les sentiers battus et écouter son instinct pour foncer vers de nouveaux drames et conflits. Sur l'autoroute qui devait lui permettre de rejoindre directement l'autre bout de la ville, elle se rappela comment, lorsqu'elle était petite et même adolescente, elle passait une bonne partie de ses heures de veille à se fabriquer des rêves dans lesquels elle sauvait des gens du danger ou de l'oppression, souvent au risque de sa propre vie et avec la perspective d'inventer de délicieux châtiments pour les oppresseurs à punir : le chapitre châtiments était généralement le plus plaisant.

Depot Street et ses environs constituaient un quartier relativement triste sans relever pour autant du bidonville. A l'époque glorieuse des chemins de fer, le secteur constituait une enclave très vivante, avec boutiques, restaurants, plus quelques hôtels de voyageurs, pour répondre aux besoins d'une clientèle de passage amenée par un trafic quotidien de trente ou quarante trains. Aujourd'hui, à l'instar de plusieurs autres quartiers tombés en désuétude — le centre ville où elle était allée dîner au Jamal's avec sa mère par exemple —, les propriétaires jouaient la carte du long terme en se contentant de loyers dérisoires, tout juste suffisants à couvrir les impôts, dans l'attente du débarquement de quelque gros promoteur ou autre multinationale qui apporteraient un peu d'argent frais, avec leurs escouades de démolisseurs et leurs plans de centres commerciaux à boutiques climatisées ou d'usines de montage de voitures étrangères ; ils seraient alors récompensés de leur patience. Le quartier de Depot Street ne possédait pas le chic hippie du centre ville avec ses échoppes d'artisans, ses restaurants et son petit air de nostalgie ; néanmoins, malgré son côté un peu sordide, il réchauffa le cœur de Cate. La tonalité ambiante lui rappelait l'endroit où elle habitait dans l'Iowa, au bord du fleuve, au-dessus de l'atelier de réparation de télévisions : avec cette même modestie mélancolique que donne l'espoir de jours meilleurs ; sans essayer de masquer le passé avant le passage des équipes de rénovation.

En rangeant sa voiture devant l'immeuble que Theodora avait décrit comme une « baraque verte » (ce qui était faux ; il s'agissait d'un ancien hôtel de voyageurs transformé en appartements, dont la façade avait été repeinte dans un vert jaunâtre effectivement malheureux), Cate se dit que, si elle était arrivée à Mountain City pour prendre un poste, elle aurait peut-être choisi ce brave petit quartier entre deux mondes pour y élire domicile. (A ce sujet, quels mots Theodora aurait-elle utilisés pour décrire l'endroit où vivait Cate dans l'Iowa, si elle l'avait vu ?)

Cate étudia les noms inscrits sur les boîtes aux lettres métalliques accrochées au mur d'un vestibule obscur où se mêlaient un peu trop d'odeurs de cuisine. A quoi s'attendait-elle ? A lire « Wickie Lee » écrit en lettres impeccables sur un bristol immaculé ? Si elle éliminait les couples mariés (R. et J. Dobbs, etc.) ainsi que les vieilles cartes de visite (Wickie Lee n'en avait sans doute pas), il ne restait plus que six boîtes. Elle se sentait parfaitement capable de frapper à six portes successives et s'apprêtait à commencer lorsqu'elle entendit, à l'étage supérieur, les cris de deux bébés qui se mirent à pleurer de conserve. Sa mère ne lui avait-elle pas dit que Wickie Lee vivait avec une autre femme qui venait également d'avoir un bébé ?

Elle monta l'escalier et eut tôt fait de repérer la porte de l'appartement d'où venaient les cris. Elle entendit une voix féminine consoler et gronder avec une patience répétitive. Cate frappa assez fort pour être entendue en dépit du vacarme.

Le silence se fit instantanément. Suivi d'un bruit de pas. « Qui est-ce ? demanda la voix féminine.

— Je voudrais parler à Wickie Lee », répondit Cate.

L'un des bébés se remit à pleurnicher, aussitôt imité par le second. « Qui est là ? interrogea encore la voix, avec une méfiance accrue.

— Cate. Je viens de la part de Theodora Blount. Est-ce que je suis à la bonne adresse ? »

Silence. Puis nouveau concert de pleurs de bébés. On tira doucement un verrou, l'entrebâilleur fut enlevé. La porte s'ouvrit enfin. Une petite bonne femme pâle, vêtue d'un jean moulant, regardait Cate, un bébé dans chaque bras.

« Ah, c'est vous la dingue, dit-elle d'une voix nasillarde et sans passion.

— Pour en savoir aussi long, vous devez être Wickie Lee, riposta sèchement Cate. Puis-je entrer ? Je vous jure que ma folie n'est ni dangereuse ni contagieuse. »

L'autre ne répondit pas, mais s'écarta pour céder le passage.

Un désordre déprimant régnait dans la pièce : un salon criard composé d'un canapé et de fauteuils couverts d'une espèce de peluche à ramages dans les tons bruns et orangés ; une moquette passe-partout ocre, couleur qui vieillit bien et absorbe les taches ; une salle à manger en formica avec une table où étaient posés plusieurs paquets de couches à jeter tout neufs et une assiette où dormait un reste de sandwich mexicain, et un verre de lait à moitié vide.

« J'ai interrompu votre dîner », dit Cate. A l'autre extrémité de la pièce, elle remarquait maintenant un autre enfant, âgé d'un an environ, attaché dans une espèce de balançoire d'appartement, à moitié endormi ; ce troisième bambin avait les yeux rivés à l'écran de télé dont le son était coupé, tandis que la balançoire semblait le bercer automatiquement.

« Non, c'est plutôt eux, dit la jeune femme en désignant les bébés qu'elle promenait dans ses bras. A l'instant précis où je les ai posés par terre pour manger tranquillement, ils ont commencé. Il faut dire qu'ils sont terriblement gâtés. Ils veulent qu'on les endorme en les trimbalant dans les bras et, dès que l'on a le malheur de s'arrêter une minute, ils se mettent à pleurer.

— Lequel est le vôtre ? »

La petite se tourna de côté pour montrer le visage du bébé qu'elle portait sur le bras gauche. « Celle-là. Elle s'appelle Tiffany. » Puis, mue sans doute par un soudain souci d'équité, elle pivota dans l'autre sens pour présenter le second bébé. « Et voici Scott, le bébé de Rita. L'autre là-bas, dans la balançoire, c'est Sam. Il est à Rita, lui aussi. C'est lui qui a le meilleur caractère.

— Et où est Rita ? »

Le visage de son interlocutrice s'assombrit. « Elle est partie chez son petit ami.

— C'est vous qui gardez les gosses ?

— Apparemment, répliqua Wickie Lee avec une sécheresse méprisante qui dénonçait sans ambiguïté l'ineptie de la question posée par Cate.

— Ecoutez, je ne vais pas tourner autour du pot, dit Cate. Theodora vient d'appeler chez moi — en réalité, elle voulait parler à ma mère, mais elle est tombée sur moi, ce qui ne lui a pas facilité la tâche vu que depuis des années, elle met son point d'honneur à ne pas m'adresser la parole...

— Elle a appelé ? » Les yeux de la jeune femme s'arrondirent. « Vous voulez dire qu'elle est consciente ?

— Elle m'a paru tout ce qu'il y a de plus conscient. Parfaitement égale à elle-même. Portant des jugements péremptoires sur tout et chacun. Il semble que sa jambe seulement ait été touchée. Vous ne le saviez donc pas ? »

Wickie Lee s'était assise sur le bras d'un fauteuil. Immédiatement, les bébés se mirent à piailler dans un duo touchant. A croire que leurs réflexes fonctionnaient à l'unisson. Elle se releva et reprit sa déambulation en les berçant docilement. Elle était minuscule et marchait pieds nus. Les ongles des orteils étaient soigneusement laqués de rose. Ses cheveux châtain clair pendaient sur ses épaules, sauf deux mèches coupées de chaque côté à hauteur de l'oreille. Innovation de style qui laissa Cate perplexe.

« Je ne sais plus qui je dois croire, dit-elle de sa voix nasillarde.

— Vous voulez dire que quelqu'un vous a donné une information différente ? » demanda Cate qui décida de s'asseoir dans le canapé sans y être invitée. En se dégageant un peu de place au milieu de la layette et des peluches, elle tomba sur une poupée très intéressante dont la tête était faite avec un bas mousse tendu sur du coton ; l'expression, jusqu'aux rides, y était, grâce à un minutieux travail de couture ; le résultat donnait une petite créature étrangement humaine, avec une dimension parodique.

S'agissait-il d'un exemplaire des célèbres poupées de Wickie Lee ? Cate s'attendait à un travail plus naïf, dans la tradition artisanale.

« Vous connaissez M. Bell ? demanda la jeune femme.

— Latrobe Bell ? Hélas, oui ! Il ne fait pas partie de mes relations privilégiées. »

Wickie Lee adressa un regard presque amical à Cate. « Il est encore passé la semaine dernière. Il m'a dit qu'il avait emmené Theodora à Duke pour subir une opération chirurgicale qui n'avait pas réussi. Et qu'il n'y avait plus d'espoir qu'elle retrouve sa lucidité.

— Oh, quel vieux crétin, hypocrite en plus !

— Il a voulu me donner de l'argent, mais j'ai refusé de le prendre. Rita m'a dit que j'étais bien bête, mais moi je ne veux pas de son sale fric. En plus, c'était pour que je retourne chez moi, et je ne peux pas le faire.

— Oui. C'est ce que dit Theodora.

— Elle vous a dit quoi, à mon sujet ? demanda Wickie Lee, sur la défensive.

— Rien de plus. Que vous n'aviez pas de chez vous où retourner. Et aussi qu'elle pensait que vous aviez essayé de l'appeler, mais que vous raccrochiez quand Azalea répondait. Elle voulait savoir si vous aviez des ennuis. Avez-vous des ennuis ? »

Petit rire sec et sans joie de Wickie Lee. « Pas plus que d'habitude, à vrai dire. Au moins, j'ai un toit sur la tête. Rita profite parfois de la situation, mais c'est tout.

— Comment cela ? »

Wickie Lee marcha encore un peu de long en large avec les bébés. Cate en avait déjà conclu qu'elle ne répondrait pas à cette question. *Crouic, crouic,* grinçait la balancelle qui berçait l'autre bébé de Rita. « Elle me laisse les gosses sans arrêt, finit par admettre Wickie Lee. Remarquez, je n'ai rien contre les gosses. C'est moi qui ai élevé mon petit frère et les deux premiers de ma sœur quand je m'en suis allée vivre chez elle après la mort de maman, mais Rita avait promis que nous ferions un roulement.

— Et... cette sœur ? Vous ne pourriez pas retourner chez elle ? Au lieu...

— Ecoutez, intervint aussitôt la jeune femme avec une étrange lueur dans le regard, je ne veux pas me montrer grossière, mais ce n'est pas vos affaires. D'ailleurs, je ne comprends toujours pas ce que vous êtes venue faire ici.

— Prendre de vos nouvelles pour tante Thea. A vrai dire, c'est à ma mère qu'elle voulait confier cette mission, mais maman n'est pas là en ce moment. Les Bell ont raconté à Theodora que vous étiez chez vous, mais elle ne les a pas crus. Elle pense que c'est vous, la personne qui téléphone et qui raccroche aussitôt. Et puis, j'avoue que j'étais tout bêtement curieuse de faire votre connaissance. Ma mère m'a plusieurs fois parlé de vous quand elle me téléphonait. Alors c'est vous, les coups de fil mystérieux chez Theodora ?

— Je n'ai rien fait de mal. Je cherchais seulement à savoir comment elle allait. Avec cette Mme Bell qui raconte partout que je l'ai frappée et que je suis responsable de son attaque. C'est un mensonge. Je lui ai peut-être dit un certain nombre de choses désagréables, mais elle en a fait autant avec moi. Le jour où elle m'a suivie jusqu'ici, elle m'a dit des choses que personne n'a le droit de dire à qui que ce soit.

— Tante Thea est une spécialiste du genre, convint Cate. J'ai eu avec elle un échange de propos assez soignés il y a quelques années. Et nous avons prononcé toutes les deux des paroles blessantes.

— Dans ces conditions, pourquoi lui servez-vous de commissionnaire ? Vous vous êtes réconciliées ?

— Pas vraiment. Disons qu'elle ne s'est pas réconciliée avec moi, mais que je suis disposée à faire la paix. J'ai des soucis autrement plus importants que celui d'entretenir une vieille querelle. Ecoutez, Wickie, je vous l'ai dit, j'étais curieuse de vous connaître. Et puis l'idée m'est aussi venue que je pouvais peut-être vous rendre service.

— Ça y est, j'ai compris ! dit la jeune femme avec fougue. Vous êtes venue me proposer de l'argent, vous aussi. Pour que j'aille me faire pendre ailleurs. Vous avez tous découvert qui je suis, et vous voulez que je débarrasse le plancher, hein ? Surtout maintenant qu'elle a sa connaissance ! Aïe ! » Un des bébés, amusé par sa voix, venait de lui tirer une mèche de cheveux. « Je vous jure que je vais me faire raser le crâne, rien que pour vous empêcher de me martyriser, poisons !...

— Loin de moi l'intention de vous proposer de l'argent, dit Cate qui comprenait soudain le pourquoi des mèches coupées court sur le côté. Je n'en ai vraiment pas les moyens. Et puis, que pourrais-je bien avoir découvert — moi ou qui que ce soit d'autre — qui puisse nous donner envie de vous voir disparaître de la circulation ? »

Regard dur de Wickie Lee à l'égard de Cate. « Vous jouez les imbéciles ou vous n'êtes vraiment pas au courant ?

— Au courant de quoi ?

— Elle ne vous a rien dit ? Mais alors, pourquoi seriez-vous là à vous relayer pour essayer de me chasser de la ville ? Je vous flanque à tous une peur bleue. Je suis qui je suis et n'y peux rien changer, mais je ne veux pas de son fric. Je préfère me faire exploiter par Rita plutôt que d'être obligée de courber l'échine devant des gens comme vous. Jamais je n'aurais pu lui plaire, jamais, sans renier ce que je suis. »

Elle repartit pour un tour avec les bébés. Une larme roulait sur sa joue, mais son minois buté n'avait rien perdu de sa superbe.

« Wickie Lee, dit calmement Cate. Je suis navrée de vous avoir contrariée à ce point et si vous voulez que je m'en aille, je le fais tout de suite. J'ignore sincèrement tout de vous. Je ne sais pas de quoi vous parlez. Les éventuels petits secrets que vous aviez là-bas, à Edgerton Road, elle ne les a certainement pas trahis. En ce qui me concerne du moins. Tout ce qu'elle m'a dit, au téléphone, c'est que, malgré les horreurs que vous lui avez dites, elle considérait de son devoir de vous aider, si vous étiez en difficulté. »

Cate se leva pour prendre congé. « Dois-je lui raconter que je vous ai vue et que vous allez bien ou bien préférez-vous que je ne dise rien du tout ?

— Faites ce qui vous plaira, répondit la jeune femme. De toute façon, vous le lui direz probablement. » Elle se mordit fort les lèvres pour retenir ses sanglots. « Elle disait que vous n'écoutiez jamais personne.

— En fait, j'écoute beaucoup de monde au contraire, dit Cate. Ce qu'elle a voulu dire, c'est que je ne courbais pas facilement l'échine. Comme vous, je risque de finir en guenilles, mais je ne renie pas ce que je suis. Pauvre Theodora ! Elle n'a pas de chance avec ses *protégées**, hein ? Elle tombe toujours sur des gens aussi têtus qu'elle. J'ai eu beau le lui expliquer, elle ne veut rien entendre. En fait, Theodora cherche un être jeune et docile qui s'en remette totalement à elle pour mener sa vie ; sauf que si elle trouvait la personne adéquate, elle ne tarderait pas à la mépriser.

— C'est ce qu'elle a essayé de faire avec moi, elle voulait diriger ma vie », dit Wickie Lee qui frotta son visage contre la

* En français dans le texte *(NdT)*.

chemise d'un des bébés ; Cate ne comprit qu'après coup qu'elle n'avait pas d'autre moyen d'essuyer ses larmes, puisqu'elle avait les deux mains prises. « J'étais d'accord jusqu'à un certain point — lire davantage, vivre dans la jolie chambre qu'elle m'avait donnée et que je regrette bien — et puis je me suis rendu compte qu'elle m'incitait à lire pour que je retourne en classe, or moi, je voulais rester à la maison avec mon bébé. Tiffany n'aura jamais de père, alors je ne veux pas en plus la priver d'une maman à temps plein. Et puis il y a eu encore autre chose. Elle voulait appeler Tiffany *Fletcher*. Vous parlez d'un nom pour une petite fille ! Fletcher !

— Fletcher ? Pourquoi Fletcher ? demanda Cate en faisant tinter les clés de sa voiture. Encore qu'à l'université, j'ai partagé la chambre d'une fille qui s'appelait Cecil. C'était le nom de jeune fille de sa mère...

— Vous n'êtes vraiment pas au courant, alors ? » Wickie Lee scrutait attentivement le visage de Cate. Elle était encore plus petite que Teenie Ennis. « Bôf, peut-être que si je vous le dis, vous pourrez me protéger de ces Bell. Je crois que j'ai plus confiance en vous qu'en eux. Et puis finalement, vous n'avez pas l'air aussi cinglée qu'elle le disait.

— Merci beaucoup », dit Cate, dont l'ironie échappa totalement à Wickie Lee qui, par quelque pervers esprit de contradiction, tenait maintenant à livrer son secret à Cate, au moment précis où cette dernière venait de se persuader qu'il valait mieux renoncer à satisfaire sa curiosité et laisser la jeune femme tranquille.

« Finalement, elle était prête à faire un baptême en grande pompe et répandre la nouvelle, dit Wickie Lee. Je ne trahis donc pas un secret qu'elle tenait à conserver. D'ailleurs, quand j'y réfléchis, je ne fais que parler d'une chose qui me concerne personnellement. C'est donc à moi et à personne d'autre de décider si je dois le dire ou pas. Je suis qui je suis. » La révolte brûlait en elle.

Cate attendit.

« Cela fait des mois qu'elle m'interdit d'en parler, alors que c'est elle qui a voulu que je vienne vivre sous son toit. » Wickie Lee eut un petit rire sec et amer. « Sûr que je ne savais pas où je mettais les pieds ! Il faut dire qu'elle a été tellement gentille le jour où j'ai débarqué au Foyer New Hope parce qu'une fille m'avait dit qu'on pouvait y obtenir une aide privée sans être fichée par l'administration. Elle a commencé par me poser un tas de questions sur l'endroit d'où je venais et que je n'avais pas l'intention de révéler, vu que j'avais bien trop peur que mon beau-frère vienne me rechercher de force ce qui, pour moi, était pire que tout. Je ne pouvais pas non plus dire mon âge, car on m'aurait obligée à le suivre s'il était venu. Et puis elle m'a dit que j'avais l'accent du comté de Sharpe, que sa famille était originaire de là-bas, et elle m'a demandé si, par hasard, je connaissais les Blount. C'est là que j'ai commis une erreur. Ça a été plus fort que moi. Entendre ce nom m'a collé le bourdon, bien que maman soit morte. Je lui ai dit que maman s'appelait comme ça, mais que son nom à elle s'écrivait sans "o". C'est à ce moment-là qu'elle m'a demandé de tenir ma langue devant les autres qui étaient des commères. Et avant de pouvoir faire ouf, je me suis retrouvée à Edgerton Road. Elle mentait allégrement, son seul remords étant votre père avec qui elle aurait préféré être franche. Mais elle voulait tenir la chose secrète un moment — pour mon bien, disait-elle. En fait, je crois qu'elle voulait surtout me mettre à l'épreuve pour voir si j'étais digne d'être revendiquée. Et aussi — nouveau petit rire pointu — pour être sûre que je n'allais pas accoucher d'un bébé à deux têtes, ou d'une couleur contestable. Il n'y avait aucun danger, mais elle ne le savait pas.

— Alors... vous avez effectivement des liens de parenté avec Theodora ?

— Nous sommes cousines au second degré, répondit la jeune femme avec un rien de fierté. Plus exactement — nous avons étudié la question —, le père de maman et elle étaient cousins issus de germains. L'arrière-grand-père de maman s'appelait Fletcher Blount, et il était le frère de... du grand-père de Theodora. » Wickie Lee rougit d'oser appeler Theodora par son prénom comme le faisait Cate. « C'est mon grand-père qui a laissé tomber le "o" ; nous avons vérifié.

— D'où l'histoire pour Fletcher. » Un sourire tordit la bouche de Cate. « Les Bell vont s'étrangler quand ils sauront que vous êtes une Blount... à moins qu'ils ne soient déjà au courant.

— Ils ne savent rien, sauf si *elle* leur a dit quelque chose, répondit Wickie Lee. Pour la bonne raison que je ne porte pas le même nom. Mon père ne s'appelait pas Blunt. Mais personne ne découvrira son nom si je peux l'éviter. Je ne retournerai jamais là-bas, jamais. Tiffany est enregistrée sous le nom « enfant Blount de sexe féminin », et je pense que c'est la meilleure solution pour elle. Celle qui est piégée, c'est moi, parce que je ne peux produire aucune preuve de mon existence.

— Comment, piégée ?

— Comment ? Vous aimeriez ça, vous, de ne pas pouvoir trouver de boulot, ni même avoir une aide de l'Etat comme Rita, pour la bonne raison que vous ne pouvez pas revendiquer votre nom ? Je ne peux pas non plus prouver mon âge. J'ai seize ans révolus maintenant, mais je n'ai rien qui permette de le prouver, si bien que Rita dit que je n'ai même pas droit à une carte de Sécurité sociale. Et encore, j'ai de la chance d'être tombée sur elle. Parce qu'elle m'héberge avec Tiffany sans me faire payer ni loyer ni pension — ce n'est pas que Tiffany occupe beaucoup de place. John — c'est le petit ami de Rita — a vendu quelques-unes de mes poupées, ce qui met un peu de beurre dans les épinards. Il les emmène quelque part là-haut dans les montagnes, à un endroit chic où l'on vend de l'artisanat local ; il raconte que je suis une vieille bonne femme qui fabrique ces poupées dans le village perdu où elle habite. D'après lui, les gens préfèrent. Mais je vendais plus cher à la boutique tenue par les femmes républicaines que dans ce truc soi-disant chic, pour les touristes. Je trouve qu'une poupée unique en son genre, entièrement cousue main jusque dans les moindres détails de ses vêtements devrait se vendre plus de cinq dollars. Et puis, c'est dur, entre les bébés et Rita qui n'est jamais là, de trouver le temps de faire une poupée. Quand j'habitais Edgerton Road, je n'avais rien d'autre à faire pendant des journées entières. Sans parler des bouts de tissus qui étaient drôlement beaux... » La voix se fit plus larmoyante. « Je n'ai aucun contrôle sur ma propre vie. Comme si j'étais vouée à passer d'une prison à une autre. »

Les narines de Cate se dilatèrent. Elle venait de flairer l'odeur, reconnaissable entre toutes, de l'exploitation. Cette Rita, quelle que soit par ailleurs la triste histoire de sa vie, avait son chèque de l'aide sociale, son petit ami et une nounou à demeure : *esclave* à demeure, devrait-on dire. Les deux petites têtes des bébés se nichèrent progressivement au creux des frêles épaules de Wickie Lee qui poursuivait son épuisante promenade dans la pièce cafardeuse ; la crêpe mexicaine, froide et peu appétissante, attendait toujours sur la table à côté des paquets de couches ; dire qu'elle venait d'avoir « seize ans ». Cate aussi s'était sentie « piégée », au même âge : en revenant de l'école, elle montait s'enfermer dans sa chambre pendant que sa mère préparait à dîner à l'étage en dessous et déclamait, parfois en se regardant dans la glace,

529

parfois en contemplant avec une farouche résolution les monta-gnes au-delà desquelles elle comptait s'enfuir le plus vite possible, loin des entraves de la famille, de la région, et de toutes les préoc-cupations dépourvues de noblesse. Où en serait-elle aujourd'hui si, à seize ans, elle avait subi les entraves d'une Wickie Lee ?

Le triste sort de cette petite — qu'elle soit ou non cousine avec Theodora (Cate aurait presque souhaité qu'elle ne le fût pas, car Theodora ne manquerait pas de lancer une nouvelle opération de récupération, pour laquelle elle plantait déjà des jalons) éveilla en Cate un soudain et maternel désir de protéger Wickie Lee, de la défendre contre ses exploiteurs autant que contre ses bienfai-teurs ; et elle entrevoyait une possibilité de le faire sans tomber elle-même dans l'un ou l'autre travers : cette gamine pouvait cer-tainement faire l'économie d'une nouvelle prison, dorée ou pas. Mais peut-être avait-elle besoin d'un guide : quelqu'un pour l'encourager et la soutenir dans la voie qu'elle s'était tracée, celle, apparemment, qui privilégie la liberté sous sa forme la plus sim-ple et la plus fondamentale.

« Ecoutez ! s'écria Cate, tout excitée par son idée. Je crois que...

— Chut ! intima Wickie Lee. Ces deux-là sont presque hors circuit. Je vais les balader encore une ou deux minutes et j'essaie-rai de les coucher. Je ne dis pas cela pour vous chasser, pas du tout, mais si vous vouliez bien parler plus bas ?

— J'ai une idée », susurra Cate avec une discrétion exagérée. Elle était un peu vexée, mais il serait stupide de renoncer à son inspiration pour une petite question d'amour-propre. « Pendant que vous vous occupez des bébés, si j'allais nous acheter deux hamburgers ? J'ai repéré un McDonald en venant ici. Je n'ai pas dîné et je suppose que vous ne regretterez pas trop votre casse-croûte mexicain.

— Il n'était pas très bon, avoua Wickie Lee. Il est resté trop longtemps au frigo.

— Avec des frites ? » Elle joua avec ses clés et fit une grimace malicieuse.

Elle lut l'instant d'hésitation sur le visage de la jeune femme et cette réaction d'orgueil ne fut pas pour lui déplaire.

« Je crois que je connais un boulot qui vous irait comme un gant, Wickie Lee. Nous en parlerons en mangeant, si vous vou-lez. Vous pourrez toujours me rembourser plus tard. »

Quand Cate réintégra le domicile maternel, aux alentours de neuf heures, le téléphone sonnait. C'était sa mère qui voulait lui souhaiter un bon anniversaire.

« Où étais-tu passée ? J'ai essayé de te joindre toute la journée.

— Oh, dit Cate, je me suis offert un peu de distraction.

— Tu... tu as ? » Nell semblait à la fois surprise et sur ses gardes.

« Je suis allée rendre visite à l'oncle Osgood cet après-midi. Fantastique ! C'est un autre monde, chez lui. Ces roches runiques qui se dressent au milieu des champs, ces grandes étendues vertes. Je crois que je vais profiter de mon séjour pour aller souvent me balader par là-bas.

— Comment va Osgood ?

— Très bavard. Il ne vit plus seul.

— Quoi ? »

Cate savoura la stupeur maternelle. Elle savait parfaitement que, dans la famille, elle était celle qui rapportait toujours un élément de surprise, une nouveauté étonnante du voyage le plus banal, même sans s'être aventurée hors du cercle familial. Elle expliqua qu'Osgood hébergeait deux jeunes garçons au pair et raconta tout l'épisode du gâteau au chocolat. Nell rit beaucoup. Mais Cate ne parla pas de Percy Clamp. Pour ne pas trahir la confiance d'Osgood.

« Tu rentres juste de Big Sandy, si je comprends bien ? demanda Nell.

— Pas du tout. J'étais là vers six heures. J'ai acheté une bouteille de champagne comme tu me l'avais dit, mais je n'ai pas encore eu le loisir de la déboucher. Tante Thea a appelé...

— Tante Thea ? Vous avez donc cessé les hostilités ?

— Pas exactement. En fait elle voulait te parler à toi et a dû se contenter de moi.

— Comment va-t-elle ?

— Elle récupère bien, apparemment. Elle a encore une jambe bloquée mais Azalea lui fait faire de la rééducation.

— Tu es allée chez elle ? Tu étais là-bas pendant que j'essayais de t'appeler il y a environ une heure ?

— Non, nous n'en sommes pas encore à ce stade. J'ai l'intention d'aller lui rendre visite. Demain peut-être. J'ai besoin d'avoir une conversation avec elle. En réalité, je rentre de chez Wickie Lee avec qui je viens de passer un moment fort agréable.

— Ça alors ! s'exclama Nell en riant. Voilà de quoi exciter sérieusement ma curiosité.

— C'est aussi la curiosité qui m'a incitée à aller là-bas. C'est du reste la mission que voulait te confier tante Thea. Elle craignait que son ex-protégée ne se trouve en situation de détresse. Wickie Lee avait téléphoné, mais elle raccrochait dès qu'Azalea répondait.

— Et elle a effectivement des problèmes ?

— Oui, mais si les choses s'arrangent comme je l'espère, elle ira beaucoup mieux sous peu. Cette Rita avec qui elle habite lui a noirci le tableau de sa situation sur le plan administratif afin de l'exploiter plus facilement.

— Tu as rencontré Rita ?

— Non, elle était sortie avec son petit ami. Je dois dire que dans le genre, ils sont très au point. Lui est le père des deux enfants et semble leur donner présence, affection, etc., mais tiens-toi bien : ils économisent pour s'acheter une maison. Or, s'il vivait avec Rita, elle ne toucherait pas d'allocation parent isolé. Et puis il vend les poupées de Wickie Lee dans un vague truc pour touristes chics, cinq dollars pièce. Tu comprends qu'il empoche l'essentiel. Même les petites poupées ordinaires que l'on voit dans toutes les boutiques à souvenirs coûtent autant. Au fait, verrais-tu un inconvénient à ce que Wickie Lee puise dans tes vieux chiffons ? Tu dois avoir des tas de chutes de tissu de l'époque où tu cousais nos robes de petites filles ?

— Bien sûr que non, qu'elle prenne ce qu'elle veut, dit Nell. Mais comment les choses peuvent-elles s'arranger pour elle ?

— Bon, eh bien, j'ai eu la visite de la femme de Jerome Ennis — nous étions au lycée ensemble —, et il se trouve qu'elle cherche une femme pour habiter dans l'école maternelle qu'elle a créée. Ce serait la solution parfaite pour Wickie Lee. De toute façon, elle veut rester chez elle avec son bébé. Alors, elle peut bien le faire avec une douzaine de mioches en supplément, et moyennant finances. Il faut que j'appelle Teenie Ennis. Mais je tiens à consulter tante Thea au préalable. Si elle acceptait de se porter garante pour Wickie Lee, en tant que membre de sa famille, cela ferait une excellente référence. Teenie est un peu snob. Dis-moi, attends ! J'ai oublié de te le dire : Wickie Lee est cousine avec Theodora.

— Décidément, tu es spécialiste en surprises. Mais comment... qui... » Nell rit de s'entendre bafouiller.

Cate expliqua pour Fletcher, le grand-oncle de Theodora. « ... et tante Thea le savait depuis le début. Elle était au bureau d'accueil ce jour-là. Les autres femmes n'ont même pas été mises au courant. Quand elle a découvert que Wickie Lee était une Blount, elle l'a immédiatement escamotée, direction Edgerton Road. Elle a tout de même éprouvé quelques remords à mentir à papa. Mais elle voulait d'abord voir comment allait évoluer la situation. Wickie Lee croit qu'elle tenait à s'assurer que le bébé n'aurait pas la peau trop foncée... ou ne porterait pas les stigmates manifestes de l'inceste.

— Tu as trouvé qui était le père ?

— Ecoute, maman. N'en demande pas trop en une seule journée : non, elle est résolument muette sur ce chapitre. Encore que j'aie ma petite idée. Elle habitait chez sa sœur mariée, dont elle gardait les enfants. Or, elle paraissait morte de peur, à l'idée que son beau-frère puisse retrouver sa trace et venir la rechercher.

— Pauvre gosse. Ce serait bien que tu puisses l'aider. » Un temps de silence. « Tu n'as pas dû chômer, aujourd'hui.

— Et toi ? Où en êtes-vous, là-bas ? Comment va-t-elle ? »

Soupir de Nell. « Il faut que je parle bas. Bien que je ne pense pas qu'ils puissent m'entendre. Je suis au rez-de-chaussée et eux sont en train de regarder un film dans leur chambre. Après la première piqûre que lui a faite son médecin traitant, elle a eu plusieurs jours d'euphorie. Mais... bref, elle coule lentement. Et puis il y a autre chose qui me chagrine, que je lis sur son visage. Je crois qu'elle baisse les bras. Je ne pense pas — la voix de Nell se fit à peine plus forte qu'un murmure — que je sois encore là pour bien longtemps.

— Maman ! Je suis désolée.

— Moi aussi. Mais ne t'inquiète pas pour moi surtout. Il m'est venu de bien étranges pensées ce soir. Après avoir fait la vaisselle avec Marcus, je suis sortie faire un tour. Des nuages inhabituels plombaient le ciel et je songeais à mon bonheur d'être là où j'étais, toute seule dans une rue inconnue de Virginie. Je me suis alors rappelé le malaise que j'avais éprouvé pendant les premiers jours de mon séjour ici. Je ne t'en ai pas parlé, mais je me suis véritablement sentie coincée, furieuse d'avoir abandonné la vie indépendante que je mène à Lake Hills. Enfin, j'avais promis de venir, et puis elle est adorable avec moi, et ils sont tous les deux très attentifs à respecter mon intimité, mais je m'étais tellement bien habituée à mon indépendance. C'est alors que m'est venue cette pensée bizarre. Presque comme si j'entendais ma propre voix, sortie des nuages : *L'indépendance, on l'a dans sa tombe.* Or, me suis-je dit, je ne suis pas encore partante pour la tombe. J'ai eu un sentiment de... quasi-immortalité, ces dernières semaines. Une réaction sans doute au fait de vivre parmi des êtres dont la mortalité n'est que... trop évidente ; je me souviens de l'époque où j'étais infirmière. Mais je me sens pleine de vie et gâtée par le destin. A mon retour à Mountain City, je vais me chercher un travail. J'aimerais bien trouver quelque chose dans un hôpital, ou une clinique peut-être. J'aurai sans doute besoin d'un sérieux recyclage, on a fait tellement de progrès depuis mon époque... J'aurais aimé être au courant des nouvelles techniques d'injection, cela m'aurait permis de faire ses piqûres à Merle. Cate, j'ai tellement de temps libre. Je me sens un peu redevable de tant de bonne fortune. Comme si je devais m'en dédouaner. »

Puis vint le petit rire sec que Cate connaissait bien. Il signifiait que Nell avait frôlé l'épanchement : Qui en aurait été gênée ? Certainement pas Cate.

« Tu ferais une infirmière fantastique, dit Cate.

— Je n'étais déjà pas si mauvaise avant ta naissance. » Puis, pour compenser la nuance involontairement accusatrice de ses paroles, elle ajouta doucement, avec une espèce de timidité : « J'ai pensé à toi à dix-neuf heures quinze ce soir. Comme d'habitude à cette date. Je me souviens de ce que je ressentais, moins à dix-neuf heures quinze — l'accouchement naturel n'était pas encore largement répandu, si bien que j'étais passablement abrutie — que plus tard, quand on t'a ramenée dans ma chambre. Tu criais et agitais tes petits poings dans le vide ; tu avais les paupières gonflées et fermées à cause du nitrate d'argent qu'on mettait dans les yeux. Tu n'étais qu'un misérable paquet de sept livres, sept livres de questions douloureuses et moi je n'avais aucun moyen de t'expliquer ce qui se passait. J'étais terrifiée de te voir si petite, si neuve, toi qui ne comprenais pas si ce qui t'arrivait serait la fin ou le début du monde. J'étais ta mère et je n'avais aucun langage, rien pour te passer le moindre message. J'en avais le cœur brisé. Je me sentais tellement inutile, moi qui n'avais d'autre pouvoir que celui de te tenir dans mes bras. Et puis tu as fini par cesser de pleurer et prendre ton biberon. Ce n'était donc la fin du monde pour personne. Mais jamais je n'oublierai cette terrible impuissance. Tu étais... totalement au-delà de moi. Avec Lydia, les choses ont été plus faciles. On me l'a amenée, elle pleurait. Je l'ai prise dans mes bras en sachant qu'on ne m'en demandait pas davantage. Elle a paru en convenir et s'est arrêtée de pleurer instantanément. Tout s'était passé comme si j'avais réussi à lui communiquer ma certitude, certitude que je n'avais certainement pas pour toi. Cette sérénité t'a fait défaut mais, d'une certaine façon, Lydia a également été flouée. J'étais tellement occupée à faire ce que je savais faire que j'ai oublié la peur.

— Je préfère avoir eu la peur, dit Cate. Trop d'assurance, dès le début, aurait risqué de nuire à mon style.

— Tout est bien, donc ? » dit Nell après un court silence. Elle rit. Mais ce rire était un rire de reconnaissance à retardement.

« N'est-ce pas ? » fit sa fille qui choisit de rire également.

Epilogue
(1984)

Nous ne tenons pas notre force de notre pouvoir de pénétration, mais de notre aptitude à établir des filiations.

Le monde s'agrandit pour nous, non par addition d'objets nouveaux, mais par la découverte d'affinités et de potentialités supplémentaires dans ceux que nous possédons déjà.

EMERSON, *Success.*

Lydia quitta la nationale pour s'engager sur la petite route qui montait à Big Sandy. « Tiens ils ont goudronné, dit-elle, quand papa nous amenait ici, à l'époque où nous étions gamines, il n'y avait qu'un vieux chemin plein de cailloux et de poussière. » La voiture neuve réagissait bien ; elle prit le virage en douceur et le moteur rétrograda en souplesse pour aborder la montée. Mais elle regrettait néanmoins sa bonne vieille Volvo qui n'avait pas d'embrayage automatique. Lydia était furieuse contre Dickie qui la lui avait définitivement emboutie, tout en remerciant le ciel qu'il n'ait pas été blessé dans l'accident. Et comme sa vie ne lui appartenait pas tout à fait, elle s'était sentie obligée de donner le bon exemple en achetant une belle américaine.

« C'est très beau, comme région, dit Stanley. Tu te rends compte de la puissance tellurique qu'il a fallu pour créer de tels paysages. Hé, Liza Bee — il se retourna vers l'enfant attachée dans son petit siège, sur la banquette arrière. Regarde cet arbre tout rouge ? Tu as déjà vu un arbre aussi rouge ?

— Tu as déjà vu un arbre aussi rouge ? » répéta l'enfant dans une imitation parfaite et comique de l'intonation de l'adulte.

Liza Bee, qui venait d'avoir quatre ans en septembre, était en pleine phase de mimétisme. Elle déconcertait tout le monde par son surprenant talent à débusquer certaines idiosyncrasies ou accents particuliers révélant le véritable message transmis par la phrase épinglée. Ainsi venait-elle de reproduire à la perfection la voix de fausset de Stanley qu'il n'utilisait qu'avec elle et dont les tendres intonations signifiaient à l'évidence qu'il se souciait davantage de sa réaction à elle que de l'existence de n'importe quel arbre rouge.

Séduit, Stanley échangea un regard de connivence émerveillée avec Lydia. Une Lydia qui n'était pas vraiment conquise, encore que l'intelligence de Liza la remplît d'aise. Mais il était normal que la fille de Max fût intelligente. Et jolie de surcroît, avec une finesse de traits qui n'était pas sans lui rappeler Leo bébé ; par moments, Lydia finissait par oublier complètement que cette adorable petite était la fille de Lizzie et non la sienne. Mais ils la gâtaient honteusement, tous autant qu'ils étaient : elle, Stanley, Dickie, Leo, sa mère, Renee et Camilla ; et Lizzie quand elle était là. Déjà, à l'âge de quatre ans, Liza Bee (Eliza Broadbelt Mansfield) avait connu plus de maisons et de monde que Lydia au cours des dix-huit premières années de sa vie. Cependant, il faudrait bien quelqu'un parmi tous ces ersatz de papa-gâteau, pour faire comprendre à ce vif-argent qu'il existait certaines limites, et Lydia avait vaguement l'impression que cette tâche lui incomberait. Elle devait bien ce service à Max, mort avant d'avoir vu son unique fille âgée de trois mois.

« L'endroit paraît mieux tenu qu'autrefois, dit Lydia tandis que la voiture poursuivait sa montée en lacets dans les montagnes. Apparemment, on n'a rien construit de neuf, rien abîmé, non... simplement l'endroit fait... plus net. Sans doute l'effet de tout cet argent caché. Les soufistes ont une propriété dans le secteur et les bouddhistes un monastère ; je lisais d'ailleurs qu'une compagnie nationale venait d'acheter quelque cinq cents hectares en haut de Big Sandy : ils veulent faire un de ces "villages méta-industriels" spécialisés dans la fabrication de petits ordinateurs. A moins que ce soit les soufistes qui se lancent dans l'informatique. » Par sa vitre, elle regarda un champ hérissé de chaume et poussa un profond soupir. « Si seulement je savais ce qui nous attend aujourd'hui ! Mon Dieu !

— Mon Dieu ! » répéta en écho la petite voix flûtée de Liza Bee.

Stanley éclata de rire. Mais un coup d'œil en direction de Lydia suffit à tempérer son hilarité. « Il n'y a rien de franchement horrible à redouter, si ? demanda-t-il. Elle donne cette fête en l'honneur de Leo et de Camilla. C'est bien la preuve de ses bonnes dispositions, à ton égard comme au leur, non ?

— Leo et Camilla, psalmodia la petite fille. On va voir Leo et Camilla ? gloussa-t-elle de plaisir.

— Oui, Liza, dit Lydia. Ils viennent spécialement de Chapel Hill. En voiture. » Lydia se promit d'éliminer les « Mon Dieu ! » de son vocabulaire. Elle faisait très affectée parfois, ce qui n'était pas le comble de la séduction.

« Spécialement pour me voir ? interrogea la petite.

— Spécialement pour te voir, roucoula tendrement Stanley.

— Spécialement pour nous voir tous », rectifia Lydia.

Stanley vit les mains gantées de cuir de Lydia se crisper sur le volant. Elle ne ressemblait plus à la femme qui était venue négligemment à sa rencontre, à la sortie du Club Santé, cinq ans plus tôt : la Lydia de cette époque était plus douce, plus en rondeurs ; elle arborait la même fierté, mais sa sensibilité affleurait plus aisément. Il est vrai qu'avec une telle habitude de contrôler la moindre de ses réactions, une telle capacité de se voir n'importe quand avec les yeux d'un vaste public, on devait apprendre à ne jamais se laisser surprendre et doser avec une précision arithmétique l'exacte part de sentiment que l'on entend laisser transparaître. De même qu'il avait progressivement accepté — sans enthousiasme — de voir disparaître les courbes féminines de sa silhouette tandis qu'elle passait du classique quarante-deux à un petit trente-huit, de même savait-il maintenant détecter et décoder les signaux de détresse qu'elle lui adressait avec la même économie. Ces doigts qui cramponnaient subitement le volant, il était censé les remarquer ; elle avait besoin d'être rassurée. Elle qui pouvait se permettre d'appeler le gouverneur au téléphone et d'improviser une interview, elle qui était capable de collecter deux cent cinquante mille dollars en une heure pour financer un centre de jeunes, et savait convaincre quelques milliers de femmes d'aller reporter chez le marchand les pots de chutney d'une marque donnée, sous prétexte que les fabricants avaient triché sur la proportion de mangue, elle avait encore besoin d'être rassurée, autant, sinon plus, que la Lydia d'autrefois, celle dont le visage trahissait si facilement les sentiments profonds.

« Hé, range-toi un moment sur le bas-côté que nous puissions admirer le paysage, dit-il. Viens, on va se dégourdir un peu les jambes dans l'herbe verte. Nous avons tout le temps.

— C'est vrai, dit Lydia en garant la voiture. Je n'ai aucune envie d'arriver la première. »

Ils détachèrent Liza Bee et lui prirent chacun une main, pour l'aider à dévaler la pente herbeuse qui descendait dans la prairie. A leurs pieds, des fermes et des champs d'argile claire se nichaient dans les recoins de la vallée ; à l'horizon se dessinaient les crêtes déchiquetées des sommets tout proches.

Lydia inspira profondément l'air pur avant de pousser un immense soupir. « Merci. J'en avais bien besoin. Quel calme et quelle pureté dans ces montagnes ! On finirait par oublier que l'on est au XXᵉ siècle.

— Et pourtant... Moi, ce qui me surprend, c'est que le temps continue de s'écouler. »

Avec un petit rire, elle appuya sa tête contre lui. « Lors de notre première rencontre, tu m'as dit qu'un jour nous serions tous obligés de courir pour avoir la vie sauve. C'est pour cela que tu essayais que les gens aient les pieds en bon état.

— Oui, et je continue d'œuvrer dans ce sens. D'ailleurs, les pieds vont de mieux en mieux. Mais je ne me risquerais pas à prétendre que nous n'aurons pas à les mettre à rude épreuve. Le fait que nous n'ayons encore rien vu ne signifie pas qu'il faut cesser de se préparer. » Il la prit par l'épaule, regarda Liza Bee courir vers une touffe de fleurs bleues qu'elle venait d'apercevoir près d'un pied de cornouiller. « Je sais bien que Dickie et toi prenez mon abri antiatomique pour une douce toquade, chicana-t-il tendrement. J'espère que nous n'en aurons jamais besoin, mais je suis tout de même bien content de l'avoir.

— Moi aussi. Ai-je jamais prétendu que je n'aimais pas y passer la nuit ? » Elle lui donna un coup de hanche sensuellement explicite. Puis reprit son sérieux, indiquant ainsi, comme il le lui avait vu faire cent fois à la télévision, qu'elle allait émettre une idée de la première importance : « Tu sais, j'ai l'impression que certaines personnes redoutent les catastrophes à un niveau très général, ce qui est ton cas ; et puis il y a tous ceux dont l'angoisse est plus personnalisée, et je dois faire partie de ce lot. Quand tu imagines la catastrophe, tu vois tout de suite des milliers de victimes, alors que moi je m'inquiète pour Leo, Dickie, maman... et toi bien sûr. Je ne prétends pas avoir raison, mais nous vivons nos angoisses sur un mode différent. Peut-être faut-il y voir une opposition entre le monde masculin et le monde féminin. L'ennui — j'y réfléchissais justement pendant que nous montions jusqu'ici, tout à l'heure —, c'est que ni toi ni moi ne pourrons jamais prévoir assez concrètement pour y faire face la façon dont la catastrophe tant redoutée se produira. Je m'explique : dans le cas où — Dieu nous en garde — une attaque nucléaire serait déclenchée en Caroline du Nord, nous ferions peut-être partie des heureux survivants grâce à tes réserves d'aliments déshydratés et l'épaisseur des murs de béton de l'abri que tu as installé sous ta fermette, mais, d'un autre côté et à Dieu ne plaise, pendant que nous roulons sur cette route, rien n'empêcherait un paysan à qui notre tête ne revient pas de faire un carton sur nous. On ne peut jamais savoir. Si quelqu'un m'avait dit, il y a cinq ans, qu'un drame s'abattrait sur notre famille, eh bien, j'aurais sans doute songé à une histoire concernant Cate ; la dernière chose que j'aurais imaginée, c'est bien que Max... allait s'effondrer, comme ça... alors qu'il était tranquillement assis à son bureau en train de calculer quelque chose sur sa machine. » Les yeux de Lydia s'emplirent de larmes ; malgré les quatre années écoulées depuis la mort de Max, elle ne pouvait toujours pas en parler sans pleurer. « Tu comprends, il était là, tout allait bien pour lui... Lizzie... le bébé à venir... il avait même perdu tous les kilos qu'il voulait perdre. On ne peut pas parer à toute éventualité. Au moment précis où l'on croit avoir fait le tour complet de la situation, un événement totalement imprévu surgit, sans préavis. »

Elle se mordit cruellement la lèvre inférieure pour se ressaisir. « Liza Bee, cria-t-elle, si tu veux cueillir des fleurs, fais-le correctement, avec des grandes queues. Oui, c'est bien. Fais un joli bouquet pour Cate. » Elle passa le bras autour de la taille de Stanley et répéta encore « Si seulement je savais ce qui nous attend aujourd'hui...

— Tu compliques les choses », dit Stanley qui n'ignorait rien de la discorde qui régnait entre les deux sœurs. Avant de rencontrer Cate, à l'enterrement de Max, il ne savait pas trop à quoi s'en tenir. Or il fut agréablement surpris par la jeune femme apparemment normale qui avait abandonné son travail à New York pour prendre l'avion et venir dans une tenue appropriée aux circonstances manifester sa sympathie à tout le monde ; sa présence avait d'ailleurs été d'un grand réconfort pour Dickie, profondément affecté par la mort de son père. « Pourquoi ne pas voir les choses avec simplicité ? Elle organise une fête parce qu'il fait beau, parce qu'elle se trouvait dans l'Ouest pendant tout l'été sans possibilité de se libérer pour le mariage de Leo, et parce que maintenant, elle a une maison à elle. Tu te rappelles la fiesta que j'ai faite le jour où j'ai pu acheter ma maison ? Pourquoi ne pas la prendre au mot ? Nous sommes invités à une fête familiale en l'honneur des nouveaux mariés.

— Tu as raison, soupira Lydia. Sauf qu'avec Cate, il y a toujours des surprises possibles.

— C'est la vie, chérie. Tu le dis toi-même. Cate n'a pas l'exclusivité de ce genre d'imprévu. » Il l'embrassa sur le sommet du crâne. Le parfum de ses cheveux lui procurait encore un plaisir érotique. Lydia était la femme de sa vie. C'était pour lui un fait acquis. Cependant, de même que l'on accepte la myopie ou l'infirmité de l'être aimé, lui s'était fait à l'idée que Lydia ne serait jamais pleinement heureuse. Apparemment, il y avait incompatibilité entre sa personnalité et l'aptitude à profiter de ces moments privilégiés de l'existence que certains nomment

543

bonheur. Lydia n'était pas douée pour le bonheur. Elle avait son émission de télévision, elle gagnait de l'argent, il lui vouait une adoration absolue, et pourtant elle continuait de balader son petit nuage d'insatisfaction partout où elle allait. La sécurité, la célébrité et l'amour dont elle était l'objet ne suffisaient pas à lui ôter toutes ses angoisses et elle continuait à prévoir des catastrophes auxquelles elle ne pourrait faire face. Elle ne voulait pas se marier, disait-elle, pour ne pas tenter les dieux : voir ce qui était arrivé à Max et Lizzie.

Pourtant, à intervalles réguliers de quelques mois, ou chaque fois qu'elle perdait un peu de sa confiance en elle, Lydia demandait : « Stanley, tu as toujours envie de m'épouser ? » Sa réponse immuable lui redonnait le moral et lui permettait d'affronter quelques mois de plus. Jusqu'à la prochaine crise de culpabilité. (« Si je n'étais pas là, tu pourrais épouser une femme plus jeune qui te donnerait des enfants. — Je ne veux pas d'autre femme et puis j'ai Liza. Je suis pratiquement son père ; elle passe ses weekends chez moi et j'héberge son poney. Je ne suis pas sûr d'aimer un autre enfant autant qu'elle. Liza Bee est la petite fille que j'aurais commandée). »

« Je me demande pourquoi tu continues à me supporter », dit Lydia quand ils furent dans la prairie. Dans l'état d'énervement où elle se trouvait à cause des retrouvailles imminentes avec Cate, elle était prête à lui demander s'il voulait encore l'épouser. Lui manquait d'assurance dans l'air raréfié par l'altitude. Entouré par l'immensité bleutée des montagnes protectrices, il se sentait dangereusement coupé de la Catastrophe Imminente qui lui servait à la fois de réconfort et de mode de raisonnement. Sur ces hauteurs, il devenait trop facile de croire qu'on survivrait au siècle. *Pourquoi ne pas nous marier ?* Il se voyait la secouant par les épaules. *Tu peux garder ton indépendance tout en étant mienne. Ce qui est le cas en ce moment. Quelle est la raison profonde de tes réticences ?*

Mais quelle serait sa réponse, mise au pied du mur ? Après tout ce temps, il n'avait aucune certitude. C'est pourquoi il préférait tenir que courir ; il serra donc Lydia dans ses bras pour lui offrir le réconfort dont elle avait besoin et rappela Liza Bee. La fillette arriva en courant sur ses petites jambes minces comme des flûtes. Elle avait les mains pleines de fleurs bleues et de mauvaises herbes coupées à la racine. Stanley ramena sa pseudo-petite famille jusqu'à la voiture.

« Si seulement Renee était venue avec Leo et Camilla, dit Lydia. J'aurais eu moins d'appréhension à affronter Cate en présence de Renee. Mais elle ne vit plus que pour ses manuels de droit. A croire qu'elle s'est jurée de ne plus jamais s'accorder la moindre détente depuis l'épouvantable gâchis de Greensboro. Mais qui aurait pu prévoir une telle tragédie ? »

« Leo, ce n'est pas la nouvelle voiture de ta mère que je vois là-bas ?

— Si, je reconnais sa plaque d'immatriculation.

— Tu ne crois pas qu'il faudrait s'arrêter ?

— Non. Liza Bee devait sans doute avoir un petit besoin à satisfaire.

— La pauvre gosse. » Camilla tordit son long cou gracile pour regarder la voiture, après le tournant de la route en lacets. « Oui, je reconnais ta mère et Stanley, bras dessus bras dessous, là en bas. »

Froncement de sourcils de Leo. « Liza Bee n'est pas précisément une pauvre gosse. Les gens font la queue pour s'occuper d'elle, et un jour elle sera riche.

— Oui, mais sa maman est toujours partie par monts et par vaux pour son travail et elle n'a jamais connu son gentil papa, dit Camilla de cette belle voix grave aux accents britanniques à côté de laquelle toutes les voix féminines paraissaient criardes ou vulgaires aux oreilles de Leo. Rien, ni personne, pas même la plus grande des fortunes, ne compensera jamais cette absence.

— Viens près de moi. Pourquoi te serres-tu contre cette vitre ? » Il venait de se rappeler que Camilla aussi avait été privée de la présence de sa mère quand elle était petite ; comme Lizzie Broadbelt, Renee s'occupait alors de sa carrière. Quant au père de Camilla, eh bien, Leo se dit que mieux valait ne pas avoir connu son père, mort prématurément, mais dont tout le monde chantait les louanges, que d'avoir vécu dans l'angoisse de voir le repris de justice qui vous servait de père venir rôder à la sortie de son école chaque fois qu'il bénéficiait d'une remise de peine. A l'heure actuelle, il était « bouclé », ce qui leur avait épargné le souci de s'interroger sur l'opportunité de l'inviter au mariage, avec le risque de le voir débarquer. Ils lui avaient envoyé des photos polaroïd de la cérémonie et une part de gâteau.

Camilla se rapprocha, jusqu'à le toucher. « Mais ne me prends pas par le cou. Tu as besoin de tes deux mains pour conduire sur cette route.

— J'ai appris à conduire dans ces montagnes quand j'avais quatorze ans. Mon grand-père m'emmenait sur des routes semblables et m'enseignait l'art de tenir un volant.

— J'aurais bien aimé le connaître. Je suis jalouse de ton passé. Je voudrais que ta vie antérieure soit comme un grand film que je pourrais regarder, tranquillement assise dans un fauteuil. Depuis le jour de ta naissance, dans une maternité londonienne, jusqu'à celui où tu es venu me rendre visite à Battle Abbey, pendant la première semaine à Turnbridge.

— Idiote, un tel film, il te faudrait seize ans pour le voir en entier. Et pendant ce temps, qu'est-ce que je ferais moi, le Leo qui vit avec toi aujourd'hui ?

— Hum ! Je n'avais pas pensé à cet aspect de la question. Eh bien, je pourrais le regarder par épisodes... comme un feuilleton télévisé... un petit bout tous les soirs.

— Non, tu te dois au Leo de maintenant. J'ai signé pour t'avoir avec moi tous les soirs. Pourquoi voudrais-tu regarder un petit garçon banal vivre les désordres de l'adolescence ? Ma vie n'a commencé à prendre forme que le jour où j'ai franchi le seuil du salon de Battle Abbey.

— Moi... j'en étais encore... aux désordres de l'adolescence, justement », répliqua-t-elle avec les intonations songeuses qui faisaient le charme envoûtant du rythm and blues. Mais elle posa sa main gauche, celle où brillait le large anneau d'or, sur le genou de Leo qu'elle serra fortement. Il sentit passer entre eux l'irrépressible courant de leur union ; puis il compta les heures qui les séparaient encore de l'instant où il pourrait se retrouver seul avec elle. Sa grand-mère les prierait sans doute de passer la nuit chez elle, à Lake Hills. Il avait déjà prévu de lui dire qu'ils devaient absolument rentrer à Chapel Hill — à cause des examens de Camilla, et des siens ; avec un peu de chance, ils pourraient donc être enfin seuls, dans un motel, aux alentours de sept heures. Cette fête était donnée en leur honneur, ils ne pouvaient décemment pas s'éclipser avant la fin de l'après-midi.

« De toute façon, dit-il, tandis qu'une bouffée de bonheur réchauffait ses poumons à l'idée de l'échéance de sept heures, tu vas avoir l'occasion de rencontrer un nouvel exemplaire, et non des moindres, de la galerie familiale. J'ai nommé ma cinglée de tante Cate.

— Donne-moi un exemple de ce qui lui vaut cette réputation de cinglée. »

Leo fouilla sa mémoire. Il y avait la manifestation où sa tante avait entraîné ses élèves, plusieurs années auparavant. Toutes ces fillettes avec qui elle avait bloqué l'entrée du Lincoln Tunnel. Lui-même n'était à l'époque qu'un petit garçon, mais il se souvenait de l'exaspération de ses parents, profondément choqués par une telle initiative. Pourtant, d'un seul coup, le scandale cessait d'être évident. L'oncle de Camilla, avocat en vue à Atlanta, participait constamment à ce genre de démonstration publique, chaque fois que le Ku Klux Klan ou autre avatar de la Coalition Blanche perpétrait un nouveau méfait, Warren Peverell-Watson mettait son costume et sa cravate, comme pour aller à l'église, et il rejoignait ses amis au centre de la ville pour une marche de protestation. Et puis, tante Cate n'était-elle pas retournée à New York, il y a quelques années, pour travailler à la tête de Dieu sait quelle fondation avec le mari de l'une des fillettes en question ? Cette manifestation avait donc probablement moins choqué les foules que sa propre famille.

« Ce n'est pas tant ce qu'elle fait, dit-il, que... bref, on ne sait jamais trop ce qu'elle va inventer. Tu comprends, avec la plupart des gens, dès lors que tu les connais, tu peux penser à eux quand ils ne sont pas là en sachant plus ou moins à quoi t'en tenir. Avec ma tante, impossible. Au moment où tu la crois à un endroit, elle surgit à un autre.

— *El camino es mayor que la posada*, dit Camilla. A moins que ce ne soit *esta mayor que* ? » L'espagnol faisait partie des langues qu'elle étudiait. Tous les deux avaient l'intention d'entrer aux Affaires étrangères s'ils étaient reçus au concours d'entrée, le printemps prochain. Le fonctionnaire de Washington qui était venu leur faire subir un entretien sur le campus avait émis un avis très favorable en précisant que le ministère avait justement besoin « de couples exemplaires », pour le citer exactement. « Peut-être que ta tante Cate est de la race des Don Quichotte, dit Camilla, et qu'elle fait partie des voyageurs qui préfèrent la route à l'auberge.

— Mais je me souviens encore du carnet d'adresses de maman. Les diverses adresses de ma tante, rayées au fur et à mesure de ses déménagements, remplissaient deux pages complètes. Avoir la bougeotte, c'est parfait quand on est jeune, mais tante Cate commence à prendre de l'âge. Maman dit qu'à ce point de vue, c'est probablement une bonne chose que le vieux cousin de grand-père lui ait légué sa maison. Encore qu'en toute équité, l'héritage aurait dû être partagé entre les deux sœurs. Mais maman s'est montrée belle joueuse. D'après elle, elle n'a jamais vraiment fréquenté ce vieux fou, alors que, les derniers temps, tante Cate et lui étaient devenus très proches. Et puis maman n'a que faire d'une maison. Alors que tante Cate en avait davantage besoin. Espérons seulement qu'elle ne va pas trouver encore une folie à commettre avec ses terres.

— Quoi, par exemple ?

— Oh, avec cinquante hectares, elle n'aura que l'embarras du choix. Monter un camp de caravaning pour les anciens détenus libérés sur parole... faire un refuge pour les chiens et les chats abandonnés... elle ne doit pas manquer d'idées.

— Eh bien, j'ai hâte de faire sa connaissance. Toutes les familles ont besoin de leur tante Cate. D'ailleurs, le joli poncho qu'elle m'a envoyé du Nouveau-Mexique n'était pas une folie répréhensible. Il met parfaitement en valeur la couleur de ma peau.

— Tout te va à la perfection. » Ce qui relevait de la simple évidence. Camilla avait la plus belle peau de la terre. En fait, sa peau avait la couleur de cette terre. Leo avait la certitude que si une créature venue d'une autre planète débarquait ici sans préjugés, animée du seul culte de la beauté, parmi toutes les belles femmes de toutes les races existant sur cette terre, force lui serait de reconnaître que Camilla était la plus saine ; la fleur entre les fleurs, toutes espèces confondues.

Pourtant, il avait surpris la remarque de cette femme à sa compagne, un jour qu'ensemble ils faisaient leurs courses au supermarché de Chapel Hill : « Superbe ce couple, mais... » Elle avait baissé la voix — pas tout à fait assez — tandis que leurs chariots se croisaient, avant d'ajouter : « Mais je plains les enfants à venir. » Leo jeta un coup d'œil furtif à Camilla qui poursuivait son chemin, avec la sérénité altière que lui donnaient son port de reine et ses cheveux tressés en une seule lourde natte. Elle souriait distraitement à une rangée de jus de fruits en boîtes. Furieux, il s'était retourné : le visage fripé d'une matrone moricaude le défiait du regard, en dépit de la bouche peinte en rouge qui dominait mal une légère contraction à la commissure des lèvres. *Elle l'a fait exprès*, comprit Leo avec effarement ; et maintenant, elle a peur que je lui réponde — voire que je l'attaque ; ou plutôt elle n'attend que ça ; en fait, ce qui lui ferait vraiment plaisir, c'est que je sois aussi foncé de peau que Camilla et que je lui saute dessus. Il s'était retourné, écœuré par cette prise de conscience ; Camilla avait eu raison de ne pas sourciller, alors qu'elle avait parfaitement entendu ; mais Camilla avait des années d'expérience derrière elle.

« Pourquoi faut-il que les jeunes de votre génération aillent chercher les complications ? » avait demandé Warren, l'oncle de Camilla et le frère de Renee, quand Leo, en jeune homme respectueux des traditions, était venu solliciter la main de Camilla auprès de l'actuel chef de famille Peverell-Watson. « Nous nous aimons, avait répliqué Leo, comme s'il était le premier homme de l'histoire à prononcer ces mots magiques. — Vous étiez en Angleterre, avait insisté Warren, ce qui vous a permis de vivre en marge de la réalité. Là-bas, vous aviez le bénéfice d'une double tolérance ; en premier lieu, vous n'étiez citoyens britanniques ni l'un ni l'autre et, en second lieu, on savait parfaitement que vous alliez repartir dans votre pays. — Mais nous sommes de retour depuis trois ans, lui avait rappelé Leo. Nous sortons presque tous les soirs à Chapel Hill et personne encore ne nous a jeté de pierres. — Chapel Hill est une oasis de raffinement dans un désert de fanatisme borné, avait encore insisté Warren, avant de demander : Qu'a dit votre mère ? — Ma mère est la meilleure amie de votre sœur, avait protesté Leo. — L'amitié et le mariage sont deux choses différentes. De même que sortir ensemble le soir à Chapel Hill n'est pas exactement convoler en justes noces. Qu'a dit votre mère ? » Warren l'avait observé attentivement, comme s'il avait été capable de percer à travers lui la première réaction de Lydia quand il lui avait annoncé la nouvelle ; la voir blanchir, puis rougir, puis cligner nerveusement les paupières pour chercher l'échappatoire impossible avant de formuler la réponse que Leo pouvait maintenant répéter avec la plus scrupuleuse honnêteté. « Je n'ai jamais douté que tu choisirais une jeune femme pourvue de toutes les qualités et Camilla me semble parfaite. » « De plus, avait ajouté Leo en son nom propre, nous sommes en 1984 ! — Exact, dit Warren dont la voix s'était un peu radoucie, et le vieux monsieur que je suis aura fait de son mieux pour vous mettre en garde. Il ne vous reste qu'à être parfaitement sûrs que l'amour qui vous lie sera plus fort que la haine accumulée par les autres. — Non, pas de problème à ce niveau », avait répondu Leo sans se laisser démonter. Et il ne put résister au plaisir de servir l'ultime argument qu'il avait préparé en cas de véritable réticence de la part de l'oncle de Camilla. « Voilà ce que je pense : Camilla, moi et d'autres qui nous ressemblent représentons l'avenir, si avenir il doit y avoir pour nous. Depuis toujours, les races ont cessé de s'entre-tuer le jour où elles ont remplacé la guerre par le mariage. Voyez les Ostrogoths et les Italiens. Voyez les Egyptiens. Voyez encore les Brésiliens. » Leo menait de front les études d'histoire et de sciences politiques. Puis il assena ce qu'il pensait être l'argument définitif : « Voyez les Peverell-Watson. — Justement, contre-attaqua l'oncle avocat de Camilla, en posant son regard empreint d'une sagesse un peu triste sur son futur neveu. Le Révérend Peverell n'a jamais épousé notre arrière-grand-mère. »

Les bras croisés, Cate jeta un ultime regard sur les préparatifs de la réception qui devait se dérouler sur la grande pelouse en pente douce. Deux tables avaient été dressées à côté du verger où le terrain était relativement peu accidenté, une pour la nourriture, qu'on ne sortirait qu'après l'arrivée des invités, la seconde pour les boissons. Deux tonneaux de cidre étaient déjà en place ; l'un contenait du cidre normal pour les adultes, l'autre du cidre non fermenté pour les enfants et les réfractaires aux boissons alcoolisées comme Wickie Lee et son mari, ou Sicca Dowling, l'amie de sa mère. Après un veuvage qui la laissait sans grandes ressources, Nell avait hébergé Sicca chez elle et l'avait aidée à se désintoxiquer. A présent, Sicca vivait dans le sous-sol de Lake Hills, aménagé en petit appartement donnant sur le jardin de derrière.

« Dieu merci, le beau temps a tenu », dit-elle à ses deux aides dont l'une disposait des couverts en argent artistiquement enroulés dans une serviette sur la première table, tandis que l'autre se donnait beaucoup de mal, mais avec un plaisir manifeste, pour respecter une géométrie complexe dans l'arrangement des verres, sur la seconde table. « A cette époque de l'année, on peut avoir des surprises. Mais regardez. Pas le moindre vilain nuage dans le ciel. Les arbres sont parés de leurs somptueux atours automnaux. La nature entière contribue à faire de cette fête une réussite ; reste à voir comment les gens en useront. »

A ces mots, l'homme qui était plongé dans la savante disposition des verres (en plastique, eu égard à l'important contingent d'enfants conviés aux réjouissances) sourit intérieurement ; la philosophie quotidienne de Cate n'avait apparemment aucun secret pour lui.

« Quel est le moment que tu préfères dans une fête ? demanda la jeune femme qui officiait avec l'argenterie. Juste avant l'arrivée des invités, quand tout est prêt mais qu'il ne s'est encore rien passé ; pendant ; ou bien après, quand on peut méditer sur le déroulement des opérations — à supposer que la réception n'ait pas été un fiasco ? » La jeune femme avait prononcé ces paroles en rougissant légèrement. Après deux mois de cohabitation, Cate l'intimidait encore un peu parce qu'elle était son aînée, qu'elle avait un goût redoutable pour le sarcasme et tenait des propos sans complaisance sur les êtres et les choses ; mais elle savait également qu'elle pouvait être la plus amusante et la plus correcte des femmes.

« Si je suis invitée, c'est très simple, je profite de la fête au fur et à mesure. Si c'est moi qui reçois, eh bien, il m'arrive d'apprécier les derniers préparatifs, lorsque tout est encore possible, alors que l'"après" me met probablement moins facilement en joie ; parce que je suis une idéaliste invétérée qui espère systématiquement plus qu'elle ne peut obtenir. Encore que, une ou deux fois dans ma vie mondaine... Enfin — Cate redressa le menton et fit mine de consulter le ciel bleu du mois d'octobre comme on interroge un oracle —, difficile de prévoir, dans ce cas précis. Il s'agit d'une fête un peu hybride. Tout est possible, bien sûr, mais, dans un certain sens, cette fête n'est que la suite d'une fête commencée il y a fort longtemps.

— Oh ! » fit la jeune femme. Puis, après avoir recompté les paquets de couverts disposés sur la table, elle ajouta : « Je crois comprendre ce que tu veux dire.

— Bien sûr que tu comprends, Heather », répondit Cate avec un sourire affectueux pour celle qui partageait son toit et celui qui était actuellement son invité. Cate était d'excellente humeur aujourd'hui.

« J'entends un bruit de moteur », dit l'homme qui terminait d'installer les verres en plastique.

Tous les trois s'immobilisèrent et tendirent l'oreille. « Seigneur, faites que Lydia n'arrive pas la première », murmura Cate. Heather éclata de rire « Nous sommes là pour te protéger. »

Le bruit s'amplifia. « Quelle que soit la personne qui monte, dit Cate, je suis sûre maintenant qu'il ne peut s'agir de Lydia. Il faut être particulièrement intrépide ou conduire un camion ou une jeep pour se risquer sur le chemin.

— Il s'agit d'un intrépide au volant d'un camion, dit l'invité tandis que le véhicule faisait une apparition cahotique et bruyante.

— C'est Tom, dit Cate. Bien ! Il apporte les chaises. » Elle avança à la rencontre de l'homme qui sautait de son camion après avoir ouvert la portière indiquant son nom au-dessus de l'inscription TRANSPORTS ROUTIERS. « Mais où est Wickie Lee ? lui demanda-t-elle.

— En bas. Elle a pris notre voiture pour amener la Famille Royale », répondit l'homme. Deux gamins aux cheveux filasse surgirent de l'arrière, et se mirent à décharger des chaises pliantes de couleur vive empruntées à l'école maternelle. « Vous les mettrez exactement à l'endroit où vous le dira mademoiselle Cate, compris ? » dit-il aux deux gosses. Puis s'adressant à Cate : « Il faut que je redescende à cause de la Reine Mère. » Et il disparut, lui et sa solide carcasse ; une petite tonsure ronde agrémentait le sommet du crâne de cet homme plutôt sérieux, en dépit de la petite plaisanterie qu'il venait de se permettre.

A travers l'air pur, on entendit claquer des portières. « La fête est commencée », annonça Cate.

« Que c'est joli, ici ! s'exclama Theodora un peu essoufflée par sa position recroquevillée dans les bras robustes de Tom. Sauf que j'imaginais un décor plus rustique. Ce vieil Osgood faisait tellement campagnard, lui. Je m'attendais à trouver... je ne sais pas moi... un tas de bois. Et puis — gloussement rauque — une paire de vieux chiens de chasse efflanqués.

— Vous avez la même réaction que moi, dit Heather qui avait déjà eu l'occasion de rencontrer Theodora, lorsque j'ai débarqué de ma faculté de médecine pour venir aider les autochtones pittoresques des Appalaches.

— Il y a du bois, dit Cate, mais il est rangé dans un appentis. Papa avait aidé Osgood à restaurer un peu les lieux dans les années cinquante. Quant aux autochtones pittoresques, il n'en manque pas non plus, il suffit de les surprendre quand ils sortent de leurs repaires.

— En tout cas, tu as une sacrée chance de vivre dans un endroit aussi joli. Et tu es également gâtée par le temps. » Elle semblait insinuer que Cate ne méritait pas tout à fait sa chance. « Tom, pose-moi maintenant. J'aurais bien pu monter toute seule. Azalea y est bien arrivée. De justesse. Azalea, tu souffles comme un phoque. C'est toi qu'il aurait fallu porter jusqu'ici. »

Azalea, qui portait deux plaids écossais, ne répondit pas. Elle s'appuyait lourdement contre Wickie Lee qui était enceinte. Wickie Lee s'était occupée des deux fils de Tom à l'école maternelle de Teenie Ennis et, quand la mère des gamins avait quitté le domicile conjugal pour suivre une troupe de danse folklorique, Tom et elle s'étaient mariés.

Du haut de ses cinq ans, Tiffany vint offrir cérémonieusement une petite boîte à Cate. « Dedans il y a le marié et la mariée, annonça-t-elle avec beaucoup de sérieux.

— La pauvre Wickie s'est tourné les sangs avec cette poupée, précisa Tom en aidant gentiment Theodora à se mettre debout.

— Tom, tu vas me le payer ! s'écria Wickie Lee en levant un poing menaçant, avant d'expliquer à Cate : Je vous ai fait un petit couple de mariés pour mettre sur le gâteau.

— Vous voulez voir ? » demanda Tiffany dont les petits doigts avaient déjà soulevé le couvercle de la boîte. Deux petites poupées de maïs reposaient sur du papier de soie. « Oh, les adorables petits vêtements ! dit Cate. Cette délicieuse jaquette... et les perles minuscules sur le voile de la mariée. »

Tom et Heather conduisirent les deux vieilles dames et les installèrent dans les grands fauteuils spécialement sortis à leur intention. Tous réglèrent leurs pas sur celui, très lent, de Theodora ; depuis son attaque, elle traînait sensiblement une jambe mais avait réussi à donner à cette claudication l'allure cérémonieuse d'une marche nuptiale.

« Je voulais leur faire de vrais visages, confia Wickie Lee à Cate. Mais j'ai eu des problèmes de conscience à cause de la *couleur*. » Elle rougit. « Tom voulait que j'utilise le même rose foncé pour les deux poupées, mais j'ai refusé parce que j'avais peur que ce soit pris pour un affront. D'un autre côté, deux couleurs différentes risquaient de produire un effet encore plus désastreux. Comme je ne savais vraiment pas comment m'en sortir, j'ai joué la sécurité, en gardant le maïs. Mais le résultat est beaucoup moins joli.

— La simplicité fait leur charme, rassura Cate. D'ailleurs, ils seront fiers que vous ayez fait ces poupées en leur honneur. Nous ne dirons rien de vos autres chefs-d'œuvre.

— Vous n'imaginez pas les commandes de poupées ressemblantes que j'ai pour Noël, dit Wickie Lee, non sans une certaine satisfaction. Le seul problème, c'est que je me demande où je vais trouver le temps de les faire toutes. Si le bébé décide d'arriver en avance, comme Tiffany, je suis *perdue*. » Les dernières créations de Wickie Lee étaient des poupées exécutées sur commande, et d'après nature ; elle demandait une photo couleurs et se débrouillait ensuite, moyennant cinquante dollars pour une petite poupée et cent pour le grand modèle. Somme qu'elle obtenait sans problème. Elle était maintenant associée dans l'école maternelle-jardin d'enfants montée plusieurs années auparavant par Teenie Ennis et ses amies. La prospérité et la réussite avaient arrondi ses joues et donné un peu de couleurs à son visage autrefois blême ; sa silhouette ne tarderait probablement pas à s'alourdir.

« Tout ira bien », lui dit Cate. Ce qui était une évidence, car Wickie Lee ferait face, envers et contre tout. *Fichue*, elle l'était déjà, songea Cate, car elle s'était laissé dévorer par le système avec une facilité déconcertante. Mais Cate était peut-être injuste. Si Wickie Lee faisait tout simplement partie des heureux élus dont les aspirations profondes correspondent exactement à ce que l'on attend d'eux... Pourtant, Cate ne pouvait s'empêcher d'avoir une préférence pour la Wickie Lee chétive et méfiante de leur première rencontre. Enfin, elle-même avait eu sa part dans cette métamorphose. Elle se demanda si cette maîtresse femme de vingt et un ans avait parfois des cauchemars, liés à un passé dont personne n'était jamais surgi, ni pour la revendiquer, ni pour la renier. A ce que l'on savait du moins.

L'invité, qui faisait également office de préposé aux boissons, servait un verre de cidre à Theodora et Azalea dûment installées dans les fauteuils préparés à leur intention. Les deux femmes étaient vêtues avec une troublante similitude, surtout depuis qu'Azalea avait pris l'habitude de porter une broche, offerte par sa maîtresse, en la plaçant exactement comme Theodora plaçait la sienne, c'est-à-dire au beau milieu de son décolleté. « Je ne crois pas avoir l'honneur de vous connaître », minauda Theodora lorsque l'homme tendit aux deux vieilles dames un verre et une serviette en papier. Cate allait justement faire les présentations lorsqu'arrivèrent d'autres invités. C'étaient les nouveaux mariés, suivis de près par Lydia, Stanley et la petite Liza Bee qui ouvrait crânement la marche, comme si elle était la reine de cette fête, et vint offrir à Cate le bouquet de fleurs sauvages (dont Lydia avait retiré les mauvaises herbes).

« Mais ce sont des gentianes ! s'exclama Cate. Et certaines ont encore des racines. Je me demande si, en les replantant tout de suite en pleine terre... Heather, tu crois qu'elles reprendraient ?

— On peut toujours essayer, répondit Heather en effleurant les racines. Mais il faudrait s'en occuper tout de suite. » Et elle s'éclipsa avec les fleurs en annonçant qu'elle saluerait tout le monde plus tard.

« Heather est timide. Elle déteste les mondanités, expliqua Cate. Mais elle a les doigts verts et ferait pousser n'importe quoi. Si vous aviez vu son jardin cet été ! De plus, elle est un médecin merveilleux !

— Elle habite dans le secteur ? » demanda Lydia avec un

regard panoramique pour la vieille ferme d'Osgood — elle tenait à se persuader que l'endroit aurait été beaucoup trop isolé pour elle — et elle adressa un signe de reconnaissance à Theodora au passage.

« Heather vit ici même, dit Cate. Avec moi. »

Lydia avala sa salive. « Oh ! » Elle s'interdit de laisser transparaître la moindre réaction. « Parfait. » Cate l'observait avec un curieux petit sourire au coin des lèvres. Elle lui avait servi exactement le même, certain jour de 1978, juste après la mort de leur père, lorsqu'elle lui avait annoncé que, si la solitude lui pesait vraiment trop, elle tâterait peut-être des amitiés particulières. Le visage de Cate allait beaucoup mieux ; à l'enterrement de Max, on remarquait encore de légères séquelles. En revanche, Cate était alors beaucoup plus mince ; c'était l'époque où elle habitait New York. A New York, les gens vivent sur les nerfs ; c'est ce qu'écrivait Calvin à Renee. Pauvre Calvin, après les désillusions que lui avait causées son pays natal, il avait renoncé à ses rêves de télévision à vocation culturelle pour retourner travailler à New York dans une chaîne nationale.

« Dans l'immédiat, c'est une solution qui nous satisfait totalement toutes les deux », précisa Cate, dans le but avoué d'entretenir un peu les soupçons de Lydia, qui ne lui avaient pas échappé. *Et nous voilà reparties dans le même vieux scénario*, observat-elle intérieurement en se tournant pour saluer Stanley — qu'elle trouvait sympathique — avant d'accorder son attention aux jeunes mariés, et à Camilla en particulier. *A croire que nous n'avons rien appris.* Mais elle était désespérément incapable de s'abstenir de provoquer Lydia.

Enfin, elle pouvait au moins prendre le bras de sa nouvelle nièce par alliance et l'entraîner pour un charmant tête-à-tête. Adorable, cette petite. « J'étais absolument navrée de ne pas pouvoir assister à votre mariage, glissa Cate dans l'oreille de Camilla. J'aurais tellement aimé être là ! Mais depuis que j'ai mis au point ce système de travail à la vacation, je suis tenue par mes contrats. Je vends un cours complet, vous comprenez, et je signe pour un cycle de trois semaines ou six, ou un semestre — la durée varie selon les possibilités de l'organisme qui me reçoit. Je signe, je pars, et je fais mon cours. Celui sur D.H. Lawrence, qui interférait avec votre mariage, représente en fait mon emploi le plus stable ; c'est la troisième année que je vais à Taos.

— Mais nous avons très bien compris, dit Camilla de sa douce voix basse aux intonations très britanniques. Il faut un bel esprit d'initiative pour décider de vendre un cours. »

Cate rejeta la tête en arrière avant de rire. « Nécessité fait loi ! Non, j'exagère un peu. En fait, j'avais une belle situation, parfaitement stable, dans une fondation privée de New York — avec un super-bureau, je cotisais même pour une retraite... mais au bout d'un an, cette confortable sinécure a commencé à m'ennuyer à mourir. L'enseignement me manquait. Or, apparemment, il n'y avait aucun poste de professeur sur le marché. Et puis un jour, à force de compulser toutes ces demandes de subventions pour les projets les plus extravagants, cela m'a donné des idées. Certains dossiers étaient présentés très astucieusement, avec un emballage particulièrement séduisant. Or, il n'était pas besoin d'avoir inventé la poudre pour se rendre compte que ces beaux projets n'étaient en fait que du vent. Alors j'ai décidé d'offrir désormais mes services sous une présentation irrésistible. J'ai rédigé quelques notes sur des sujets qui m'intéressaient effectivement — "Les prophètes de l'apocalypse" par exemple, parce que le thème de l'apocalypse m'était particulièrement cher à ce moment-là —, j'ai fait exécuter une dactylographie impeccable par les secrétaires de la fondation, et j'ai expédié le tout dans des enveloppes rutilantes. Eh bien, le plus beau est que j'ai reçu par retour trois propositions pour le Cycle de l'Apocalypse. J'ai donc donné ma démission pour faire ces cours, et puis je me suis intéressée ensuite à un travail sur les "Fantasmes" ; devinez quel a été mon premier client dans cette série ? Un foyer du troisième âge, à Hawaii en plus. Ils m'ont envoyé un billet d'avion. J'ai été séduite par mes vieux étudiants. D'une certaine façon, les personnes âgées ont moins peur de donner libre cours à leur imaginaire, ce qui était du reste l'axe central de mon cours.

— Tout cela a l'air passionnant », convint Camilla qui avait eu le temps de juger sa nouvelle tante ; elle ne ressemblait pas du tout à la jolie maman très raisonnable de Leo. A part une vague similitude dans le dessin de la bouche, personne ne pouvait deviner qu'elles étaient sœurs. Mais cette fameuse tante possédait un charme aussi incontestable que difficile à définir ; et mis à part l'arrogance de son menton toujours pointé en avant et ses yeux d'ambre, elle ne paraissait pas trop dangereuse.

« Oui, avoua Cate. C'était passionnant. A présent, je suis réclamée par une école de police du Texas. Un officier en retraite qui avait suivi mon cours à Hawaii leur a parlé de moi. Je n'ai pas encore décidé si j'allais accepter. Pour tout dire, je suis un peu fatiguée. Il pourrait être agréable d'hiberner ici et de laisser Heather se charger du ravitaillement avec sa jeep. En plus, je crois deviner un peu leurs motivations. Je les soupçonne d'espérer obtenir de moi quelques lumières sur l'âme criminelle.

— Mais le cours ne traite pas de la criminalité, si ?

— Dans un sens, si. Je leur fais lire Blake, Jung, Kafka... et Doris Lessing. » Sa pression sur le bras de Camilla se fit plus forte en même temps qu'elle clignait les yeux. « La frontière est finalement très mince entre l'âme de l'artiste et celle de l'assassin. Les deux inventent de nouvelles difficultés pour autrui. »

Peut-être légèrement cinglée, conclut Camilla, mais je ne déteste pas. « Je voulais vous remercier pour ce beau poncho, dit-elle à sa nouvelle tante, ce qui lui permettait de retrouver un terrain plus sûr.

— Je suis contente qu'il vous plaise. Moi, j'ai bien aimé votre petit mot. Mais vous êtes la première jeune mariée à ma connaissance qui envoie des cartes de remerciements dans la semaine même de son mariage. Si j'en crois par celle que j'ai reçue du moins ; j'ai vérifié le cachet de la poste.

— J'ai écrit la plupart de ces mots pendant notre lune de miel, avoua Camilla. Nous sommes allés dans la maison que Leo et Dickie possèdent sur Ocracoke, et il a plu sans discontinuer les trois premiers jours. Autant utiliser ce temps à quelque chose d'utile, me suis-je dit.

— Bel esprit d'initiative de votre part », plaisanta Cate. Seigneur, se dit-elle intérieurement, Camilla me rappelle un peu Lydia. « Mais je vous monopolise depuis trop longtemps. » Et d'entraîner sa ravissante nièce vers le reste de l'assemblée. « Venez vite que je vous présente à Theodora. Elle est l'approximation la plus exacte que nous ayons d'une souveraine en exercice. »

Theodora détailla Camilla de pied en cap et parut satisfaite. En revanche, à la surprise générale, Azalea se montra plutôt réticente et manifesta une relative froideur. Alors que Theodora obligea la jeune femme à se pencher pour l'embrasser, Azalea se contenta d'une poignée de main à peine polie.

Ces présentations faites, Cate se dirigea en souriant vers le bar où Lydia et Stanley se trouvaient en grande conversation avec son invité. « Vous avez tous fait connaissance avec mon vieil ami de l'Iowa ? demanda-t-elle à Lydia et Stanley. Roger, je te présente ma sœur Lydia et son ami Stanley Edelman.

— Nous venions de faire les présentations, dit Roger Jernigan. Cate, je t'offre un verre de cidre ?

— Avec plaisir. Du vrai, s'il te plaît. »

557

Lydia paraissait un peu désorientée.

Survint Heather qui se joignit à leur petit groupe.

« Nos patients survivront-ils ? demanda Cate.

— Pour l'instant, ils ont plutôt triste mine. Mais je les ai arrosés. Il ne nous reste plus qu'à attendre et espérer. »

Cate présenta la jeune doctoresse à Lydia et Stanley. Liza Bee avait déjà trouvé le moyen d'exercer sa tyrannie sur sa petite contemporaine Tiffany, et Stanley surveillait d'un œil la compétition qui s'organisait dans le verger, pour savoir qui grimpait le mieux aux arbres.

« Heather a soigné l'oncle Osgood quand il s'est cassé la hanche après une chute, il y a maintenant deux hivers, expliqua Cate à Lydia. Un soir qu'elle était venue le voir, il s'est mis à neiger au point que la route était impraticable et il l'a invitée à passer la nuit. Elle n'est plus jamais repartie, pour son bonheur à lui, et le mien maintenant.

— C'est une solution qui arrangeait tout le monde, précisa Heather en rougissant. Je venais d'arriver et je devais faire la navette entre Mountain City et notre clinique. Le premier soir, comme il neigeait, il m'a dit : "Ma petite dame, si vous dormiez ici, tout simplement ?" Et le lendemain matin, alors que je m'apprêtais à partir, il m'a demandé : "Pourquoi est-ce que vous ne resteriez pas, jeune dame ?" Je me suis beaucoup attachée à lui. Sans cette pneumonie, il serait des nôtres aujourd'hui.

— Et maintenant, Heather menace constamment de déménager, dit Cate. Elle a peur de m'encombrer. J'ai beau lui expliquer que je ne me pose que le temps de récupérer un peu... Et puis, peut-on rêver mieux que d'avoir un docteur à domicile ?

— Alors vous... ? » La question que Lydia s'apprêtait à poser à Heather fut interrompue par l'arrivée de Nell, Marcus et Sicca.

« Je suis entièrement responsable de ce retard ! cria Sicca. Ma coiffeuse avait les deux pieds dans le même sabot aujourd'hui. » Elle portait une espèce de mousseline piquée dans un chignon beaucoup trop sophistiqué pour une fête champêtre. Mais Sicca soignait beaucoup ses cheveux, surtout maintenant qu'elle avait un nouveau visage. Pour célébrer sa première année de régime sec, Nell et Theodora lui avaient offert un lifting.

« L'important est que nous soyons tous arrivés », répondit Nell. Accrochée au bras de Marcus, elle marqua avec lui un temps d'arrêt au sommet du chemin tandis que, avec un large sourire pour tout le monde, ils reprenaient ostensiblement leur souffle après cette ascension : Marcus souffrait d'emphysème.

Appuyée contre lui, Nell fit le compte des présents. « Je vois tout le monde sauf Dickie. Lydia, Dickie ne vient pas ?

— J'ai bien peur que non, dit Lydia. Il avait un engagement pour la journée avec son orchestre. Il est parti juste après moi ce matin. » Dickie vivait encore chez sa mère ; il suivait les cours du conservatoire de Winston-Salem et avait formé un orchestre avec trois autres camarades ; ils s'étaient baptisés les *Wandering Winds* et sillonnaient l'Etat pour les mariages et les réceptions.

« Dommage ! soupira Nell. Mais un engagement est un engagement.

— C'est la vie, n'est-ce pas ? dit Roger Jernigan. Surtout avec la bande de travailleurs indépendants que nous formons. Nell, Marcus, vous prenez quoi ? Du cidre avec ou sans alcool ?

— Avec, s'il vous plaît. Pour nous deux, dit Nell. Sicca Dowling, Roger Jernigan. Mais vous avez peut-être eu l'occasion de vous voir déjà, hier, quand Cate s'est arrêtée à la maison en revenant de l'aéroport.

— J'habite le sous-sol de Nell et Marcus », expliqua Sicca avec quelques effets de paupières au bénéfice de M. Jernigan. Nell avait-elle parlé d'un « ami » de Cate ou d'un ami en général ? Il était évidemment plus jeune qu'elle, mais pas si jeune que ça non plus. Sicca n'était pas hostile à l'idée d'un remariage. Tenir compagnie à Nell tant qu'elles étaient veuves toutes les deux ne posait pas de problème, mais depuis que Nell avait fini par accepter d'épouser Marcus, Sicca craignait de devenir un peu la cinquième roue du carrosse. Non qu'elle ait cessé d'adorer son petit appartement, et puis Nell et Marcus ne la laisseraient pas tomber, mais le fait d'être sobre lui donnait d'un coup beaucoup plus de temps à meubler dans la journée. Et puis surtout, maintenant qu'elle avait un nouveau visage, Sicca reprenait goût à la compagnie des messieurs. Ce n'est certainement pas elle qui insisterait pour maintenir les relations « sur un plan strictement amical » avec un homme qui lui ferait la cour comme ce pauvre Marcus avait courtisé Nell. Lui qui avait fait la navette avec la Virginie jusqu'au jour où, ainsi qu'elle se plaisait à le raconter à qui voulait bien l'entendre, elle, Sicca, lui avait presque fait des propositions. Finalement, Marcus n'avait vaincu la résistance de Nell qu'en prenant des dispositions pour s'installer à la maison de retraite de l'Eglise épiscopale de Mountain City. Pour être près d'elle. Il avait même versé des arrhes. Sicca racontait encore avec plaisir comment elle avait menacé Nell d'épouser Marcus, elle, si Nell persistait à refuser de regarder la réalité en face. « Pour moi, ce sera un verre de cidre sans alcool, s'il vous plaît », demanda Sicca à ce M. Jernigan dont les yeux verts étaient décidément très sexy.

« Alors, comment se sont passées les choses entre M. Lawrence et vous à Taos, cet été ? demanda gentiment Marcus Chapin à sa belle-fille.

— Comme d'habitude. Il continue d'être passablement incompris, mais ce n'est pas une nouveauté. Pendant le colloque de clôture de cette année, j'ai failli écharper un soi-disant critique célèbre qui soutenait que D.H. Lawrence serait tombé dans un oubli complet sans le secours des féministes qui ne l'avaient exhumé que pour le dénoncer comme abominable sexiste.

— J'aurais bien aimé assister à cette scène. » Sourire de Marcus qui se souvenait peut-être d'une autre polémique sur cet auteur fort controversé. Cependant, Marcus avait suivi le conseil de Cate et lu *Femmes amoureuses*, lecture attentive, pour ne pas dire studieuse, qui meubla les soirées que Nell passait à aller enseigner les techniques de secours d'urgence au centre de secourisme qui venait de se créer. Bien que Nell l'ait souvent pressé d'utiliser le bureau de Leonard, Marcus préférait lire au lit. Pour ses lectures personnelles, il disposait d'un beau bureau à la maison de retraite épiscopale où il avait failli s'enfermer pour être plus proche de Nell. Theodora avait réussi à le faire nommer aumônier de la maison.

« Vous n'auriez rien vu du tout, lui dit Cate. Je fais en sorte de conserver mon calme. Ces cours sur D.H. Lawrence assurent mon standing, comme dirait Dickie, et je tiens à être encore invitée l'année prochaine.

— Tant que ce n'est pas aux dépens de vos principes. » Le seigneur virginien dressa un sourcil narquois. Ils rirent ensemble. Ce type de provocation était devenu un rituel auquel ils sacrifiaient toujours pour se mettre en jambes. Parfois, ils avaient de longues discussions sur la ruine de la société telle qu'ils la connaissaient. Avec un hochement de tête résigné, Marcus prédisait un effondrement imminent, tandis que Cate riait en affirmant que la destruction était déjà commencée.

« Cate ? intervint Heather. Si on passait aux choses sérieuses en sortant de quoi manger ?

— Bonne idée. »

Lydia sortit soudainement de son silence évanescent. « Je peux me rendre utile ? demanda-t-elle avec une pointe de tristesse.

— Mais, avec plaisir, mon chou. » Influence bénéfique du

560

soleil et du cidre ou excellentes dispositions envers le monde
entier, Cate réussit avec un naturel surprenant à passer son bras
sur les frêles épaules de sa sœur. (Lydia était devenue squeletti-
que au prix d'un régime draconien !) « C'est très gentil. »

Tandis qu'elles suivaient Heather dans la maison d'Osgood, les
deux sœurs entendirent Sicca interroger Jernigan : « Quel métier
avez-vous dit que vous faisiez ? »

« Je prétends, Azalea, dit Theodora en profitant d'un bref instant d'intimité entre elles deux — leurs jambes respectives, raide
pour l'une, lourdes et enflées pour l'autre, toujours dissimulées
sous leurs couvertures écossaises — que tu as des préjugés. Cette
fille appartient à une très, très vieille famille. De ce côté de
l'océan, les Peverell du comté d'Halifax remontent plus loin
encore que les Blount de Beaufort.

— Ils pourraient descendre de la reine de Saba, je m'en
moque. Je suis contre les mélanges.

— Le mélange systématique, oui. C'est comme pour tout le
reste, Azalea, il y a une façon correcte de faire les choses et une
façon qui ne l'est pas. Mais dans leur cas, ils sont beaux tous les
deux, ils ont de l'instruction et de l'éducation, et ils vont représenter notre pays à l'étranger ; tu imagines la publicité merveilleuse qu'ils constituent ?

— Je m'en moque », répéta Azalea avec un hochement de tête
buté.

En d'autres lieux, mais dans un passé relativement récent,
Theodora se souvenait d'avoir tenu des propos absolument opposés à ceux qu'elle tenait maintenant. Elle défendait alors le point
de vue soutenu par Azalea. Cette dernière avait donc tous les
motifs d'être agacée par ce soudain revirement, mais sincèrement,
en quoi le mariage de Leo avec cette petite pouvait-il constituer
une menace pour leur existence à elles ? Pour mettre un peu à
l'épreuve cette nouvelle prise de position, Theodora se fit (intérieurement bien sûr) l'avocat du diable. Oui, mais si Leo avait été
son fils à elle ? Eh bien, rien de changé, sa position était la
même. Tant que la demoiselle avait l'allure et le comportement
de celle-ci. Une vraie dame. Elle n'avait pas les traits de... Avec
courage, Theodora entreprit d'abattre davantage encore l'arbre
qui cachait la forêt ; elle s'imagina elle, à dix-neuf ans, fiancée à
un jeune homme dont elle était très amoureuse : beau, intelligent,
d'un excellent milieu. Sauf... qu'il était noir. Enfin, pas trop

561

foncé. Et des traits pas... Aurait-elle pu ? En 1930, non bien sûr, mais en 1984 ?

Soupir de Theodora. L'ennui, se dit-elle en quittant le domaine des hypothèses, c'est qu'elle était incapable de s'imaginer tombant amoureuse de qui que ce soit. Elle ne se souvenait même pas d'avoir aimé Latrobe. (On l'avait enterré l'année dernière ; en regardant son cercueil que l'on portait en terre, Theodora s'était même dit que finalement, il n'avait jamais eu un très bon caractère.)

De plus, si, jusqu'à une époque assez récente, elle avait vaguement caressé le projet d'adopter une charmante jeune personne qui bénirait son nom après sa mort, elle savait parfaitement qu'une telle expérience n'avait rien de comparable avec le fait d'élever un enfant, rôle dans lequel elle ne parvenait pas non plus à s'imaginer.

Ce qu'elle concevait de plus en plus clairement, en revanche, c'était le temps qui lui restait à vivre et dont elle entendait user à sa guise. Son attaque lui avait enseigné une chose. Jamais plus elle ne se retrouverait clouée sur un lit en laissant des imbéciles lui raconter des mensonges pour organiser son avenir conformément à leurs intérêts à eux. Elle avait déjà retenu deux places pour elle et Azalea, en prévision du jour où elles n'auraient plus la force de vivre seules à Edgerton Road, dans la maison de retraite de l'Eglise épiscopale. Cette institution avait du reste déjà reçu de sa part une importante donation : en ce moment, l'aile médicale Theodora-Blount était en construction et — *Deo volente* — elle en verrait l'achèvement. Si elle espérait bien ne jamais être obligée d'avoir recours à ces horribles machines à la fin de sa vie, mieux valait néanmoins disposer de ce matériel sur place, où l'on savait qui était Theodora Blount, que d'être condamnée à l'anonymat d'un grand hôpital. Et si elle était bien traitée jusqu'au dernier jour, il y avait encore un bel héritage à venir.

Alors les jeunes pouvaient bien épouser qui leur plaisait et se débrouiller comme ils l'entendaient, se dit-elle. (Bien sûr, elle laisserait un petit quelque chose à sa cousine de la campagne, Wickie Lee, qui avait su se rendre utile à la société et trouver un homme correct pour s'occuper d'elle — Tom avait fait des réparations dans la maison de Theodora sans lui facturer un centime pour la main-d'œuvre ; il y aurait également une petite somme pour son filleul, Buddy Bell — Theodora n'avait pas l'intention de se dérober à ses engagements —, s'il n'avait pas d'ici là inventé une arme qui les ferait tous sauter ; Cate recevrait également sa part. Theodora avait été soulagée d'apprendre qu'Osgood lui léguait sa maison ; désormais, Cate pourrait toujours faire de la culture maraîchère, élever des abeilles ou vendre du bois quand elle serait trop vieille pour son travail de professeur itinérant ; elle avait maintenant un point de chute. Or tant qu'elle disposait d'une position de repli, une femme pouvait se permettre certaines excentricités.)

Néanmoins, pour le seul plaisir d'avoir le dernier mot à propos du mariage de Leo, elle dit à Azalea : « Notre vieux monde évolue, Azalea. Regarde nous deux. Qui aurait pensé qu'un jour nous nous endormirions sous le même toit, chacune derrière notre mur de chambre ? »

Azalea regarda tranquillement Theodora. « Vous arriverez toujours à trouver le moyen d'avoir raison, Miss Thea, mais vous savez aussi bien bien que moi que ce mur, il existe définitivement. » Elle se radossa avec le sourire satisfait que donne la victoire.

« Je travaille sur les méthodes de traitement intégré des insectes nuisibles, dit Roger Jernigan à Sicca.

— Oh ! ça consiste en quoi exactement ? A entendre... » Et Sicca de lutter contre le fou rire qui la prit tandis que cette notion d'« intégration » des insectes nuisibles suscitait en elle des images de cohabitation forcée entre les cafards et les fourmis, ou les termites et les vers gris, tout cela au nom de la démocratie. Mais elle ne connaissait pas suffisamment M. Jernigan pour le faire profiter de ce réjouissant tableau. Il fallait se montrer prudent, maintenant. Surtout aujourd'hui. Sa coiffeuse lui avait raconté une plaisanterie hilarante sur un Noir, un Juif et un Polonais embarqués dans la même capsule spatiale. Mais ici, elle avait sous les yeux le petit-fils de Nell en compagnie de sa jeune épouse de couleur, la fille cadette de Nell avec son charmant petit ami juif, et le mari de Wickie Lee dont elle n'avait jamais réussi à prononcer le nom de famille parce qu'il devait être russe ou polonais... alors mieux valait pour Sicca renoncer à son histoire drôle. Enfin, elle n'en mourrait pas, elle qui avait survécu à la privation d'alcool. « ... cela a l'air passionnant, dit-elle à cet homme costaud, aux yeux verts, dont les petites rides au coin des yeux ne manquaient pas de séduction.

— Pour moi, oui. Mais je doute que vous partagiez cette passion. »

Sicca jura qu'elle voulait tout savoir. (Toujours interroger les messieurs sur leur métier.) Et elle l'écouta avec une attention sans défaillance pendant qu'il lui exposait l'art de lâcher une armée de guêpes dans un jardin pour qu'elles dévorent les œufs du parasite du chou, ou la technique qui consistait à inoculer un virus aux cafards avant de les passer à la moulinette pour obtenir une poudre à répandre sur les autres.

— Mais ce n'est pas dangereux ? On ne risque pas de se faire piquer ? Ou d'attraper des maladies ? »

Il souriait, sans que Sicca pût dire si le sourire s'adressait à elle ou était une simple manifestation de bonne humeur (il avait bu pas mal de cidre alcoolisé). « Si, bien sûr. Il y a toujours des risques. Mais il faut bien prendre des risques si l'on veut innover un peu. » Apparemment, son attention était ailleurs. Il regarda Cate émerger de la maison. Elle, Lydia et la petite doctoresse timide sortaient les plats de nourriture.

« Vous connaissez Cate depuis longtemps ? » Autant savoir à quoi s'en tenir, se dit Sicca.

« Elle a été le professeur de mon fils il y a quelques années. Dans une université de l'Iowa qui n'existe plus. Nos chemins se sont croisés un temps et puis, comme on dit, chacun est reparti de son côté.

— Ah ! » soupira Sicca. Puis, avec bonne humeur, comme si elle espérait que tel était le cas, elle demanda : « Et vous venez de vous retrouver, c'est ça ?

— Non, elle m'a trouvé. » Il rit intérieurement. « A l'endroit exact où elle m'avait laissé. Mais l'été dernier, en traversant l'Iowa, elle n'a pas vu mes panneaux et s'est inquiétée. » Il pouffa. « Elle a cru que j'étais mort.

— Vos panneaux ?

— Mes panneaux publicitaires. Ceux de mon usine de produits chimiques. Les deux années précédentes, quand elle passait en Iowa pour aller donner ses cours, elle les voyait toujours et se disait que tout allait bien pour moi, ce qui lui permettait de m'oublier aussitôt. Et puis cette année, les panneaux n'étaient plus à leur place, pour la bonne raison que j'ai fermé mon usine. Trop de soucis pour le profit que j'en tirais, et puis cette histoire avait cessé de m'intéresser. Or, pour moi, il s'agissait là d'une clause de rupture par excellence, dirais-je, car j'ai toujours refusé de faire une chose qui m'ennuyait. J'ai donc décidé de mettre la clé sous la porte et d'aller voir où en étaient mes vieux copains de la recherche scientifique. Je suis consultant, maintenant. Je travaille en free-lance, comme Cate. Je suis maître de mes horaires et je vais où je veux, quand je veux. Mes fils vivent en Californie. Je fais souvent la navette pour aller les voir. »

Il sortit son portefeuille et tendit à Sicca une page pliée arrachée au supplément couleurs d'un grand journal. « Mes fils. »

Elle déplia la feuille et s'écria : « Mais je le connais ! C'est un mannequin célèbre. Je l'ai en couverture d'une revue de mode à la maison... » Elle avisa la légende imprimée sous la photo pleine page et lut à voix haute : « "Jody et son garde du corps s'apprêtent à monter dans la Bentley du top model préféré des photographes de mode, avant de partir pour une journée de travail comme les autres." C'est exact, Jody. Il n'utilise pas son nom de famille, sinon j'aurais fait le rapprochement... et c'est votre fils ?

— L'autre aussi. » Le doigt buriné de Jernigan désigna un homme aux cheveux grisonnants taillés court ; il arborait des lunettes de soleil et la musculature arrogante que l'on acquiert dans les salles de musculation. Mais on ne le désignait que comme garde du corps.

« Oh, fit Sicca, surprise. Vous voulez dire que lui aussi est votre fils ?

— Exactement. Il s'appelle Sunny. Mes deux fils sont nés de mères différentes.

— Mais... il sert vraiment de garde du corps à son frère ? Ce n'est pas une plaisanterie ?

— Aucune plaisanterie là-dedans, dit Jernigan. C'est son métier. Et il en est ravi. Etre heureux dans le métier que l'on exerce n'est pas un mince avantage. » Il reprit la page qu'il replia avant de la ranger dans son portefeuille.

Sicca eut le sentiment d'avoir commis une bévue. « Et vous vous plaisez dans nos montagnes ? demanda-t-elle pour changer le sujet de la conversation.

— Les fermes sont fantastiques. On peut crier au miracle quand on trouve un centimètre carré de terre arable par les temps qui courent. J'aurais voulu rester plus longtemps. J'arrive de Raleigh-Durham. Nous avons tenu un colloque international sur les insecticides microscopiques. J'ai eu l'idée de passer rendre une petite visite à Cate, puisque j'étais tout à côté. Savez-vous ce que nous avons vu en arrivant ici en voiture hier ? Un vieillard, d'au moins quatre-vingts ans, debout sur un traîneau de fabrication artisanale, qui dévalait la pente derrière son cheval.

— Vous devriez prendre votre retraite ici », insinua Sicca avec grandeur d'âme, car elle commençait à se faire une idée plus précise de la situation ; elle venait de surprendre le regard de

Jernigan pour Cate en train d'apporter un plat de poulet frit. Il était évident que Cate « n'avait pas cessé de l'intéresser ». Sicca se consola en écrivant sa version personnelle de l'histoire qu'elle servirait ultérieurement à l'occasion. (« Il a pratiquement fallu que j'aille le draguer moi-même pour que Cate se décide à ouvrir les yeux ! »)

« Merci pour ce judicieux conseil, dit Jernigan avec le sourire. Je m'en souviendrai quand j'aurai atteint l'âge de la retraite. »

En retournant vers la cuisine pour vérifier que tout avait bien été sorti, Cate trouva Lydia ostensiblement plongée dans l'examen d'une carte murale sur laquelle Heather notait les endroits où vivaient ses patients. Cependant, une certaine raideur dans son attitude indiqua clairement à Cate qu'en fait sa sœur attendait l'occasion de lui parler en tête à tête.

Il faudra bien en passer par là un jour ou l'autre, songea Cate ; nous ne pouvons pas éternellement éviter de nous retrouver seules dans une même pièce — ce que nous avons fait pour l'enterrement de Max et le mariage de maman. Si la planète ne saute pas avant, Lydia et moi avons encore quelques décennies de coexistence en perspective. C'est du reste l'une des raisons — pour ne pas dire la raison essentielle — qui m'a fait organiser cette fête. Je voulais être certaine que, si confrontation il devait y avoir, elle se déroulerait sur mon territoire à moi. A présent, elle prend manifestement l'initiative du moment pour que la balle ne soit pas uniquement dans mon camp. Alors autant voir la façon dont nous saurons nous sortir de cette épreuve.

En dépit d'une incontestable appréhension — peur de blesser et d'être blessée — Cate sentit une part d'elle-même se détacher pour se limiter à un rôle de strict observateur dans la scène qui allait se jouer. De plus en plus souvent d'ailleurs, Cate se rendait compte que cette espèce de dédoublement jouait en sa faveur : le jour où, par exemple, elle avait failli tordre le cou à ce critique littéraire, pendant le colloque sur D.H. Lawrence ; sans le regard froid de cet œil impassible, le bonhomme se serait retrouvé Dieu sait où et elle, Cate, n'aurait plus été invitée pour faire ses cours sur son écrivain préféré. Vieillir comporte ses petites compensations, se dit-elle avec une sérénité désabusée.

Lydia chanta les louanges de Heather : si réservée, si féminine, malgré une compétence évidente dans son métier. « Tu as beaucoup de chance d'avoir une locataire comme elle, dit Lydia. Sa présence constante pour s'occuper de la maison doit t'ôter un gros souci, toi qui es toujours par monts et par vaux. »

Tandis que Cate testait prudemment ses sentiments envers Lydia, s'efforçant en particulier d'évaluer la part de jalousie que lui inspirait cette cadette prestigieuse qui avait su s'attacher un public de fidèles et d'admirateurs auprès duquel tous les étudiants de Cate — passés, présents et à venir — ne formeraient jamais qu'une poignée dérisoire d'individus, « le strict observateur » qui constituait l'autre part d'elle-même écoutait attentivement les paroles dont il décryptait même le message sous-jacent : *Le compliment que je t'adresse à propos de la jeune personne qui vit chez toi est une façon détournée de te complimenter toi, ce dont je ne suis pas encore tout à fait capable. C'est également un moyen de te dire que je suis heureuse que tu aies une maison à toi, même si Osgood était également mon cousin à moi. Et aussi que je sais que tu voulais seulement me taquiner tout à l'heure, en essayant de me faire croire que tu étais devenue lesbienne.*

Lorsque vint son tour de parler, Cate dit : « Je suis sincèrement navrée que ton amie Renee n'ait pas pu être des nôtres aujourd'hui. Je lui ai envoyé un petit mot. Mais d'après Camilla, elle travaille très dur pour être admise au barreau.

— Ta lettre lui a fait grand plaisir, dit Lydia. Je l'ai eue au téléphone. J'ai espéré jusqu'au dernier moment qu'elle viendrait avec les enfants. Mais disons qu'à mon avis et très franchement, Renee s'est jurée de ne pas s'accorder un instant de répit tant qu'elle n'aurait pas réussi à devenir avocate pour se venger de toute la haine et de l'injustice qui règnent dans ce pays.

— Dans ce cas, elle risque fort d'attendre longtemps. » Mais aucune trace d'ironie ne perçait dans la voix de Cate qui, à la lumière des événements récents, regrettait les propos qu'elle avait tenus sur Calvin et Renee le soir de sa dispute avec Lydia. Leurs rêves bourgeois, qu'elle avait furieusement vilipendés en les accusant de vouloir construire des châteaux sur les cendres d'une société condamnée, s'étaient écroulés au fil d'une bizarre série noire. Comme si un dragon s'était subitement dressé de sous les catacombes... au moment où tout le monde commençait à croire que les dragons avaient disparu, ou qu'ils n'avaient même jamais existé. En 1980, Renee avait attribué une mention D — insuffisant — à l'une de ses étudiantes. Le père de l'intéressée, fort courroucé, était venu trouver Renee pour lui dire qu'il aurait bien cru ne jamais voir le jour où « une personne comme elle » mettrait un D à sa fille. A quoi Renee répliqua qu'elle notait ses étudiants conformément à leurs mérites, sans tenir compte des parents que le hasard leur avait accordés. En rentrant chez elle, ce soir-là, elle trouva son érable japonais débité en rondins devant sa porte. Les voisins lui dirent que des hommes étaient venus dans un camion en disant qu'elle les avait chargés d'abattre l'arbre. Un arbre superbe. Le lendemain, Renee recevait un coup de téléphone du même père d'élève, qui lui suggéra en termes polis et courtois de transformer le D en C (moyen) avant la fin de la matinée. A midi, il l'appela encore une fois pour savoir si elle était revenue sur sa décision. « La mention D a été définitivement portée sur le bulletin de votre fille », lui dit froidement Renee. Mais prise de peur, elle quitta l'université aussitôt. Elle avait besoin de retrouver la sécurité de sa maison et la présence de son chien Judge... qu'elle ne revit jamais. La maison, qu'elle avait aménagée et décorée avec tant de soin, sauta dans les minutes qui suivirent immédiatement son dernier entretien téléphonique avec le père mécontent ; Judge attendait à l'intérieur.

C'est à cause du chien qu'elle ne pouvait leur pardonner. La mort du chien. Renee devenait folle de rage à chaque fois qu'elle y repensait. Comme si l'importance insensée qu'elle donnait au meurtre du chien — au point que ses amis craignirent un moment pour sa raison — lui permettait de conjurer son incrédulité devant ce qu'on avait osé lui faire à elle.

L'existence d'un quelconque lien entre le monsieur honorablement connu, fidèle à l'office du dimanche, bon époux, bon père, avec la bande de rustauds venus abattre l'arbre ne put jamais être établie ; aucun témoin non plus pour attester qu'une bombe ait été jetée ou déposée. Les « autorités judiciaires » conclurent donc à un incident regrettable qui vint s'ajouter à la liste des incidents regrettables qui semblaient sévir depuis quelque temps sur ce pays à un rythme accéléré.

C'est à ce moment que Renee avait résolu de devenir l'une de ces « autorités judiciaires ». Elle passa le concours qui lui permit d'entrer à la faculté de Droit de Chapel Hill (où étaient rassemblés tous les papiers du Révérend Peverell) ; elle avait commencé ses études avant la reconduction, au tribunal de Greensboro, d'un jury entièrement blanc qui avait jugé (et acquitté) des membres du Ku Klux Klan impliqués dans le meurtre par balles d'un certain nombre de communistes.

Plusieurs mois après ces événements, Calvin accompagna Miss Mary dans une réserve naturelle d'oiseaux. Ils eurent la mauvaise fortune de tomber par hasard sur l'un des camps d'entraînement paramilitaire du Klan. Calvin n'eut sans doute la vie sauve que grâce à la présence de Miss Mary. Il reconduisit la vieille dame chez elle, lui servit un cognac pour la remettre de ses émotions et repartit aussitôt sur les lieux avec un cameraman de la station de télévision. Plus la moindre trace de quoi que ce soit. A part des cendres qui auraient pu être laissées par n'importe quels pique-niqueurs et la marque de piquets de tente récemment retirés. Calvin eut l'impression de passer pour un imbécile, mais il avait Miss Mary comme témoin. Encore que cette dernière semblât peu désireuse de s'étendre sur cette histoire. Même la télévision ne débordait pas d'enthousiasme à l'idée de mener l'enquête plus avant. Quelques jours plus tard, Calvin trouva la croix brûlée dans sa boîte à lettres. Puis il reçut une lettre anonyme lui annon-çant une mort prochaine. Lorsque, le lendemain soir, il regagna son appartement dont il verrouilla soigneusement la porte, il découvrit une balle de calibre trente-huit au beau milieu de son oreiller. Calvin comprit que l'amour qu'il était censé porter à sa terre natale n'était peut-être pas aussi réciproque qu'il s'était plu à le croire. Avant la date prévue pour son décès, il avait démé-nagé à New York.

« Renee fera une avocate fantastique, dit Lydia. Elle y met tant d'ardeur... et de passion. Elle se bat pour une vraie cause. Parfois, à côté d'elle, je me sens triviale. Est-ce que je fais une œuvre vraiment utile, moi, quand j'enseigne aux gens à se bien porter, ou à meubler leur intérieur avec goût sans dépenser beau-coup d'argent, ou quand je leur explique qu'ils peuvent représen-ter un véritable pouvoir en s'organisant comme consommateurs ou comme parents ? Comparée à Renee, je suis tellement... » Elle rougit. Les deux sœurs s'avisèrent en même temps que Lydia était en train de reprendre à son compte l'accusation que Cate avait portée contre elle, ce fameux soir, il y avait maintenant cinq ans.

« Ne sous-estime pas l'importance de ce que tu fais, dit Cate. Les gens ont besoin de savoir qu'ils peuvent se prendre en charge. Où irions-nous si les gens désespéraient de seulement réussir à mettre un peu d'ordre chez eux ? »

— Je suppose que tu as raison. » Lydia eut un regard encore un peu inquiet pour Cate. Elles en étaient à se sonder réciproque-ment, avec circonspection ; en fait, elles rejouaient la même scène, mais en inversant les points de vue.

Ce fut encore Lydia qui reprit la parole. « Ce Jernigan, ce n'est pas lui qui... ? Ce n'est pas l'homme au château ? » Cate répondit que si. Et elle entendit intérieurement cette phrase qui, pour Lydia, restait probablement l'accusation la plus terrible qu'elle avait portée contre la Cate d'il y a cinq ans. (« *Peut-être que je ne renverse pas les montagnes, mais moi, au moins, je n'ai jamais assassiné personne.* ») Et elle lut sur le visage de Lydia que les mêmes mots résonnaient en ce moment à ses oreilles.

« Par quel miracle est-ce que vous vous retrouvez ensemble tous les deux ?

— Nous ne sommes pas exactement "ensemble". Je suis seulement heureuse de l'avoir comme invité. Je lui ai dit : "La prochaine fois que tu passes en Caroline du Nord..." et il est venu. » Cate lui raconta comment, l'été dernier, en traversant l'Iowa pour rejoindre le Nouveau-Mexique, elle n'avait pas vu ses panneaux et s'était rongé les sangs pendant le reste du voyage au point qu'à l'arrivée, incapable de supporter plus longtemps cette incertitude, elle avait appelé le château. « Quand il a répondu lui-même, je ne savais plus si je devais pleurer ou raccrocher.

— Et tu as fait quoi ?

— Les deux. J'ai raccroché, et puis j'ai rappelé. Et pleuré. Il a commencé par croire qu'il s'agissait d'une erreur... une cinglée qui se trompait de numéro. Puis, quand il a compris qui était au bout du fil, il s'est montré un peu distant. Mais après avoir bavardé un moment, le temps de nous raconter un peu nos vies respectives ces quelques années, il s'est radouci. Son fils, que j'avais eu comme étudiant, est devenu un mannequin célèbre et l'autre vit pratiquement en permanence avec son frère. Il lui sert de garde du corps en Californie. Bref, Roger m'a fait promettre de le rappeler quand je rentrerais vers l'est, afin de m'inviter à déjeuner ou à dîner, sous réserve qu'il ne serait pas lui-même en voyage pour son travail de consultant. J'ai fait en sorte d'arriver là-bas pour l'heure du déjeuner, afin de me laisser toute latitude pour dire que je devais reprendre la route.

— Et tu l'as fait ? Tu es repartie ? » Cate retrouvait la Lydia de jadis, celle dont l'œil rond exigeait de connaître le dénouement des aventures de sa sœur.

« Ah ! » se déroba Cate en prenant un air mystérieux, tandis qu'elle hésitait encore à renouer les vieilles relations avec Lydia dont la mortelle accusation lui restait encore sur l'estomac.

(Si je n'ai « rien de positif » à mon actif, ma petite Lydia, pourquoi une telle curiosité à mon égard ?)

Mais elle n'eut pas à prendre de décision précipitée concernant le tour qu'elle entendait donner à ses relations avec Lydia, grâce à l'arrivée d'un *deus ex machina* qui choisit ce moment précis pour surgir au sommet de « la dernière côte », celle réservée aux jeeps, aux camions ou aux âmes intrépides. Tous les invités accueillirent à grands cris ravis le fourgon violet dont la suspension antique avait résisté à l'ascension. THE WANDERING WINGS annonçait l'enseigne.

« Mon Dieu ! s'exclama Lydia en regardant par la fenêtre. Dickie et son groupe. Le monstre ! Il m'avait dit qu'il avait un engagement.

— Ce qui est la vérité. » Cate sourit. « Nous voulions faire une surprise à Leo et Camilla. » Elle se fit plus douce pour ajouter : « Et à toi. »

Pendant que ses complices montaient le matériel, Dickie prit sa petite demi-sœur Liza Bee sous un bras et attrapa un morceau de poulet frit de sa main restée libre. « Juste un petit en-cas, expliqua-t-il à sa mère et à sa tante. On ne mange jamais avant, pour ne pas avoir le souffle coupé. » Mais les deux sœurs remarquèrent son regard inquiet pour le buffet qui s'appauvrissait rapidement au fur et à mesure que les autres convives entassaient cuisses de poulet, tranches de jambon, montagnes de pommes de terre en salade et œufs en gelée sur leurs assiettes.

« Nous avons mis de côté de quoi restaurer dignement des musiciens affamés », dit Cate pour le rassurer. Elle entretenait des relations privilégiées avec son neveu depuis que Dickie était venu habiter chez elle, à New York, à l'époque où Mimi lui avait procuré cette sinécure inespérée à la Fondation Astra (où elle n'avait pas tardé à s'ennuyer mortellement) ; Dickie avait alors confié ses malheurs à Cate : son incapacité à plaire à Max, son père, et puis, au moment où Leo était parti faire ses études en Angleterre, le rapprochement entre père et fils brutalement interrompu par la mort de Max.

« Quelle surprise de vous voir débarquer ! » s'exclama Lydia rendue radieuse par l'arrivée de son fils cadet. Il était encore trop gros — et cet embonpoint ne ferait sans doute qu'empirer au cours de sa vie — mais sa joie de vivre, son heureux caractère et ses talents de musicien compenseraient probablement cette légère disgrâce. C'est du moins ce qu'elle espérait. Stanley et elle avaient cessé de le harceler sur les questions de poids. D'autant que Dickie ne se privait pas d'ironiser en disant qu'il serait grand temps de se mettre au régime quand tout le monde serait condamné à se nourrir des aliments déshydratés stockés par Stanley dans son abri antiatomique.

« C'était étudié pour », répondit Dickie à sa mère.

« Je vais être aux anges, dit Theodora à son voisin, M. Jernigan, l'ami de Cate venu de l'Ouest lointain. Dans mon enfance, on prévoyait toujours de vrais musiciens quand on organisait un pique-nique.

— Ce devait être de fameux pique-niques », commenta Jernigan.

« Mesdames et Messieurs, annonça Dickie, Nouveaux Mariés... comment, maman ? » (Assise sur une petite chaise d'enfant, les genoux serrés l'un contre l'autre pour assurer une position horizontale à son assiette pleine de nourriture, Lydia lui adressait vainement un message qui se voulait discret.) « Oh ! maman me fait signe de m'essuyer la bouche. Une miette. Voilà ! Partie la vilaine miette ! » Il venait de se frotter les lèvres contre le revers de sa manche. Liza Bee, debout entre les genoux de Stanley qui était confortablement installé dans un fauteuil à bascule, éclata de rire en répétant : « Partie, la vilaine miette ! » Gloussements indulgents du public conquis d'avance.

« Bon, j'en étais où ? reprit Dickie dont le charme opérait manifestement sur tous. Jeunes Mariés, Vieille Famille, Nouvelle Famille, Vieux Amis, Nouveaux Amis... je n'ai oublié personne ?

— Si. Les enfants ! cria Liza Bee.

— Oh ! Oublier les enfants ! Je suis impardonnable ! » Et Dickie de se frapper honteusement la poitrine. « Bref, le premier morceau que nous allons exécuter pour vous est une cassation pour hautbois — joué par Potter qui s'incline en ce moment devant vous —, clarinette — votre serviteur —, cor — j'ai nommé Jim, et basson — voici Neal. Bon, pour ceux d'entre vous qui l'ignoreraient, une cassation est une composition instrumentale prévue pour être jouée en plein air. Ce genre de divertissement musical connut une grande vogue aux XVIIe et XVIIIe siècles à l'occasion d'anniversaires chez les riches, de mariages entre nobles, etc. Mozart en composait volontiers et certains pensent qu'il est l'auteur de celui que nous allons vous interpréter maintenant. Je le crois également mais, vous savez, la partition originale de ce morceau ayant été retrouvée au fond d'une vieille malle, en Autriche, en 1910, tous les experts en musicologie y sont allés de leur commentaire. "Mais non, jamais Mozart ne terminerait un divertissement sur une coda", disait l'un ; "Je suis sûr qu'il s'agit d'une œuvre de jeunesse de Beethoven", assurait l'autre... bref, vous voyez ce que je veux dire. Mozart ou pas, je crois que vous aimerez. C'est en mi bémol et Liza Bee prétend que l'allegro fait penser à une fête chez les souris. Plus tard, nous jouerons un autre divertissement spécialement composé pour la circonstance par un jeune musicien de Caroline du Nord au talent prometteur, et dont le nom vous dira peut-être quelque chose. »

Après une humble révérence, Dickie s'assit sur son siège, arrangea l'ample toge qu'il portait en concert (pour ne pas être serré à la taille) et exécuta quelques notes pour rien, comme s'il voulait chasser un éventuel grain de poussière de son instrument. Puis il guetta les autres musiciens. Suivit le silence de rigueur — celui qui donne presque le ton. Les *Wandering Winds* se concentrèrent pour que leurs identités respectives parviennent à se fondre en un seul et même accord d'ouverture.

Finalement, songea Lydia tandis qu'après le thème d'introduction, la clarinette de Dickie égrenait une variation arachnéenne, peut-être que notre sort à tous sera de figurer en note de bas de page dans sa notice biographique à lui. Et sous l'influence de cette musique allègre et douce, elle se laissa aller à la béatitude de ses succès personnels : elle avait terminé ses études ; élevé ses deux fils dont elle avait fait deux jeunes adultes intéressants et sympathiques ; elle avait un bon métier qui lui permettait de continuer à s'instruire en lui procurant la triple gratification de l'argent, du pouvoir et d'un courrier d'admirateurs fidèles. Elle était toujours séduisante, encore que sa beauté lui demandât maintenant plus d'efforts, et elle avait un amant qui lui plaisait, tout en étant de surcroît un monsieur doux et gentil.

Pourquoi, alors, cette soudaine vague de profonde insatisfaction, là, sur le territoire de Cate, alors que la voix mélancolique et nasillarde du hautbois se mêlait à celle, plus légère, de la clarinette ? Elle s'attendait à une réaction de ce genre à laquelle elle s'était préparée. Mais tout de même, pourquoi ? Que manquait-il à son bonheur ? Qui ou quoi lui faisait encore défaut ? Que pouvait-elle espérer de plus ? Quel étrange pouvoir l'univers de Cate exerçait-il sur elle ? Ce n'était pas de la jalousie, en tout cas ! Elle n'aurait certainement pas la mesquinerie d'envier à Cate ces cinquante hectares de terres autour d'une vilaine petite maison sans grâce ; ni ce travail épuisant et incertain qui l'obligeait à prendre l'avion pour aller vendre ses cours aux quatre coins du pays ; Lydia ne pouvait également que se réjouir pour sa sœur de la présence de ce monsieur venu pour elle depuis l'Iowa : il devait beaucoup tenir à Cate pour avoir fait le voyage. (Si Cate avait eu ce fameux bébé, il serait entre Tiffany et Liza Bee par l'âge et gambaderait aujourd'hui en leur compagnie. Lydia se demanda si M. Jernigan, assis là-bas à côté de Theodora et apparemment heureux, avait ce genre de pensée.) Alors pourquoi cette étrange tornade qui s'engouffrait soudain dans sa maison bien rangée, malgré les portes et les volets soigneusement tirés, pour repartir comme elle était venue, au moment précis où Lydia cessait d'en redouter les éventuels dégâts ?

« Les voilà, tes souris, hein ? murmura Stanley dans le cou de Liza Bee où perlait une sueur douceâtre. Je les entends, écoute. » L'enfant lui rendit le câlin puis, n'y tenant plus, elle se dégagea de son étreinte pour aller rejoindre Tiffany et ses grands frères. Moyennant quelques cajoleries, elle ne tarda pas à les entraîner tous dans une grande ronde ; ils agitaient leurs bras comme des papillons, ou des avions, au rythme de la musique.

Le spectacle des manifestations d'affection de Stanley pour Liza Bee fit courir un long frisson de désir sur la nuque de Lydia, comme si les lèvres de son amant venaient de se poser sur son cou à elle. Et si Cate nous étonnait tous en épousant finalement M. Jernigan ? Je serais alors la seule vieille fille de la famille. Tout à l'heure, Lydia avait surpris Stanley en grande conversation avec Heather : ils devaient parler médecine... Mais une telle tristesse s'était inscrite d'un coup sur son visage, tandis qu'elle essayait de chasser l'image de sa mère avec Marcus, de Cate avec Jernigan, de Stanley avec Heather et d'elle avec personne, que plus tard, ce soir-là, dans l'intimité du grand lit partagé, Stanley lui demanderait : « Pourquoi faisais-tu cette tête d'enterrement, chérie, pendant le concert de Dickie et ses amis cet après-midi ? » Et elle répondrait : « Stanley, je parle sérieusement cette fois. Est-ce que tu as toujours envie de m'épouser ? » avant d'éclater en sanglots dont le motif lui échapperait totalement.

Le visage de maman, songea Leo, assis par terre à côté de Camilla, tandis que les accords magiques jouaient malicieusement avec la gamme... Le visage de ma mère quand elle est sortie de la maison pour courir à la rencontre de Dickie... L'image de la béatitude, il n'y a pas d'autre mot. Elle m'admire, elle m'estime, elle sait qu'elle peut compter sur ma parole mais, dans le fond de son cœur, c'est Dickie qui fait son bonheur. Les doigts de Leo cherchèrent ceux de son épouse sous le poncho où ils jouèrent un sensuel petit duo.

Marcus Chapin se réjouissait toujours d'avoir la compagnie de ses « nouvelles filles », comme il les appelait galamment. Au début, il avait eu un faible avoué pour Cate. Si je pouvais avoir deux grandes discussions véhémentes avec elle tous les ans, disait-il à Nell, je serais prémuni contre tout risque de sénilité intellectuelle. Il y a bien longtemps, à l'époque où il étudiait la théologie au séminaire, un de ses professeurs les plus audacieux leur avait exposé la thèse suivante : pour affirmer Sa divine conscience, Dieu se livrerait à des expériences sur certaines personnes. Ces dernières ressentaient davantage le besoin d'affronter le monde et de se laisser déchirer ou abattre dans la lutte. Dans ce monde elles prenaient le bien, ou le mal, ou les deux, qu'elles absorbaient pour les restituer sous une autre forme. Selon l'issue de l'opération, on les décrétait saints ou pécheurs. Cette théorie un peu trop manichéenne pour la sensibilité idéaliste de Marcus était néanmoins restée gravée dans sa mémoire. Et lorsque Cate avait fait irruption dans sa vie, la thèse de son vieux professeur eut tendance à resurgir plus souvent dans ses méditations. Non que Cate méritât l'épithète d'extrémiste. Nell disait du reste qu'elle s'était sensiblement assagie. Elle n'avait d'ailleurs rien d'une exaltée, en ce moment précis, à demi allongée dans l'herbe ; accoudée sur ses deux avant-bras, la tête rejetée en arrière, les yeux mi-clos, elle savourait l'instant avec la volupté féline d'un chat au soleil. Pourtant, même cet abandon avait un côté absolu ; Cate se donnait toujours plus totalement au présent que la moyenne des gens. Et ce morceau du présent serait marqué du sceau du soleil et du bonheur. Marcus s'avisa qu'il n'était pas seul à observer Cate attentivement. Il salua donc poliment ce M. Jernigan que Cate était venue leur présenter la veille et il reporta son attention sur les musiciens.

Pour lui, Lydia avait été une personne que l'on apprécie à la longue et, maintenant que le pas était franchi, il l'aimait de plus en plus. Lydia n'était pas la femme froidement calculatrice qui l'avait d'abord rebuté. Au contraire, elle devait être infiniment plus vulnérable qu'elle-même le soupçonnait. Quant à son inlassable dynamisme, il semblait surtout lié à son sens des responsabilités. Si Cate était un cobaye pour la conscience divine, alors, pour reprendre l'expression de Wordsworth dans l'*Ode au devoir*, Lydia était sa fille raisonnable. En bref, Lydia davantage que Cate éveillait un sentiment paternel en Marcus et ce sentiment lui était d'autant plus précieux qu'il n'avait jamais eu d'enfant à lui.

Vint l'adagio, semblable à un changement de lumière dans le ciel. Les joues écarlates, le hautboïste nommé Potter se livra à de poignantes contorsions au rythme de son solo. Sous les yeux de tous, les feuilles d'un jeune érable, juste derrière le poulailler d'Osgood, prirent une couleur différente. Caustiques, les notes s'égrenaient comme autant d'aiguillons dans le cœur de ceux qui les écoutaient... *Tu te souviens ?... Tu souffres encore ?... Tout passe, va, mais cela fait partie de la beauté de la chose.*

Installés dans les sièges multicolores apportés par Tom, certains finirent par regarder au-delà du paysage qui devint une sorte de voile : derrière ce voile, chacun découvrit d'autres paysages, d'autres visages, d'autres fantômes.

Aïe ! pensa Dickie. Potter vient de faire une fausse note ; mais un rapide coup d'œil circulaire lui permit de conclure que personne n'avait rien remarqué.

Le pouvoir mystérieux de la musique, rêva Nell... surtout dans ces conditions, jouée par de jeunes gens aux joues roses, et à ciel ouvert. Les gens semblent se rapprocher en même temps que chacun s'évade dans sa rêverie personnelle.

Etonnant aussi, notre rassemblement, sur le bout de montagne de ce vieil Osgood. Je parie que de toute sa vie, lui-même n'a jamais réuni autant de monde chez lui, encore qu'il fût devenu plus sociable sur ses vieux jours. Peut-être n'eut-il en fait jamais de véritable vocation d'ermite et attendait-il simplement d'éventuels visiteurs...

Autre mystère, qui vient seulement de m'apparaître : sans moi... et sans Leonard... la plupart des gens réunis ici ne seraient pas présents. Il n'y aurait ni Lydia, ni Leo et sa jeune femme, ni Dickie et sa clarinette, ni Cate pour organiser cette fête. Pas de Heather non plus, l'amie de Cate, ni de M. Jernigan. Et pas de Stanley qui est tellement gentil avec la pauvre petite dernière de Max. Pas de petite dernière de Max évidemment. Alors mon Dieu, qui resterait-il ? Theodora, bien sûr : un programme à elle toute seule... et qui dicterait sa loi. L'Azalea de Theodora. Et Sicca qui fut la camarade de classe de Theodora bien avant que je la connaisse. Wickie Lee et sa descendance ? Là les choses se compliquent un peu : c'est Theodora qui l'a découverte la première fois, mais c'est Cate qui l'a ramenée.

Reste Marcus. Il est ici parce que Merle était une vieille amie d'école. Et Merle était une vieille amie d'école parce que ma mère est tombée malade et que nous avons dû venir à Mountain City. Mais je n'aurais peut-être jamais revu Merle si Leonard n'était pas mort et si les filles n'étaient pas venues avec moi vider la villa d'Ocracoke. C'est donc à eux que je dois la présence de Marcus dans ma vie : à ma mère, à Merle et à Leonard.

Au volant de sa voiture, en rentrant chez elle un soir dernier, après son cours de secourisme, Nell s'était mise à pleurer devant l'endroit où Leonard et elle avaient quitté la chaussée, un 16 décembre, six ans auparavant. Elle pleurait d'autant plus qu'elle ne comprenait pas comment Leonard pouvait autant lui manquer alors même qu'elle était heureuse. Ces larmes constituaient une sorte de pont entre deux situations, et elles lui furent une sorte de réconfort.

A son arrivée, elle trouva Marcus au lit. Il l'attendait. Le premier homme de sa connaissance qui lisait au lit. Elle avait toujours pensé qu'il s'agissait d'une habitude typiquement féminine. Mais elle ne détestait pas. Elle aimait bien cette façon d'être attendue, avec la possibilité pour elle de percer un peu le secret de ses méditations, en regardant ce qui était empilé sur la table de chevet. Leonard s'était toujours enfermé dans son bureau pour y entretenir un commerce secret avec les philosophes et les historiens. Puis il arrivait au lit, le visage épanoui ou maussade, sans qu'elle pût jamais savoir qui était à l'origine de sa belle humeur ou de son tourment. Marcus allait jusqu'à écrire dans son lit où il préparait ses sermons pour la maison de retraite, notant des citations et travaillant inlassablement, avec une juvénile ardeur, à construire une philosophie capable de réconcilier toutes les mutations qui bouleversaient le monde contemporain, avec les traditions auxquelles il demeurait profondément attaché. Il lui arrivait parfois de noter une réflexion sur Merle ; comme il pouvait également consigner ses pensées sur Nell et certains aspects de leur nouvelle vie commune. Exceptionnellement, avec une solennité timide et gauche, il lui lisait quelques passages de son carnet.

Le soir où elle était revenue après avoir pleuré sur la fameuse voie express, Nell avait demandé à Marcus si lui aussi vivait avec l'impression, parfois, de mener une double existence dont une part serait située dans le présent, avec elle, tandis que l'autre appartiendrait au passé et à Merle. Bien sûr, avait-il répondu. Et ils étaient restés allongés dans les bras l'un de l'autre, à évoquer des souvenirs de Merle et de Leonard. Presque comme s'ils étaient réunis, tous les quatre.

Puis... autre mystère : à son âge et à celui de Marcus... Ils goûtèrent ensemble un de ces plaisirs de la vie dont elle avait cru le temps définitivement révolu pour elle. Une onde de chaleur envahit son corps, puis son visage, et elle sentit un sourire se dessiner sur ses lèvres tandis qu'elle revoyait avec étonnement certaines nuits récentes. Elle ferma vite les yeux, comme si ce geste pudique pouvait suffire à effacer les marques d'un tel trouble.

Eh bien, songea Dickie dont le regard se posa par hasard sur sa grand-mère avant de se lancer dans un duo avec le cor, notre musique la met dans un état extatique !

Table

Epilogue

Table

Épilogue

Cet ouvrage a été composé par Facompo
et imprimé par la S.E.P.C. à Saint-Amand-Montrond (Cher)
pour le compte des éditions Presses de la Renaissance
Achevé d'imprimer le 2 février 1983

Dépôt légal : février 1983.
N° d'impression : 179.
Imprimé en France